CW00684439

MI LIBERTAD

OLD-QUARTER IV

DAMA BELTRÁN

1° edición en papel: mayo 2021

Diseño de cubierta: Maiki Niky Design
Maquetación: Maiki Niky Design
Corrección: Paola C. Álvarez

Querido/a lector/a, has elegido el libro de Bruce. He de advertirte que encontrarás en esta novela capítulos que pueden herir tus sentimientos, de ahí que hayamos colocado +18 en la portada. Te recuerdo que todo lo que vas a leer es producto de mi imaginación, nada es real, y que no soy una escritora que fomente la violencia, ni incito a que te conviertas en justiciero/a.

Atentamente,

Dama Beltrán

El Gran Dragón de Fuego no puede rendirse, no alberga misericordia, no tiene corazón y su maldad es incomparable… Pero lo que el Dragón de Fuego no sabe es que bastará una sola mirada de ella para dominar al monstruo que vive en él.

Dama Beltrán, 21 de julio de 2018.

Para Maiky Niky, con muchísimo cariño.
Gracias por ayudarme.

PRÓLOGO

Nueva York, 4 de mayo de 2017.
Cinco años después de la tragedia en Old-Quarter.

La sangre brotaba de su nariz. Bruce se llevó el antebrazo hacia esa nariz sangrante y limpió el pequeño hilo que resbalaba por su labio superior. Sus ojos se clavaron en quien debía derrotar esa noche. Todavía le quedaba un asalto más para que el juez de esa noche le alzara el brazo en señal de victoria.

—¡Siéntate! —ordenó este tras empujarlo hasta una esquina del cuadrilátero.

—Estoy bien —aseguró después de sacudir de nuevo la cabeza y rociar al público con su propio sudor.

—¡Un minuto! —gritó el árbitro sin hacer caso a las palabras de Bruce y levantando el dedo índice de la mano izquierda muy cerca de su rostro.

Con los ojos rezumando rabia, Malone observó a su alrededor. Buscaba con la mirada la figura que debía indicarle cuándo liberar a la bestia que albergaba en su interior y destrozar al contrincante de esa noche.

Siempre actuaban de la misma forma; dejaba que el adversario creyera que tenía una mísera posibilidad de ganar y, de esta forma, las apuestas contra él aumentaban. Luego, en el último asalto, justo cuando ambos estaban empatados, Ray lo miraba y le daba carta blanca. En ese momento, el verdadero Bruce Malone aparecía en la lona…

Tomó aire, reclinó la cabeza sobre la acolchada esquina y continuó mirando el lugar. Los hombres pasaban de un lado a otro los fajos de billetes que apostaban mientras un joven, vestido con camisa blanca y pantalones negros, anotaba las nuevas apuestas en una libreta. Apartó los ojos de ellos, aburrido de contemplar siempre lo mismo, y examinó a las mujeres. Chasqueó la lengua al pensar que esa noche no tendría suerte. Ninguna se asemejaba a esas muñecas frívolas que usaba para calmar la adrenalina que tendría después del combate. Arrugó la nariz al imaginarse otra velada en el club Sweet Venus. Mientras pensaba en la prostituta que elegiría esta vez, se topó con la sonrisa de una rubia. Camiseta corta y una minifalda de cuero negro. Bruce movió la cabeza, aceptando la invitación que le ofrecía a través de su mirada. Ella descruzó las piernas, mostrándole lo que apenas podía tapar su tanga. Malone sonrió. Bien, tenía un plan. Cuando terminara la absurda pelea y Ray contara las ganancias, tendría la oportunidad de calmar su sed de sexo. Un guerrero lo necesitaba después de una dura pelea…

—¡Arriba! —ordenó el árbitro, moviendo las manos.

Mientras uno de los hermanos apartaba la banqueta del *ring*, el clamor de la gente regresó. Bruce giró levemente la cabeza hacia el lugar donde se encontraba Ray; este asintió. Por suerte para él, la pelea estaba llegando a su fin.

—¿Estás bien, muchacho? —quiso saber el árbitro.

—Por supuesto… —le aseguró.

Notó cómo su inmenso cuerpo, trabajado y forjado entre el gimnasio y cientos de duras peleas, aumentaba de tamaño, al igual que lo haría un monstruo al sentir el triunfo de una batalla. *Dragón de fuego.* Ese era su apodo desde que comenzó en el mundo del boxeo, un dragón que podía arrasar ciudades enteras cuando la cólera se adueñaba de él.

Bruce miró a su contrincante y movió levemente los labios. Esa mueca sonriente puso en alerta al rival.

—¿Me temes? —preguntó en voz baja al tiempo que el juez daba un paso hacia atrás.

—No —respondió su adversario armándose de valor.

—Mal hecho… —susurró antes de lanzar el primer derechazo.

Ray lo contempló con orgullo desde la distancia. En el pasado, no habría apostado por aquel joven ni un mísero dólar. Sin embargo, después de varios años bajo su protección, se había convertido en el mejor de sus hombres. Una sonrisa sombría le cruzó el rostro al ver cómo asestaba sin respirar un puñetazo tras otro. La espalda del musculoso muchacho se tensaba en cada golpe y esos enormes tatuajes cobraban vida. Un monstruo sediento de sangre, eso era Bruce Malone. Ya no había nada del asustadizo muchacho. Todo había cambiado en él; allí donde tiempo atrás halló un delicado y casto niño, ahora se encontraba el hijo del Diablo, su hijo, ese que había deseado tener. Atrás quedaron los recuerdos del puto mecánico, de la vida que vivió en aquel pueblo de mierda y el miedo por el que se alejó. Ahora era una máquina de hacer dinero. Ray soltó una sonora carcajada cuando Bruce ganó. Dio un pisotón sobre el suelo. Su muchacho lo había logrado de nuevo. ¿Cuánto recaudarían esta vez?

—Dame tu brazo, chico —pidió el árbitro a Bruce. Obediente, él se lo dio—. ¡Y el ganador es... Dragón de Fuego! —anunció en voz alta para que pudieran escucharlo por encima de los vítores.

—¡Estaba amañado! —gritó uno de los asistentes que permanecía sentado en la primera fila.

Ante esa acusación, Bruce soltó el brazo que alzaba el árbitro, clavó los ojos en el imbécil que había dicho aquello y salió del ring apartando las gruesas cuerdas del cuadrilátero. Los espectadores que había alrededor del infeliz se apartaron horrorizados, como si delante de ellos se hallase un león hambriento. El inconsciente se atrevió a levantarse para encararse con el luchador, pero cuando observó el fuego de los ojos de este le temblaron las piernas. Concluyó, con rapidez, que todo lo que hiciera, salvo pedir disculpas, sería motivo suficiente para salir de allí directo al hospital.

—Paga y vete —gruñó Bruce, cogiéndolo del cuello de la camisa—. Salvo que desees averiguar por ti mismo si lo que ha sucedido ahí arriba ha sido una mentira... —continuó con ese tono que ponía los pelos de punta.

Asustado, temblando de miedo, el hombre sacó del bolsillo el dinero que había jugado y se lo dio al muchacho que había en el pasillo. Este lo cogió y continuó su tarea sin inmutarse.

—Buena decisión —aseveró Bruce, soltando al tipo y dejándolo caer sobre el asiento—. Te aconsejo que la próxima vez elijas mejor tu apuesta.

Mientras el sudor de la pelea y la sangre derramada aún permanecía en su piel, se dirigió hacia la chica que le había sonreído.

—Buena pelea —dijo ella, levantándose del asiento para recibirlo.

—Las he tenido mejores —respondió, colocándose en frente.

Sus ojos ya no mostraban la ira que exhibía durante la pelea. En aquel momento, Bruce era un hombre buscando sexo. Colocó sus manos alrededor de las caderas de la chica y la atrajo hacia él en un brusco movimiento.

—¿Follamos aquí mismo o en el vestuario? —le susurró al acercar la boca a su oído.

—No... sería conveniente... —intentó decir ella, pero aquellas palabras tan directas y rudas le provocaron tal excitación, que no sabía qué decir ni qué pensar.

—En el vestuario, dentro de diez minutos —comentó Bruce tras soltarla de la misma forma que la había acercado.

—Allí estaré —le respondió sin poder apartar la mirada del inmenso titán rubio.

Dejó que el calor de una ducha reconfortara cada parte de su cuerpo que había sido golpeada. Apoyó las palmas sobre el duro cemento y movió la cabeza buscando el lugar donde la presión del agua era más abundante. Su cabello recobró el color dorado. Muy despacio, la espuma fue bajando por su cuerpo hasta llegar al desagüe, arrastrando el sudor y la sangre del combate.

—¿Cuánto? —preguntó a la sombra que se había acercado de manera escurridiza.

—Diez mil —respondió Ray, apoyándose en la pared y cruzándose de brazos. Miró a Bruce entornando los ojos. Después de tantos años juntos, seguía sorprendiéndole que fuera capaz de oír el revoloteo de una mosca a dos millas de distancia.

—¿Diez mil? —Se giró hacia él y lo miró desconfiado.

—Cada uno —aclaró al tiempo que descruzó los brazos y se dirigió hacia el único banco que había en el vestuario—. Ha sido una buena pelea —continuó tomando asiento—, pero la gente ya nos tiene calados. Creo que hay que cambiar de estrategia.

Bruce alargó la mano hacia el grifo, lo cerró y caminó por el vestuario desnudo. Se dirigió a la taquilla que le habían asignado, la abrió, cogió la bolsa y sacó de esta la ropa.

—Tal vez es hora de cambiar de trabajo —dijo intentando no mostrar demasiado interés.

—¿Cambiar? —espetó Ray con una mezcla de enfado y asombro—. Tú mejor que nadie sabes que no podemos volver a realizar trabajillos. Tenemos los cañones de la pasma apuntando a nuestra nuca.

—Aquí no, pero fuera de esta ciudad, sí —propuso—. Nadie puede acusarnos de lo que suceda en Michigan, Detroit o incluso Quebec —enumeró como alternativa.

—Los hermanos no quieren, ni pueden desplazarse. Algunos ya no tenemos energía para recorrer esta maldita ciudad en moto —explicó con autoridad, para que no hubiese dudas al respecto. Por mucho que el muchacho insistiera, no volverían a las calles. Era consciente de que la próxima vez que le tendieran una emboscada, no tendría tanta suerte. Lo mejor para todos eran los combates.

—Pero sí la tienen para poner la mano cuando regresamos de una pelea —refunfuñó Bruce—. Ellos solo quieren la pasta mientras el gilipollas de Malone ofrece su cuerpo para que le golpeen como si fuera un saco de boxeo —continuó hablando con los dientes apretados.

—Las cosas no son así —dijo Ray, levantándose para mostrar su autoridad—. Si no quieren que salgamos, no podemos hacerlo.

—Pues siendo así, yo tampoco seguiré ofreciéndome como carnaza para buitres. Si he ganado diez mil esta noche, porque he tenido que repartir, ¿cuánto crees que podría haber obtenido si trabajara solo? —atacó alzando la voz.

—¡¿Solo?! —Tras esa pregunta, Ray soltó una gran carcajada—. Muchacho —agregó, poniendo su mano sobre el hombro de Bruce—, no lograrías respirar ni dos míseras horas si decidieras librarte de nosotros.

—¿Nosotros? —repitió, enarcando la ceja izquierda mientras la ira que sentía se reflejaba en sus ojos—. ¿Serías capaz de darme de lado para apoyarlos?

—Yo no puedo luchar contra los hermanos y tú tampoco. Acata las órdenes y no pienses, por ahora nos ha ido muy bien. Tal vez, cuando no seas capaz de ganar ni a un principiante escuálido, ellos pensarán otra opción para ti. Hasta entonces, levanta tus puños y no pierdas.

—No lo entiendo —mascullό—. Es decir, todo aquello que me dijiste, que me prometiste... —añadió retándolo con la mirada.

—Lo cumpliré cuando llegue el momento y ahora, deja de decir gilipolleces y complace a la puta que has decidido follarte —indicó mirando a la mujer que entraba por la puerta—. Estoy seguro de que cuando metas tu polla en ese coño caliente, tu mente se relajará y volverás a ser el muchacho de siempre. —Le dio una palmada en la espalda húmeda y caminó hacia la salida. Una vez que se quedó frente a la joven, la miró de arriba abajo y sonrió—. Hazle una buena mamada, la necesita y, cuando termines, búscame. Quiero comer el coño que ha usado el ganador. —Sin darle tiempo a reaccionar, Ray metió la mano bajo la falda. A continuación, la sacó y se le llevó a la nariz.

—Ray… —gruñó en señal de advertencia.

—¡Tranquilo! —exclamó, levantando las manos—. Jamás te quitaría un premio. Como has escuchado, le he pedido que venga después de complacerte —añadió antes de sonreír a la chica y dejarlos solos.

—Ese carcamal es un hijo de puta —comentó la muchacha, caminando hacia él—. ¿Quién se cree que es?

—Mi padre —respondió Bruce.

—Lo siento… —dijo confundida—. No tenía ni idea de que… —Miró hacia la puerta y luego observó al luchador.

—¿Sigues caliente? —preguntó Malone, atrapando una de las hebillas de la falda para acercarla a él.

—Prueba… —lo instó mientras apoyaba las manos sobre el pecho desnudo.

Bruce aceptó con gusto la ofrenda. Colocó la palma derecha sobre su muslo y fue arrastrando la minúscula tela de la falda hasta convertirla en un cinturón ancho. Metió los dedos entre los lazos del tanga y tiró de ellos hasta arrancarlos.

—Salvaje… —murmuró la joven con voz ahogada por la pasión.

—No te imaginas cuanto —aseguró antes de penetrarla con los dedos.

Mientras ella gritaba al ser masturbada, Malone le levantó la camiseta y el sujetador hasta que los pechos quedaron al descubierto.

—Grita, perra, grita —le dijo al oído—. Grita hasta que te quedes sin voz. Entonces te arrodillarás ante mí y me chuparás la polla, ¿entendido?

Ella asintió, presa de ese estado de frenesí que aquel gladiador le provocaba. Una vez que gritó como le había dicho y el clímax la sacudió hasta dejarla exhausta, se arrodilló y, sin apartar la mirada de él, comenzó a meterse aquel grueso y duro falo en la boca. Con rapidez, Malone colocó sus enormes manos sobre la rubia melena para indicarle cómo debía moverse.

—Chupa… Chupa… Déjame que te folle la boca… —pedía una y otra vez.

Su cuerpo se endureció. Cada tendón, cada músculo que cubría su esqueleto se marcaba con una precisión perfecta. Desde la cabeza a los pies, Bruce era puro acero, puro hierro forjado.

—¡Trágatelo! —gritó cuando notó salir el semen hacia el interior de la boca de la oportuna amante. Ella intentó apartarse en ese momento, pero las manos del luchador impidieron que se alejara—. ¡Te he dicho que te lo tragues! —ordenó colérico.

Los ojos de la muchacha cambiaron de color, ya no eran oscuros por la pasión, sino rojos ante la ira que había crecido en ella.

Cuando apartó la boca al fin, se levantó y le escupió el semen en la cara. Bruce sonrió y se limpió con el antebrazo.

—¿No te ha gustado? —preguntó tras respirar hondo.

—¡Que te follen! —exclamó ella caminando hacia atrás.

Tras soltar una sonora carcajada, Bruce se volvió hacia su bolsa de ropa y comenzó a vestirse.

—¿No has tenido suficiente? —preguntó sin mirarla.

—¿Así es cómo se comporta el Dragón? —le respondió con repulsión y desprecio.

—Así es como hoy me he comportado contigo. No me gustas —añadió tras meterse la camiseta.

—¿Me has utilizado para una mamada? —replicó más enfadada si eso fuera posible.

—¿Te he obligado a venir? —le preguntó, dando un solo paso hacia ella.

—No. He venido porque he querido, porque deseaba averiguar si lo que decían de ti era cierto.

—No lo es —contestó dándose de nuevo la vuelta—. Soy un hijo de puta, nada más. Y ahora, márchate. Quiero estar solo.

Cuando escuchó los pasos de ella, la tensión de su espalda desapareció. Era lo único que podía ofrecer a todos y a nadie en concreto. ¿Qué le dijo Ray cuando comenzó a pelear? «Si alguien encuentra tu talón de Aquiles, lo utilizará para destruirte». Por ese motivo dejó a su padre olvidado, pese a echarlo de menos. Raro era el día que no se despertaba con una pesadilla sobre lo ocurrido. «Si pudiera retroceder en el tiempo —se había dicho en varias ocasiones—, no habría hecho esa locura...». Intento de secuestro, llevar a un criminal hasta su pueblo, que una bala fuera directa hacia la hija de los Sanders, gracias a Dios impactó en el hombro de Gerald... Y todo, ¿por qué? Porque se había encaprichado de una mujer que solo lo miraba como a un hermano.

—¡Puta mierda! —exclamó, golpeando la puerta de su taquilla con el puño cerrado. Se lo merecía, todo aquello se lo había causado él solito y, como decía su querido padre cuando era niño: «Uno recoge lo que siembra». Su vida había cambiado, él se había transformado y nadie podía salvarlo de la destrucción hacia la que se dirigía.

Se terminó de vestir y se echó la bolsa al hombro. Tras echar un último vistazo para confirmar que no se había olvidado nada, caminó hasta la salida pensando dónde podía guardar el dinero obtenido antes de que los *queridos hermanos* se lo robaran.

CAPÍTULO I

UN VERDADERO CAFÉ, POR FAVOR

El móvil no paraba de sonar. Llevaba algo más de una hora escuchando cómo intentaban contactar con él a través de mensajes de WhatsApp, pero no deseaba levantarse y confirmar que era Ray. Se giró en el colchón, cogió la almohada y se la puso sobre la cabeza. No le sirvió de nada, seguía escuchándolo. Cabreado por la insistencia, alargó la mano y desbloqueó el móvil.

Espero que la puta te haya calmado y pienses con claridad. Próximo combate dentro de tres semanas, en el almacén de los Fiusters. Tu contrincante será el Gran Shabon y ese no se rendirá con unos simples derechazos. Por cierto, los hermanos quieren celebrar tu triunfo. Te esperamos esta noche.

Tras leer dos veces el mensaje, se sentó, apoyó las plantas de los pies en el suelo y se apartó algunos mechones que caían sobre su rostro. Bruce respiró hondo y asumió que, sin haberse recuperado de las heridas de su último combate, ya tenían programado otro. Por ahora había salido airoso, pero el próximo rival era un hueso duro de roer. Según había escuchado en los vestuarios, era el adversario más peligroso con el que podías luchar. Pero ese detalle no les importaba a los hermanos. Solo querían las ganancias que podrían obtener en la pelea. Las apuestas serían tremendas y aquellos que ganaran, apostando al vencedor, saldrían del almacén custodiados por unos guardaespaldas mientras arrastraban grandes sacos de dinero. «Todo o nada», se dijo. Ese era el resumen de su próxima pelea. O terminaba convirtiéndose en el luchador más poderoso de Nueva York o en un cadáver.

Se tiró de espaldas sobre el colchón después de responder a Ray con un simple *OK*. Era más que suficiente para confirmarle que aceptaba la pelea a pesar de no estar conforme. ¿Habrían pensado en las secuelas que tendría después de ese combate? No, lo único que les importaba era saber cuánto podían apostar y cuáles serían las ganancias.

Extendió las manos, miró al techo y cerró los ojos. ¿Alguna vez pensó que su vida se convertiría en una montaña de mierda? No. Todos sus sueños se basaban en tener una vida en Old-Quarter, junto a las personas que añoraba y amaba. ¿Qué estaría haciendo la señora Kathy? ¿Seguiría repartiendo sus guisos? Nadie, por muy ocupado que se encontrara en sus tareas de campo, rechazaba un guiso de la anciana, ni tampoco el pastel de Marcia, la cartera del pueblo. ¿Y su padre? ¿Se las apañaría solo en el taller? ¿Se acordaría del hijo que lo traicionó? La última vez que lo vio estaba tan borracho que no fue capaz ni de abrir los ojos cuando le quitó las llaves.

Añorando aquella época, se levantó y se dirigió hacia la cocina para prepararse un café. Tenía que dejar de pensar en cómo habría sido la vida en el pueblo porque la idea de regresar estaba descartada. En cuanto pusiera un pie allí, no le cabía la menor duda de que lo aniquilarían. Bruce sonrió divertido. En el pasado, Thomas le habría dado un puñetazo en el estómago y lo habría lanzado al otro extremo de la calle. Ahora, después de convertirse en un bloque de hormigón, al *cowboy* le costaría algo más que un derechazo para moverlo. Con esa idea divertida en su mente, abrió la puerta donde guardaba el café molido, lo vertió en la cafetera y la conectó. Sus ojos azules se clavaron en ese envase. Supuestamente, lo había comprado porque leyó que era autóctono de Texas, pero mentía. Aquel sabor dulzón no se originaba en su tierra. El de verdad, ese que añoraba tomar desde hacía ya cinco años, podía matar a un hombre de un solo trago.

—¡Qué asco! —exclamó la primera vez que su padre le dio de beber café—. Esto puede destrozarme el estómago.

—Un verdadero texano toma ese fuerte brebaje hasta que corra sangre oscura por sus venas —apuntó divertido Dylan mientras ayudaba a su hijo dándole unas palmadas en la espalda.

—¿Quieres matarme? —preguntó sin dejar de toser.

—Cuando tu estómago se acostumbre, ni el veneno de una serpiente cascabel será capaz de matarte —le aseguró sin dejar de reírse.

—Antes me mata esto que una mordedura. —Bruce miró el interior del vaso, tomó aire y se tragó todo lo que quedaba de un sorbo.

Media hora más tarde tuvo que ir corriendo a la clínica de Mathew, su estómago le quemaba tanto, que notaba cómo las llamas ardían en su interior. Una vez que el antiácido hizo su efecto, pasó el resto de la tarde corriendo al wáter.

Cogió la taza después de servirse el engañoso líquido y caminó despacio hacia el balcón. Abrió las ventanas y dejó que una brisa primaveral impactara contra su cuerpo desnudo. Después de mirar hacia el horizonte y que sus ojos no advirtieran nada más que enormes edificios, se apoyó en la barandilla para continuar bebiendo ese mejunje aromático.

—¡Eh, tú! —gritó una voz femenina desde el edificio contiguo—. ¿Quieres darnos otro espectáculo?

Despacio, Bruce giró el rostro hacia la ventana de donde procedía la voz y sonrió de mala gana.

—¿Quieres uno? —le respondió, enfadado.

—¡Vístete! ¡No vives en una maldita jungla! —continuó replicando la mujer.

—¡Cierra las putas ventanas y deja que los demás hagamos lo que nos dé la gana! —le gritó.

—¡Asqueroso naturista! —escupió ella, encajando las bisagras de la ventana.

Pero no se apartó de allí, esperó que el indecente entrara en el piso y se vistiese. Aunque no fue así. Cuando observó lo que él hacía, sus ojos se abrieron como platos, su rostro palideció y su frente se golpeó contra el cristal. Aterrorizada y con las manos temblando corrió la cortina para finalizar la horripilante escena.

—¿Quién es? —preguntó su hija, intentando subirse a la silla.

—¡Nadie! —exclamó sofocada—. Venga, lávate los dientes y vamos al cole.

Bruce dejó de tocar su sexo una vez que la mirona echó la cortina. Estaba cansado de que lo vigilara todo el tiempo. Parecía que no tenía nada más importante que hacer salvo recriminarle todo lo que hacía. La última vez, cuando llevó el colchón a la terraza para poder contemplar las pocas estrellas que había en el cielo, le gritó que se metiera en su casa, que no era el lugar adecuado para dormir y que sus hijos, al verlo, no paraban de fastidiarla porque querían hacer lo mismo. ¿Qué culpa tenía él que naciera tan amargada? Lo normal habría sido que ella decidiera sacarlos fuera y contarle mil historias sobre las estrellas.

Sin dejar de beber, caminó hacia el interior. Por suerte o por desgracia, él debía centrarse en cumplir una misión: la de prepararse para la próxima pelea y no iba a malgastar su tiempo pensando en los vecinos.

—¿No estás contenta con la noticia? ¿No soñabas con este momento? —le preguntó Corinne cuando Ohana le explicó lo que le había sucedido al terminar las clases.

—Sí —respondió sin más.

La verdad era que seguía en *shock*. ¡Uno de sus mayores sueños podía hacerse realidad! Pero tenía que tranquilizarse para hacer las cosas bien.

—¿Qué le respondiste? —insistió en saber Corine mientras caminaba nerviosa por el salón—. Dime que tu respuesta fue un grandísimo *sí*.

Ohana no apartaba la vista de la pantalla de su ordenador. Estaba tan preocupada en buscar la carpeta donde guardaba los bocetos, que no prestaba atención a la euforia de su amiga. Cuando la halló, clicó desperada en su interior y revisó esos diseños. Nunca imaginó que aquellos que denominó *horribles de la muerte,* captara la atención de Bartholomew. Para su entender, eran demasiado atrevidos.

Sin apartar la mirada de las imágenes, fue repasando una a una. ¿De verdad que podía revivir esa tendencia? ¿La mujer actual necesitaba regresar al pasado para sentirse sensual? No. Era ella la única que deseaba regresar a la época en la que las figuras femeninas no mostraban un exagerado raquitismo. Por ese motivo plasmó el tiempo en el que las curvas fueron seductoras. Pero había exagerado en sus dibujos porque... ¿cómo se le había ocurrido combinar encaje con látex? ¡Por el amor de Dios, qué disparate!

—¡Ohana! —exclamó Corinne desesperada al no tener una respuesta.

—Acepté —confesó sacando de la muñeca un coletero para recoger su larga melena negra con él.

—¿Y? —perseveró su amiga.

—Y me ha dicho que tengo un mes para elegir dos de todos estos. Quiere que los presente en el desfile de agosto —terminó de aclarar.

—¡Menuda oportunidad, chica! —gritó feliz—. ¡Todo el mundo acude al *End of August*!

—Lo sé... —dijo a través de un largo suspiro.

—¿Cuántos te ha pedido? —Corinne se apoyó con los antebrazos en el respaldo del sofá para observar mejor los diseños.

—Quiere dos, pero no sé cuáles elegir.

—¡Fácil! —señaló, retirándose de ella—. El tiempo de calor termina y hay que ofrecer un avance de la próxima temporada.

—¿Temporada otoño? —espetó, mirándola de reojo—. ¿Y qué hago con los demás?

—Los guardas para el próximo desfile —le sugirió—. Aunque... —Corinne entornó los ojos y se llevó un dedo a los labios.

—¿Aunque? —insistió ella, atenta.

—Pensándolo mejor —se volvió hacia ella—, creo que deberías elegir algo que aún huela a verano. Ninguna *celebrity* que se precie vestirá de lana en una aparición pública.

—Pero...

—De verdad, cariño, no te martirices. Busca, de entre todos ellos, algo que los dejes boquiabiertos. Sal de lo corriente, impacta y brilla como una estrella.

—¿Y si me equivoco? —preguntó

—Confía en mí. —Intentó calmarla colocando su mano izquierda sobre uno de sus hombros—. Recuerda que de moda entiendo un poquito —agregó antes de darle un beso en la mejilla.

Y era cierto. Corinne, al trabajar como modelo desde los dieciséis años, tenía bastante experiencia sobre el mundo de la moda y de cómo captar la atención del público. Sin ir más lejos, en su último desfile, armó un gran revuelo. Su vestido era atigrado y se le ocurrió la brillante idea de arrodillarse en mitad de la pasarela y rugir como una tigresa. Ohana se llevó las manos a la cara para no ser testigo de esa catástrofe, pero las apartó cuando escuchó una gran ovación. Al mirar hacia su descarada amiga, le guiñó. Sí, por supuesto, ella sabía mejor que nadie cómo alcanzar su propósito, pero tenía que sopesar esa decisión. Si todo marchaba bien, conseguiría el mayor objetivo que se había planteado en su vida.

—¿Quieres que te ayude? —se ofreció Corinne mientras se paraba en mitad del pasillo, rumbo a su habitación.

—No, voy a hacerlo sola. De este modo no te culparé si no lo consigo —comentó dibujando una leve sonrisa.

—Como quieras… —dijo, retomando su camino.

Ohana miró de nuevo el ordenador, intentando centrarse en esos bocetos, pero su mente no la obedecía. Tras resoplar, bajó la pantalla del ordenador, lo desenchufó y, con él en brazos, se levantó.

—¿Vas a salir? —preguntó Corinne.

—Sí, voy a tomarme un café —le explicó mientras se colocaba frente a la salida, metió el asa de bandolera plana por la cabeza, cogió las llaves y miró hacia la puerta del dormitorio de su amiga—. ¿Vienes?

—No. Voy a dormir un rato —comentó, sacando la cabeza del dormitorio para responder.

—¿A estas horas? —espetó, mirando el reloj para confirmar que eran las cuatro de la tarde.

—Si quiero estar hermosa e ideal, necesito descansar —le explicó mientras se acariciaba el rostro con las manos.

—¿Tienes una cita? —le dijo burlona.

—Sí, con un tal Ralph, ¿te suena?

—¿Ralph? ¿Ese Ralph? —repitió Ohana atónita.

—El mismo y, si Dios es justo, yo también veré cumplido uno de mis sueños. —Corinne salió al pasillo y después de saltar, regresó a su dormitorio.

—Nos vemos dentro de un rato —comentó antes de salir.

—No tengas prisa —le respondió.

Ohana respiró profundo tras echar la llave. Debía calmarse para poder elegir qué bocetos serían los más interesantes. Como le dijo Corinne, era una oportunidad que no podía desaprovechar. Si lo conseguía, no solo obtendría reconocimiento social, sino que al fin sería ella quien pudiera mandar dinero a su madre. Había sabido administrar el dinero de las becas, pero últimamente tenía más pagos que ingresos. Metió el ordenador en el bolso, cerró la cremallera y decidió bajar por las escaleras para quemar adrenalina. Luego, corrió hasta Quaid-Tex, el único establecimiento en el que de verdad se podía beber un auténtico café texano.

El visor de la cinta le indicó que había corrido cincuenta kilómetros. Pero Bruce no se contentó con eso, necesitaba más. Usó tres máquinas distintas de pesas, golpeó hasta la extenuación la pera loca, saltó a la comba durante media hora y, cuando notó que todos sus músculos estaban despiertos, se colocó frente al saco de boxeo y lo atizó hasta quedarse sin aliento.

—Eres una bestia, Malone —le dijo Siney, el dueño del gimnasio. Un hombre de unos cincuenta años de edad, con la cabeza rapada y con un cuerpo definido por el ejercicio—. Nadie de aquí puede soportar cinco horas de entrenamiento sin descansar ni un solo minuto.

—El cuerpo se acostumbra a todo —respondió, caminando hacia el banco donde tenía la toalla. La cogió y se limpió el sudor con ella.

Siney lo miró en silencio. Cuando apareció por su gimnasio tres años atrás, pidiéndole que le ayudara para convertirse en un buen boxeador, estuvo a punto de echarle de una patada. ¿Cómo iba a transformar a un joven escuálido y débil en un luchador profesional? Pero no se negó. Siney no supo si fue la desesperación que observó en sus ojos azules o la fortaleza que notó en su tono de voz. Fuera lo que fuese, lo aceptó. Pese a que no tenía mucha fe en el muchacho, le preparó un entrenamiento que debía realizar a diario. No faltó ni un solo día. Por ese motivo, comenzó a pedirle que acudiera cuando él llegara y, de este modo, alargar los entrenamientos un par de horas. Bruce no se quejó y le obedeció. Algunas veces, mientras repasaba las facturas, lo observaba a través del cristal de la oficina y se sorprendía de su entereza. Nunca se rendía. El muchacho seguía y seguía hasta caer rendido sobre el suelo.

Cuando acordaron el primer combate, él estaba más feliz que el muchacho. De hecho, pasó toda la noche hablándole por teléfono. Quería darle consejos y Bruce quería escucharlos. Se sentó en la primera fila y disfrutó de cómo el joven dejó KO a su contrincante en el segundo asalto. Fue un combate limpio y corto. Orgulloso de su muchacho, se levantó y se dirigió hacia los vestuarios. En ese instante, descubrió que el joven no estaba solo y que su compañía no era la adecuada. Un hombre pelirrojo y con una apariencia dura, se colocó frente a Bruce y le propinó un increíble puñetazo. «No vuelvas a ganar de ese modo —le dijo—. Hemos perdido una fortuna por tu culpa. La próxima vez, yo te diré cuándo y cómo debes luchar, ¿entendido?».

Desde ese día, le permitió seguir entrenando en su gimnasio, pero la relación entre los dos se volvió distante. Malone entrenaba y él observaba. Sin embargo, hoy debía hablar con el chico. No podía creer que el rumor fuera cierto porque, si lo era, iba directo hacia su propia muerte.

—Te noto tenso… ¿te preocupa el próximo combate? ¿Quién será tu rival? —preguntó Siney sin darle una pequeña tregua.

—¿Para qué quieres saberlo? ¿Vas a apostar en mi contra? —soltó Bruce con su típico tono de *a ti que te importa.*

—No me hables así, niñato —se impuso, señalándolo con el dedo—. Tan solo me preocupo de mi mejor cliente.

—Pues no debes hacerlo, lo tengo todo controlado —le respondió antes de echar la toalla sobre el hombro y dirigirse hacia las duchas.

—Si sigues así, cuando llegues a los treinta, si es que los alcanzas, tendrás los huesos y los músculos destrozados —predijo.

—Si estás intentando venderme uno de tus malditos anabolizantes, te recomiendo que pares el sermón porque… —intentó decir.

—¿Lucharás contra Shabon? ¿El contrincante texano del que hablan eres tú, verdad? —le interrumpió la vacilada.

La pregunta dejó a Bruce tan pasmado que sus pies se pararon de inmediato.

—¿Dónde has encontrado esa información? —preguntó mirándolo por encima del hombro.

—Una noticia como esa no puede detenerse —dijo, mostrándole el móvil después de sacarlo del bolsillo de su pantalón—. Nunca pensé que fueras tan imbécil. Un poco intrépido, sí, chulo, también, pero gilipollas… ¿Sabes quién es? ¿Te ha dicho el subnormal que acuerda tus combates qué ocurrió para que esa bestia haya estado escondida durante meses?

—Sí, que el luchador a quien se enfrentó sigue en el Brooklyn, tumbado sobre una cama y sin despertar del coma —explicó, volviéndose hacia él—. ¿Qué sabes tú?

—¿Yo? ¿Por qué crees que puedo ofrecerte algún tipo de información sobre esa bestia? —espetó con recelo.

—Porque te conozco —le dijo muy serio.

—Ese combate no será fácil, Malone. Deberías saber que es un cabrón sin escrúpulos. —Al ver que Bruce enarcaba la ceja derecha en señal de pregunta, prosiguió—: Ese hijo de puta se presentó aquí para inscribirse como socio, imagino que, dada su fama, le negaron la entrada en los demás gimnasios. Yo también estuve a punto de hacerlo, pero le permití unos días de prueba —explicó aún enfadado consigo mismo por haberle dado esa oportunidad.

—Pero…

—Pero lo eché después de que rompiera cuatro costillas a uno de mis entrenadores —desveló.

—Fiu… —silbó—. Así que es un bastardo sangriento.

—Lo es. Por ese motivo te aconsejo que no aceptes el combate, pon cualquier excusa. Si quieres, puedo partirte un brazo para que tu retirada sea convincente —le ofreció como alternativa.

—Gracias por la sugerencia, aunque prefiero ser yo quien le rompa el brazo a ese imbécil —indicó mientras dibujaba una sonrisa sombría—. Hay otra opción mejor, si de verdad quieres ayudarme…

—¿Cuál? —Siney se cruzó de brazos y lo miró sin parpadear.

—Enséñame a luchar contra él. Me apostaría el cuello a que, mientras estuvo aquí, no le quitaste los ojos de encima.

—Ajá —afirmó el propietario.

—Dime cuál es su punto débil, si es que lo tiene… —sugirió, ansioso.

—Ese bastardo no tiene una mísera debilidad, pero sí que encontró a la horma de su zapato. No fue aquí, sino en un combate que celebró hace algunos años en Seattle —explicó con calma.

—¿Contra quién fue? ¿Qué sucedió? —insistió en averiguar al tiempo que se cruzaba de brazos.

—Contra Harrison, un exboxeador mexicano. Lógicamente, salió mal parado, pero Shabon terminó con la nariz rota, un hombro dislocado y una fractura de rodilla —le informó.

—¿Y no ganó ese tal Harrison? —preguntó con asombro.

—Estuvo a esto de ganarle —señaló con dos dedos una distancia entre ellos muy pequeña—, pero ese hijo de puta le asestó un puñetazo que le arrancó el ojo izquierdo de cuajo. Aún recuerdo cómo gritaba el público de la primera fila al verlo caer al suelo.

—¡Joder! —exclamó Bruce atónito. ¿Cómo habían sido tan cabrones los hermanos de concretar una pelea así? ¿Tan poco valor tenía para ellos? Mientras escuchaba a Siney comentar cuánto tiempo permaneció Harrison en el hospital y cómo tuvo que enfrentarse a su nueva vida, él pensaba en lo sucedido la noche anterior. Se apostaba la cabeza de que Ray comentó en la reunión nocturna que estaba cansado de luchar y estos, anticipándose a todas sus decisiones, buscarían la manera de hallar el mejor combate para hacerlo callar, sin importarles que podía ser el último—. ¿Puedes ponerte en contacto con él? Tal vez recuerde algo más, lo suficiente para ayudarme.

—¿En tres semanas? —preguntó Siney sorprendidos—. ¡Imposible! Hace tiempo que perdí su contacto y mucho me temo que, si lo encontramos, no querrá hablar del peor momento de su vida.

—Puedes decirle que tendrá un buen asiento para que no pierda detalle de la pelea. Le daré una paliza a ese hijo de puta que recordará en años —declaró con firmeza Bruce—. Y si le comentas que vengaré lo que le hizo, querrá colaborar.

—Estás dando por sentado muchas cosas—opinó Siney.

—También tendrás tu momento de gloria —le dijo dibujando una leve sonrisa—. Si gano, todo el mundo acudirá hasta aquí porque, tarde o temprano, descubrirán quién me enseñó a pelear y dónde.

—Sabes que tengo suficiente con esto —comentó mirando a su alrededor—. Ni quiero ganar más, ni tener que lidiar con esa gente con la que andas.

—Ellos se mantendrán al margen —prometió.

—¿Estás seguro de eso? Todavía recuerdo lo que sucedió en el vestuario después de tu primer combate.

—Como te he dicho antes, todo está controlado —insistió.

—No te prometo nada, Malone —comentó cuando el joven empezó a caminar hacia las duchas.

—Estoy seguro de que harás mucho más que aquellos que me han conseguido la pelea —respondió antes de pararse a observar las fotos que había colgadas en el pasillo.

Combatientes de todo el mundo mostraban su mejor sonrisa mientras les hacían la foto. Entre ellas se encontraba Siney, quien levantaba una copa al ganar un torneo de *kick-boxing*. ¿Cuántos años tenía? No más de treinta porque aún lucía una melena oscura. Estuvo a punto de seguir su camino cuando escuchó la voz de una niña, se giró sobre sus talones y regresó con Siney, ni era frecuente que entraran mocosas al gimnasio ni era conveniente dejarlo solo. Últimamente, había demasiados malentendidos entre el colectivo femenino.

—Buenas tardes, señor Kain. ¿Le importa si le dejo algunas octavillas publicitarias en el mostrador de la entrada?

—Buenas tardes, Jess. Puedes hacerlo sin problemas —comentó con un suave y tierno tono de voz.

—Gracias —respondió girándose hacia la puerta.

—¿Cómo está tu madre? —preguntó antes de que la joven se alejara lo suficiente como para que no le escuchara.

—Bien, como siempre. Aunque después de su última visita a Webberville ha tenido que permanecer en cama varios días. Imagino que ya se ha acostumbrado al clima de Nueva York y cada vez que viaja a Texas regresa fatigada.

Bruce, que había estado apoyado en el marco de la puerta, abrió los ojos como platos y notó en su garganta cómo el corazón latía de manera desenfrenada al escuchar la palabra Texas.

—Debería contentarse con el café que vendemos en esta ciudad, por mucho que ella diga que solo es caldo para sopa, no todos pensamos igual —señaló Siney.

—¿Qué es lo que ofrece tu madre? —intervino Bruce andando hacia ellos.

La joven al verlo acercarse se asustó. Miró al dueño del gimnasio y, tras este consentir que le diera uno de sus panfletos, le tendió uno y echó unos pasos hacia atrás cuando Bruce lo cogió.

—La señora Quaid vivía en Webberville hasta que enviudó y decidió cambiar de ciudad para ofrecerle a su hija más oportunidades en la vida. Según parece, lo que más añoraba de su tierra era un buen café. Por ese motivo abrió una pequeña cafetería a dos manzanas de aquí, frente a la capilla de...

—San Pablo —terminó Bruce—. Sé dónde está. Y... ¿de verdad es un auténtico café texano? —le preguntó a la niña sin mirar el panfleto publicitario.

—Sí, se lo aseguro, señor. Mi madre viaja una vez al mes para comprarlo directamente en la fábrica —explicó ella.

—Bien, siendo así, lo probaré —declaró antes de girarse de nuevo hacia los vestuarios mientras leía las frases que había escritas en la cuartilla.

«Solo para auténticos texanos». «¿Deseas saborear un buen café?». «No apto para todos los estómagos». «No te olvides traer tu antiácido».

CAPÍTULO II

UN PUÑETAZO DIRECTO AL RECUERDO

Las campanitas que colgaban del techo sonaron cuando la puerta se abrió. Mientras el ruido de estas desaparecía, Bruce avanzó hacia el mostrador observando lo que había en el interior.

«Cuatro adolescentes a la derecha, dos hombres en la mesa contigua, gais, seguramente... —pensó divertido—. Y una mujer en la esquina, en el lugar más apartado de la cafetería. ¿De qué te escondes, preciosa? —se preguntó intentando observar cómo era. Pero tenía la cara tan pegada a la pantalla del ordenador que solo logró ver el color oscuro de su pelo—. Dos camareras; una de metro sesenta, con rostro duro. La otra, alta, bonita y un cuerpo delgado. Ambas vigiladas por cuatro cámaras. Dos situadas en la entrada y otras dos dirigidas hacia la caja registradora...».

No podía remediarlo. Pese a que ya no robaban, la vieja costumbre no había desaparecido. Desde que empezó a combatir habían guardado las armas, aunque la suya todavía permanecía a su lado. Aún podía necesitarla...

Con ese caminar rudo y dominante que lo caracterizaba, llegó hasta el mostrador, tiró la bolsa del gimnasio al suelo y mostró su mejor sonrisa.

—Buenas tardes, tengo entendido que aquí se sirve el verdadero café de Texas —comentó tras fijar los ojos en la camarera más atractiva.

Esta lo miró de arriba abajo, examinando cada parte de su cuerpo. Le sonrió, adoptó una postura seductora y le respondió:

—Solo es apto para auténticos texanos —le advirtió.

—Lo soy —respondió sin borrar esa sonrisa cautivadora.

—¿Con azúcar? —le preguntó girándose sobre sí misma para que confirmase que no solo tenía unas buenas delanteras sino que su parte trasera era igual de atractiva.

—No —contestó Bruce sin apartar la mirada del culo.

—Kim —habló la otra camarera, la de mirada desafiante—. ¿Has preparado el café de la mesa uno? Sabes que no le gusta tomárselo frío —añadió, dando a entender en su tono de voz que ella era la encargada de la cafetería.

—Cuando termine con él, serviré a la pueblerina —refunfuñó.

—Yo misma se lo haré. No permitiré que una de nuestras mejores clientas permanezca en su mesa media hora sin hacerle caso —masculló.

Atento a la conversación, Bruce observó cómo cogía el vaso más grande, vertía el café en el interior, cubría el borde con una tapa marrón oscura y caminaba hacia la clienta. Con escaso interés, siguió con la mirada a la empleada para averiguar quién era la joven que no pedía azúcar para endulzar ese sabor que muy pocos podían soportar.

—Aquí tienes —le dijo tras poner el vaso sobre la mesa—. Doble y sin azúcar. A ver si te sirve de algo.

—Gracias, Betsy, eso espero —respondió Ohana al tiempo que giró su rostro para hablarle.

En ese instante, Bruce sintió un golpe en el estómago. Ni el puñetazo más fuerte de alguno de sus rivales le podría haber provocado un dolor semejante. ¿Podía ser cierto lo que veía o sufría una alucinación?

—¿Mucho trabajo? —continuó preguntando la encargada a Ohana.

—Me han ofrecido una oportunidad única —respondió.

—¿Y? —quiso saber.

—Y espero lograrlo —dijo tras suspirar.

—Seguro que lo conseguirás —señaló la empleada antes de ofrecerle una sonrisa y caminar hacia la pareja de hombres que habían levantado la mano para que se dirigiera hacia ellos.

—Aquí tienes, texano. Espero que te guste —comentó la dependienta posando el vaso que le había pedido Malone sobre el mostrador.

—¿Quién es? —preguntó, aunque se temía la respuesta.

—¿Esa? —contestó con fastidio al tiempo que la señalaba con la cabeza.

—Ajá —respondió llevándose el vaso hacia los labios para dar el primer sorbo.

Apoyó el codo en la barra, cruzó las piernas e intentó calmar ese estado de inquietud que le había producido verla. Pero fue imposible. Su cabeza no paraba de hacerse mil preguntas sobre el motivo por el que Ohana se encontraba fuera de Old-Quarter.

—Una estudiante. Una rata de biblioteca, según creo —explicó con malestar al entender que había perdido su atención.

—¿Qué más? —insistió en saber después de chasquear la lengua y saborear, después de tantos años, el auténtico sabor de un café texano.

—No sé nada de ella salvo que salió de un puñetero pueblo que nadie conoce —explicó con tono suspicaz.

—¿Cuál? —continuó preguntando mientras notaba cómo su corazón latía rápido.

«Por Dios, que no sea ella, que no sea ella», rogó.

—No lo recuerdo bien, creo que empezaba por Sold... Old... Fold... —intentó decir.

—Old-Quarter —pronunció Bruce el nombre de su pueblo mientras esa quemazón en su estómago aumentaba.

—Sí, algo así —afirmó la dependienta mientras cogía un paño mojado para limpiar el mostrador.

Los ojos de Bruce no podían apartarse de Ohana. Estaba tan sorprendido de verla que se olvidó de respirar. Era cierto que había cambiado mucho durante los cinco años que llevaba fuera del pueblo, pero la reconocería aunque pasaran cuarenta. Aquella marca del cuello con la que nació la delataba.

—¿Cuánto es? —preguntó alzando el vaso.

—Un dólar —respondió con una enorme sonrisa al ver que se había girado hacia ella.

Bruce sacó la cartera, cogió un billete de cinco y lo puso sobre la barra.

—La pueblerina está invitada y el resto es una propina.

—¿Tres dólares? —soltó enfadada al comprender que había perdido la jugada.

—Esas tetas no valen mucho más —declaró antes de coger la bolsa, echársela sobre el hombro y caminar por el pasillo hacia la salida.

Por el rabillo del ojo la observó. Continuaba bebiendo sin apartar la mirada de la pantalla. La coleta de cabello negro regresó a su hombro y la marca, que todo el mundo describió como un cuarto creciente, volvió a ocultarse. Intentó recordar cuándo fue la última vez que hablaron y, para su sorpresa, porque había intentado borrar todo su pasado, lo halló. Fue en el prado junto a la iglesia, el día en el que intentó que Miah le sirviera el bistec al tiempo que le confesaba que estaba enamorado de ella. «Menuda gilipollez —concluyó—. Es de estúpidos confundir deseo con amor». Después de ese rechazo, se refugió bajo la sombra de la arboleda que había junto al río, donde decían que el padre de Gerald encontró a la hija de los Kenston. Y cuando pensaba que estaría lamiendo sus heridas solo, la encontró con los pies metidos en el agua, con una de esas faldas de encaje que la tapaban hasta las rodillas. Cuando sus miradas se cruzaron, le sonrió y le dijo: «¡Hola, Bruce! ¿Buscando algo de tranquilidad?». Pero él no le contestó, estaba tan enfadado por lo ocurrido con Miah que lo único que hizo fue avanzar por el bosque hasta que atravesó el poblado indio. Una vez allí, se sentó y se bebió las cervezas que había escondido en los bolsillos.

Bruce resopló tras recordar aquel momento de su vida; el principio del fin. Lo había guardado en alguna parte de su cerebro para que no regresara, para no lamentarse más por lo que había perdido, pero al verla todo eso regresó. Por ese motivo, tenía que marcharse, debía alejarse de allí deprisa, no podía permanecer más tiempo ni dejarse ver. Él era un fantasma, un ente, un alma inexistente. Sin embargo, justo cuando pasaba por su lado, Bruce giró la cara para observarla por última vez y...

—¡Mierda! —exclamó Ohana colocando las manos sobre su rostro—. ¡Joder! —continuó exasperada.

«No te pares... No te pares... Continúa hacia la salida, Malone. Abre la puerta y cierra al salir. No te interesa lo que le suceda, no puedes presentarte ante ella, decirle quién eres y si puedes ayudarla en algo. ¡¡Saldría corriendo!! Pero... ¿qué coño haces? ¡No! ¡Frena, frena!», le dictó su conciencia.

—¿Algún problema? —preguntó colocándose frente a la mesa.

Ohana escuchó la voz de un hombre preguntándole si le ocurría algo, pero ni se molestó en responder. No estaba de humor para hablar con algún gilipollas que se había acercado al verla sola. Así que mantuvo sus manos sobre el rostro, cerró los ojos y rezó para que el ingrato entendiera que no quería compañía.

—Si quieres destrozar el ordenador, lo mejor es sumergirlo en agua. De ahí seguro que no sale vivo —continuó hablándole.

—Uno, no quiero compañía —dijo cubriendo aún su cara—. Dos, no quiero estropear mi portátil y tres... ¡lárgate!

Bruce sonrió de oreja a oreja. Ese era el carácter de una mujer oldquateriana. No le cabía duda. Ninguna que hubiera nacido en el pueblo aceptaría la ayuda de un forastero. Posó la bolsa sobre el suelo, cogió la silla que estaba frente a ella, la apartó, se sentó y colocó el vaso sobre la mesa.

—¿No me has escuchado? —tronó apartando al fin las manos de su rostro.

Cuando descubrió quién estaba a su lado, se quedó sin respiración y notó cómo su sangre se congelaba al pasar por las venas. ¡No podía ser cierto! ¡Sus ojos la engañaban! ¿Era Bruce? ¿Ese joven con cabello largo, con barba de varios meses y con una mirada azulada era el Malone que conoció?

«*Tu Bruce...* » —dijo una voz en el interior de su cabeza.

—Hola, Ohana. ¿Qué tal estás? —le preguntó con tono suave. Uno que no utilizaba desde mucho tiempo atrás.

—¿Malone? ¿Eres tú de verdad? —contestó más perpleja que si hubiera descubierto un unicornio.

—Sí —le respondió.

Ohana no se lo pensó, se levantó del asiento, caminó hacia él y lo abrazó.

Al principio, Bruce fue incapaz de responder a ese abrazo, pero luego se dejó llevar por ese confort y tranquilidad que le aportaba la muchacha. Parecía que ella le había llevado a casa. Tal vez fuera el olor de su pelo, ese abrazo o lo que su presencia le hacía recordar. Fuera lo que fuese, era la primera vez en cinco años que se sentía feliz.

—¡Oh, Dios! ¡Mírate! —exclamó cuando ambas miradas se cruzaron—. ¡Estás cambiadísimo! Te has dejado barba, tienes el pelo largo y... ¡madre mía, eres más... fuerte! —titubeó después de buscar una palabra que no le diese a entender que le había resultado un muchacho muy atractivo.

—Tú también estás muy cambiada... —respondió sorprendido de que la mojigata hija de Samantha lo piropeara tanto en tan poco tiempo.

—¿Qué haces aquí? ¿Tienes prisa? ¿Puedes quedarte? ¡Venga, siéntate y cuéntame cómo te ha ido! —dijo mientras regresaba a su asiento—. Tenemos muchas cosas de las que hablar. Ha pasado mucho tiempo...

Bruce la miró confuso y extrañado. No esperaba que lo recibiera de esa forma. Cualquiera habría salido corriendo al verlo, salvo que fuera la única persona de Old-Quarter que no supiera lo que ocurrió cinco años atrás. Pero eso estaba descartado.

—No debería… —dudó.

—¡Venga, Malone! —insistió moviendo la mano de manera desesperada—. ¡Siéntate! Hace años que no te veo —repitió.

—Pero, Ohana…, no…

—¿Tienes prisa?

—No —respondió él.

—Entonces… ¿qué te impide charlar un rato con una vieja amiga?

«**¡Al fin una locura!** —Escuchó de nuevo la voz de mujer en el interior de su cabeza—. **¡Vamos, chica! ¡Que tienes a Bruce! ¡Tú Bruce! Y está tan bueno, que estoy a punto de tener un orgasmo».**

La voz tenía razón. Bruce estaba impresionante. Le quedaba muy bien la camiseta negra ceñida al pecho y a los músculos de los brazos. La barba y ese estilo leñador texano le daba un punto…

«Una imagen de chico malo que flipas. Pero… ¿quién quiere un niño bueno en la cama? ¡Yo no!».

Bruce terminó por aceptar la invitación. Estaría unos minutos, los justos para que ella no se sintiera rechazada y luego se marcharía para siempre.

—¿Qué te ha traído hasta aquí, Malone? —le preguntó antes de darle un sorbo a su bebida.

—El café —respondió levantando el vaso.

—Te entiendo. No hay otro lugar en esta ciudad que sirvan un auténtico café de Texas. Yo vengo casi todos los días desde que abrieron —le explicó.

—Yo lo he descubierto hace un par de horas, mientras estaba en el gimnasio —confesó.

—¿Trabajas en un gimnasio? Debí imaginármelo al verte vestido de esa forma y… bueno, con esa nueva imagen. —Se sonrojó. Bruce intentó corregirla, pero fue incapaz de hacerlo porque ella no paraba de hablar—.

Aquí todo el mundo desea tener un cuerpo escultural y la única forma de lograrlo es visitando ese tipo de centros. Si alguno de los habitantes de nuestro pueblo mirara a los jóvenes levantando pesas, sudando por el esfuerzo, no se lo creerían. Seguro que los atarían por la cintura y los utilizarían como reses de arado. —Y después de ese comentario soltó una carcajada nerviosa—. Pero eso no quiere decir que no sea apropiado, no te confundas. Al contrario, he pensado muchas veces en apuntarme a uno, tal vez pueda hacer algo de deporte y eliminar estas caderas. Tú, como experto en cuerpos imposibles, ¿crees que hay solución para esto? —Se levantó, alzó un poco la camiseta, dejando que los ojos de Bruce observaran no solo unas caderas voluminosas, sino también la cola de un dibujo que se había tatuado en su blanca piel—. ¿Qué? ¿Necesito mucho trabajo para eliminar todo eso? ¿Tan imposible es? —preguntó cuando el rostro de Bruce se quedó pálido. Se volvió a sentar, cogió el vaso y lo miró—. En fin, Malone, dejaré mis exageradas curvas en su lugar mientras me cuentas qué ha sido de tu vida durante estos años. —Y dio otro sorbo al café.

Bruce tragó saliva, no solo para eliminar el nudo que le había aparecido en la garganta, sino también para darse una pausa antes de poder hablar. ¿Exageradas curvas? ¿Gimnasio? ¿Tatuajes? ¿Dónde estaba la niña modosita de Samantha, esa que se ocultaba tras la puerta para que nadie la viera cuando su madre la obligaba a llevar esos vestidos de raso con encajes? ¿Y los pantalones de patas de elefante? ¿Los habría quemado antes de salir del pueblo? Ahora llevaba camisetas con dibujos divertidos y sus *jeans*, de cintura baja, se ajustaban a la perfección a esas exageradas curvas a las que ella hacía referencia.

—¿Malone? —insistió, sacándolo de ese pensamiento tan inapropiado.

—¿Qué haces tú aquí? —le devolvió la pregunta mientras se reclinaba en el asiento, se cruzaba de brazos, mostrando sus grandes y trabajados bíceps, y la miraba sin parpadear.

—¿Recuerdas cuál era mi *hobby*?

—Recuerdo que tu madre te hacía llevar unos preciosos vestidos de encaje blanco a los almuerzos en el campo —comentó burlón.

—Dios... —suspiró—, los odiaba... Todavía me pregunto por qué me martirizó de esa manera. —Y volvió a reírse.

Bruce era incapaz de apartar los ojos de ella. La observaba sin pestañear mientras su memoria le ofrecía un sinfín de imágenes de la muchacha en el pueblo. Era la hija protegida de Samantha. Una mujer que, después de la huida de su marido con aquella enfermera, centró toda su atención en la pequeña de cabellos negros y ojos marrones. Todo el mundo concluyó que Samantha no sería capaz de salir adelante sin su niña. Pero allí estaba Ohana, muchos años después, alejada de la enfermiza protección de su madre para vivir en una ciudad tan peligrosa.

—Imagino que eso fue lo que me animó a crear mis propias prendas y que me centrara en mi nueva faceta —concluyó—. Nunca imaginé que un sueño loco pudiera lograrse, pero aquí estoy, luchando por hacerme un hueco en el mundo de la moda...

Ohana seguía charlando sin apenas respirar. Malone entornó levemente los ojos, estudiando cada gesto que hacía mientras le narraba el principio de su historia. Se tocaba el pelo y bebía en las diminutas pausas. Estaba nerviosa, de eso no le cabía la menor duda. Y la razón de esa inquietud era él. Entonces tuvo una revelación. Un hecho que ocurrió cuando él tenía diecinueve años y Ohana, apenas diecisiete. Uno que le mostró la razón por la que ella actuaba de ese modo…

Como siempre, permanecía en el taller de su padre, ayudándolo a arreglar algún tractor. Se limpiaba las manos, porque decidió darse una pausa, cuando la vio. Ohana caminaba frente al taller, sin notar su presencia, porque toda su atención se centraba en andar por la calle levantando la mano hacia el cielo, como si quisiera tocar alguna nube. Pero no quería alcanzar algo tan lejano, sino un insecto que volaba sobre ella. Sonreía feliz, entusiasmada, disfrutando de ese momento sin ser consciente de que alguien era testigo de esa extraña felicidad: él. Interesado en averiguar qué pretendía hacer, salió del interior del taller y se paró en mitad de la calle. Ohana había llegado al cercado donde el señor Hicks, un viejo con carácter agrio, guardaba sus cinco yeguas de crianza. Ella se subió a la valla, sin desistir en su empeño de tocar ese insecto. Fue entonces cuando, sin querer, encajó un pie en la puerta del establo y, como no podía sacarlo, lo sacudió. En ese momento la oxidada cerradura se rompió y la valla se abrió, dando libertad a esas yeguas enloquecidas por tener espacio donde correr y relinchar.

La gente del pueblo tardó en controlar la situación toda la mañana. Lógicamente, abandonaron sus labores para ayudar al enfurecido señor Hicks, que no cesaba de gritar quién narices había abierto la puerta. Cuando le preguntaron a Ohana, ella empezó a hablar sin parar sobre el tiempo, las nubes, el calor que hacía y el motivo por el que no había llovido durante los dos últimos meses. Ahí entendió que la muchacha, cuando se sentía acorralada, hablaba de todo menos de lo que realmente importaba. Nadie sospechó de la joven, nadie pensó que ella había ocasionado aquel altercado y el único testigo se mantuvo en silencio.

—Me tienes miedo. —Malone cortó el monólogo de golpe—. No hace falta que me contestes, lo sé.

—Bruce... —dijo ella abriendo los ojos como platos, sonrojándose al sentirse descubierta.

—No hay secretos en Old-Quarter —comentó con tono reflexivo—. Debí imaginármelo...

Se levantó despacio para no llamar la atención de los pocos clientes que los rodeaban, miró a Ohana y sonrió.

—Tranquila, no voy a reprocharte nada. Sé lo que hice y asumo todas las consecuencias que obtuve desde ese día —dijo alargando la mano hacia la bolsa.

—Bruce... —repitió con tristeza—, perdóname..., no quería ofenderte.

—No tengo nada que perdonarte, Ohana, y no me ofendes. Ha sido un placer volver a verte y espero que alcances ese sueño del que me has hablado —añadió colocando el asa de su bolsa sobre el hombro derecho.

Mientras Bruce se preparaba para marcharse, ella no podía dejar de mirarlo y reflexionar sobre la idea que le pasaba por la cabeza. Era una locura, una demencia total, pero esa voz endiablada insistía en que no debía dejarlo marchar, en que había cambiado y que ella necesitaba darle una oportunidad.

—No te vayas... —le pidió cogiéndole una mano.

—He de hacerlo. No soy una buena compañía —respondió masticando cada palabra, odiándose por ser quien era.

—Bruce...

—No es conveniente Ohana —insistió sin apartar los ojos de esa mano que se enredaba en su muñeca.

—Por favor, confío en ti.

—No deberías —murmuró triste.

—Déjame que sea yo quien juzgue qué debo o no debo hacer. Sé que has cambiado, lo veo en tus ojos.

—Pero no como tú crees —masculló.

Necesitaba salir de allí... ¡ya! Porque era la primera vez que, aunque reconocía que era peligroso permanecer con alguien, su cabeza e incluso su corazón le gritaban que marcharse sería un error tan lamentable como el que realizó años atrás.

—¿Eres el mismo joven que me observó caminar detrás de una libélula y que se mantuvo en silencio? ¿El mismo que me protegió de una regañina?

«No te olvides la parte de mi primer amor, el muchacho que pasaba de mí como de comer boñiga de caballo y el príncipe malo de mis sueños», continuó la diablilla.

—¿Lo sabías? —preguntó sorprendido Bruce al descubrir que ella conocía el secreto.

—Esperé a que me delataras, Malone, pero no lo hiciste. Te debo un favor y ya conoces cómo saldamos los oldquaterianos una deuda —indicó con la esperanza de que continuara a su lado.

—¿Quieres saldar algo esa deuda antigua hablando conmigo? —soltó asombrado.

—Bueno, en realidad me gustaría disfrutar de tu compañía un rato más. Seguro que podemos hablar de muchas cosas —comentó mientras le soltaba la mano.

—¿Estás segura?

—Sí —respondió mientras esperaba que Bruce volviera a sentarse.

«Tú habla todo lo que quieras mientras yo voy a utilizar la imaginación para disfrutar de ese cuerpazo», explicó la diablilla antes de dejar a Ohana tranquila.

CAPÍTULO III

VIEJOS CONOCIDOS, NUEVA AMISTAD

Ohana intentó preguntar de mil maneras distintas sobre qué había hecho durante los cinco años pasados, pero Bruce supo salir airoso y devolverle las preguntas. Aunque hubo momentos en el que lo miraba como si quisiera matarlo al responder con evasivas, Ohana fue muy educada y contestó a todas las que él le hizo. De esa manera descubrió que aceptó la oportunidad que le ofrecieron en el *Fashion Institute of Technology* y que se marchó del pueblo unos meses después que él. También le habló de cómo vivió Samantha la separación y del proyecto que le habían ofrecido. Por el tono de voz que empleó, Bruce percibió no solo entusiasmo sino también angustia. ¿No estaba segura de sí misma? ¿Tendría dudas porque era consciente de que en el mundo de la moda existían demasiados engaños? ¿Creería que la engañaban?

«Postdata —recitó su mente—: visitar a ese diseñador de pacotilla para que me aclare sus propósitos con Ohana. Como intente engañarla, tendrá que permanecer escondido en su bonito *loft* durante mucho tiempo».

Y justo cuando puso el último punto a ese razonamiento, se regañó. No haría nada, no volvería a verla. Si quería que viviese tranquila y conseguir todas sus metas, él debía desaparecer. Pero no podía marcharse sin averiguar cómo estaba su padre. En ese momento, sin poder evitarlo, la observó en silencio. Movía las manos sin apartarlas del café. Sus dedos largos, como los que debía de tener un pianista, no lucían anillos, ni argollas ni nada que utilizara una mujer para embellecerlas. Solo había pintado sus uñas con un esmalte de brillo. Aunque intentó no fijarse más en ella, no lo consiguió. Observó anonadado el grosor de sus labios y cómo estos se extendían para dibujar mil sonrisas.

—Es la oportunidad que he estado esperando desde que fui admitida —dijo colocando el vaso vacío sobre la mesa. El leve sonido que hizo este al depositarlo provocó que Bruce se despertara de esos pensamientos tan inadecuados—. Como puedes imaginar, vivir aquí no ha sido fácil ni para mí ni para mi madre, y las dos hemos luchado contra todas las adversidades que hemos encontrado durante estos años.

—Imagino que lo pasaría bastante mal cuando te viniste —concluyó al tiempo que levantaba el brazo para que les sirvieran más café.

Como la vez anterior, la dependienta más bajita fue quien los atendió. Parecía que la chica que había coqueteado con él estaba muy ocupada buscando otro hombre a quien meter entre las piernas. O quizá seguía enojada por el comentario que le hizo sobre sus tetas, pero no se arrepentía de habérselo dicho. Hasta Ohana tenía un pecho más sugerente bajo la graciosa camiseta que aquel insecto palo. De repente, se sintió un villano por haber revisado el cuerpo de la joven de manera lasciva. ¿Cómo se le ocurría mirarla de ese modo? ¿Habría sido el comentario sobre sus curvas lo que le hizo observarla de esa forma? Fuera lo que fuese, se odió por haber retenido sus ojos más de lo que debiera en ella y alejó de su mente el terrible deseo de averiguar qué tenía tatuado en su blanca piel.

—Al principio le costó mucho —hizo referencia a la alusión de su madre—. Me llamaba seis o siete veces al día, pero poco a poco se fue acostumbrando.

—Gracias —le respondió a la camarera cuando posó los cafés sobre la mesa—. No sería fácil para ella —señaló mirándola—. Desde lo sucedido con tu padre, Samantha se centró en lo único que le quedaba: tú.

—Ya... y para que nunca me separara de ella me vestía de esa manera...

Ante ese comentario tan divertido y la cara que puso al expresarla, Bruce soltó una carcajada.

—¡Dios! —exclamó él entre risas—. ¿Cómo podías llevarlos? Ni te imaginas cómo nos divertíamos a tu costa.

—¡Oh! ¿Así que me convertisteis en el payaso del pueblo? —preguntó como si se sintiese ofendida.

—No quería decir eso... —se corrigió con rapidez. Intentó borrar la sonrisa de su rostro para no causarle daño, aunque la leve mueca de su boca le dio a entender que no estaba enfadada—. Pero en un pueblo donde nada importante ocurría, tu forma de vestir era lo más divertido del día. —Al ver que ella fruncía el ceño, se inclinó hacia delante, colocó sus manos entre las suyas, las apretó con suavidad y le confesó en voz baja—: Si te sirve de consuelo, he de declarar que no te sentaban muy mal.

—¿Es un piropo, Malone? —espetó enarcando las morenas cejas.

—Tómatelo como mejor te venga —comentó volviendo a su sitio, restando importancia a ese gesto inadecuado y al tono que eligió para soltarle tal afirmación.

«Solo te ha faltado comprarle un ramo de flores para cagarla un poco más», refunfuñó su conciencia.

—Siempre supe que os reíais de mí, aunque no me importó. Recuerda que mi madre se quedó sin nada cuando mi padre se marchó y vivir aquí le ha supuesto un gran esfuerzo —le dijo intentando serenar los latidos de su corazón. Si le hubiera dicho algo parecido cinco años atrás, cuando estaba tan enamorada de él que apenas podía vivir sin verlo una vez al día, habría sufrido un colapso mental. Pero ya no sentía nada, ¿verdad?

«Tranquila, ya lo siento por las dos. Porque si no lo quieres, me lo quedo».

—Vivo en un pequeño apartamento que me cuesta un riñón todos los meses. No he comprado muebles y duermo sobre un colchón que tiré al suelo. Sí, como bien has dicho, la vida en la ciudad es muy cara.

—¿No has pensado buscar un compañero para compartir gastos? De ese modo, podrías comprar un somier para el colchón —le ofreció.

—No —respondió sin pensarlo un segundo—. Me gusta vivir solo.

—La soledad no es buena… —comentó mientras cogía el vaso con las dos manos, como si necesitara calentarse las palmas—. En mi caso me encanta vivir con Corinne, tuve mucha suerte al encontrarla.

—¿No has recibido ninguna beca? Según tengo entendido, las buenas estudiantes pueden pedirla y tus notas siempre fueron excelentes.

—Sí. Con ellas pago la matrícula y las asignaturas extras, todo lo demás son ahorros de mi madre. He querido trabajar para no ser una carga, pero todos los empleos que he encontrado exigían experiencia o necesitaban a una empleada a jornada completa. Así que… ¿estudiaba o trabajaba? —señaló levantando las manos como si fueran una balanza, subiendo la palma derecha mientras bajaba la izquierda.

—¿No te ha dado ese diseñador un anticipo al aceptar el proyecto?

—En realidad —se reclinó sobre el asiento, se cruzó de brazos y lo miró sin pestañear—, no. El acuerdo ha sido el siguiente: ellos me ofrecen todo el material que necesite, me brindan la oportunidad de que varias modelos luzcan mis prendas y obtendré el treinta por ciento si se venden.

—¡Qué hijo de puta! —exclamó airado Bruce—. ¿Por qué cojones actúa así? ¡Alguien debería tener unas palabras con ese idiota!

—¡Bruce! —lo regañó—. Baja la voz. Nos están mirando —agregó inquieta.

—Eres demasiado buena, Ohana. Tenías que haber negociado el proyecto. Si de verdad está interesado en tus diseños, debiste poner condiciones.

—Las cosas en la moda no son así —le informó—. ¿Sabes cuántos estudiantes estamos esperando una oportunidad?

—Puedo hacerme una idea —respondió tocándose ligeramente la barba.

—Cuando el gran Bartholomew se presenta ante ti y te ofrece una oportunidad como esa, lo único que se debe hacer es agradecérselo, salir corriendo hacia el ordenador y elegir los mejores. ¿Puedes hacerte una idea de cuánta gente ve el End of August? —preguntó emocionada.

—No, pero sí que puedo decirte que no aparto mis ojos del televisor cuando transmiten el desfile de Victoria´s Secret —comentó divertido.

—¡Hombres! —bufó—. ¿Te has fijado en las prendas que llevan o solo en los cuerpos? —soltó airada.

—¿Tú que crees? —Enarcó varias veces las cejas.

Mientras esperaba otro ataque sobre las perversiones masculinas, continuó observándola. Sus ojos marrones brillaban de una forma especial, aunque no sabía con exactitud si se trataba de entusiasmo ante el proyecto que tenía entre manos o la ira aparecida ante su respuesta. Fuera lo que fuese, esa mirada era clara, transparente y confiada. ¿Cabía la posibilidad de encontrar una persona en quien confiar, en ser él mismo sin tener que despertar al dragón de fuego? Hasta el momento hablaban como si nada hubiera pasado, pero... ¿eso era suficiente para preguntarle, sin incomodarla, por la vida de los habitantes de Old-Quarter? ¿Le contaría qué había sido de su padre?

—Y me gusta quedarme en un segundo plano —terminó de narrar algo que Bruce no había escuchado en absoluto.

—¿Puedo preguntarte una cosa? —dijo después de un largo silencio en el que Ohana se sintió ligeramente incómoda.

No había apartado sus ojos de Bruce y no era correcto observarlo de ese modo. Había cambiado muchísimo, pero eso no le valía como excusa para no poder fijar la mirada en otro lugar. Pese a esa musculatura, pese a esa presencia varonil que él mostraba sin ser consciente, debía recordar que era Bruce Malone y lo que había hecho en el pueblo. Sin embargo, la charla le estaba resultando tan entretenida que empezaba a olvidar lo sucedido cinco años atrás.

—No has hecho otra cosa desde que empezamos —dijo mirándole a los ojos.

Sabía qué deseaba preguntarle. Lo había estado esperando desde que aceptó su invitación. Pero... ¿sería apropiado contarle qué había ocurrido en su ausencia? ¿Cómo se tomaría la noticia que le daría sobre Dylan?

—Puedes contestarme si lo ves apropiado. No te obligaré a nada —aclaró él.

—Adelante, pregúntame cómo están todos —lo instó dejándolo sin palabras al anticiparse a sus pensamientos.

—¿Cómo sabías que...? —Malone cabeceó de derecha a izquierda, apartó el vaso de su lado y la miró sin pestañear—. ¿Cómo están todos? —dijo al tiempo que apoyaba los antebrazos tatuados sobre la mesa y mostraba una actitud relajada.

—Todo el mundo, por suerte, sigue igual. La vida continúa... —Bruce enarcó la ceja derecha, invitándola a que fuera más extensa al hablar—. Si quieres saber algo en concreto, pregúntame, soy toda oídos —lo animó mientras echaba un vistazo rápido a esos dibujos diabólicos que se había tatuado en los brazos. ¿Eran escorpiones? Bueno, eso sí que era típico de Old-Quarter. Nadie podía caminar por el campo sin apartar la mirada del camino; en cualquier momento podían asaltarte como si fueran chinches. Pero también observó una calavera, una espada hacia abajo y algunos símbolos que no lograba averiguar qué significaban.

—Me gustaría saber... —empezó a decir mientras se tocaba el pelo con la mano derecha. No le gustaba suplicar, ni rogar, pero era Ohana, una joven cariñosa, amable y la única que podía hablarle de su padre. Así que dejó a un lado el Bruce que mostraba cada vez que algo le impedía alcanzar sus objetivos y liberó al hombre razonable—. Cómo está mi padre —finalizó.

—Te prometo que nunca lo he visto tan feliz.

—¿Y eso? —Volvió a reclinarse en el asiento y se cruzó de brazos—. ¿Le ha hecho feliz que su hijo no regrese después de la atrocidad que hizo? Imagino que lo perdonaron al marcharme… —indicó irónico.

—¡No digas bobadas, Malone! —exclamó moviendo su mano izquierda de arriba abajo, con cierto desdén—. Tu padre lo pasó muy mal cuando te marchaste. Le dio por beber y cerró el taller durante un tiempo, pero se recuperó gracias a Marcia.

—¿Marcia? ¿La cartera? ¿Cómo pudo ayudarlo? —consultó sin respirar. Volvió a inclinarse hacia delante y agarró el vaso.

—¿Cómo crees que una mujer puede salvar a un hombre del abismo en el que se ha metido? —soltó entornando los ojos.

—¡Venga ya! —exclamó dando una palmada sobre la mesa—. ¿Mi padre? ¡Imposible! ¡Si no sabía ni que existía! —expresó entre risas.

—Pues parece que la conocía mejor de lo que todos pensábamos —respondió un tanto esquiva. Esperaba que, después de la noticia, actuara de forma diferente. Todo el pueblo conocía la pasión de Bruce hacia su madre y lo destrozado que se quedó cuando ella murió. Por eso mismo imaginó que sus palabras no mostrarían entusiasmo e incredulidad, sino enfado y desolación. «Quizás el Bruce del pueblo sí, pero el que está sentado frente a ti no —pensó—. ¿No te das cuenta de que ya no es el mismo? No, no lo mires así. Intenta mantener la mirada fija y no la muevas hacia ese torso que esconde bajo la camiseta. ¿Tendrá abdominales? ¿Tableta tal vez? ¿Cuántas horas pasará en su gimnasio? ¿Hará culturismo? Tiene que hacerlo. Ese cuerpo solo puede lograrse…».

—¿Ohana, por qué te has sonrojado? —le preguntó extrañado—. ¿Hay algo más que deba saber? —insistió intentando averiguar por qué las mejillas de Ohana habían pasado de un tono pálido a uno semejante al color del tomate maduro.

—Bueno… —dijo después de dar otro sorbo de café que, para su satisfacción, estaba frío—. Sí que hay algo más…

—¡Suéltalo! Después de saber que tiene un idilio con Marcia, todo lo demás no debe ser tan sorprendente —la animó a que hablara y que eliminara ese bochorno tan extraño.

—Deberías haberlo llamado, de ese modo no me encontraría en una postura tan incómoda.

—Ohana… —murmuró apoyando una mano sobre la de ella, esa que permanecía en un lateral del vaso y estaba ardiendo—. Puedes contarme lo que sea, nada me hará enfadar. Fui un gilipollas en el pasado, pero te juro por mi vida que nunca te haré daño, ¿lo escuchas? ¡Jamás te haré daño! —declaró con firmeza.

Y no se imaginó la sinceridad que tendrían sus palabras en el futuro…

—Te has perdido tantas cosas —le respondió con suavidad, dejando que las lágrimas causadas por la tristeza aparecieran.

No era justo que Bruce supiera de la existencia de su hermano a través de ella, que descubriese que su padre se había casado, que la familia Sanders había crecido, que Mathew y Miah seguían unidos y que el esquivo Gerald se había emparejado con la sobrina de Kathy. Él debió regresar al pueblo pidiendo perdón por lo que había hecho y todos lo habrían aceptado porque ningún oldquateriano podría juzgarlo sin primero juzgarse a sí mismo.

—Lo sé —aseveró colocando sus pulgares sobre los carrillos de Ohana para apartarle las diminutas lágrimas brotadas por la compasión—. Y no hay ni un solo día que no me haya arrepentido de eso.

—Puedes regresar… alguna vez. Sabes que el pueblo te perdonará después de que Sanders te haya pegado una paliza y de que Mathew cure tus heridas para luego asestarte otra.

—No quiero que esos viejos se cansen por el esfuerzo —alegó divertido mientras secaba las lágrimas que había recogido con sus pulgares en los pantalones del chándal—. Tienen que emplear la fuerza en proteger a sus esposas de villanos como yo.

—¿Y tu padre? ¿Y tu hermano? ¿Quieres que crezca pensando que…? —enmudeció de golpe.

—¿Mi hermano? —espetó Bruce abriendo los ojos como platos y olvidándose de respirar—. ¿Tengo un hermano? —insistió.

—Tu padre se casó con Marcia —desveló tras unos momentos de silencio. Ohana agachó la cabeza para no mirarlo, para no ver la expresión de asombro en aquel duro rostro—. Fue después de que Gerald y Emma se marcharan a vivir a la casa de los Kenston.

—¿El mestizo tiene una novia real? —soltó atónito.

—Sí —respondió en voz baja—. Días después de recibir la noticia de mi admisión, el pueblo vivió una secuencia de sucesos inesperados.

—Continúa —le dijo mientras se reclinaba en el asiento—. Pero mírame a los ojos, no quiero que te avergüences de contarme todo aquello que me he perdido. El único que debe sentirse avergonzado soy yo por actuar como un imbécil.

—Seguiré hablando si me prometes que llamarás a tu padre y que te harás el sorprendido cuando él mismo te lo cuente —le ofreció como alternativa—. Seguro que le gustará saber que has madurado y que no te has convertido en el criminal que todos decían que serías.

—¿Quién te dice a ti que no soy un criminal? —la instó mirándola con el ceño fruncido.

¿Por qué era tan inocente? ¿No había adquirido la experiencia suficiente para captar con rapidez la maldad de la gente? No, por supuesto que no. Ohana seguía siendo la muchacha bondadosa y cándida que fue en el pueblo. Pese a vivir rodeada de tiburones, como había descrito, continuaba aceptando la mejor parte de las personas. Por eso estaba hablando con él. Si hubiera sido otra persona, habría echado a correr en vez de invitarlo a charlar. «Apunta otra postdata, Malone: alejarte de una mujer tan buena. No debes permitir que ese instinto de protección, que empiezas a sentir por ella, brote con tanta fuerza. Recuerda que has decidido no verla más».

—¡Oh, vamos, Malone! ¿Crees que no me habría dado cuenta? ¿Tan ingenua piensas que soy? No tengo que investigar mucho para saber que no eres de ese tipo de hombres. Además, ya me has dejado claro que tienes un gimnasio.

«Y ahora es el momento de levantarse y salir de aquí —dijo la conciencia de Bruce—. ¡Ni se te ocurra hacerlo! ¡No! ¡Para! ¡Algún día descubrirá la verdad! ¿Puedes salir de aquí de una puta vez? ¡Me estoy asfixiando!».

—Pero no es un trabajo muy considerado, estoy muchas horas y no gano lo bastante —añadió mientras mordía su lengua en cada palabra para no seguir mintiendo.

—¿Por qué dices eso? Yo considero que es una labor muy estimulante. Además, realizas un acto de generosidad cada vez que ayudas a que tus socios logren sus objetivos físicos. Yo habría necesitado un entrenador personal como tú cuando decidí eliminar estas generosas curvas. —Señaló con la mirada sus caderas—. ¿Acaso no crees que eso es mejor que ir por la calle con un arma escondida y atracar el primer establecimiento en el que el dependiente se encuentre distraído? —preguntó levantando indebidamente la voz. Al ver que todas las miradas se clavaban en ellos, agachó la cabeza avergonzada—. Es un trabajo como cualquier otro… —concluyó entre susurros.

—¿De verdad piensas que debería llamar a mi padre? —desvió la conversación para no sentirse tan mal al mentirle.

—¡Oh, sí! ¡Seguro! —comentó feliz—. Seguro que te contará qué sucedió con Marcia y cómo un arrebato de celos hizo que se presentara en su hogar en mitad de la noche.

—¿Celos? ¿Mi padre? —espetó asombrado—. ¿Estás segura?

—¡Oh, sí, muy segura! —exclamó sonriente.

—No veo yo a mi viejo haciendo ese tipo de tonterías —señaló tocándose la barba.

—Creo que todo el pueblo pensaba como tú, pero después de lo que hizo en casa de Marcia…

—¿En su casa?

—¿Me dejas aclararte lo que sucedió? —le preguntó enarcando las cejas.

—¡Por supuesto! Continúa, por favor.

—Bien —expresó después de acomodarse en el asiento—. Al pueblo llegó la sobrina de Emma, la actual esposa de Gerald. —Como vio que Bruce iba a preguntarle de nuevo, levantó el dedo índice de su mano derecha para que se callara. Él sonrió e hizo como si cerrara su boca con una llave y la tirara al suelo. Ante ese gesto tan infantil, Ohana sonrió—. Como te iba diciendo, Emma trajo al pueblo un guardaespaldas que resultó ser un conocido de Marcia. Este habló con ella y hasta la acompañó a su casa, no hizo nada inapropiado; sin embargo, cuando Marcia entró en su hogar, se encontró, escondido entre las sombras, a tu padre.

—Oh…Vaya… —dijo antes de soltar una enorme carcajada.

—Al día siguiente, tu querido padre salió a la calle en calzoncillos y gritó a todo el pueblo que se casaría con Marcia.

—¡Venga ya! ¿Eso hizo? Pues sí que ha cambiado.

—Por amor se pueden hacer miles de locuras —reflexionó Ohana con cierta envidia.

—¿Qué pasó después? —quiso saber apoyando de nuevo los antebrazos sobre la mesa y dejando que el cabello rubio ocultara los fuertes hombros.

—¿Qué crees que pudo pasar?

—Que todo el mundo le dio la enhorabuena —concluyó Bruce.

—Sí. Exacto —afirmó Ohana—. La señora Duffy hizo una celebración en su hotel después de que Gerald apareciera con Emma.

—¿Dónde habían estado? —preguntó Malone.

—Pues según deduje cuando aparecieron, este le mostró cómo se comportaba un indio al encontrar a la mujer de su vida —resumió divertida.

—¡Joder! —exclamó él sorprendido—. ¡Esto es increíble!

—Lo increíble fue lo que sucedió meses después —comentó con tono misterioso.

—¿Todavía queda más? No entiendo cómo un pueblo tan pequeño tiene tantas noticias.

—¡Oh, sí! —apuntó risueña—. Mi madre me hizo la maleta con rapidez al correr la noticia de que todas estaban embarazadas. Se pensaría que era algún tipo de virus, como el resfriado o la viruela, y decidió mantenerme alejada. —Y tras su comentario, soltó una pequeña risita—. Por aquel entonces yo todavía era...

Bruce entornó los ojos y la miró con recelo. ¿Le había insinuado lo que él imaginaba? El rápido sonrojo que ella mostró confirmó su sospecha. Aunque era de suponer que la protegida hija de Samantha dejara atrás no solo la ropa que lucía, sino también ciertos temas que, para su madre, estaban totalmente prohibidos.

—¿Cómo es? —preguntó Bruce para que los mofletes de Ohana recobraran su color.

—¿Quién? —demandó antes de tomar un largo sorbo de bebida.

—Mi hermano. ¿Cómo se llama? ¿Cuántos años tiene? —inquirió ansioso.

—Marcia quiso que se llamara Dylan, así que hay otro Dylan Malone en el pueblo. Tiene el color de tus ojos. Algo normal al tener el mismo padre. Su pelo es moreno y le encanta coger las herramientas del taller. El año pasado, para navidades, Marcia le regaló un enorme maletín de mecánico. Ya sabes, con un montón de utensilios de plástico. Según mi madre, con la que hablo a diario —recalcó—, se pasa casi todo el día frente a la puerta del taller arreglando sus coches de juguete.

—¿Cuántos años tiene? —perseveró notando cómo el corazón dejaba de latir. Tenía un hermano, uno que le gustaba estar con su padre, como hacía él cuando era pequeño.

No eran celos lo que sentía, sino ira por no poder estar junto a ellos y disfrutar de los momentos de felicidad que tendría su padre al ver al pequeño corretear por el taller.

—Tres. Los mismos que la hija mayor de Gerald, que el segundo de los Sanders y el primero de los Lausson. Como ya te he dicho, fue una epidemia…

—El pueblo tiene sangre nueva —comentó reflexivo Bruce mientras se acariciaba la barba y clavaba sus ojos en el vaso de café.

—Sí, eso parece —alegó Ohana—. Algunos se marchan para vivir fuera de él y otros desean que crezca para darle una nueva vida.

—Me alegro por ellos —comentó Bruce intentando no mostrar esa congoja que le recorría cada poro de su piel.

De repente, mientras ambos bebían y se mantenían en un cómodo y apacible silencio, su móvil empezó a sonar. Miró de reojo hacia la bolsa de ropa y gruñó. La melodía que le había puesto esa mañana al nuevo móvil de Ray sonaba sin cesar.

—¿No lo vas a coger? —le preguntó Ohana cuando solo se escuchó en el bar aquella interminable melodía.

—Sé lo que me van a decir —mascullo colocando sus manos sobre la mesa.

—¿También eres vidente? ¡Me dejas de piedra, Malone! —exclamó sagaz—. Anda, cógelo y dile a tu chica que no voy a robarte más tiempo.

—¿Mi chica? —dijo frunciendo el ceño.

—Un hombre como tú no puede estar solo —expresó divertida.

—Como te he dicho antes, me gusta la soledad.

—Vale, lo siento… No quería enfadarte —comentó levantando las dos palmas hacia él.

—No me enfadas y sí, voy a coger de una vez el puto móvil o terminaré estampándolo contra el suelo —gruñó.

Con rabia, abrió la cremallera y aceptó la llamada.

—¿Dónde coño estás? —le gritó Ray tras apretar el botón de descolgar.

—Fuera —respondió levantándose del asiento para salir de la cafetería. No quería que ella escuchara los gritos a través del auricular. Seguro que Ohana no pararía de preguntarle quién le hablaba de ese modo hasta que se le ocurriera otra hábil mentira con la que apaciguar su inquietud.

—¿Fuera? ¿Dónde cojones es fuera, Malone? —espetó fuera de sí.

—¿Qué quieres? —le atajó.

—¿Qué quiero? ¿Qué piensas que puedo querer, imbécil? ¿Has visto la hora que es? ¡Deberías haber llegado al almacén hace un par de horas! —vociferó.

Bruce miró el reloj del móvil y se quedó sorprendido al ver que habían pasado las ocho. ¿Por qué había volado el tiempo? ¿Eran Ohana y su conversación las causantes de tal despiste? Miró hacia el cristal de la cafetería y la observó de nuevo frente al ordenador, pasando despacio las imágenes que vería en la pantalla. ¿Sería capaz de elegir los diseños adecuados para el puto Bartholomew de los cojones? ¿O se pasaría la noche en vela, indecisa? Y… ¿qué haría él mientras ella regresaba a su piso y continuaba trabajando? «Lo de siempre —le respondió la voz de la conciencia—. Aunque mucho me temo que lo de siempre no te va a resultar tan placentero como hasta ahora, ¿verdad?». No se respondió, solo continuó observándola a través de la ventana.

—Tienes una puta hora para estar aquí, ¿me has escuchado? —aulló Ray.

—*OK* —le dijo antes de colgar. Con el móvil en las manos, girándolo de manera distraída, regresó a la cafetería. Las campanillas sonaron como cuando entró por primera vez, no obstante, en esta ocasión, la chica que tenía la cara pegada a la pantalla del ordenador la apartó y lo miró para sonreírle.

«Y eso que se mueve bajo tu pecho se llama corazón. Un órgano que pocas veces has podido escuchar porque estaba congelado».

—¿Malas noticias? —le preguntó al verlo de nuevo frente a ella.

—Era el encargado que tengo en el gimnasio —le mintió—. Quiere que vaya volando.

—¿Alguien se ha querido llevar bajo la chaqueta una pesa de mil kilos? —espetó irónica.

—Eres muy graciosa, ¿lo sabías? —le dijo dibujando una enorme sonrisa.

—Pues esta graciosa… —comenzó a decir mientras le cogía el móvil y, al ver que aún seguía desbloqueado, tecleó un número que, como era de esperar, era el suyo— quiere verte de nuevo, Malone —le informó devolviéndole el aparato tras hacerse varios toques.

—No deberíamos —murmuró sin poder apartar sus ojos de la pantalla, donde aún seguía iluminado el número de la última llamada.

—Pues opino que sí deberíamos volver a tomar otro café. Además, me has prometido que hablarías con tu padre —le recordó mientras se levantaba del asiento, rodeaba la mesa y se colocaba frente a él—. Una promesa siempre se ha de cumplir —añadió extendiendo los brazos para abrazarlo otra vez.

—No soy bueno para ti —le murmuró aceptando ese abrazo. ¿Alguna vez se sintió tan cómodo entre los brazos de una mujer? Ni los que le había dado Miah cuando intentaba reconfortarlo ante la pérdida de su madre le hacían sentir tanta tranquilidad.

—No voy a pedirte matrimonio, Malone. Solo otro rato de compañía —aclaró colocando la barbilla en el pecho para poder ver esa sonrisa pícara que debía mostrar en sus labios tras el comentario.

—Me lo pensaré... —le respondió dándole un beso en la frente.

«La estás cagando, muchacho —habló de nuevo su conciencia—. Te adelanto que esto no es lo apropiado. Ni eres el dueño de un gimnasio ni debes verla de nuevo. ¿Recuerdas cuál es tu verdadera vida? Creo que después de tantas mentiras hasta tú mismo te las has creído».

—Que tengas una buena noche, Malone —comentó tras respirar de nuevo ese olor tan característico de Bruce y que ella no había olvidado a pesar del paso de los años.

«Tía, es que nunca lo has olvidado», apuntó la diablilla.

—Que tengas una buena noche, Ohana —le respondió, obligando a sus manos apartarse de esa espalda que lo conducía hacia unas sugerentes y embelesadoras caderas.

Ohana dio un paso hacia atrás. Lo observó coger la bolsa mientras ese cabello rubio caía hacia el lado derecho como una cascada de agua fría. «Ni se te ocurra mirarle el culo, Ohana. ¡No! ¡No lo hagas! ¿No eres consciente de que estás mirando a Bruce Malone?». Pero... ¿quién podía apartar los ojos de un trasero como ese? ¿Y la espalda? ¿Y los tatuajes que se extendían por los brazos?

—¿Deseas otro café? —le preguntó Betsy, la encargada, al verla parada frente a la puerta y con la mirada clavada en el hombre que acababa de marcharse.

—¿Puedes servirme un agua con hielo? —le respondió sin apartar los ojos de la calle.

—¿Cinco hielos estarán bien? —dijo, enarcando las cejas.

—¿Qué te parece si me llenas el vaso de cubitos y le añades un poquito de agua? Creo que así refrescaré este calentón —expresó mientras regresaba a su asiento.

—Hasta que no te des una ducha fría, no podrás bajar la temperatura. Aun así, te traeré algo fresco —agregó antes de soltar una carcajada y caminar hacia la barra para servirle toda el agua fría que podía tener en el frigorífico.

Una vez que se quedó sola, Ohana grabó el número de teléfono de Bruce en el móvil y le envió un wasap.

«Te tengo, texano. 😝».

Él le respondió treinta segundos más tarde.

«Lo sé. 😉»

CAPÍTULO IV

NO QUIERO HACERLO, JODER

Tardó menos de lo que le había ordenado Ray. En cuarenta minutos subió a su piso, se cambió de ropa, bajó al garaje, se montó en su moto y acudió al almacén donde se encontraban los hermanos, o la panda de vagos a los que les pagaba sus caprichos, como los denominaba él. Aparcó frente al portalón, donde siempre, se quitó el casco y volvió a notar cómo su móvil vibraba por sexta vez. Enfadado, al pensar que se trataba de Ray preguntándole dónde se encontraba, lo sacó del bolsillo y leyó en el visor de la pantalla que eran mensajes de wasap. De repente toda esa rabia se esfumó al averiguar que era Ohana quien le había escrito: «Ha sido un placer verte de nuevo, Bruce». «Espero tomar pronto contigo otro café». Diez minutos más tarde volvía a escribirle. «No consigo decidirme. ¡Esto es una locura!». Cuatro minutos después. «Lo siento, no soy una acosadora que invade la intimidad de los demás, te pido disculpas. Buenas noches, Malone». Y finalizó con: «Espero que hayas arreglado el problema del gimnasio». Una vez que los leyó, buscó la opción de eliminar el chat y, muy a su pesar, la bloqueó. No podía permitir que ella le escribiera en presencia de Ray. Este indagaría sobre quién lo distraía y en cualquier momento averiguaría su número y su localización. Así que, una vez que confirmó que no recibiría mensajes ni podía llamarlo, guardó el teléfono y se dirigió hacia el almacén.

Debía estar acostumbrado a esa penumbra y al humo que se diluía en el ambiente, pero no lo hacía. Odiaba esa pestilencia a tabaco, al sudor de los hermanos y a la humareda que desprendían los motores de las motos que guardaban en el interior. Después de cerrar al entrar, caminó hacia su derecha, donde solían permanecer. Habían construido una zona donde poder descansar después de poner a punto sus motos. Bruce frunció el ceño al observarlos. Más que una panda de adultos entrados en los cincuenta, parecían un atajo de adolescentes reclinados sobre sillones, fumando, bebiendo y esnifando toda la coca que había sobre las mesas. Para aumentar ese ambiente denigrante, habían tirado sobre el suelo una docena de cajas de *pizzas*. Dejó a un lado ese malestar que le recorría el cuerpo para hacer regresar a la persona que era cuando accedía al lugar: el Gran Dragón de Fuego. Tras colocarse frente a ellos y recibir un sinfín de saludos de todos aquellos que descansaban despreocupados, buscó con la mirada a Ray, quien ocupaba el sillón más alejado mientras manoseaba a una de sus cuatro amantes.

—¡El hijo pródigo ha llegado! —exclamó al verlo. Apartó bruscamente a la mujer, se levantó y caminó hacia Bruce—. ¡Me alegra verte! —le dijo dándole unas palmadas en la espalda mientras sujetaba con habilidad el cigarro de marihuana que poseía en la boca.

—¿No me esperabas? Porque no entendí eso en tu llamada —replicó al tiempo que se dejaba llevar hacia uno de los sofás situados en el centro del almacén, zona en la que varios hermanos y sus chicas permanecían sentados con las manos pegadas a esos cuerpos esqueléticos semidesnudos.

—No querrías perderte la fiesta que estamos haciendo en tu honor, ¿verdad? —espetó irónico Walton.

—Por nada en el mundo... —refunfuñó Malone.

Tras tomar asiento y coger el botellín de cerveza que le dio alguien, se reclinó, se cruzó de piernas y miró a su alrededor. Ahí estaba, frente a esa panda de gandules a quienes les pagaba los vicios. Estos levantaron sus cervezas al verlo, dándole las gracias por haber sido tan generoso con ellos. Aunque Bruce no se sentía el benefactor de nadie, más bien un gilipollas que exponía su cuerpo para que fuera golpeado mientras los demás disfrutaban de sus depravaciones.

—¡Por el puto Dragón de Fuego! —gritó Ray con una sonrisa que le cruzó el rostro, levantando su botellín—. ¡Y por el próximo combate!

Como si fueran máquinas, todos acompañaron ese brindis y repitieron las palabras de Ray. Dieron un enorme sorbo y prosiguieron con sus quehaceres, que no era otra cosa que beber, llenar sus cuerpos de coca y manosear a las putas semidesnudas que habían llevado esa noche.

—¿Quién organizó la pelea? —preguntó Bruce sin mirar a nadie en concreto.

—¿No te ha parecido adecuada, texano? —espetó Ray con una tranquilidad inverosímil.

Cuando Walton utilizaba la palabra texano para referirse a él, significaba que estaba molesto. Así que

Malone frenó esa rabia contenida, bebió otro sorbo de su cerveza e intentó relajarse.

—Los hermanos consideran que eres el único que puede ganar al Gran Shabon —continuó hablando Ray—. Tenemos mucha fe en nuestro chico —añadió mirándolo sin pestañear, observando cada muesca que Bruce realizaba. Pero Malone había adquirido la experiencia necesaria para no desvelar cualquier emoción. Frío como un témpano de hielo, así era él cada vez que se adentraba en el almacén, en la cueva de los degenerados.

—No creo que haya sido buena elección. Ese hijo de puta ha estado retirado después de haber llevado a su último contrincante directo al hospital. ¿Sabes que aún sigue en coma? ¿Que los médicos no han conseguido despertarlo? —dijo inclinándose hacia delante para posar el botellín de cerveza en el suelo, junto a su bota izquierda.

Cuanto más cerca colocaba su bebida, más confiado se hallaba. Ray podía jugarle una mala pasada, como esas pobres muchachas que abandonan su copa en la barra de un bar para bailar y, cuando regresan a por ella, alguien les ha echado una pastillita en su interior. Con Ray, todo era posible.

—Ha sido la opción correcta —comentó Walton con solemnidad—. Todos sabemos que lograrás derribarlo, aunque tendrás que actuar como siempre —apuntó con inquina.

—Esta vez hay que cambiar de estrategia, cuanto antes acabe con él, menos perjudicado saldré —le respondió.

—¡Tú harás lo que yo te ordene! —exclamó levantando la voz—. ¿Me has entendido, gilipollas?

—¿Estás seguro de que podré ganar después de que ese bastardo me haya destrozado el cuerpo? ¿Piensas que me quedarán fuerzas para atacarle? —debatió.

—Escucha con atención, texano —indicó inclinándose hacia él mientras levantaba un dedo de su mano—, harás lo que yo te mande. Dejarás que ese bastardo te aseste todos los golpes que le apetezca hasta cansarse y, justo después, cuando piense que el triunfo es suyo, tomarás el control del combate.

—Lo ves demasiado fácil... —dijo sin alterarse ante esa expresión enfurecida—. Aunque me imagino que tu decisión no tiene nada que ver con velar por mi bienestar, ¿me equivoco? Lo más probable es que albergues la esperanza de que las apuestas estén en mi contra hasta el segundo asalto, de ese modo nadie podrá retractarse de su elección, ¿cierto?

—¡Exacto! —clamó satisfecho Ray—. ¡Así es como lograremos más de un millón de dólares!

—¡¿Un millón de dólares?! —exclamó girando su gran cuerpo hacia Walton.

—Hasta hace veinte minutos, esa era la apuesta más alta —le informó enseñándole la pantalla de su gran móvil.

—¿A favor de Shabon? —perseveró atónito.

—En efecto. La única apuesta que tienes es la nuestra —explicó satisfecho—. Así que ya sabes lo que debes hacer —le advirtió.

—¿Cuánto será mi parte esta vez? —inquirió mientras cogía de nuevo el botellín.

—¿No estás satisfecho con lo que te llevas? —demandó alzando la voz—. Tendrás de sobra para sobrevivir durante mucho tiempo —agregó con tono ofuscado.

—Como será mi última pelea, he de asegurarme de que no me dejarás sin nada —contestó después de dar un sorbo y exhibir tranquilidad en cada poro de su piel.

—¿Cómo que será la última pelea? —continuó con ese tono alto que denotaba incredulidad—. ¡Una vez que ganes a ese bastardo tendrás más combates de los que puedas imaginar!

—No —respondió serenamente.

—¿No? —repitió levantándose del asiento y haciendo que el ruido de las hebillas de sus botas retumbase en el almacén—. ¿Qué cojones estás diciendo, texano?

—Que no volveré a combatir. Si tengo la suerte de salir ileso de mi próxima lucha, me retiraré —indicó con calma—. No puedo someter a mi cuerpo a más golpes. Hay noches que no puedo dormir por los dolores —mintió. Algo que empezaba a ser bastante habitual en él desde las seis de esa misma tarde.

—¡Pues te tomas una puta raya y aguantas! —le ofertó sin contemplaciones.

¿Drogas? ¿Ray le estaba ofreciendo esa alternativa para que continuara? ¿Hasta dónde quería llegar? «Hasta conseguir tu muerte —le respondió su conciencia—. ¿Esperabas otra cosa? ¿Tal vez algo de piedad? ¡Bobadas!».

—Ray —lo llamó uno de los hermanos que acababa de entrar al almacén—, tenemos que hablar.

—Voy —le dijo antes de levantarse—. Tú viniste a mí para salir de ese puto pueblo, texano. Te he tratado como a un hijo y has vivido como te ha dado la gana. Lo mínimo que me debes es esto —comentó volviéndose hacia él—. Si yo no te hubiera adoptado, habrías muerto en ese pueblucho repleto de boñiga de caballo. Aquí tienes todos lo que deseas, no te falta nada y lo único que se te pide a cambio es que luches menos de una hora en un *ring*.

—Mi próximo contrincante no me hará cosquillas —refunfuñó.

—Pues intenta que no te destroce la cabeza. Es lo único que puedes utilizar en el hospital al que irás. —Y después de esa afirmación se marchó hacia quien lo había llamado, colocó su brazo en el hombro de este y hablaron en voz baja para que nadie pudiera escucharlos.

Bruce se quedó sentado, observando a esos dos. Un escalofrío le recorrió el cuerpo, como si quisiera advertirle de que no planeaban nada bueno. Pero si él no estaba al tanto de lo que ocurría sería porque no era nada interesante. Hasta ahora, Ray siempre había contado con su opinión, salvando el tema de su decisión a seguir luchando. Con los ojos incapaces de mirar hacia otro lado, se reclinó en el asiento para terminar de beber la cerveza. Mientras daba largos sorbos, no paraba de pensar en la única persona que era honrada, cándida y verdadera: Ohana. Ella y su inocencia no tenían cabida en el mundo en el que él vivía y después de razonar sobre la muchacha durante bastante tiempo determinó que debía mantenerla apartada de él. Si seguía viéndola, podía pudrirla, destrozarla y conducirla hacia su total destrucción.

Justo en el momento en el que tenía pensado levantarse y alejarse de ese puto mundo de mierda que lo rodeaba, un cuerpo, recostado y oculto bajo las sombras, se inclinó hacia delante, dejándose ver.

Por el rabillo del ojo observó de quién se trataba e hizo una mueca de desagrado. Un muerto viviente, eso era aquel hombre. Uno que apareció seis meses antes y pidió cobijo a Ray. Según había escuchado, fue un antiguo camarada de Walton cuando permaneció en la banda de las Ruedas del Infierno. Sí, esa misma de la que huyó el buen doctor y por la que fingió una identidad falsa. Ahora lo entendía. Ahora comprendía la desesperación que vivió Mathew por alejarse de todo ese mundo al que, atraído como el oso a la miel, él había caído.

—Estás bien jodido —le dijo ese cuerpo delgado, esa figura que evocaba a la muerte en cada palabra que emitía.

Su largo cabello grasiento lo mantenía amarrado en una coleta. Tenía una enorme barba descuidada, al igual que su vestimenta. ¿Cuánto tiempo llevaba sin ducharse? Tal vez desde que salió de la cárcel. Ocultaba su torso bajo un chaleco vaquero sin mangas. Más de veinte chapas, obtenidas en los lugares que habría visitado, brillaban ante la poca luz que lo iluminaba. Mientras Bruce lo observaba, él se reclinó hacia delante, cogiendo la cucharilla que utilizaba para calentar la heroína y que, minutos después, atravesaría su piel para regresarlo al mundo de los muertos.

—Buena reflexión —le respondió con desgana.

Asco. Eso era lo que sentía hacia hombres como él. Personas que debido a su adicción no eran capaces de valerse por sí mismas y se pegaban a los demás como si fueran parásitos.

—No permitirá que te vayas hasta que termines sepultado o incinerado —continuó hablando—. Ray es incapaz de liberar a su gallina de los huevos de oro.

—Pensé que todo el mundo me llamaba el Gran Dragón de Fuego —apuntó mordaz.

Y tras su comentario, aquel hombre soltó una carcajada que sonó igual que el rebuzno de un asno herido.

—Puedes llamarte como quieras, muchacho, pero no debes olvidar qué función tienes aquí. —Se ató una goma elástica alrededor del brazo izquierdo, colocó la aguja de la jeringa sobre el líquido caliente y la aspiró despacio. Luego se reclinó y, tras palparse alguna vena consumida por la adicción, se introdujo aquel elixir mortal. Una vez que terminó de meterse la droga, colocó la jeringa sobre la mesa, se desató el elástico, cerró los ojos y se dejó llevar—. Hace tiempo... —continuó diciendo—, esto era diferente.

—¿Esto? —preguntó Bruce con recelo.

—El grupo, la banda, los hermanos —aclaró—. Éramos más de cincuenta miembros los que atemorizábamos las calles con los ruidos de nuestras motos. Teníamos el control de todo, éramos los putos reyes del mundo.

—Siento mucho la pérdida de ese tiempo tan idílico —apuntó burlón.

—Pero todo cambió a raíz de aquel puto disparo —prosiguió diciendo sin hacer alusión a la burla de Bruce—. Ese miserable doctor nos traicionó, nos metió en la boca del león.

—Del lobo —lo interrumpió Bruce, que no tuvo que realizar mucho esfuerzo para saber de quién hablaba.

—Pensé que era de los nuestros, aunque erré. Y esa puta decisión nos condujo a la destrucción total.

—¿Hablas de Lausson? —quiso confirmar.

—Ese gilipollas pijo de mierda nos utilizó para vivir la vida que no había tenido y, cuando se cansó, nos delató.

—Según tengo entendido, él solo se marchó. Otro miembro de la banda fue quien le dijo a la pasma dónde os escondíais.

—¿Tú crees? —preguntó abriendo un poco el ojo izquierdo, como si quisiera verlo a través de esa diminuta rendija.

—Eso fue lo que él gritó cuando Ray se presentó en el pueblo —alegó Bruce tranquilamente.

—¿Y quién podría haberse ido de la lengua? —perseveró aquel esqueleto con piel.

—No tengo ni idea. Recuerda que yo no andaba con vosotros por aquel entonces —señaló esquivo. ¿Por qué se había dignado a hablar con él? ¿Por qué salía de su oscuridad? Algo no iba bien y su instinto de supervivencia se despertó con rapidez.

—Cierto. Según Ray, trabajabas en un miserable taller bajo las órdenes de tu querido padre, ¿me equivoco?

¿Estaba intentando sacarle información? ¿Aquel muerto viviente que solo sobrevivía con tres litros de caldo semanales, cervezas y seis dosis de heroína al día deseaba averiguar sobre su vida? ¡Pues no se lo permitiría! Además... ¿quién era aquel espectro? ¿Cómo se llamaba? ¿Qué había hecho en el pasado para que Ray lo acogiera bajo su protección? Si, tal como había dicho, toda la antigua banda seguía entre rejas, ¿por qué él estaba libre como un pájaro? Una idea le asaltó en la cabeza con fuerza, pero fue incapaz de asumirla. Sin embargo, pese a no querer confirmarla, su insistencia era atronadora: solo un informante podía obtener el beneplácito del juez. Si aquel bastardo fue quien los delató, habría pactado algo y ese *algo* sería ver la luz antes de morir.

«Uno más uno es dos, Bruce», lo avisó su conciencia.

—¿Quién eres tú? —le preguntó girándose hacia él—. Llevo meses viéndote sentado en ese sillón sin hablar con nadie y me parece extraño que hoy te dirijas a mí. ¿Tienes algo que decir después de meterte ese chute?

El hombre volvió a reír. Como si le hiciera mucha gracia el ataque de Malone. Levantó despacio la mano que se había pinchado y, antes de que Bruce le comentara qué deseaba, una de las mujeres que permanecían sentadas en el sillón más alejado de ellos se colocó de rodillas delante de él, le bajó la bragueta y le sacó el sexo para chupárselo.

—Quién soy yo… —murmuró sin abrir los ojos—. Esa es una buena pregunta, muchacho. —Colocó la mano sobre la cabeza de la joven, primero le acarició el cabello castaño y luego la obligó a meterse la polla hasta el fondo de su garganta—. Pues resulta que soy el Gran Square.

—No he tenido el gusto de conocerte, Gran Square —le respondió sarcástico.

—Fui quién lideró las Ruedas del Infierno hasta que nos enchironaron —declaró tranquilamente.

—¡Imposible! —exclamó asombrado Bruce.

—¿Te parezco un imposible? —le preguntó divertido. Inclinó levemente la cabeza hacia la joven, le acarició de nuevo el pelo y le dijo—: Chupa mejor, cariño, porque no pararé de follarte esa linda boca que tienes hasta que me corra —le advirtió.

—No tienes pinta de líder —replicó mirándolo a la cara.

—No tengo pinta de líder… —repitió reflexivo—. Pues no eres el único que lo piensa ni lo pensó. Pero en contra de todas esas putas mentes de mierda, lo fui. Y gracias a mí nos convertimos en los reyes de la ciudad. Hasta los putos agentes de policía miraban hacia otro lado cuando aparecíamos en nuestras motos. Seguro que más de uno se comió la polla por el miedo. —Y después de eso emitió un leve gemido—. Enséñame la boca, preciosa —le pidió a la muchacha. Esta se acercó a él y le sacó la lengua para que observara su propio semen. Square absorbió el líquido y sonrió. Se reclinó otra vez en el asiento y continuó hablando a la joven—. Has sido una chica muy buena, cariño. ¿Quieres tu premio?

—Sí —afirmó en voz baja después de tragarse lo que había quedado en la lengua.

—Tú, ¡levántate! —le ordenó a otra de las chicas que fumaba en el sillón donde había permanecido quien acababa de hacerle una felación—. Cielo... —le dijo a quien todavía estaba de rodillas, a su supuesta pareja, según dedujo Bruce—, quítate la ropa y túmbate sobre la mesa. Voy a ofrecerte lo que te mereces.

Mientras la joven se quitaba las pocas prendas que cubrían su cuerpo y se colocaba tal como le había indicado, Bruce no prestaba atención a la escena que tenía delante. Su mente estaba concentrada en todo lo que había recopilado de aquel esqueleto. Por el rabillo del ojo observó ese pelo canoso y grasiento, esos pantalones sucios por el paso del tiempo y esos brazos escuálidos que salían del chaleco. Allí estaba, según su testimonio, un ídolo del pasado. Un hombre que llevó a la cúspide a la banda que desapareció de un plumazo, y no le cabía la menor duda de que ese mismo que lo condujo hasta lo más alto también lo destruyó. Pero... ¿por qué había culpado a Mathew? ¿Para salvar su asquerosa vida? ¿Tanto miedo le daba Ray como para acusar al buen doctor?

—Muy bien, preciosa —animó a la mujer que se había tumbado y que seguía sus órdenes sin rechistar—. Ábrete de piernas para que esa zorra te chupe el coño. ¿No es lo que querías? —preguntó colocando esos palillos que tenía por brazos sobre el respaldo del sofá.

—Sí —convino la joven.

—Espero escucharla gritar como una perra —le advirtió a la mujer a quien había llamado en segundo lugar y que se había colocado frente al sexo de la joven—. Mi puta se merece todo ese placer.

—¿Solo con la boca, Square? —demandó esta mientras se arrodillaba.

—No. Primero métele los dedos hasta el fondo para que chille y luego, cuando notes chorrear su coño, lo lames lentamente para que yo lo vea.

—Por supuesto —dijo antes de introducirle dos dedos con fuerza.

—Antes de tomar esta mierda, lograba follarme a cuatro en una noche —empezó a decir el tal Square—. Mi polla siempre estaba preparada para un coño caliente, pero ahora... tengo que conformarme con ver cómo se dan placer entre ellas.

Bruce se movió incómodo en el sillón. Ante todo era un hombre y observar cómo se daban placer dos mujeres era una escena demasiado excitante para él. Pero mientras se contenía, apreció que sus hermanos, esos que habían permanecido sentados charlando con sus acompañantes, comenzaron a quitarse la ropa. Había comenzado la puta fiesta que le dijo Ray y, como siempre, no escucharía música o risas, sino gemidos, sollozos de placer y choques de pelvis.

—¿Te estás conteniendo? —le preguntó Square mirándolo sin pestañear.

—No —respondió tosco Malone—. Hoy no me apetece follar.

—Pues mira a tu alrededor, muchacho. ¿Qué ves?

Tal como le indicó, Bruce observó a quienes contemplaban la escena. Muchos de sus hermanos ya estaban masturbándose, otros arrancaban las bragas de las mujeres que tenían a su alcance y las follaban al tiempo que ellas gritaban de placer.

—Una puta orgía —aseveró Malone cuando ambos cruzaron las miradas.

—Esa es la base del poder. Si nuestros hombres están saciados, si tienen la mente despejada porque su polla ha follado un coño caliente, harán lo que se les ordene. Es así de sencillo. —Volvió a levantar la mano izquierda e hizo llamar a uno de los que se masturbaban—. Fóllatela, está deseando.

—¿Por quién empiezo? —preguntó mirando a las dos.

—Primero a esta —le señaló a la que estaba de rodillas—, y luego, tal vez, te deje follarte a mi puta. No quiero que su placer termine tan rápido.

—Como quieras —respondió con una enorme sonrisa.

Mientras caminaba hacia ellas, el susodicho continuaba masturbándose. Bruce se quedó atónito al ver como acataban sus órdenes sin rechistar. ¿Qué poder tenía aquel fantasma para que todo el mundo lo obedeciera sin pestañear? ¿Por qué Ray no decía nada?

Cuando se colocó frente a las mujeres, extendió ambas manos hacia la que seguía con la boca metida en el sexo de la amante de Square, la levantó tirándole del pelo, le dio la vuelta para que el fantasma observara lo que iba a hacer y le desgarró la minúscula camiseta blanca y el tanga.

—Muy bien —le dijo—. Pero debe seguir dándole placer con su lengua a mi chica —le advirtió.

—¡Agacha la cabeza! —le mandó tras soltarle el pelo—. ¡Y continúa con lo que hacías! —gritó.

La mujer aceptó sin inmutarse. Volvió a poner su boca sobre el sexo de la chica de Square y empezó a devorarla. Mientras se escuchaban los gemidos de esta, mientras se expandía por el ambiente el sonido de las succiones que le realizaba, el hombre a quien había hecho llamar el espectro colocaba su nariz en el sexo de la mujer a quien iba a tomar.

—¡Está cachonda, la muy puta! —exclamó después de lamerla—. Chorrea por las piernas —agregó—. Creo que no tendrá bastante con mi polla, Square. Esta quiere que se la follen por el culo.

—Me parece una buena idea —afirmó el nombrado—. Pero primero fóllatela delante de mí. Sabes que me gusta mirar... Soy un puto *voyeur* —dijo mirando a Bruce al tiempo que le sonreía—. ¿Tú también eres un mirón, muchacho?

Bruce no respondió. Clavó la mirada en el hermano desnudo y observó cómo penetraba una y otra vez a la mujer sin que esta apartara la boca del lugar donde debía dar placer.

—El sexo... —prosiguió hablando Square— es la base del poder —repitió antes de fijar sus ojos sin vida en los tres.

Durante varios minutos, ambos se mantuvieron en silencio observando el trío. Escucharon la intensidad de los gemidos, de esos golpes que el hombre hacía sobre la cadera de la mujer al penetrarla y cómo esta aplacaba sus jadeos mordiendo el sexo de la amante de quien fue un líder.

—Square... —susurró el hombre mirándolo de manera suplicante—, no quiero correrme en el coño de esta puta. Necesita que le taladre el culo.

—¡Tú! —Señaló con el dedo a un joven con el pelo rapado. Uno que llevaba varios años acudiendo al almacén y que solía proponer algunos trabajillos sin importancia—. ¡Acércate! —Y en silencio, este se aproximó—. ¡Desnúdate y pon tu boca en el coño de mi chica!

«¡Joder! —exclamó la mente de Bruce—. ¿Quién cojones se ha creído este puto fantasma? ¿Por qué Ray sonríe en vez de imponerse? ¿Le gusta lo que ve? ¿Le complace que organice esta orgía? ¿Qué finalidad tiene todo esto? Mantente alerta, muy alerta».

Después de que el muchacho se desnudara y colocara su cara entre las piernas de la fulana de Square, el otro arrastró a la segunda mujer hacia el sillón que tenía a su derecha, miró a otro de los hermanos y le cabeceó para que se uniera a la fiesta.

—Tú, abajo —apuntó—. Yo quiero follarle el culo —señaló tras darle una fuerte cachetada a esos glúteos femeninos desnudos.

Una vez que se tumbó, la mujer se colocó sobre el segundo participante con las rodillas clavadas en el sillón. Lo miró con lascivia mientras se relamía los labios.

—Vas a chupármela, ¿verdad, encanto? —Ella afirmó antes de poner sus caderas hacia el hombre que tenía detrás y bajó su boca para hacerlo.

—¡Joder! —exclamó el que estaba colocado por detrás después de introducir sus dedos en la vagina de ella—. ¿Cómo se puede ser tan zorra? —Soltó una carcajada y, cuando dejó de reír, lamió aquel sexo impregnado con su lengua.

—Ni el trabajo más excitante puede anteponerse a esto —indicó Square mirando a una escena y luego a su chica, quien no cesaba de jadear—. ¿No crees, muchacho?

Bruce contuvo la respiración, debía hacerlo para no pecar. ¿Quién podía luchar ante una situación semejante? El olor a sexo, los gemidos, los chasquidos que hacían los hombres al penetrar a las mujeres… eran una llamada hacia el infierno, hacia la tentación, hacia la perdición. Sus ojos se centraron en aquellos tres. Ansioso por averiguar cómo continuarían, se llevó el botellín hacia la boca, aplacando esa garganta seca con un buen trago de cerveza. Abrió los ojos como platos al ver cómo empezaban a penetrarla por ambos lados. Ella gritaba, aullaba, pero no de dolor, sino de placer. «¡Santo Cristo! ¡No te resistas!», le gritó su parte diabólica.

—¿Sigues sin animarte? —le preguntó Square a Malone—. Me apostaría el próximo chute que ya la tienes dura. —Tras la afirmación, sus ojos sin vida se clavaron en las dos parejas que había detrás del respaldo del sillón, justo frente a ellos. Dos parejas que se dejaban llevar por la lujuria que se respiraba en el local. De repente, ambos hombres cruzaron la mirada y asintieron, salieron del interior de sus amantes y las intercambiaron. Ellas, ante las nuevas y fuertes invasiones, se agarraron al respaldo del sofá mientras jadeaban hasta quedarse afónicas. Los cabellos ocultaban sus rostros, pero el sonido que hacían al ser penetradas una y otra vez retumbó.

—Soy bastante egoísta y no me gusta compartir —alegó Bruce con voz estrangulada por el deseo.

—Puedo ofrecerte una, si lo prefieres. Seguro que no querrá compartirte con nadie —le ofreció Square, que ahora prestaba atención a su chica.

—Prefiero mantenerme al margen… —replicó Malone—. Soy un poco tímido —agregó mordaz.

Los grandes pechos de la amante de aquel fantasma se movían al ritmo de los empujes que hacía el muchacho en su sexo. Este levantó la mano derecha, para pedirle permiso al antiguo líder.

—¡Hazlo! —le dijo—. ¡Quiero escucharla gritar mi nombre mientras se corre!

Y así hizo. Al tiempo que la invadía con rudeza con los dedos de esa mano que había levantado, ella sollozaba el nombre de su pareja en cada gemido.

—Eres un gilipollas —expuso Square volviendo la mirada hacia él—. Yo me follaría hasta el culo de esos si la mierda que tomo no me dejara la polla floja.

Estaba a punto de responder cuando la escena de los tres captó de nuevo su atención. La muchacha se quedaba sin voz al ser penetrada por detrás. Las risotadas de quien la invadía por esa parte sonaban más altas que esos aullidos.

—¿No te gusta? —le preguntó este tirándole del pelo hacia atrás, haciendo que su garganta quedara tensa.

—Sí —respondió a duras penas ella.

—Pues… ¡grita! —le ordenó.

Y en ese momento ambos hombres empezaron a invadirla de manera acompasada. Los grandes pechos de ella se movían de arriba abajo hasta que fueron apresados por quien se encontraba abajo. Este se inclinó lo suficiente para no salirse de su interior y poderle morder los pezones erectos. Ella echó de nuevo la cabeza hacia atrás, manteniendo los ojos cerrados, mostrando con los leves movimientos de sus labios que gozaba con aquellas penetraciones hasta el punto de emitir un grito tan ensordecedor que dejó a todos paralizados.

—La mejor zorra que tenemos —comentó orgulloso Square después de escucharla—. No solo le gusta que la follen dos hombres, sino que puede hacerte una mamada mientras lo hacen.

—Una proeza increíble… —susurró Bruce, cruzando las piernas y estrangulando su propia erección.

—Pero mira, ¿no te da pena de mi puta? Quiere gozar lo mismo que la otra. No se puede ser tan egoísta con una muchacha así, ¿verdad? ¿Deseas lo que ella? —le preguntó a esta, que aún seguía con el hombre entre sus piernas.

—Sí —le respondió compungida, como si realmente se sintiera triste por no gozar como lo hacía la otra.

—Pero a mí no me gusta compartir —dijo Square con retintín—. Aunque haría una excepción si te la follas tú —le indicó a Bruce.

«Alerta —le dijo su conciencia—. Este quiere averiguar algo y lo sabes desde el primer momento. Abandona esa pose de macho renegado y entra en el juego. Como no te conviertas en un participante más empezarán a dudar de ti. Si es cierto que este fantasma de mierda lideró algo en su puñetera vida y tiene el beneplácito de Ray, ¡ándate con ojo!».

—¿Por qué yo? —preguntó mirándolo fijamente.

—Mi chica solo se merece lo mejor y de todos estos —comentó alargando la mano para señalar a quienes los rodeaban—, tú eres el único que merece la pena.

—No follo sin condón —puso a modo de excusa.

—Eso me parece de hombres inteligentes. —Se inclinó hacia él, como si fuera a confesarle un secreto—. Yo jamás los he utilizado, por ese motivo tuve varios ingresos en el hospital. Pero te prometo que estas putas toman la píldora. Ya se encarga ella —señaló a la mujer con quien estaba manteniendo relaciones Ray—, de que se las traguen. Muchas de estas zorras, con todo lo que se meten, no recuerdan ni cómo se llaman —terminó de decir y se acomodó de nuevo—. Entonces… ¿te la follas?

—Sí, aunque quiero que me la chupe un rato. No está tan dura como ella se merece —aseguró al fin.

—¡Nena! —le gritó—. ¡Ven!

Pese a los gruñidos que hizo el muchacho que devoraba su sexo, ella se levantó y caminó hacia Square moviendo las caderas.

—¡Tú! —le dijo al muchacho que, ante la marcha de la mujer, había empezado a masturbarse para terminar—. Tráete a esa y te la follas aquí.

—¿A la del culo? —quiso saber, abriendo los ojos como platos.

—A la misma —respondió.

Sin tener que emitir una palabra más, el joven caminó hacia la mujer, que aún seguía con el amante que había permanecido debajo. Este le acariciaba el pecho, el esternón y la espalda al tiempo que la mujer emitía unos leves sollozos de placer.

—¿Has terminado ya? —le preguntó una vez que se colocó frente a ellos.

—¿Tú qué crees? —le respondió enarcando las cejas—. Aunque tengo fuerzas para otra. ¿Qué te parece? ¿Quieres que te folle de nuevo? —Ella le contestó sacando la lengua y lamiéndose los labios—. ¡Pero qué zorra estás hecha! —le dijo antes de palmearle el culo.

—¡Pásasela! —le ordenó Square, que estaba atento a ese encuentro.

—Pero ella quiere otra como la que le acabamos de dar —le informó sin salir de ella.

—¿De verdad? —le preguntó a la mujer.

—Sí, Square. Quiero otra como la que me acaban de dar. Me gusta que me follen dos a la vez, aunque si lo deseas, puedo chuparte la polla mientras lo hacen —respondió moviendo las caderas como una gata en celo.

—No, gracias, la única que tiene ese honor es mi chica, pero podéis compartirla —determinó esbozando una enorme sonrisa en esa mandíbula huesuda.

El muchacho la cogió del brazo y la movió, apartándola del hombre que seguía en su interior.

—Déjame que la folle un poco, hermano. Quiero sentir este coño caliente —pidió.

—Me parece bien, pero si la colocas de esta forma —se sentó y posicionó el rostro de ella sobre su erección—, tendrá la boca ocupada y no la escucharemos gritar.

Después de sonreír los dos hombres, continuaron haciendo lo que se habían propuesto hasta que el sudor de los cuerpos se entremezcló. Al igual que en la vez anterior, solo se escuchaban sus gemidos, sus sollozos y los gritos que ella daba cuando la penetraban a la vez. Mientras tanto, Bruce observaba cómo la amante de Square continuaba acatando sus mandatos.

Antes de que pudiera arrodillarse frente a él, como habían convenido, Square le pidió que se subiera al sillón y que mantuviera su sexo abierto sobre su boca. La joven movía sus caderas sobre la cara de Square al tiempo que este la acariciaba con su lengua. Ella se tocaba los pechos, tiraba de sus pezones, sollozaba y echaba la cabeza hacia atrás. Y justo en ese momento clavó los ojos en él. Unos ojos oscuros, sin vida, sin ganas de pensar, solo de actuar. ¿De verdad tenía que seguir esa puta farsa para que lo dejaran vivir tranquilo? ¿O se trataba de una patraña que habían ideado Square y Ray ante su retraso? Él le había dicho en el vestuario que se marcharía si no le pagaban más y este le respondió que no viviría más de dos horas después de cerrar la puerta del almacén. Entonces… ¿era una forma de asegurarse su permanencia, su aceptación a las condiciones del grupo? Fuera lo que fuese, conociendo a Ray, pronto averiguaría el motivo por el que habían montado aquella bacanal.

—Delicioso… —murmuró Square relamiendo sus labios—. Vete con él, cariño. Ya estás preparada para follarte a un triunfador.

La joven, casi tan delgada como su amante, bajó del sofá y caminó hacia Bruce. Este apoyó las manos sobre ambos brazos del asiento y esperó a que ella hiciera todo el trabajo. ¿No era buena? ¡Pues que lo demostrara!

—La tienes muy grande… —murmuró cuando la sacó del pantalón.

—¿Más grande que la mía? —preguntó divertido Square. Ella asintió y él soltó una enorme carcajada.

—Pero cabe perfectamente en mi boca… —añadió antes de metérsela entre los labios.

De arriba abajo. Primero despacio y luego algo más rápido, la muchacha fue haciéndole esa mamada. Bruce terminó por cerrar los ojos, abandonando el control y dejándose llevar. Pero en ese preciso momento su cuerpo se tensó. Su puto cerebro lo atormentó al proyectarle la imagen de Ohana, al mostrarle sus ojos, sus labios, el cabello… Podía verla con tanta nitidez que parecía tenerla en frente. Iracundo por esa dichosa imagen, apartó a la joven de su sexo, la llevó a rastras hacia la mesa, la obligó a apoyar las manos sobre la mesa y, tras ponerse el condón, la penetró con fuerza.

—¿Esto es lo que quieres, zorra? —le gritó al oído tras apartarle el cabello tan grasiento como el de su amante.

—Sí —le respondió en mitad de esas fuertes acometidas.

—¡Pues ya lo tienes! —vociferó antes de darle un par de empujones más y correrse.

Cuando su semen saltó al látex, cerró los ojos e, inesperadamente, vio de nuevo a Ohana. Le sonreía mientras se apartaba el cabello y le mostraba esa marca de nacimiento.

—¡Mierda! —exclamó saliendo con rapidez del interior de la joven.

—Una polla muy grande pero poco útil —apuntó mordaz Square—. ¿Por eso no quieres follar a ninguna mujer delante de nosotros? ¿Ese es tu problema, muchacho? ¿Tienes eyaculación precoz?

—¡Lo has clavado! —refunfuñó después de hacer un nudo al condón, tirarlo al suelo y pisotearlo hasta destrozarlo. Se abrochó el pantalón y caminó hacia el frigorífico para coger otra cerveza.

—¡Me cago en la puta, Ray! ¡Tenemos un balín en la familia! —exclamó divertido Square mientras palmeaba sus rodillas con efusividad—. ¡Por eso no quiere que lo veamos! ¡Dispara antes de apuntar!

Y todos comenzaron a reírse de Bruce. Pero a él no le importaron esas mofas. Él sabía la verdad y, pese a ser bautizado como el hombre bala, estaba satisfecho de salvaguardar la realidad. La única que había tenido desde que decidió tomarse el mejor café de Texas. Las risas se fueron apaciguando para dar paso a nuevos gemidos, jadeos, respiraciones entrecortadas y pequeñas exclamaciones de placer. La puta de Square, como no se había quedado satisfecha, estaba de nuevo abierta de piernas, mostrando su sexo a su dueño mientras decidía a quién ofrecérselo. No. Por supuesto que él no deseaba tener ese tipo de vida.

—No me importa que folles como un rayo —le dijo Ray, que caminó oculto tan solo por los tatuajes de su piel y mostrando ese falo levantado, preparado para sumergirse entre las piernas de sus amantes—. Lo único que me interesa es la fuerza de tus puños —agregó al tiempo que apoyaba el antebrazo sobre la puerta del refrigerador y fijaba la mirada hacia los demás—. Tienes pastillitas azules en el primer cajón de mi mesa. No le diré a nadie que las utilizas.

—Eres muy considerado… —murmuró Bruce antes de tomarse el primer sorbo de su segundo botellín de cerveza.

—¿Crees que a mis años puedo mantener esto tan duro? Por suerte, la medicina facilita mucho nuestra virilidad.

—¿Después de obligarme a seguir luchando quieres convertirte en un padre comprensivo? —espetó enarcando las cejas.

—Bruce..., México nos espera —comentó entusiasmado—. En cuanto destroces a ese hijo de puta, podemos concertar otros combates con luchadores mexicanos. Conoces cómo son las apuestas allí y la fortuna que alcanzaremos. ¿No quieres ser rico? ¿No quieres vivir así el resto de tu vida? —Señaló con el botellín a todos aquellos que seguían manteniendo relaciones sexuales como animales salvajes—. No hay preocupaciones que nos destrocen la vida. Somos naturales y nos adoramos. Esta es tu familia, la que elegiste, la que te acogió cuando te repudiaron. ¿Quieres abandonarnos? ¿Quieres olvidar el afecto que te hemos dado desde que saliste llorando de ese pueblo repleto de deshonestos? Nadie te entendió... ¡Nadie! Salvo nosotros. Y ya sabes que eres el hijo que nunca he tenido. Te aprecio como si corriera mi sangre por tus venas. —Se acercó a Bruce y le dio un fuerte abrazo. Uno que Malone notó como falso, dañino y miserable, pero al que respondió de la misma forma—. Te queremos, hijo —comentó para herirlo aún más.

—Y yo a vosotros —indicó masticando cada palabra, apuñalándose el corazón al afirmar algo tan irracional, tan bárbaro, tan maligno.

—Si quieres marcharte, si quieres descansar... —empezó a decir Ray.

—No me vendrían mal unos días de descanso, ahora que lo mencionas. Quiero entrenar duro para ese combate y alejarme de tanta orgía me sentará bien —expuso antes de dar un largo sorbo y mirar fijamente a los ojos de Ray—. Mientras tanto, podrías averiguar algo de Shabon —le ofertó esperando su típica respuesta, una muy diferente a la que le había dado Siney, el verdadero dueño del gimnasio.

—Ya conocemos todo lo referente a ese bastardo —aclaró apartándose de él—. Que es un hijo de puta y que debes machacarlo. Descansa lo que quieras, cuando estés preparado, házmelo saber —agregó antes de dejarlo solo para dirigirse hacia sus mujeres—. ¿Me habéis echado de menos? —les preguntó a estas que, como siempre, se entretenían entre ellas mientras lo esperaban—. Pues demostradlo. Haced que mi polla enrojezca dentro de vuestras bocas. —Y sus deseos fueron órdenes. Mientras una empezaba a hacerle la felación, las otras manoseaban a la afortunada y le generaban todo el placer que ansiaba tener durante la noche—. ¡Esto es una fiesta! —gritó Ray levantando las manos al tiempo que empujaba la cadera hacia la boca de la mujer.

Bruce se giró, depositó el botellín sobre el frigorífico y se dirigió hacia la salida. Pero para llegar hasta la puerta, donde encontraría cierta libertad, debía pasar de nuevo delante de Square.

—Veo que ya has encontrado sustitutos para ella —apuntó mirando a los dos hombres que se metían y salían del cuerpo de su amante al tiempo que la zorra viciosa se sentaba sobre la cara de esta para que lamiera su sexo.

—Hay que darles placer… —comentó sin apartar los ojos de los cuatro, —, solo así estarán comiendo de tu mano. Si les quitas lo único que los satisface, se pondrán en tu contra. —Square se reclinó hacia atrás y volvió a atarse el brazo con la goma elástica.

—¿Eso es lo que te ofrecen aquí? ¿Tu placer? —le increpó Bruce.

Square alargó la mano hacia las piernas de Malone y lo echó hacia un lado.

—Esto y eso —apuntó señalando a los cuatro—, Vamos, nena... ¡Grita! —le indicó a su amante—. ¿No te gusta que te follen el culo y el coño a la vez? Eres una mujer muy caliente...

—¡Sí! ¡Sí! ¡Sí! —gemía ella cuando el sexo que tenía sobre su boca le permitía chillar.

Justo cuando Bruce quiso salir de allí, cuando dio un paso hacia la salida, la mano de Square se lo impidió.

—Yo también tenía unos principios y unos objetivos, pero todos se fueron a la mierda porque no hay nadie que pueda superarlo. O te unes a su mundo o dejas de respirar —le dijo bajando la voz—. Un adicto como yo lo único que puede hacer es rezar para que un chute le haga cerrar los ojos para siempre... Tú, tal vez, alcances una oportunidad para salvarte.

—No hay forma de liberarse —murmuró mientras sus ojos se volvían hacia los cuatro. Las mujeres habían cambiado de posición y de hombres, por supuesto. La amante de Square restregaba el sexo sobre la cara de la otra, dejándole las marcas del semen que habían introducido en ella, mientras que otros hermanos tomaban el relevo.

—¿Qué te haría libre? —le preguntó Square al tiempo que volvía a clavar la aguja en su vena.

—Según tú, solo la muerte —indicó con firmeza.

—Entonces... ¿a qué conclusión llegas si esa es la única manera que tienes para abandonar esta mierda? —dijo antes de apretar el émbolo e introducir todo el líquido en su cuerpo.

—Descansa en paz, Square. Hoy has hecho trabajar a tu cabeza más de lo habitual —comentó Bruce cuando este cerró los ojos y reclinó la cabeza hacia atrás.

—Eso voy a hacer, Malone... —murmuró entre balbuceos.

Bruce echó un último vistazo a los cuatro. Habían terminado y extendían sus cansados cuerpos sobre el sofá. La mujer más complaciente, aquella que había sido tomada en varias ocasiones por dos hombres a la vez, se levantó con agilidad, como si no llevase tres horas sin parar de follar, se arrodilló frente a la pequeña mesa donde tenían las rayas de coca y esnifó una por cada orificio de la nariz. Se limpió con el dorso de la mano y lo miró con ojos gatunos.

—¿Quieres que te enseñe a mantener tu polla dura algo más de diez segundos?

—No —dijo con firmeza antes de dar los pasos necesarios para colocarse en la salida.

Abrió la puerta, respiró el aire puro de la noche, se puso el casco, se montó en su moto y la hizo rugir hasta que llegó a su hogar. Una vez que halló la intimidad de su piso, se desnudó, tirando la ropa de manera descuidada sobre el suelo de mármol negro, se dirigió hacia el baño y se sumergió en una larga ducha, eliminando cualquier vestigio que tuviese del almacén. Después de que la espuma arrastrara la suciedad, cerró el grifo, se colocó una toalla alrededor de la cintura y salió de allí. Las gotas que perduraban en su cabello chocaron contra el suelo sin hacerlas parar. Ese era el único sonido que deseaba escuchar y que lo calmaba, el suyo, el de la soledad. Se dirigía hacia la cocina para prepararse otro café cuando se acordó de algo. Con las plantas pegadas al suelo, se giró y buscó con la mirada el pantalón. Metió la mano en el bolsillo derecho y sacó su móvil. Sin poder eliminar el entusiasmo que sentía, ni el fuerte latir de su corazón, apuntó el código de seguridad, buscó el número de Ohana y lo activó de nuevo.

«Buenas noches, texana. ¿Estás despierta?», le envió pese a ser la una de la madrugada y que podía estar dormida.

Caminó hacia la cocina y, cuando se disponía a prepararse un café, desistió. Después del que había tomado en la cafetería, no merecía la pena someter a sus papilas a un sabor tan horrendo, así que regresó al salón. Una vez que observó la oscuridad de la noche a través del ventanal, elevó la mano que sujetaba el móvil y sonrió feliz al ver que Ohana estaba en línea y que además le escribía.

«Buenas noches, Bruce. Pensé que te habías asustado por mi acoso. ».

«No me siento acosado, pero si quieres, puedes hacerlo. ».

«¡Oh, vaya! Acabas de dejarme planchada. ».

«¿No duermes? Es muy tarde… ».

«Debería hacerlo, pero no puedo concentrarme en los diseños. Creo que tengo la mente saturada. ».

«¿Quieres que te llame? Podemos charlar un rato. ».

Silencio. Ohana parecía dudar la respuesta. Bruce se acarició el pelo y se dirigió hacia el dormitorio, donde pudo sentarse al fin en ese colchón que, pese a no tener somier, le resultaba cómodo. Al ver que ella no respondía, depositó el teléfono en el suelo, cruzó los brazos en la almohada y, tras apoyar la cabeza en ellos, miró al techo. «Tal vez el acosado termine siendo el acosador —se dijo, divertido—. Chica lista… No me dejes que…». Se levantó rápido al escuchar el sonido del wasap. Lo desbloqueó y una sonrisa le cruzó el rostro al ver la respuesta.

«Puedes hacerlo cuando quieras. ».

Y después de leer dos veces la frase, tecleó su número.

—Hola… —lo saludó ella al aceptar la llamada.

—Hola… —contestó él, tumbándose de nuevo sobre el colchón.

CAPÍTULO V

UNA PELIGROSA LLAMADA NOCTURNA

Tal como le sugirió Betsy, en cuanto llegó al apartamento dejó el portátil sobre la mesa del salón, corrió hacia el baño y se dio una larga ducha de agua fría. Mientras esta recorría su cuerpo, cerró los ojos, apoyó las palmas abiertas sobre las baldosas y suspiró hondo. ¿Qué le ocurría? ¿Por qué estaba tan alterada después de ver a Bruce? Entendía que debía estar en shock después de haber estado perdido durante cinco años, pero... ¿y su corazón? ¿Por qué actuaba como si siguiera enamorada de él? ¿No lo había olvidado? ¿Había escondido los sentimientos hacia Bruce tan bien que ni ella sabía que los tenía? Agobiada, cerró el grifo, cogió su toalla de color rosa y se la enrolló en el cuerpo. Su cabello, ese que ahora parecía pegarse a su piel como si fuera una prenda mojada, goteaba sobre el suelo. Salió de la ducha, enredó el pelo en otra más pequeña del mismo color y salió del baño, dejando tras de sí una estela de denso vaho.

—¿Todo bien? —le preguntó Corinne saliendo de

su habitación, luciendo su habitual camisón de Hello Kitty morado mientras bostezaba.

—Sí —le respondió con rapidez mientras se dirigía hacia el salón y regresaba a la tarea en la que debía centrarse.

—¡Ay, Dios! —exclamó su compañera de piso tras descubrir que las mejillas de su amiga estaban rojas como un tomate—. ¿Estás enferma? ¿Tienes fiebre?

—Algo así… —contestó esquiva. Se sentó en el sofá de manera brusca, extendió las piernas hacia la mesa donde se encontraba su portátil y cubrió estas con la toalla.

—¿Cómo que… algo así? —quiso saber Corinne al tiempo que posaba su duro trasero en el sillón que había frente a Ohana—. O estás enferma o no lo estás —perseveró—. ¡No puedo contagiarme de nada! Lo sabes, ¿verdad? —dijo desesperada—. Tengo previstas varias semanas de trabajo y…

—Tranquila, no estoy enferma —le aclaró—. Lo que tengo no se contagia —añadió sarcástica.

«**Salvo que veas a Bruce…**», apuntó la diablilla.

—¡Menos mal! —exclamó exhalando todo el aire que habían tomado sus pulmones.

—¿Crees que todo lo que nos pasa en la vida es obra del destino? —inquirió centrando su mirada en los dedos de los pies.

—¡Joder! ¿A qué viene esa reflexión tan filosófica? —soltó Corinne mientras enredaba su alborotado cabello rubio en un desastroso moño—. ¿Sigues inquieta por la oferta? ¿Aún no te has decidido?

—Aún no lo he hecho —respondió a la última pregunta—, pero no tardaré en hacerlo —agregó muy segura.

Se inclinó hacia delante, levantó la pantalla del ordenador y lo volvió a encender. Pero cuando este le pidió la clave para acceder a los archivos, se quedó con los dedos sobre el teclado sin saber qué escribir.

—No te sientas presionada —le sugirió Corinne, quien había subido las piernas al sillón y la miraba sin parpadear—. Lo importante es que confíes en esa elección y le eches un par de ovarios para sacarlos adelante.

—Lo sé —dijo reflexiva al tiempo que apartaba las manos del teclado.

Cerró los ojos por un momento, pero tuvo que abrirlos con rapidez. Los iris azules de Bruce la miraban sin parpadear y esos labios, carnosos y rodeados de una espesa barba rubia, le sonreían de manera pícara. Entonces se acurrucó en el sillón, mostrando su típica posición cuando algo la desconcertaba: posando las plantas de los pies sobre los cojines del sofá y abrazándose las rodillas

—No quería joderte el día, pero debo de avisarte que el capullo ha estado aquí —comentó Corinne creyendo que el estado de inquietud de Ohana era por culpa de James.

—¿En serio? ¿Qué le has dicho? —preguntó inquieta.

—Nada. El imbécil me despertó y me sacó de la cama. Pero no le dije nada. Esperé a que se marchara con el teléfono en la mano.

—Algún día se dará por vencido y dejará de molestarnos.

—Cuando las ranas tengan pelos —refunfuñó Corinne al tiempo que se levantó del sofá—. Deberías hacer algo al respecto. No creo que tu pasividad sea suficiente para mantenerlo alejado.

—Por ahora me basta —replicó.

—¿No te lo has encontrado en la cafetería? —preguntó volviéndose hacia ella—. Imaginé que estabas alterada por su culpa.

—Si ha estado allí, no lo he visto. Además, tenía compañía y ya sabes que no suele acercarse a mí cuando estoy con alguien —explicó. Justo en ese momento buscó con la mirada su móvil. ¿Dónde lo había dejado? Se levantó alterada y se dirigió hacia el baño. Lo guardó en uno de los bolsillos del pantalón y recordó que este lo había metido en el cesto de la ropa sucia.

—Y... ¿quién era ese acompañante? —le preguntó Corinne caminando detrás de ella—. ¿Lo conozco?

—No, pero te he hablado mucho de él —le respondió.

—¿De él? —preguntó a su espalda—. Eso quiere decir que es un hombre... ¿guapo?

—Nunca me fijo en el físico de una persona —le recordó—. Pero te advierto que sabe hablar y escuchar.

—Quieres decir que es feo de cojones, ¿verdad? —Corinne puso los ojos en blanco y emitió un bufido.

—¡Bruce no es feo! —soltó tras girarse hacia su amiga.

«No es feo, está tan bueno que tengo las bragas chorreando».

—¿Bruce? ¿Te has encontrado con aquel que provocó el mayor altercado de tu pueblo? —preguntó Corinne flipada.

—Eso ocurrió hace muchos años —le recordó, para también asumirlo ella misma.

—Y tu primer amor... —comentó cogiéndole las manos.

—Sí —afirmó antes de soltarse despacio y regresar al sofá.

—Sé que después de lo ocurrido con James, tiendes a exagerar todas tus emociones, pero...

—No estoy enamorada de Bruce. Es cierto que me he alegrado de verle, aunque no sé si sería adecuado continuar con nuestra amistad —comentó sentándose otra vez en el sofá.

—Puedes seguir hablando con él mientras ambos queráis. Por cierto, ¿cómo es? Me dijiste que era un joven rubio, alto…

—Olvida todo lo que te dije. Ha cambiado una barbaridad… —dijo divertida.

—¿Mucho? ¿Tienes una foto? —insistió tras ponerse delante de Ohana y no apartar la mirada del móvil.

—Creo que… —Miró el móvil y buscó el wasap de Bruce. Cuando se marchó y le envió el primer wasap estaba tan alterada que no había mirado la foto, pero ahora quería saber qué pose había adoptado para esa imagen y mostrarle a Corinne que, por fin, había estado charlando con un hombre inigualable. Sin embargo, se llevó un chasco al advertir que en vez de su rostro había una moto, una Harley Davidson. Una muy parecida a los que solían llevar los miembros de una banda de moteros—. Lo siento, este no es él —dijo mostrándole la imagen.

—Bonita cara tiene ese tal Bruce… —hizo referencia a la foto del wasap.

—Quizás sea tímido y por eso no le gusta poner su rostro —lo defendió.

—Pues mira mi foto de perfil de wasap y verás lo poco tímida que soy —le dijo divertida.

—¿La has cambiado otra vez? —replicó mientras deslizaba con el dedo la pantalla del móvil para buscarla.

—Ajá, y muestro toda la timidez que tengo —añadió antes de dirigirse hacia su dormitorio para comenzar a prepararse.

—¡Venga ya! ¿No tenías otra cosa que poner? —gritó Ohana divertida al ver que había hecho una foto de sus tetas operadas.

—Son... lo más bonito que tengo... por ahora —le respondió sacando la cabeza por la puerta—. Estas nenas me costaron tres mil dólares y debo mostrarlas al mundo entero.

—Tendrás un problema —le indicó al tiempo que tomaba asiento.

—No, cariño. ¡Tengo dos problemas! —exclamó tomando sus pechos con las manos y moviéndolos de arriba abajo—. Y estas nenas hoy van a hacer que consiga el mejor contrato que pueda soñar. ¿Verdad, chicas?

Mientras Corinne seguía hablándole a sus pechos, Ohana se centró en la imagen que tenía Bruce en su wasap. Una moto... ¿cómo iba a poner otra cosa? Su obsesión por ellas provenía desde el pasado. Aún recordaba el día que Dylan apareció con una en su ranchera y la cara que puso él al verla. Aunque luego todo el pueblo deseó que aquella diabólica moto, que emitía un sonido ensordecedor, se quemara en alguna carrera que este realizaba por los campos. Con una sonrisa alargando sus labios, comenzó a teclear un mensaje para el antiguo motero.

«¿Te siguen gustando las motos? Lo he deducido al ver tu foto en el wasap». Pero después de leer las frases varias veces, las borró. No, no podía decirle una tontería semejante. Se burlaría de ella por un comentario tan absurdo. Volvió a teclear...

«Ha sido un placer verte de nuevo, Bruce».

Y sin pensárselo le dio al botón de enviar. Una vez que los *checks* le indicaron que la frase había llegado y que lo había recibido, se regañó por hacerlo. Pero para que no hubiera ninguna confusión en sus palabras y Bruce no interpretara lo que no era, intentó aclararlo con otra frase.

«Espero tomar pronto contigo otro café».

Sin embargo, cuando recibió el segundo mensaje, Ohana saltó de su asiento y lanzó el teléfono al sofá como si le hubiera caído un rayo en la mano. ¿Qué diablos le ocurría? ¿No podía teclear una cosa sensata? Así que después de respirar hondo y hallar algo de calma, se sentó de nuevo, levantó la pantalla del ordenador, metió al fin la clave, abrió el fichero de los diseños y empezó a repasarlos. Aunque seguía sin poderse concentrar.

Ávida por averiguar si Bruce había mirado lo que le envió, cogió de nuevo el móvil con sigilo, como si estuviera haciendo algo muy malo. Lo desbloqueó y emitió un minúsculo lamento al ver que los *checks* aún estaban en negro, así que no los había visto. Quizás antes estaba lejos del teléfono y no lo había escuchado. Tal vez ahora estaba más cerca y si le enviaba otro... ¡leería los anteriores!

«No consigo decidirme. ¡Esto es una locura!».

Bueno, no era del todo falso. Por su culpa, por no haber prestado atención a los mensajes, ella no podía concentrarse en su trabajo. Colocó el teléfono a su lado y comenzó a pasar las imágenes que tenía en el portátil cuando una idea le asaltó en la cabeza. «¡Dios, Dios, Dios!», exclamó su conciencia racional. ¿Acaso no se daba cuenta de lo que había hecho? Le había cogido el número sin que él se lo ofreciera y para más inri lo agobiaba con un montón de frases absurdas. Así que cogió de nuevo el móvil y tecleó:

«Lo siento, no soy una acosadora que invade la intimidad de los demás, te pido disculpas. Buenas noches, Malone».

Otra vez lo lanzó al sillón como si quemara. ¿Qué diablos le ocurría? ¿Por qué sus dedos no podían quedarse quietos? «Pobrecillo... —pensó—. Tiene que estar confundido. Se marchó porque tenía un problema en el gimnasio y se va a encontrar con otro de acoso». Y justo en ese instante tomó de nuevo el teléfono y tecleó: «Espero que hayas arreglado el problema del gimnasio».

Después de esa locura, lanzó el aparato a otro sillón más alejado para no volver a hacer ninguna tontería más. Cuanto más apartada permaneciera de ese diabólico chisme, menos posibilidades tendría de hacer el imbécil. Pero justo cuando iba a levantarse para cogerlo y averiguar si los había visto, para borrarlos a tiempo, Corinne salió del dormitorio.

—¿Qué tal me ves? —le preguntó haciendo mil poses para que observara cómo le sentaba ese vestido de lentejuelas verde. Solo ella podía vestirse como la lagarta que era sin avergonzarse.

Ohana se giró, apoyó los antebrazos en el respaldo del sofá en el que se encontraba y la repasó de arriba abajo.

—¿Qué aspecto quieres dar? —le respondió.

—¿Tú qué crees? —le devolvió la pregunta antes de juntar los morros pintados de rojo.

—En ese caso, estás espectacular —le dijo, haciéndole unas leves palmaditas.

—No me esperes levantada, cariño. No sé si llegaré a casa o me quedaré a dormir con algún ricachón que quiera meter en mi generoso escote unos preciosos pendientes de diamantes —comentó sarcástica.

—Ya que te pones en ese plan... que estén acompañados de un hermoso collar y una alianza matrimonial —le respondió con el mismo tono mordaz.

—¿Casarme? ¿Yo? ¡Ni de coña! ¡Este cuerpo tiene que disfrutar de su soltería muchos años! —gritó con desesperación—. Bueno... ¿me deseas toda la suerte del mundo? —le pidió.

—Que tengas muuucha suerte.

—*Ciao amore mio!* —se despidió, lanzándole un beso.

Una vez que cerró la puerta y dejó tras ella ese perfume de J´adore de Dior con el que se rociaba, se dirigió hacia la salida, metió la llave, le dio dos vueltas y encajó los cerrojos. Si James había ido a verla por la tarde y no la había encontrado, tal vez se le ocurriese aparecer otra vez y, en esta ocasión, tal como le dijo Corinne muchísimas veces, tendría que llamar a la policía y denunciarlo.

Una vez que se alejó de la puerta, miró desde donde se encontraba al dichoso móvil. No le había contestado. Si lo hubiera hecho, una luz blanca parpadeante aparecería y, como podía apreciar, estaba muerto. Pese a todo quiso confirmar su conclusión. Al desbloquearlo, advirtió que, por lo menos, los había leído. Aunque no obtuvo ninguna respuesta. Tras suspirar y pensar que no volvería a saber de él, depositó el teléfono en la mesa, cogió su portátil y se dirigió hacia el dormitorio. Cuantas menos tonterías tuviera en la cabeza, más concentrada podía estar en el trabajo. Pero si su decisión era tan firme... ¿por qué notaba un nudo en la garganta?

Negando despacio con la cabeza, terminó por sentarse sobre la cama y, mientras revisaba los bocetos, puso de fondo a su cantante preferida. Una mujer que, con su potente voz, la transportaba a otro mundo. Ahuecó las dos almohadas en la espalda, echó la cabeza hacia atrás y, pese a la determinante decisión, rememoró el momento en el que sus ojos se lo encontraron sentado frente a ella, sonriéndole. ¡Y pensar que había estado a punto de tirarle el café para que se marchara!

La canción terminó y dio paso a otra que le ponía los pelos de punta. Esa que Cristina Aguilera cantaba con Blade Sherton, *Just a fool*. Pues así se sentía ella, tonta por un reencuentro que no debía saturarle la cabeza y que por desgracia lo hacía.

Entre sus pensamientos aparecieron varias preguntas: ¿Bruce sería capaz de regresar al pueblo? ¿Lo aceptarían? ¿Alguien podría tenderle una mano para facilitarle esa ayuda que necesitaba? Dedujo con rapidez que la única que podía salvarlo era ella porque… ¿habría otra posibilidad? Al final decidió que, cuando regresara al pueblo tras terminar el proyecto, hablaría con Dylan para contarle que lo había visto y que no tenía nada de criminal. Que se había convertido en un empresario. Ella podía allanarle ese arduo camino.

«¿Y si él no quiere volver?»

Pero él sí quería hacerlo, lo había visto en su mirada cuando le dijo que tenía un hermano y que todos en el pueblo estaban felices y contentos.

«Pero una cosa es imaginar y otra actuar».

—¡Basta! —exclamó—. ¡Se acabó pensar en él! ¡Céntrate, maldita sea!

Y eso hizo durante tres horas. Tiempo en el que se levantó varias veces de la cama y miró el visor de su móvil para resoplar después de afirmar que Bruce no le contestaba. Dándose por vencida, decidió dormir y que la luz del nuevo día la despertara con la cabeza despejada. Pero justo cuando empezaba a sumergirse en un relajante y apacible sueño, escuchó a lo lejos un leve silbido, el que realizaba su teléfono cuando recibía un mensaje. Su corazón empezó a latir con rapidez, como si hubiera hecho una carrera delante de un tren en marcha. Levantó la cabeza de la almohada y consiguió distinguir en el reloj de la mesilla que era la una de la madrugada. No podía ser Bruce, tendría que ser algún correo de la compañía telefónica informándole que su saldo estaba a punto de acabarse. Pero a pesar de esa sospecha apartó las sábanas y, adormilada, caminó hacia el lugar donde había abandonado el móvil.

«Buenas noches, texana. ¿Estás despierta?». Leyó siete veces mientras intentaba abrir los ojos.

¿Debía responderle o mantenerlo a la espera? Con el teléfono en la mano regresó a la cama, se sentó y lo observó dudosa. Él estaba en línea, esperando su respuesta, pero… ¿cuál?

«Buenas noches, Bruce. Pensé que te había asustado mi acoso. », le puso al fin.

¿Sería acertado hacer hincapié en la palabra acoso? Ella no era una persona de esas y conocía a la perfección lo mal que se podía sentir alguien cuando era sometido a ese tipo de locuras. Frunciendo el ceño por sus inadecuadas palabras, deseó que el tiempo retrocediera unos minutos para elegir otras más adecuadas. Pero cuando vio que él le escribía, su corazón dejó de latir… ¿qué le respondería?

«No me siento acosado, pero si quieres, puedes hacerlo. ».

Y en ese mismo momento el teléfono se le escurrió de las manos y su cabeza botó en la almohada mientras ella soltaba una enorme carcajada. No era lo que esperaba, pero le resultaba gracioso. Sin embargo, cuando su mente le recordó que él esperaba una contestación, dejó de sonreír, alargó la mano y volvió a leer el último mensaje. ¿Qué podía ser lo siguiente que le preguntara? ¿Qué has estado haciendo hasta la una de la mañana? ¿Los clientes de tu gimnasio no tienen una casa a la que marcharse pronto? ¿No quería que lo acosara? Pues qué mejor que ese tipo de preguntas… Volvió a reír mientras sus dedos tocaban las consonantes y las vocales elegidas para responderle.

«¡Oh, vaya! Acabas de dejarme planchada. ».

Con los ojos clavados en el visor y dejando de respirar mientras observaba que él le respondía, Ohana dudaba si era correcto lo que hacía pese a ser ella quién había comenzado la conversación tres horas antes. Pero se sentía tan feliz, tan viva y tan animada que parecía una adolescente. Además, podía asegurar que le había salido una espinilla cuando reconoció a Bruce. Se carcajeó ante su tonto pensamiento. Y justo sonó de nuevo el WhatsApp.

«¿No duermes? Es muy tarde… ».

¿Qué podía decirle para no tener que comentarle que había estado esperando un mensaje suyo? Clavó la mirada en el portátil, que depositó en el suelo antes de decidir descansar, lo colocó sobre sus piernas, lo encendió y metió la clave. Luego, una vez que la carpeta estuvo frente a ella, cogió el móvil y le respondió.

«Debería hacerlo, pero no puedo concentrarme en los diseños. Creo que tengo la mente saturada. ».

No le mentía, ¿verdad? Era cierto que había estado mirando una y otra vez las imágenes, aunque su cabeza estaba en un mundo paralelo a ella. Y…

«¿Quieres que te llame? Podemos charlar un rato. ».

¿Hablar? ¿Por teléfono? ¿Cuántas películas había visto en el que una mísera llamada entre dos personas de diferente sexo había terminado con dos masturbaciones? Tiró el teléfono sobre la cama, como si le hubiera quemado. Respiró entrecortada, ahogada por la locura que le había ofrecido Bruce.

«¡Paranoica! ¿Qué tiene de malo hablar con una persona durante un rato? ¿No quieres saber qué le ha tenido tan ocupado que no ha podido responderte antes? ¡Pues ya sabes qué tienes que hacer!»

Colocó el ordenador de nuevo en el suelo, mejor allí que sobre la cama, se estiró a lo ancho de esta y, tras desbloquear el móvil, porque había pasado tanto tiempo que hasta se había bloqueado solo, le escribió:

«Puedes hacerlo cuando quieras. 😉».

Después de darle al botón de enviar, cerró los ojos y suspiró. Quizá no la llamaría en ese momento. Tal vez solo quería saber si podía hacerlo cualquier otro día. Uno que…

El teléfono comenzó a sonar.

Con el corazón latiendo en su garganta, presionándola para no permitirle ni respirar, Ohana confirmó que era él. Descolgó, se giró sobre la cama, miró hacia el techo y comenzó a enredarse mechones de su cabello con un dedo de la mano izquierda.

—Hola…

—Hola… —le respondió él—. Sé que es muy tarde.

—Estaba despierta —le dijo rápidamente para que ese tono preocupado desapareciera.

—¿Sigues trabajando?

—Sí.

—¿No has elegido ni un solo boceto? —quiso saber al tiempo que colocaba el brazo izquierdo, ese que no sostenía el móvil, bajo su cabeza.

—No.

—¿Sabes responder con algo más que con un monosílabo? —le preguntó risueño.

—Sí —contestó dibujando gran sonrisa.

—Entiendo… —susurró con una voz tan suave que a ella se le congeló el corazón—. Comencemos de nuevo. —Tomó aire y prosiguió—: Hola, Ohana, perdóname por no haber respondido a los wasaps cuando me los enviaste, pero el problema del que te hablé no se resolvió con tanta facilidad. Te pido mil disculpas por mi mal comportamiento.

—Eso está mejor, Bruce —dijo divertida. Al escuchar cómo Malone soltaba una risotada, ella percibió una dolorosa punzada en el estómago a la que no prestó atención—. Pues después del último mensaje que te envié, me puse a trabajar, pero no he sido capaz de elegir ni uno solo —lo informó. Cerró los ojos y dejó que su voz, varonil, ronca y suave, atravesara sus oídos y le proporcionara una dulce melodía.

—¿Por qué? —se preocupó. Respiró hondo mientras pensaba en el maravilloso tono que Ohana poseía a través del teléfono. Muchas voces se distorsionaban, pero la suya no, al contrario, se escuchaba cálida, apacible y su risa era tan suave y pura que se le erizó el vello.

—Porque no puedo seleccionar tres de una colección que creé yo misma y en la que todos me parecen perfectos —aclaró mientras se inclinaba hacia el portátil para ponerlo de nuevo en sus piernas.

—¿Qué has hecho? —preguntó Bruce al escucharla moverse y tomar aire. Ese suspiro casi imperceptible, ese roce de algo en su cuerpo, lo dejó sin respiración.

—¿Cuándo? —espetó ella abriendo los ojos como platos.

—Ahora —le aclaró—. ¿Qué has hecho ahora mismo? —expresó más concreto.

—Coger mi portátil y ponerlo sobre mis piernas —le respondió.

—¿Dónde estás?

Ohana resopló. No quería comenzar una conversación inapropiada con Bruce. Aunque esa diablesa colocada en su hombro izquierdo y que saltaba de satisfacción mientras agarraba su tridente, le sonreía feliz.

«¡Díselo! ¡Díselo! Nos merecemos una pequeña venganza por no haber contestado antes...», insistía esa pequeña diablilla con cuernos y cola.

—En mi cama... —dijo al fin. Cerró los ojos y se dejó llevar.

—Ajá. Yo estoy en la mía. Ha sido un día duro y necesitaba descansar —expuso notando cómo el pulso se le aceleraba.

«Cambia de conversación —le advirtió la conciencia buena—. No puedes caminar por ese terreno peligroso. ¿Recuerdas quién está al otro lado del teléfono? ¡Ohana! La chica noble, cariñosa y pura a la que hacías referencia cuando toda esa panda de imbéciles follaba sin parar. No pretenderás pudrirla, ¿verdad? Ella no se lo merece».

—Si te molesto, dímelo y te cuelgo —continuó Bruce después de asumir que su parte buena tenía razón, que ella era demasiado valiosa como para corromperla.

—Si me molestara hablar contigo, te habría puesto cualquier excusa para que no me llamaras. Lo único que pasa es que me desconciertan algunas preguntas —le aclaró.

«¡Eso es, chica! —la animaba la diablilla que seguía saltando sobre su hombro—. **¡Dale fuerte! ¡Que sepa que no puedes decirle que estás en la cama y responderte con un miserable ajá! ¿Quién puede decir algo tan tonto en un momento tan excitante?».**

—¿Qué preguntas? Si me las dices, te prometo que no las haré —le dijo con tono calmado.

—Por ejemplo... ¿dónde estás? ¿qué haces a la una de la madrugada? ¿Llevas puesto camisón o pijama? ¿Hay alguien en tu cama? —expuso con desdén.

—¿Y? —perseveró con un nudo en la garganta.

—Y no me gustan los pijamas, solo duermo con

una camiseta que… —Se quedó callada. ¿Cómo diablos podían salirle de la boca esas tonterías? ¿Por qué no podía frenarse? ¿Acaso no solo sus dedos se volvían unos idiotas al teclear, también su boca al hablar?

—Bueno, pues solo necesito saber si estás con alguien en la cama —reveló divertido él—. Aunque deduzco que ambos estamos solos. —Al no escucharla continuó—: ¿Cuándo realizaste esos dibujos? —preguntó terciando el tema. No podía hacer que su mente le mostrara la imagen de Ohana tumbada sobre la cama cubierta con una camiseta. ¡Ni de coña!

—Hace varios meses —respondió algo más tranquila al cambiar Bruce de conversación y no reparar mucho en la tontería que acababa de decirle.

—¿Qué plasmaste en ellos? —se interesó.

—Ropa de mujer —apuntó sarcástica—. ¿Pretendes ayudarme con la selección? —preguntó enarcando las cejas.

—Si te vale la opinión de quien no despega los ojos del desfile de Victoria's Secret's, sí —señaló divertido mientras seguía clavando la mirada en el techo.

Ella resopló de nuevo y suspiró de manera brusca, dándole a entender que su comentario no le resultaba agradable.

—Quiero mostrar a una mujer *sexy* aunque no tenga una figura esquelética —lo informó después de hallar unas palabras adecuadas, no quería mandarlo a tomar viento fresco tan pronto. Además, le había dado una pista. ¿Quién quería ver en el desfile un vestido que realzara la silueta de quien lo llevara? Las mujeres. Y… ¿quién deseaba tener una amante, esposa o una novia *sexy*? Las mujeres y los hombres.

—No me gustan las mujeres huesudas —dijo después de meditar durante unos instantes una respuesta sincera.

—¿Ah, no? —indicó con enojo al mentirle tan descaradamente—. ¿Con cuántas mujeres huesudas has estado, Bruce? ¿Y rellenitas? ¿Hay alguna que haya tenido la talla cuarenta en esa lista? —Directa a la yugular. Una cosa era el idealismo de una mujer y otra era la cruda verdad. Los chicos guapos en contadas ocasiones se fijaban en jovencitas con curvas, y él no iba a ser la excepción.

—No cuento ni selecciono a quienes me… follo —replicó con sinceridad.

—¡Precioso! —exclamó ofendida—. Me acabas de dejar de piedra —refunfuñó.

—¿Crees que todas con las que he estado deseaban una relación estable? —se defendió. Inquieto por ese ataque, se sentó en el colchón, posando las plantas de sus pies sobre el suelo, y se apartó el pelo que caía sobre su lado izquierdo—. Porque si piensas de esa forma mira a tu alrededor, Ohana, ya no estás en el pueblo, sino en una gran ciudad. ¿Encuentras la diferencia? —la increpó.

—No quiero hablar de ese tema —gruñó al tiempo que cerraba la pantalla del ordenador con más fuerza de la que debía.

—¿Qué acabas de hacer? —volvió a preguntarle.

—He bajado la pantalla del portátil —le respondió perpleja al descubrir que Bruce tenía un sentido del oído tan agudo.

—De manera brusca… —comentó a modo de regaño.

—De manera brusca… —repitió ella frunciendo el ceño. ¿Cómo podía escuchar con tanta perfección?

—Pues ábrelo de nuevo. No colgaré hasta que termines de elegir lo que te han pedido —aseveró—. Seré incapaz de volver a mirarte a los ojos si pienso que soy el culpable de haber echado a perder la oportunidad que llevas esperando toda tu vida.

—Bruce...

—Ohana... —le contestó con el mismo tono de voz.

—¡Está bien! —aseguró—. Pero no tengo ni idea de cómo me vas a ayudar —suspiró enfadada.

—Mándame fotos. Es una opción que hay en el móvil y...

—¡Sé cómo se envían las dichosas fotos! —le recriminó con un berreo—. Esta pueblerina no puede entender por qué a la gente le gusta follar, pero sí sabe hacer una maldita foto y enviarla por wasap.

—No te enfades —le dijo con voz melosa, suave y tranquilizadora.

—¿Yo? ¿Enfadada? ¡Para nada! —bufó.

Resopló de nuevo mientras cogía el portátil otra vez. ¿Por qué narices le hacía caso? ¿Por qué no cortaba de una vez la llamada y se centraba en su trabajo?

«Porque Bruce siempre ha estado en tu cabeza, por eso estoy aquí. Soy la emoción que intentaste frenar después de la conversación que tuviste con Kathy. Pero al él volver a tu vida, yo también lo he hecho. Necesito que seas consciente de que esta es tu oportunidad... »

—Cambiando de tema... ¿qué materiales debes usar para confeccionar tus modelos? Me dijiste que ellos te proporcionarían todo lo que necesitaras, ¿verdad? —insistió.

—Verdad —afirmó mientras pasaba una a una las imágenes. El pelo le molestaba y, al ver que tenía una pinza sobre la mesita, estiró su cuerpo hasta alcanzarlo. Miró el móvil, que lo había dejado sobre la almohada, lo cogió de nuevo y dijo—: Para tu información, he cogido algo con lo que sujetarme el pelo, te lo comento antes de que me preguntes qué estoy haciendo.

Bruce soltó una sonora carcajada al escucharla.

—Buena chica —la recompensó con ese tono de voz que a ella la dejaba petrificada y sin aliento.

Ohana cerró los ojos, dejándose llevar por el bienestar que le ofrecía la voz pausada de Bruce, expulsó todo el aire que había retenido en sus pulmones y separó las pestañas lentamente.

—¿Qué materiales necesitas? —repitió Bruce, que cerró muy despacio los ojos para dejar de observar lo que había a su alrededor y visualizar el rostro de Ohana.

—Látex, seda y encaje —lo interrumpió.

—Umm… encaje… ¿Cómo el que te obligaba a llevar tu madre? —espetó divertido.

—Parecido, aunque el que fabrican ahora no pica tanto —le aclaró al tiempo que sus labios se extendían para dibujar otra sonrisa.

—¿Los estás revisando? —quiso saber. Cansado de estar sentado, decidió levantarse y andar por el interior del piso durante un rato.

—Sí. Estoy pasando una a una las imágenes.

—Para en esa —le ordenó.

—¿En esta? —repitió asombrada sin apartar la mirada de la pantalla.

—¿Qué número tiene?

—Veintiocho.

—Descríbemela o mándame una foto, lo que te resulte más fácil. —Se dirigió hacia la cocina, tal vez un café no le vendría mal después de todo. Aunque no le cabía la menor duda de que lloraría cuando su boca atrapara el sabor dulzón en vez de la deliciosa acidez.

—Es un vestido largo, bueno, no tanto porque permite ver las rodillas —empezó a describir.

—¿Color? —Su mano libre cogió el depósito de la cafetera y se dirigió hacia el grifo para llenarlo de agua.

—Azul eléctrico. ¿Qué haces? —necesitó averiguar al escuchar un ruido de fondo.

—Lleno el depósito de la cafetera. Voy a prepararme un café mientras me describes ese vestido azul eléctrico —contó—. ¿Cómo es? ¿Se ciñe al cuerpo o es vaporoso?

—No puedo comprender cómo un dueño de un gimnasio puede entender de vestidos femeninos —murmuró sarcástica.

—He visto muchos... —dijo mientras sujetaba el teléfono con el hombro derecho y la mejilla para cerrar la cafetera. Bruce estaba seguro de que, como siguiera mucho tiempo en la misma posición, terminaría con un horroroso dolor de cuello—. Algunas mujeres no saben elegir lo que realmente las favorece —añadió al tiempo que conectaba la vitrocerámica.

—¡Genial! ¿También eres asesor de imagen? —espetó burlona.

Seguía con el ordenador sobre sus piernas, sin apartar la mirada de ese vestido que había elegido Bruce a través del teléfono. No era de los mejores, pero el día que lo dibujó se vio con él puesto en mitad de una fiesta. El escote de atrás era excesivo puesto que llegaba hasta la cintura, pero si alguna mujer tenía un tatuaje como el suyo en la espalda, todas las miradas se centrarían en esa parte del cuerpo y nadie observaría sus voluptuosas caderas.

—¡Ni hablar! —exclamó antes de reír—. Pero tengo ojos en la cara, al igual que tú. Y lo mismo que puedes opinar sobre qué le sienta bien o no a un hombre, yo puedo hacer lo mismo cuando veo a una mujer.

—¿Y qué llevas puesto tú ahora mismo, Bruce? Ya sabes, para poder criticar tu horrenda vestimenta —le dijo mordaz.

—¿Ahora mismo? —Sus labios no podían extenderse más, si lo hacían, las comisuras de su boca llegarían a tocar ambas orejas.

—Sí, claro. Ahora mismo. Porque esta mañana… —empezó a decir.

—Desnudo. Estoy desnudo, Ohana. No me gusta ponerme nada de ropa después de darme una ducha.

«Acabo de sufrir un colapso mental al imaginarme ese cuerpo desnudo…»

Silencio. Más silencio. Luego se escuchó el sonido que realizó la cafetera al hervir el agua. ¿O eran los mofletes de Ohana los que hervían?

—¿Sigues ahí? —preguntó Malone después de no oír ni siquiera la respiración de ella. Mientras esperaba una respuesta, apagó la vitrocerámica y apartó la dichosa cafetera del fuego.

—Sí… —contestó ella, intentando no mostrar en ese monosílabo el colapso que había padecido y que su temperatura corporal había aumentado veinte grados por lo menos. Sin mencionar la humedad que había surgido repentinamente entre sus piernas—. Deduzco, pues, que estamos en desigualdad de condiciones. Me refería —carraspeó—, que has debido conocer a muchas mujeres guapas que podían llevar vestidos muy bonitos y que…

—Sí, he conocido a unas pocas —respondió Bruce casi sin voz—. Y también estamos en desigualdad de condiciones. ¿Quieres que me ponga una camiseta? Eso fue lo que me dijiste que llevabas puesto, ¿verdad?

—Y unas braguitas —añadió con un suspiro tan profundo que pudo mantenerse sin respirar más de treinta segundos. Justo los que él permaneció en silencio.

Ohana cerró los ojos porque lo único que podía ver en ese momento era la dichosa diablesa saltando sobre su hombro izquierdo, frotándose las manos, sonriendo maliciosamente mientras movía esa cola que terminaba en punta de lanza.

—Bien. ¿De qué color es tu camiseta y cómo es de ancha? Para igualar condiciones… —sugirió.

¡Por el amor de Cristo! ¿Qué cojones estaba haciendo? ¿Por qué se había puesto tan duro? ¿Por Ohana? ¡¿Por ella?!

«¡Maldito seas, Bruce Malone! —le gritó su conciencia racional—. ¡Abandona esto de una vez!».

Y justo cuando iba a rectificar escuchó cómo ella tomaba aire para hablar.

—Ancha. Dos tallas más de las que suelo utilizar. Me gusta estar cómoda y es de color blanca. —Agachó la cabeza, intentando apoyarse en sus rodillas, pero no lo logró porque estas permanecían estiradas sobre la cama, con el portátil encima.

—¿Con algún dibujo en especial? —preguntó al tiempo que apoyaba la frente sobre la esquina de la encimera de la cocina. Tenía que golpearse la cabeza con esa piedra de mármol si quería despertarse del sueño en el que se estaba sumergiendo.

«¿Con Ohana?», insistió la voz de su cabeza.

—No. No tiene ningún dibujo. —Suspiró.

Miró su ordenador, este se movía de manera peligrosa sobre ella. Como sus piernas no pararan de temblar, terminaría por arrojarlo al suelo, destrozándolo en el impacto. Así que decidió quitárselo de encima y protegerlo de un posible golpe. Lo que menos necesitaba era romperlo antes de terminar con su trabajo. Y, sobre lo que estaba sucediendo con Bruce, debía hacerlo parar lo antes posible. Ella no era de ese tipo de mujeres. Ella siempre se había mantenido alejada de ese tipo de perversiones. Pero escuchar la voz de Bruce, suave, melosa y apacible, estaba provocando estragos en su cabeza.

—¿Qué acabas de hacer? —le preguntó él al percibir que se movía, que los pequeños ruidos que oía a través del auricular eran diminutos roces con algo.

—He colocado el ordenador sobre el suelo —le respondió entrecortada.

Volvió a cerrar los ojos mientras apoyaba las plantas de los pies sobre la cama, se agarró a las rodillas y mantuvo el teléfono apoyado en su oreja al tiempo que rezaba para que todo terminase de una vez. Pero su corazón, ese que latía de manera desenfrenada, y el aumento de su temperatura le indicaban que, en el fondo, deseaba más, mucho más.

—¿Por qué? —insistió en averiguar.

Ocho. Debía darse ocho grandes golpes en la cabeza para quedarse inconsciente. Uno no le haría nada, dos, tampoco. Estaba acostumbrado a que le golpearan. Tres… ni cosquillas. Cuatro… empezaría a ver borroso. Cinco… podría quedarse sin escuchar la voz de Ohana, aunque él podía hablar. Seis… eliminaría totalmente la visión, dejaría de oír y flexionaría las piernas al perder la fuerza. Siete… uno más y… ¡KO!

—Porque he empezado a temblar y no quiero tirarlo al suelo —contestó con el mismo tono agónico que el suyo. Con suavidad, apoyó la frente en las rodillas, evitando mirar a su alrededor, liberándose del lugar donde se encontraba.

—Cuélgame, por favor —le suplicó desesperado.

—¿Por qué? —preguntó ella con una mezcla de asombro y desconcierto.

—Porque yo no soy capaz de hacerlo y no es…

—Rosa —le dijo después de suspirar hondo y aceptar la derrota ante su deseo, su excitación y su lujuria. ¿Qué maldad podía causarse? ¡Ninguna! Y, de ese modo, dejaría de sentir esa loca atracción por Bruce. Esa que, pese a darse una ducha de agua fría, aún le recorría el cuerpo—. Mi ropa interior es rosa —aclaró.

Bruce levantó la cabeza y descubrió que su visión estaba borrosa. Su cuerpo, tenso por la situación, empezaba indicarle, a través del dolor, que sus músculos y tendones deseaban romperse. ¿Qué diablos podía hacer? ¿Le colgaba él? Se apartó el teléfono del oído y observó el tiempo que llevaba hablando con ella. Veintiséis minutos. Veintiséis putos minutos de conversación y estaba tan duro y excitado que podía correrse en cualquier momento. Ahora sí que era un hombre bala. Ahora sí que podían reírse de él.

—¿Cuánto tiempo llevas sin acostarte con un hombre? —soltó de repente.

«¡Una eternidad!», gritó la diablesa.

No supo si enfadarse o reír al escuchar la pregunta. Miró la pantalla del móvil y contó los segundos que sobrepasaban los veintiséis minutos que llevaban hablando. ¿Cómo podía ella actuar de esa forma tan descarada con Bruce?

—No quiero que… —intentó decir Malone al observar que dudaba.

—Diez meses —dijo después de sopesar hasta qué punto quería llegar. Y, lógicamente, hasta el final. Una vez que terminaran la locura que habían empezado, ella lo bloquearía y no volvería a saber nada más de él. Si no aparecía por la cafetería, no había posibilidades de encontrarse. Ya pediría a través de internet sacos y sacos de café texano.

—Seguimos en desigualdad de condiciones —dijo después de tragar el nudo de saliva que le apretaba la garganta—. Tengo varias camisetas blancas, pero mis bóxeres son todos negros. Así que… o cuelgas el teléfono y abandonamos lo que estamos a punto de hacer, o te quitas las bragas. —Y después de esa sugerencia tan impúdica, apareció de nuevo el silencio.

Acababa de asestarse el golpe número cinco. Aturdido ante la excitación, caminó despacio hacia el dormitorio, posando a su paso la mano izquierda en las paredes para apoyarse. Nunca, en su puta vida, había hecho una cosa así. ¡Jamás! Las elegía, se las follaba y… ¡hasta siempre! Pero allí estaba, más excitado que nunca, sometiéndose a un terrible calvario, causado por el dolor que sentía en cada milímetro de piel al imaginarse la excitación de Ohana. ¿Tendría los ojos vidriosos? ¿Su corazón latiría con rapidez? ¿Estaría húmeda, preparada para una invasión? Su invasión, por supuesto. Porque llegados a ese punto, no podía ni pensar que otro hombre se adentrara en el interior de ella. ¡Degollaría a quien lo intentara!

El sonido de la fricción que ella realizó para llevar acabo su sugerencia casi lo puso de rodillas justo antes de llegar al colchón. ¿Cómo podía convertirse algo tan estúpido en algo tan apasionante?

—Ya… —respondió Ohana después de colocar sus braguitas rosas sobre la colcha, alejadas de ella.

—Nunca he hecho esto, nena —susurró ahogado por la lujuria—. No sé si está bien o no, pero…

—¿Pero? —repitió ella—. Quizá no soy el tipo de mujer que… —intentó comentar entre ligeros balbuceos.

—¡Ni se te ocurra decir ni una puta palabra sobre esas zorras flacas de mierda! —exclamó enfadado—. Si estuviera ahora mismo en tu cama, recorrería con mi lengua esas caderas voluptuosas que tienes, ¿me has entendido? Y te demostraría entrando en ti, una y otra vez, lo deseable que me resultas —añadió con el mismo tono.

«¡Mierda!»

En ese momento, Ohana tuvo su primer orgasmo y Bruce lo supo porque oyó su leve jadeo.

—¡Joder, nena! ¿Cómo puedes hacerme esto? —dijo de manera suplicante.

Se sentó sobre el colchón y se golpeó la frente con la palma de la mano. ¡Una puta locura! Eso era lo que estaba haciendo y Ohana esperaba su próxima orden, su nuevo mandato, cuando lo único que deseaba hacer era que le mandara la ubicación de su casa, aparecer allí y demostrarle lo mucho que la deseaba.

—¿Quieres que cuelgue? —le preguntó insegura.

—¡No! —respondió él con rapidez—. ¡Ni lo sueñes! ¡Esto solo acaba de empezar!

—Entonces... —Llevó su mano hacia la pinza del pelo y lo liberó.

Que Dios la perdonara, que su madre lo hiciera también, y que todo el mundo que la consideraba una mojigata, como la había llamado Corinne, perdonara la locura que iba a hacer. Pero imaginarse el cuerpo de Bruce desnudo la dejó tan excitada y noqueada que no podía contenerse. Tal vez podía añadir que llevaba diez meses sin hacer nada y que nunca había utilizado esos aparatos que usaba su compañera de piso para satisfacerse. A lo mejor ese era el problema, que debía comprar alguno para no volver a encontrarse en una situación semejante.

«¡Para! —le gritó la diablesa que daba saltos en el hombro llamando su atención—. **¿Has escuchado lo que acaba de decirte? Que te demostraría lo deseable que eres. Entonces... ¿a qué esperas para sentirte, por una vez en tu vida, una mujer especial?».**

—¿Bruce? —preguntó ella cuando solo escuchó las intensas respiraciones de este.

—Pon el teléfono en altavoz, Ohana. Luego túmbate sobre la cama y colócalo en la almohada, lo más cercano a tu boca. Quiero escucharte gemir y decir mi nombre mientras alcanzas los orgasmos, ¿me has entendido?

—¿Y tú? —se aventuró a decir.

—Yo tengo la polla tan dura por ti que voy a hacerme la mejor paja que he tenido en mi puta vida. ¿Sabes por qué, nena? —la instó con ahogo debido a la tensión.

—No —respondió con voz entrecortada al tiempo que notaba cómo la humedad aumentaba de nuevo tras escucharlo decir ese tipo de cosas.

—Porque será la primera vez que desee hacer el amor con una mujer de verdad —aseguró—. Y ahora quítate esa puta camiseta blanca de dos tallas más y, mientras te pellizcas los pezones, me describes cómo son.

Ohana depositó el móvil en la almohada, apretó el botón de manos libres y se quitó la camiseta.

—Acabas de quedarte desnuda, ¿verdad? He escuchado perfectamente cómo la ropa acariciaba tu piel y hacía mover tu cabello. ¿Te lo has soltado?

—Sí.

—Buena chica. Ahora reclínate y pellizca esos pezones que estoy deseando tener en mi boca… —Respiró varias veces, se recostó sobre la cama y se colocó de la misma forma en la que debía estar Ohana—. Eso que escucho… me encanta… Sigue así, nena. Déjame oír cómo te das placer porque también me lo darás a mí… —agregó antes de cerrar los ojos.

—Son… grandes —susurró—. Mis manos no pueden abarcarlos por completo —empezó a describirle sus senos como le había indicado.

—Las mías los atraparán y los masajearán mientras mi boca posee la tuya —comentó fuera de control—.

Quiero oír cómo te lames los labios, Ohana. Quiero percibir cómo acariciarías con tu lengua mi boca… —Y así hizo. Ella se relamió una y otra vez mientras escuchaba unos suaves gemidos, los de Bruce—. ¿Sigues con las manos en los pezones? ¿Estás pellizcándolos?

—Sí —respondió extasiada.

—Piensa que tus dedos son mis dientes… ¿Cómo quieres notarlos? ¿Cómo quieres que te muerda, cariño?

En ese momento, Ohana gritó de placer. Se los había estirado tanto que, al regresar estos a su lugar, un fuerte dolor la sucumbió, llenándola de gozo.

—¡Por Cristo! —aulló Bruce, llevándose la mano hacia el sexo, mojado ante la excitación que estaba viviendo. ¿Cómo podía tenerlo así?—. ¿Sabes lo que estoy haciendo ahora? —le preguntó.

—No… —respondió ella, jadeando.

—Tengo la mano derecha en mi polla, que está dura por tu culpa. He notado cómo mi semen ha empezado a salir. Estoy tan cachondo, estoy tan alterado, que soy capaz de correrme ahora mismo.

—Bruce… —suplicó con un leve gemido—. Déjame… libérame…

—Sí, nena. Lo vas a hacer… —Respiró hondo y prosiguió—: Baja despacio y tócate también. Quiero que te acaricies esos labios esponjosos que lameré hasta hincharlos tanto que te dolerán. Morderé cada parte de tu sexo y haré que mi lengua acaricie tu clítoris tantas veces que serás incapaz de contarlas. —Y esa mano que aferraba su sexo la mantuvo apretada con fuerza, como si quisiera estrangularla. Pero era la única forma que tenía para cerrar los ojos e imaginar que eran las paredes de ese sexo que deseaba invadir. Estrecha, prieta, dándole la bienvenida arropándolo con su calor.

«¡Joder! ¡Esto es el puto infierno!», exclamó él para sí.

—Bruce…

—Dime, cariño.

—Estoy mojada…, muy mojada… —repitió de una manera sensual y erótica.

Y el corazón de él dejó de latir.

—Acaríciate lentamente… y déjame que te escuche… —le pidió.

—¿Quieres escucharlo? ¿Necesitas oír cómo me masturbo? —demandó ella.

Bruce abrió los ojos de par en par al percibir el tono lujurioso de su voz. Iba a matarlo. Si hacía lo que él se estaba imaginando, mañana o dentro de unas semanas lo encontrarían muerto. Pero… ¡sí! ¡Claro que quería oírla!

—Quiero escuchar todo lo que me ofrezcas —la animó.

Expectante, oyó cómo ella movía el teléfono. «¡Oh, Dios!», gritó para sí. Esas leves succiones, esos hermosos chasquidos casi imperceptibles salvo para él, que había agudizado su oído, casi lo hicieron estallar. Se mordió los labios y aulló desesperado. Ella le permitía escuchar cómo se daba placer y lo hacía de la manera más idílica, colocándolo cerca de su sexo. Uno que deseaba tener lo antes posible en su boca y descubrir cómo era su sabor.

—Bruce… —gimió ella mientras se metía y sacaba un dedo en la vagina—. Bruce… —repitió.

—¡Vamos, nena! ¡Sigue gritando mi nombre! ¡Hazlo! ¡Córrete para mí!

Mientras Ohana se penetraba, mientras gritaba sin parar el nombre de él, este cerró los ojos y siguió masturbándose. Allí estaba su Ohana, su texana, su chica cándida, quien le estaba produciendo el mejor momento de su puta vida, porque no solo sentía cómo ella llegaba al orgasmo, sino que notaba también cómo su cuerpo empezaba a liberarse de una presión que había retenido durante años.

—¡Bruce! ¡Bruce! —gemía sin cesar.

—¡Ohana! ¡Nena! —vociferó él cuando su orgasmo llegó y empezó a salir todo ese semen caliente, derramándose sobre su piel, sanando algo que había estado podrido—. ¡Mi divina texana! —exclamó fuera de sí.

Durante unos instantes a través del teléfono solo se escucharon las respiraciones entrecortadas de los dos. Bruce miró el móvil para descubrir que llevaban setenta minutos. Los mejores setenta minutos de su vida. ¿Había sentido algo así por Miah? Y entonces su mente le gritó... «¿Miah? ¿Quién diablos es Miah?». ¡Exacto! Nadie podía compararla y, muy a su pesar, jamás encontraría otra Ohana en su mundo.

—¿Estás bien? —le preguntó cuando advirtió que las respiraciones se habían calmado.

—Sí —respondió después de tomar aire—. Avergonzada, pero bien.

—Si te sirve de consuelo, también es mi primera vez —le dijo divertido—. Pero te prometo que no será la última. Esto ha sido increíble.

—Me alegro... —murmuró con sarcasmo mientras se incorporaba en la cama.

—¡Ohana! —exclamó Bruce con voz ruda.

—¿Qué? —preguntó mirando el móvil con cierta desgana.

—Quiero aclararte una cosa, nena.

—¿El qué? —espetó alargando la mano para coger la camiseta.

—Que no será mi última vez, pero que solo lo haré contigo, ¿me has entendido? ¡Con nadie más!

—¡Oh! ¡Qué generoso por tu parte! —exclamó burlona. No podía creerse ese tipo de cosas de Bruce. El hombre que derretía a cualquier mujer que lo observara. Si hasta Betsy le había dicho, antes de marcharse, que su empleada le mandó miles de cuchillos con la mirada por estar con él.

—Te juro que no lo haré con...

Bruce se quedó en silencio al escuchar cómo alguien golpeaba una puerta. Alarmado, tiró el móvil en la cama, se levantó y caminó hacia el salón para sacar su arma de la bolsa del gimnasio. Sin embargo, cuando estaba comprobando las balas del cargador, descubrió que no llamaban a su puerta. Su piso continuaba en silencio. Corrió hacia el dormitorio, con el corazón a mil por hora tras entender que los golpes provenían de la casa de Ohana. Saltó sobre la cama, depositó el arma sobre esta, cogió el móvil, desconectó el altavoz y pegó la oreja para oír la voz de un hombre que le gritaba y la insultaba.

—¿Estás? ¿Ohana, estás ahí? ¿Nena? —preguntó tan alterado que era incapaz de razonar.

—Sí —le respondió ella intentando encubrir con su propia voz los golpes que James hacía en la puerta de su apartamento.

—¿Quién cojones es? ¿Qué coño está sucediendo? ¿Por qué te grita? ¡Mándame ahora mismo tu ubicación y estoy en tu casa antes de que respires dos veces! —le ordenó.

—No es nadie y no chilles para que no nos oiga. Si piensa que no hay nadie, se marchará como siempre —murmuró al tiempo que ponía la palma izquierda en el teléfono para que pudiera escucharla mejor pese a hablar en voz baja.

—¡Me cago en mis putos muertos! ¿Has dicho cómo siempre? —Se levantó del colchón y comenzó a tocarse el pelo de manera angustiosa—. ¿Tienes un puto acosador? ¿Quién cojones es? ¡Voy a matarlo! ¡Mándame tu puta ubicación, Ohana! —pidió alzando tanto la voz que escuchó cómo los vecinos del piso de al lado golpeaban la pared para que se callase—. ¡Comedme la polla! —les gritó.

—Bruce..., tranquilo. Se marchará y, si no lo hace, te prometo que llamaré a la policía —intentó serenarlo después de cerrar la puerta de su dormitorio para que no se alterara más—. Mira, me ha dicho Corinne que ha estado esta tarde...

—¿Esta tarde? ¿Ese hijo de puta ha estado en tu apartamento esta tarde? ¡Voy a matarlo! ¿Me escuchas? ¡Lo mataré! —vociferó.

Justo en ese mismo momento, Ohana cortó la llamada.

—¿Ohana? ¿Nena? —gritó desesperado.

Vio que le había colgado, así que intentó llamarla una y otra vez, pero había apagado el teléfono.

—¡Maldito acosador de mierda! —gritó sin cesar.

Aterrado por si le había pasado algo, atrapado entre las paredes de su piso porque no sabía dónde estaba para ayudarla, se golpeó con la palma de la mano en la frente. La única manera de averiguar dónde vivía era llamando a Samantha y no quería alarmarla. ¿A quién iba a creer? ¡¿A él?!

Con la adrenalina por las nubes, se dirigió hacia el armario después de que su mente le ofreciera otra alternativa. Se iba a vestir e iba a ir a la puta cafetería donde se encontraron, y le sacaría a la estirada dependienta de mierda la información que quería. ¿No había dicho que era su mejor clienta? Pues estaba seguro de que conocería su paradero y… ¡que Dios le diera el placer de encontrarse de frente con el puto acosador! ¡Se comportaría peor que el hijo de puta de Shabon! No solo le arrancaría un ojo de cuajo…, ¡le descuartizaría con sus propias manos!

Se había puesto las botas y había cogido las llaves de la moto cuando notó que el móvil vibraba. Desesperado, metió la mano, lo sacó e inspiró algo más calmado cuando leyó un mensaje de Ohana.

«Todo bien. Se ha marchado. No he tenido que llamar a nadie. No te enfades, pero no podía dejarte gritar de ese modo. Perdóname. Por cierto, ha sido una llamada telefónica muy peligrosa y excitante. Esperaré la siguiente, aunque no sé si descolgar ya desnuda. 😝 Descansa, yo voy a hacerlo y seguro que tengo sueños perversos contigo. 😈 Buenas noches, texano».

Bruce respiró hondo mientras caminaba hacia la cocina. Por fin podía hacerlo después de diez miserables y agoniosos minutos. Sacó el arma que tenía guardada en la espalda y la dejó sobre la encimera. Apoyó las manos sobre esta y metió la cabeza entre los brazos. No volvería a ocurrir. Ella jamás pasaría por otra situación semejante. Él la protegería siempre. Cada vez que Ohana mirara a su alrededor, lo encontraría velando por su seguridad.

—¡Maldito hijo de puta! —exclamó al tiempo que daba un puñetazo tan fuerte en el mármol que la cafetera cayó al suelo—. ¡Es mía y lo mío no se toca! —tronó.

Y después de esa afirmación que lo dejó pétreo, se desnudó y se metió en la ducha. Mientras el agua rebotaba en su cuerpo empezó a calcular cuántos minutos quedaban para que Siney abriera el gimnasio.

CAPÍTULO VI

DECISIONES

La había envenenado. Después de lo ocurrido entre ambos durante la noche, a Ohana no le cabía la menor duda de que la había envenenado porque, de no ser así, no podía explicar el comportamiento que mantuvo desde que ella le escribió su último mensaje.

Durante dos largas horas esperó a que él le respondiera, con un simple *OK* le hubiera bastado para echarse sobre la cama de nuevo, cerrar los ojos y descansar como nunca lo había hecho. Sin embargo, fue el cansancio de la espera de ese mensaje lo que terminó por sumergirla en un sueño. Cuando el despertador sonó, recordándole que la vida continuaba y que debía seguir con su rutina, miró perezosa al móvil. Aún no le había respondido pese a verlo segundos después de enviárselo. Aterrada por ese sentimiento agónico que le recorría cada milímetro de su piel, apartó la sábana y puso los pies en el suelo. Eso era lo que necesitaba hacer, no solo de una manera metafórica sino también física. Tenía que evocar su conciencia, a la buena, no esa que había permanecido en su hombro dando saltos de felicidad por atreverse a hacer algo que le resultaba la mayor aberración de su vida; cada vez que pensaba en ella se avergonzaba.

Agachó la cabeza, permitiendo que su larga melena oscura tocara las rodillas. ¿Cómo había sido capaz de masturbarse con él? ¡Con Bruce! Ese joven que conocía desde la infancia, el que jamás había reparado en ella. El mismo que se obsesionó por una mujer y que lo condujo a realizar un acto tan aberrante… Estaba loca. No, loca no era la palabra exacta. Lo que mejor definía su estado era envenenamiento. Bruce la había envenenado a través de su voz, de sus preguntas, de sus mandatos y de sus gemidos.

Al recordar la frase que la dejó perpleja, esa que una muchacha como ella no debía escuchar en su vida, la humedad entre sus piernas regresó, al igual que esa latente palpitación en su clítoris. Uno que llevaba muerto meses.

«Yo tengo la polla tan dura por ti que voy a hacerme la mejor paja que he tenido en mi puta vida».

Su voz, acompañando esas palabras, la había dejado atolondrada. ¿Cómo era capaz de hacer una cosa así? Enfadada, se apartó los cabellos de manera angustiosa, se levantó y caminó hacia el baño. Necesitaba, más bien le urgía, darse una buena ducha y que todo el sudor que aún permanecía en su cuerpo desapareciera, al igual que debía desaparecer el recuerdo de esa llamada de teléfono.

¿Por qué le había permitido que la llamara? ¿En qué punto de la conversación todo se había torcido? «En el momento en el que te dijo que estaba desnudo», le respondió esa diablilla que parecía haber tomado posesión no solo de su hombro, sino de todo su ser.

Eliminarla… Con la ducha también desaparecería esa mala influencia.

Mientras caminaba hacia el baño pasó por el dormitorio de Corinne. La puerta permanecía abierta, dándole a entender que la fiesta se había alargado o que quizás había encontrado a ese hombre ricachón del que habló. Fuera el motivo que fuese, aún no estaba con ella y no podía hablar de lo que había hecho. Aunque sabía a la perfección cuál sería su respuesta y, muy a su pesar, no la aceptaría. Ella no era de ese tipo de mujeres… ¿o sí? Confundida, terminó por desnudarse, dejando en el suelo esa camiseta blanca de dos tallas más y esas braguitas rosas, las culpables de todo. Si se las hubiera puesto negras, toda aquella locura no habría sucedido porque, según Bruce, su ropa interior solo era negra. Al recordar las palabras y el tono de su voz, su temperatura corporal aumentó de nuevo, indicándole que hoy no podía darse una ducha de veinticinco grados, sino, como mucho, de dos. Con determinación, se adentró en esa ducha de cristal, abrió el grifo del agua fría y, tras gritar cuando esta chocó contra su piel, dejó que la enfriara hasta que sintió cómo le castañeaban los dientes.

Cerró el grifo, se sentó en el suelo, permitiendo que algunas gotas siguieran tocándola mientras se agarraba las rodillas. No solo estaba preocupada por la locura que había hecho, podía borrarlo de su mente con prontitud, también le golpeaba en la cabeza otro tema, una variable que no había podido controlar: James. El muy idiota había regresado para gritarle, para amenazarla y, por mucho que evitó que Bruce lo escuchase, le resultó imposible. Un demente, un hombre amenazador y un ser peligroso. En eso se transformó Malone. Pasó de ser el hombre más dulce, cálido y sensual a un monstruo con sed de venganza. ¿Cómo podía enfrentarse a ello? Dio gracias a que, por fin, el raciocinio entró en escena y no le mandó su ubicación, porque mucho se temía que, como le prometió, estaría allí antes de que James se marchara y podría haber realizado otra locura. La segunda…

Cuando por fin salió de esa burbuja de cristal, se arropó con la toalla, su toalla rosa, y caminó hacia la cocina para prepararse un café. Ese que no sería capaz de saborear porque, desde la tarde anterior, ningún café tendría el sabor que ella deseaba.

Se había bebido la mitad de esa taza cuando escuchó un sonido procedente de su móvil. Abrió los ojos como platos, se le aceleró el corazón y notó cómo la sangre de sus venas comenzaba una carrera de fondo. Bruce. Era él quién intentaba contactar con ella. Esa melodía, elegida para él durante sus horas de insomnio, le anunciaba que ya estaba despierto. Intentó controlar esa inquietud que la sacudía, ese deseo de averiguar qué le había escrito, pero fue incapaz de hacer parar un tren de mercancías descarrilado. Salió corriendo de la cocina, se sentó sobre la cama, desbloqueó el teléfono y emitió un suspiro tan hondo que, posiblemente, llegó a oídos del señor Fill, el portero del edificio.

«Buenos días, nena. Perdona el retraso de este mensaje, no quería escribirte cabreado, porque lo estaba y mucho. Me hubiera encantado darle una paliza a ese gilipollas, tal vez lo haga y… ¿sabes por qué? Porque lo mío no se toca. Sí, Ohana. Puede que esta confesión te desconcierte y te provoque miedo, pero me da igual. Ese hijo de puta ha de saber que eres mía y que me perteneces. Nos vemos cuando salgas de las clases. Espérame».

«Eres mía y me perteneces». ¿Cómo era capaz de decir una tontería semejante? ¿Cómo podía declarar una cosa así después de una mísera llamada de teléfono?

«Es muy apasionado... Parece mentira que no recuerdes qué hizo por amor».

Se le escapó un suspiro hondo. ¿Qué diablos había hecho? ¿Estaba viviendo una especie de sueño? No, mejor definirlo como pesadilla. En un sueño aparece un príncipe azul, cabalgando sobre su corcel blanco, ayudando a la princesa en peligro. Sin embargo, Bruce no era un príncipe azul ni ella una princesa en peligro. Eran dos personas que se criaron en el mismo pueblo y que, salvo para reírse de esos vestidos que su madre la obligaba a llevar, él no había reparado en ella.

Con el pelo mojado, inclinó la cabeza y ocultó su rostro con las palmas de sus manos. ¿Qué diablos le sucedía a todo el mundo? ¿Ahora no solo tenía que ocultarse de James, sino que debía añadir a esa lista a Bruce? ¿Por qué? ¿Por qué le declaraba tales tonterías? Ella no se sentía la posesión de nadie. Odiaba ese tipo de conductas autoritarias, amenazantes. Había vivido muy tranquila y, de repente, todo a su alrededor se había vuelto un caos del que saldría herida, de eso no le cabía la menor duda. Ella terminaría perjudicada.

Aguantando las ganas de llorar, se levantó con lentitud, caminó como un zombi hasta el armario y, para su sorpresa su subconsciente eligió un vestido ancho, ese que disimulaba las caderas. Verde. Si ahora estuviera Bruce al teléfono y le preguntara de qué color era el vestido, le respondería que verde, como el que llevaba Corinne la tarde anterior a esa fiesta de la que aún no había regresado. Pero esta vez no podría responderle qué llevaría bajo su vestido unas braguitas rosas porque decidiría ponerse un tanga de color negro.

«¡Buena elección!», exclamó la diablilla en su hombro.

Ohana miró hacia ella, entornó los ojos y le dio un manotazo, como si con eso le bastara para hacerla callar el resto de su vida. Pero, para su desgracia, esa pequeña alucinación había clavado las púas del tridente en la piel y continuaba sobre ella, moviendo la cola, alegre, feliz por resistir.

Cabreada, resopló como una vaca, tiró el vestido sobre la cama y decidió convertirse en una de esas mujeres que, según le dijo, odiaba. Tal vez de esa forma se marcharía de su lado al entender que era como las demás, que no tenía nada de especial y que debía dejarla vivir en paz.

Pero lo que jamás se imaginó Ohana fue lo que eso provocó en Bruce. Si quería apaciguar una bestia, causó todo lo contrario…

Las gotas de sudor resbalaban por su frente impidiéndole ver lo que tenía delante de él, pero le daba igual. Necesitaba descargar toda esa adrenalina que recorría cada poro de su piel, cada parte de su alma.

No había cerrado los ojos durante la noche. ¿Cómo iba a dormir pensando que Ohana estaba en peligro? Aunque le enviara ese mensaje, pese a leerlo hasta que perdió la visión, no podía tranquilizarse al conocer que había alguien cerca de ella que deseaba hacerle daño. ¡Lo mataría! ¡Oh, sí! En cuanto lo tuviese delante, en cuanto viera la cara a ese gilipollas, se la dejaría tan destrozada que ni el mejor cirujano podría recuperar su antiguo aspecto.

Bruce abandonó la cinta de correr para dirigirse al saco de boxeo. Una vía de escape…, la mejor que tenía por el momento. El primer golpe que le dio a ese saco fue tan enérgico que las cadenas que lo sujetaban sonaron como si las hubiera roto. Sí, emitieron el mismo sonido que el producido al partir huesos humanos. Sonrió complacido, satisfecho, orgulloso de sí mismo. Había odiado su fiereza, su deseo de destruir, de aniquilar, pero habían regresado justo en el momento en el que escuchó cómo aquel imbécil la llamaba puta. Se tragaría sus palabras. Al igual que la sangre que caería sobre su garganta. Su sangre, esa que estallaría al igual que una cerveza después de agitarla y abrirla. Volvió a sonreír. Lo necesitaba. Necesitaba hacerle pagar cada palabra, cada grito, cada golpe que había dado en aquella puerta y cada miedo que le había hecho pasar.

—¿Un mal día? —le preguntó Siney tras salir de su oficina y ver el estado de ira que mostraba el joven.

—¿Tú qué crees? —escupió Malone cogiendo con ambas manos el saco para inmovilizarlo.

—Pues espero que te relajes, son solo las doce de la mañana y quedan muchas horas para que finalice el día —le respondió, fijando sus ojos en los del muchacho.

—Estoy seguro que todo se calmará esta tarde —dijo de manera resolutiva, como si poseyera el control del mundo entero.

—He hablado con algunos contactos —comentó Siney después de unos segundos de silencio y que empleó para observar la rigidez de aquella grandiosa musculatura. Podía estar tenso ante su próximo combate, uno que sería bastante difícil de ganar, pero la ira que mostraba esa mirada le indicaba que había otro problema recorriéndole la cabeza. Solo esperaba que no tuviera nada que ver con la panda de ineptos con los que se rodeaba. De ser así, su alma, esa que empezaba a purificar, volvería al agujero en el que se sumergió antes de aparecer por el gimnasio.

—¿Y? —preguntó arqueando la ceja derecha.

—Tengo el teléfono de Harrison. Esta noche, cuando cierre el gimnasio, lo llamaré. A ver si puede ayudarnos en algo —informó con voz serena.

—Bien... —susurró Bruce olvidando esa necesidad de golpear el saco hasta romper las cadenas.

—No puedo prometerte nada. Todas las personas con quienes he hablado han insistido en lo mismo —le indicó caminando detrás de él.

—¿En qué? —le preguntó caminando hacia la estantería donde Siney guardaba los saltadores.

—Que no dirá ni una palabra —concluyó.

—¿Por qué? —perseveró mientras extendía esa larga cuerda y la pisaba con los pies, paralizándola a su antojo.

—Porque, según parece, alguien le hizo una transferencia bancaria después del combate —reveló.

—¿Un soborno? —espetó enarcando las cejas—. ¿De quién?

—Posiblemente del mismo Shabon. Quizás ese hijo de puta salvó sus espaldas de la única manera que halló: pagando por su silencio.

—¿Sabes cuál fue la cantidad? —insistió en saber al tiempo que amarraba cada punta de la cuerda entre sus palmas.

—Diez mil —respondió firme.

—Cuando hables con él dile que yo le ofreceré un cuarto de millón si nos cuenta algo interesante —le dijo con desdén, como si la cifra que acababa de soltar por su boca fuera una minucia.

—¿Un cuarto de millón? ¿Estás loco, Malone? ¿Cómo puedes expresar esa cifra sin ni siquiera inmutarte? —apuntó asombrado Siney.

—Según me informaron ayer, la apuesta más alta es un millón de dólares, así que no tendré problemas en afrontar el pago —contestó con calma.

—¿A tu favor o en tu contra? —espetó el dueño del gimnasio entornando los ojos.

—En contra. La única apuesta positiva que tengo es la del hijo de puta que no quiere librarse de la maldita gallina de los huevos de oro —declaró masticando cada palabra.

—Creí que eras el gran Dragón de Fuego —dijo con sarcasmo.

—Eso suena mejor cuando te anuncian por el altavoz —respondió con el mismo tono mordaz.

—Debes salir de ese mundo, muchacho. Tienes que apartarte de toda esa mierda que te rodea —manifestó tranquilo—. El estado de nerviosismo en el que te hayas no es bueno. Tú no puedes presentarte antes que yo en la puerta del gimnasio, regañarme por llegar dos minutos tarde y volverte loco entrenando. ¡Llevas cuatro horas sin parar! ¿Acaso no te das cuenta hasta qué punto estás castigando tu cuerpo? ¡Voy a tener que llevarte directamente al hospital cuando termines! —continuó gritando.

—No te comportes como un padre —refunfuñó—. Ya tengo uno.

Estiró las cuerdas, tomó posición y, justo cuando iba a comenzar a saltar, Siney se acercó exhibiendo una mirada negra ante la rabia que se había apoderado de él.

—No quiero hijos. No los tuve con mi ex y no los tendré ahora que ya he pasado la barrera de los cincuenta. Solo soy un puto entrenador, uno que ve en las personas más de lo que ellos mismos son capaces de comprender, capullo —gruñó.

—¿Sí? ¿Y qué observan tus ojos? ¿Qué te dicen estos putos ojos de mí, Siney? —se rebeló, haciendo que su cuerpo se tensara hasta convertirse en ese dragón que surgía cada vez que iba a dar el golpe de gracia.

—Que tu mente está perturbada por algo y ese algo puede llevarte a la muerte, Malone. ¿Quieres morir? ¿Eso es lo que deseas, cabrón? —bramó.

Bruce se lo quedó mirando, mostrando en sus ojos la misma rabia que Siney. Esperó a que este se retractara, que echara unos pasos hacia atrás y que lo dejara solo, pero no movió ni una sola pestaña.

—Necesito zanjar un tema personal —confesó al fin.

¿Tanta confianza le ofrecía Siney como para desvelar algo tan íntimo? No, no era confianza sino respeto. Respeto por el único hombre que luchaba para sacarlo del mundo en el que se había metido, el único que intentaba ayudarlo a ganar un combate del que, posiblemente, acabaría muerto.

—¡Dios! —exclamó Siney con una mezcla de sorpresa y alivio—. ¿Mujeres? ¿Se trata de una mujer?

Bruce no respondió.

—¡Maldita sea, Malone! ¡Pensé que eras uno de esos muchachos que se follan a la primera que se abre de piernas! ¡De los que no son capaces de atarse a nada sentimental!

—Y lo era… —dijo apretando la mandíbula—, hasta ayer.

—¿Estás loco? —vociferó—. Las mujeres no son factibles en este mundo, en tu mundo —recalcó—. ¿No has pensado en el peligro a la que la expondrás? ¿No te has dado cuenta de que tienes una puta vida de mierda? Una mujer no busca un hombre como tú, sino alguien que le ofrezca todo lo que tú no puedes darle. —Resopló, puso los ojos en blanco y se frotó el rostro con ansiedad—. Sea quien sea esa muchacha, ahora mismo solo siento compasión por ella.

—Como te he dicho, no necesito un padre, ya tengo uno —masculló.

—Pues, como te he dicho —enfatizó—, no voy a usurpar el puesto que le corresponde a ese pobre hombre. Pero sí quiero que recapacites sobre un pequeño detalle que, según parece, no has caído hasta… ayer. —Esperó que Bruce le replicara, pero se mantenía callado, increíblemente callado—. Estás podrido, Malone, y ninguna mujer merece caer en el mundo de mierda en el que sobrevives. Si de verdad sientes algo por ella, si tienes un resquicio de afecto, pese a que no lo puedo ni imaginar, apártate, aléjate antes de destrozarla. Si es que no lo has hecho ya. ¡Maldito hijo de puta! —declaró antes de darle la espalda y caminar hacia la entrada murmurando un centenar de improperios más.

Bruce se mantuvo en silencio mientras observaba esa espalda alejarse. Ambos opinaban de la misma forma, ambos habían llegado a la misma conclusión, pero había una diferencia abismal entre los dos pensamientos; él no conocía a Ohana y no tenía ni puñetera idea de cómo le daba esa paz que necesitaba alcanzar para salir del mundo en el que permanecía. No la arrastraría a su mundo porque ella lo liberaría de la mierda que lo rodeaba.

Apretó con más fuerzas las cuerdas que tenía a ambas manos y comenzó a saltar. No paró hasta que notó cómo su corazón intentaba salirse de su pecho y las náuseas, causadas por el esfuerzo, aparecieron con tanta fuerza que vomitó sobre el suelo. Lanzó las cuerdas lejos de él, apoyó las manos en las rodillas e intentó calmar ese azote que emanaba desde el estómago. No pudo controlarlo, al igual que no podía controlar esos sentimientos que habían crecido por ella. «Eres mía», le había escrito en un mensaje que no obtuvo respuesta pese a haberlo leído. Sí, Ohana era suya y como tal debía protegerla de todo lo que la rodeaba e incluso de él mismo. Quizá, cuando la amenaza que cernía sobre ella no estuviera, el segundo problema, él, también desaparecería. Aunque estaba seguro de que la única posibilidad que tenía de apartarse de ella era morir. Tal vez Dios fuera misericordioso y Shabon le ofreciera ese golpe de gracia en el combate. Bruce intentó sonreír al pensar en esa locura. Ya que no era capaz de separarse de ella, había una opción de mantenerla protegida de él: su muerte. Pero hasta que llegara el día del combate, disfrutaría de esa vida que habría tenido en su pueblo y que soñó alcanzar junto a una buena mujer.

Después de calmar esos vómitos y ver el rostro desencajado de Siney, alzó su cuerpo y se dirigió hacia el baño. Necesitaba una ducha. Necesitaba limpiar toda la mierda que supuraba por cada poro de su piel antes de aparecer ante ella.

CAPÍTULO VII

UN PRÍNCIPE OSCURO

Y, como podéis comprobar, la decisión fue muy dura... —Ohana abrió los ojos como platos al escuchar la última palabra que el señor Makys eligió para explicar la primera revolución en el sector de la moda. Su corazón palpitó con tanta fuerza que se salió del pecho, un incontrolable calor la recorrió desde la cabeza a los pies, sus manos comenzaron a sudar y su respiración... Su respiración tenía el ritmo de un tambor en plena procesión religiosa.

—¿Ohana? —le susurró Theva, una de las dos compañeras de clase que se colocaron a ambos lados desde que comenzó el último curso y con las que congenió bastante bien—. ¿Qué te sucede? —insistió.

¡¿Que qué le sucedía?! Ella no podía responder esa pregunta sin hacer alusión a lo ocurrido la noche anterior con Bruce. Entonces, solo entonces, ella debía revelar la frase que este le ofreció a través del teléfono y no era aconsejable para ninguna de las dos...

«Yo tengo la polla tan dura por ti que voy a hacerme la mejor paja que he tenido en mi puta vida», recordó.

Y justo en ese momento se cruzó de piernas, se movió inquieta en el asiento y notó como le dolía el estómago. ¿Alguien le había dicho que la inquietud por un hombre era semejante al revoloteo de mariposas? ¡Menuda tontería! Ella era incapaz de notar las alas de esos insectos voladores en su estómago. Más bien tenía metido en su interior un rebaño de toros sementales corriendo alocadamente por las montañas buscando una hembra en celo. Para su desgracia, ella era esa hembra anhelando la satisfacción de un macho y Bruce era toda esa manada ansiosa por encontrarla.

—¿Ohana? —perseveró Theva al notar cómo los carrillos se le enrojecían tanto que se asemejaban a dos tomates maduros—. ¿Te encuentras bien? ¿Estás enferma? ¿Quieres que salgamos a la calle para que tomes un poco de aire fresco?

—No —pudo contestarle.

Hasta el último vello de su piel se erizó al escucharla ofrecer la opción de salir fuera. No podía abandonar el edificio. Pese a que la maldita sirena sonara como si estuvieran en un campamento militar, ella permanecería sentada en su asiento, inmóvil, esperando recibir el nuevo día allí, resguardada en el edificio.

—¿Qué le pasa? —se entrometió en la conversación Yannem, la compañera de su izquierda, quien solo aparecía por clase después de una noche de fiesta. ¿O era al revés? En esos momentos, Ohana no era capaz de afirmar nada, ni tan siquiera si seguía respirando.

—No lo sé —le respondió Theva encogiéndose ligeramente de hombros—. Parece que tiene fiebre.

—¿Tienes fiebre? —Yannem, sin importarle la posible reprimenda del señor Makys sobre el comportamiento adecuado mientras que permaneciesen en clase, posó la mano en la frente de Ohana y la apartó con rapidez—. ¡Dios! —exclamó bajito—. ¡Está ardiendo!

—Por favor… —suplicó Ohana, que, al sentirse el centro de atención, se tensó aún más.

Al escuchar un carraspeo, las tres miraron al señor Makys. Por suerte, solo enfatizaba una idea antes de darles la espalda y continuar escribiendo algo en la pizarra.

—¿Te has resfriado? ¿Has dormido esta noche con el culo al aire? —insistió Yannem.

—¡Cállate! —bufó Ohana desesperada.

—¿Alguien quiere replicar la teoría que acabo de exponer en la pizarra? —preguntó Makys después de encajar sus gafas en la nariz y girarse para visualizar a todos los alumnos asistentes—. ¿No? Pues si todos estáis de acuerdo con la exposición, prosigo… —añadió sarcástico.

Y retomó la clase.

—Ohana… —intentó hablar Yannem, pero ella la fulminó con la mirada, así que ambas compañeras se quedaron mudas hasta que finalizó la clase.

«¡Gracia a Dios! —exclamó la diablilla que la acompañaba desde que Bruce apareció—. **Estaba a punto de desmayarme. ¡Qué plasta de tío! ¿No se ha muerto nadie de aburrimiento? Porque yo he estado a punto de hacerlo…».**

Mientras todo el mundo recogía sus pertenencias, Ohana se quedó sentada en el asiento. Se había propuesto no salir de allí, atrincherarse en el edificio y no abandonarlo hasta que volviera a tocar aquella horrenda sirena indicándole que había llegado el nuevo día.

—¿Se te ha roto el vestido? ¿Por eso no te levantas? Puedes taparte con mi chaqueta, si quieres. —Le ofreció Theva su prenda al ver que no se movía—. Hay muchos imbéciles que nos ponen trampas para que se nos rasgue la ropa. El otro día, a la pobre Candhy se le engancharon las mayas con la punta de un clavo y caminó enseñando el tanga hasta que alguien se apiadó de ella y se lo dijo.

—Creo que está en *shock* —indicó Yannem mientras movía una mano delante de los ojos de Ohana.

—¿Estás en *shock*? —preguntó Theva bajando su cara hasta que ambos rostros estuvieron a la misma altura. Al no contestar, prosiguió mirando a Yannem—: Venga, ayúdame a levantarla. Creo que al final el señor Makys ha conseguido enloquecer a una alumna con su parsimonia.

Pero cuando ambas intentaron levantarla del asiento, Ohana las miró como si quisiera matarlas.

—¡Ay, Dios! —exclamó Yannem colocándose la mano en la boca—. ¿Ha vuelto? ¿Estás así por él? ¿James ha vuelto a joderte?

—No —gruñó Ohana clavando sus ojos marrones sobre los folios. Unos folios que permanecían en blanco porque no había sido capaz de concentrarse en ningún momento del día.

—¿Entonces? —perseveró esta. No podía darse por vencida, ahora la curiosidad era tan enorme que no podía dejarla allí sin averiguar qué diablos le sucedía.

—¿Qué hora es? —preguntó sin apartar la mirada de las hojas blancas.

No iba a averiguarlo por sí misma porque su parte perversa, tras desbloquear el teléfono, volvería a los wasaps y le haría leer de nuevo el mensaje de Bruce. Ese que le indicaba que estaría esperándola fuera. Se sabía de memoria todas las frases que le había escrito, pero las últimas las tendría tatuadas durante toda su vida en el corazón.

«Ese hijo de puta ha de saber que eres mía y que me perteneces».

«Nos vemos cuando salgas de las clases».

«Espérame».

—Las dos. La hora en la que acaba nuestro sufrimiento, cariño —le respondió Theva con calma al comprender que estaba desorientada.

Cuando escucharon la puerta del aula abrirse de golpe, las tres dieron un respingo, aunque, lógicamente, la más sobresaltada fue Ohana. Pero al descubrir que se trataba del conserje, que tan solo deseaba cerrar con llave todas las aulas y finalizar así su dura jornada laboral, respiró hondo y terminó por aceptar su derrota.

—¡Por fin! —exclamó Yannem poniendo los ojos en blanco al ver que se levantaba—. ¿Qué diablos te pasa? —espetó al tiempo que subían las escaleras para salir de allí.

—¿Puedo haceros una pregunta? —Apretó los libros aún más hacia el pecho y clavó sus ojos en el suelo que debía pisar para salir al exterior y que le conduciría hasta Bruce…

—¡Todas las que quieras! —respondió Theva cogiéndola por los hombros, como si intuyera que necesitaba un afectuoso achuchón.

—¿Pensáis que el destino es quien dirige nuestras vidas? —soltó de repente.

Ambas amigas se miraron desconcertadas preguntándose qué espíritu filosófico había poseído a la cabal, tranquila, racional y, por supuesto, sensata Ohana Colhan.

—Depende… —se atrevió a decir Theva—. Sé de casos en los que…

—¿Y si os digo que hace más de cinco años que no veo a una persona de quien estuve muy enamorada y que ayer apareció en mi vida de nuevo? ¿A qué conclusión llegaríais?

Estaban a punto de llegar a la última puerta, esa que, una vez abierta, la llevaría hasta él. Intentó caminar despacio para retrasar todo lo que pudiera ese encuentro.

«Pero... ¿qué haces?», le preguntó enfadada.

No quiso responderle, si de verdad conocía sus pensamientos, ella misma sabía la respuesta. Miró a sus amigas, esperando que contestaran a la estúpida pregunta, pero no les salían las palabras de la boca. Ambas se habían quedado con los pies clavados en el suelo, mirando hacia los aparcamientos de enfrente. Ohana tomó aire y lo soltó lentamente al ver quién era el motivo de sus silencios: Bruce.

«¡Que me da algo! ¡Que me da algo! Pero... ¿cómo puede estar tan bueno? ¡Por el amor de mi padre Lucifer o te lo follas tú o busco la manera de vincularme con otra mujer que no se reprima tanto!».

—¡Que alguien llame a los bomberos! —exclamó Yannem agitando su mano para abanicarse—. ¡Tengo un enorme fuego entre mis piernas que deben apagar!

—Pues yo prefiero un médico porque estoy a punto de sufrir un infarto —dijo Theva con el mismo tono de asombro.

Ohana quiso tirar los libros al suelo, estrangular a la diablilla y correr tan rápido como le permitieran sus piernas. No, no podía hacer que Bruce interviniera en algo que podía perjudicarlo. No era justo que, después de lo ocurrido en el pueblo y de que por fin había reconducido su vida, descubriera que ella tenía un problema y quisiera resolverlo de la única forma que sabía: con agresividad. ¡No consentiría que se destrozara la vida por haber sido una cobarde con James!

«Entonces... ¿toda esa comedura de coco no era por el subidón sexual que nos causó ayer? ¡Menos mal! Porque todavía me tiemblan las piernas al recordar sus jadeos y sus palabras obscenas...».

—No me mires así —dijo Yannem al ver que Ohana le dirigía una mirada iracunda.

—Tranquila, no es a ti. Estoy mirando a la mota de polvo que tengo en el hombro izquierdo y que no soy capaz de quitarme de encima. —Manoteó de nuevo sobre esa parte de su cuerpo intentando que esa maléfica alucinación se alejara, pero la muy descarada había abierto la boca y le hincaba los dientes en la piel con fuerza para no despegarse de ella.

—¿A quién habrá venido a buscar? —dijo Theva sin aliento.

Ohana suspiró hondo al verlo allí, tal como le había prometido. Estaba apoyado sobre una moto, su moto, porque era la misma que tenía en el WhatsApp. Se había cruzado de manos y de piernas. Su cabeza estaba ligeramente inclinada hacia la entrada principal, justo donde ellas se encontraban. Sus gafas de aviador impedían que todas aquellas que lo observaban sin pestañear descubriesen sus bonitos ojos azules. Se debían conformar con esos brazos musculados y tatuados y con lo que insinuaba esa camiseta de manga corta negra. Por lo menos, ella era la única que sabía que, bajo aquel pantalón vaquero que le quedaba como un guante, escondía un bóxer de color negro. Y justo en ese momento, tras recordar lo que sucedió la noche anterior entre ellos, volvió a humedecerse mientras sus mejillas ardían nuevamente.

—Es la viva imagen de un príncipe oscuro... —susurró Yannem sin apartar la mirada de Bruce.

—¿Un príncipe oscuro? —quiso saber ella.

—Un futuro rey de las tinieblas, el malo de las películas. Ese que, pese a ser conscientes de que no nos conviene, lo elegimos porque nos provoca más excitación que el chico bueno, trabajador y servicial —le explicó Yannem.

Ohana sonrió ante la explicación. Lo miró de arriba abajo y notó cómo su corazón se ponía a mil. Esos toros buscando la hembra estaban cerca, demasiado cerca...

—Tiene un aura... maligna —comentó Theva con tono enigmático.

—Y eso ¿cómo lo has descubierto, cariño? —le preguntó Yannem con sarcasmo—. ¿Por la moto sobre la que se sienta? ¿Por esa pinta de tócame los huevos y te arranco la cabeza? ¿Por sus botas militares, esas que pueden aplastar algún que otro cráneo? O tal vez...

—Por los tatuajes... —manifestó entornando los ojos—. Lleva una calavera y eso significa la muerte.

—¡No me jodas! —le recriminó Yannem—. ¿Quieres saber qué tengo tatuado en mi culo? Quizás me vaticines el futuro...

—Chicas..., tranquilas. Tampoco es para tanto —medió Ohana, que notó cómo el pulso se disparaba al cruzar su mirada con la de Bruce.

Ya la había encontrado entre tanta gente. No tenía escapatoria. Ahora lo único que necesitaba era tomar fuerzas y encontrarse con él. Lo obligaría a eliminar esa idea tonta de encontrar a James y explicarle que no debía utilizar términos que indicaran cosas tan absurdas como posesión, porque apenas se conocían pese haber vivido en el pasado en el mismo pueblo.

—¿A quién estará buscando? —preguntó Yannem casi con las mismas palabras que había utilizado Theva—. Parece que no mueve la cabeza, como si no esperara a nadie.

—No tiene que buscar a nadie porque ha encontrado a la persona a por quien ha venido —le dijo Ohana algo más tranquila después de concluir qué debía hacer.

—¿Y quién narices será la afortunada? ¡Pienso arrancarle los pelos! —exclamó Yannem mirando a su alrededor.

¿Era el momento de bajar los escalones, dirigirse a él y gritarle que debía olvidarse de James porque no era su problema? ¿Cómo se lo tomaría? ¿Cómo actuaría ese príncipe oscuro que la acechaba impasible?

«Eres mía y me perteneces», le evocó su mente mientras respiraba hondo y descubría cómo su cuerpo admitía una derrota sin antes luchar. Aquella apariencia autoritaria, severa, tranquila y dominante le indicaba que, por mucho que ella le ofreciera miles de excusas para quitarle esa idea de la cabeza, no daría su brazo a torcer. Esa manada de toros sementales no atendería a razones.

—Bueno… —comenzó a decir con voz entrecortada—, creo que ya va siendo hora de marcharme.

—¿Tan pronto? —espetó Theva sin apartar los ojos de Bruce—. ¿No te quedarás aquí para descubrir a la zorra con suerte?

—¿Ahora le llamas suerte? —le preguntó Ohana mordaz—. ¿No decías algo sobre la maldad que muestran sus tatuajes?

—¡Menuda tontería! —resopló—. Solo lo digo porque desprende un aura maligna. Pero, como no me voy a casar con él, no tengo ningún problema en seguir admirándolo y averiguar quién es la mujer que lo tendrá entre sus piernas.

—¿Entre sus piernas? —intervino Yannem—. Con ese aspecto, me apostaría la cabeza que no follará así de simple. Más bien ha de ser una bestia en la cama, de esos que penetran duro y que dejan a sus amantes retorciéndose de dolor y de placer.

Ohana supo qué significaba la combustión espontánea.

Su piel, blanca como la nieve virgen, se terció roja, asemejándose al color de los cangrejos que recogían en el río del pueblo. No había ni una sola zona de su cuerpo que no sintiese calor tras escuchar el comentario de Yannem. ¿Bruce sería así de pasional? ¿Trataría a las mujeres de esa forma? Entonces, cuando descubrió que le sonreía y que dejaba a la vista aquella dentadura perlada, contuvo el aliento. ¿Utilizaría sus dientes para marcarla? ¿Se atrevería a morderla mientras mantuviesen relaciones?

«Cariño... él utilizará sus dientes en otro lugar de tu cuerpo y me apostaría el tridente que hasta tu madre escuchará tus gemidos en el pueblo».

—¿Ohana? —le preguntó Theva—. ¿Vuelves a tener fiebre?

—No es fiebre... —murmuró.

—Creo que deberíamos acercarnos —indicó Yannem bajando el primer escalón—. Tal vez esté perdido y nosotras, que somos unas buenas samaritanas, podríamos ayudarlo.

Su tono de voz sonó lujurioso, erótico y bastante excitado. Ohana, por primera vez en su vida, sintió aquello que llamaban celos. Ese instinto de posesión, ese deseo de gritarle a todo el mundo que Bruce era suyo, brotó desde lo más profundo de su ser, pero intentó calmarse y apaciguar a esa diablesa que había colocado las puntas de su tridente en dirección a Yannem.

—Me busca a mí —declaró al fin.

—¿A ti? —preguntaron las dos a la vez.

—Él es la persona de quien os hablé hace un momento —les aclaró.

—Pues, que yo sepa, en ningún momento he oído nada de... *he conocido a un tío que está como un tren y que lo encontraréis en la puerta, esperándome* —indicó con retintín Yannem.

—Bueno... —carraspeó Ohana—. Antes no era tan... así.

—Y... ¿cómo era? —insistió Yannem muerta de la envidia.

—No tenía esa barba, todavía no le había ni salido. Su pelo era corto y su cuerpo no era tan... escultural. Creo que ha cambiado mucho.

—¿Crees? —espetó Theva enarcando las cejas.

—En el pasado no reparamos mucho el uno en el otro. Él tenía su mundo y yo el mío —aclaró de nuevo.

—Pues, chica..., yo que tú me sumergiría en su mundo. No me cabe la menor duda de que no querrás salir de él —le indicó Yannem.

«Eres mía y me perteneces», recordó de nuevo.

—¿Ohana? —preguntó Theva al ver que ella permanecía en un extraño silencio.

—He de irme —dijo al fin—. No quiero hacerlo esperar más.

Ni tampoco quería retrasar aquello que había pensado decirle. Tenía que ser firme en su decisión, no podía dejarse llevar por esa atracción salvaje que sentía por él. Un príncipe oscuro... era una definición bastante exacta.

—Hasta mañana —les dijo bajando las escaleras.

—¿Hasta mañana? ¿No nos vas a presentar? ¡Ohana! ¡Maldita sea, para una cosa interesante que sucede nos quieres dejar a un lado! —gritó Yannem al ver que caminaba derechita a él.

—¿Nos vamos a quedar aquí plantadas? —le preguntó Theva.

—¡Ni de coña! Quiero saber si ese príncipe se comportará bien con nuestra amiga. Después de lo que ocurrió con James, tenemos que velar por su seguridad —comentó firme.

—¿No hay más intenciones? —insistió Theva poniendo los ojos en blanco.

—Ya no. ¿Acaso no tienes ojos? ¿No ves cómo la está mirando? Ese hombre tiene la intención de marcarla como suya delante de todo el mundo.

—Sin posibilidades… —murmuró Theva.

—Ni una sola —aseguró Yannem mientras bajaban despacio, dándoles el tiempo justo para saludarse.

Le tenía miedo. Bruce se maldijo en silencio al descubrir en la mirada de Ohana que ella sentía temor al verlo. Lo entendía. Comprendía ese pavor. No debió enviarle ese mensaje tan directo, pero él era así. Se tomaba la vida con un todo o nada. Por ese motivo tuvo el maldito problema en Old-Quarter. Quería alcanzar a Miah, tenerla para él, sin pensar que ella estaba enamorada de Mathew desde el primer día que apareció en el pueblo. Sin embargo, Ohana era diferente. No pensaba en otro hombre, salvo por ese que la acosaba y que pronto dejaría de ser un problema. Además, lo deseaba. Por eso ambos habían transformado una mísera llamada telefónica en algo tan íntimo y pasional. Todavía podía escuchar sus jadeos, su respiración entrecortada y el suave hilo de voz que utilizó para hablarle. Uno que solo la pasión podía ofrecer. En ese momento, justo en ese preciso instante, volvió a ponerse duro. Así había permanecido durante la mañana. Cada vez que se acordaba de ella, que había sido unas mil veces, su polla se levantaba reclamando su calor, su deseo, su pasión. Bruce sonrió al ver cómo se tomaba su tiempo. Hablaba con dos jóvenes quienes estaban alteradas por su presencia. Sin embargo, Ohana parecía...

«**¡Mierda!**», exclamó para sí al conocer qué reacción mostraba ella al observarlo. Deseo... El mismo que lo recorría a él. Pero no podía actuar como siempre. No era aconsejable que la atacara, que saltara sobre ella, que le levantara el vestido, que la sentara en su moto y, que tras apartarle las bragas, metiera su sexo hasta escucharla gritar por la fuerte embestida. Ella huiría... Además, después de lo que hizo en Old-Quarter, ella se marcharía de su lado en cuanto la tratase con esa violencia sexual que le recorría el cuerpo. «Despacio...», le indicó su conciencia buena, esa que debió tener cinco años atrás. Y, por una vez en su vida, aceptaría las órdenes que le ofrecía la parte racional de su subconsciente.

—¿Algún problema? —preguntó Bruce cuando ella estuvo lo suficientemente cerca como para escucharlo.

Se quitó las gafas, se las colocó en el cuello de la camiseta y extendió los brazos a ambos lados de su cuerpo, esperando a que se acercara un poco más para abrazarla. Necesitaba mostrarle que él cuidaría de ella, que la protegería y que siempre podía contar con su ayuda.

—Hola, Bruce. Ningún problema. Me alegro de verte. —Se quedó alejada de él unos seis pasos más o menos. No le tenía miedo. ¿Cómo hacerlo después de lo que habían vivido la noche anterior? Pero antes de dejarse llevar por ese deseo que la fustigaba de manera incesante, quería aclararle que no debía inmiscuirse en el tema de James.

—Necesitaba confirmar que te encontrabas bien y que ningún soplapollas estaría esperándote para asaltarte cuando salieras de las clases —la informó dando un paso hacia ella.

Se derretía lentamente. Ohana notaba cómo su cuerpo empezaba a convertirse en líquido y se expandía por el suelo, provocando una enorme mancha. ¿Cómo podía impactarla de esa forma? ¿Sería la atracción masculina de la que tanto hablaba Corinne?

«¿Qué te comentó esa tetona que vive contigo? No recuerdas las palabras exactas, ¿verdad? Bueno, te lo perdono porque sé que ahora mismo no puedes pensar con claridad... Pero te dijo: "Busca un hombre que te haga mojar las bragas cuando te mire". Y, como puedes notar, eso mismo te sucede».

—Estoy bien —le respondió tras hacer callar a esa parte perversa de su cabeza—. James jamás se acerca cuando estoy con gente, así que puedes estar tranquilo porque todo está controlado.

—¿Que no se acerca...? ¿Que esté tranquilo? ¿Que lo tienes controlado? —Apretó los labios, volvió a posarse sobre la moto y se cruzó de brazos—. ¿Qué quieres decir con eso, Ohana? ¿Es que mantienes algún tipo de relación extraña con él y no me lo has dicho?

Enfado. En el rostro varonil solo se reflejaba su enfado. Ni confusión ni asombro, solo rabia. Ella se quedó mirándolo sin pestañear mientras buscaba las palabras adecuadas. Una vez que las halló, respiró hondo y expuso:

—No mantengo ninguna relación extraña. Es más, no mantengo ninguna desde que, hace diez meses, le grité que se marchara.

—¿Entonces? —espetó con tono solemne, firme.

—No quiero que te metas en problemas, Bruce. Llevas una vida muy tranquila, te has labrado un futuro estupendo y no quiero fastidiarlo con mis problemas.

—Pero... —intentó debatir aquella exposición.

—Sé cómo actúas cuando te dejas llevar por la rabia y no lo permitiré. Ya tuviste suficientes consecuencias tras lo sucedido en el pueblo como para que la historia se repita —alegó sin apenas tomar aire. Debía mostrarse firme, seria y que entendiera que su posición no ofrecía deliberación alguna. Lo que le estaba exponiendo era un ultimátum.

—Solo quiero cuidarte, Ohana. Nada más —declaró con el mismo tono de voz que antes.

—Hasta ahora lo he hecho sola y no puedo decir que me haya ido muy mal —replicó.

—¿Esa es tu decisión? —preguntó enarcando la ceja derecha.

—Sí y espero que la aceptes —manifestó apretando con fuerza los libros que mantenía sobre su pecho.

—Está bien, acepto si te vienes a comer —aseguró con palabras, pero no con pensamientos. No quería discutir por aquel imbécil, aunque tampoco daría por zanjado el tema. Pese a que ella se oponía con tanto fervor a inmiscuirse en el problema, investigaría la manera de encontrarse con el tal James y darle su merecido—. ¿Te apetece comer costillas conmigo? Estoy famélico después de seis horas en el gimnasio.

—Imagino que es un trabajo bastante complicado —habló más relajada tras descubrir que no había sido tan difícil hacerlo entrar en razón.

Había cambiado y mucho. No solo en el aspecto físico, sino también en su interior. El antiguo Bruce se hubiese retorcido allí mismo, le habría gritado y, tras montarse en la moto, se habría marchado en busca de James. Pero, por suerte, ya no era aquel muchacho impulsivo. Ese pensamiento la hizo sonreír.

—¿Y esa risa? —quiso saber mientras se levantaba y caminaba hacia ella.

—¿Recuerdas cuando salías con Kimberly Miller? —preguntó divertida.

—Vagamente… —refunfuñó.

—¿Cómo puedes decir vagamente cuando estuviste saliendo con ella durante algo más de seis meses? —lo regañó poniendo los ojos en blanco—. ¿Tan fácil te ha resultado olvidar con quien perdiste la virginidad? —Al ser consciente de lo que había dicho, la vergüenza se apoderó de ella y agachó la cabeza.

«¿Te acuerdas tú la de veces que quisiste estar en su lugar? Pues ahora es el momento de disfrutar todo el tiempo que nos robaron».

—Ohana, ¿quieres ir al grano? No quiero pasarme toda la tarde hablando de las mujeres que he tenido en el pasado. Prefiero centrarme en el ahora y ese ahora eres tú —dijo con firmeza.

—Me dejas sin palabras… —murmuró sorprendida mientras alzaba lentamente la barbilla para que ambas miradas se encontraran.

Al verla tan aturdida, alargó las manos y la cogió de la cintura.

—Si pretendes comparar mi aparición de hoy con cuando esperaba a esa gallina estirada en el instituto hace casi diez años, te adelanto que no la hay. ¿Sabes por qué? —Ohana movió lentamente la cabeza para negar—. Porque la excitación que me provocas no alcanza ni de lejos la que ella me causaba. Kim servía para una cosa; follar. Pero tú eres diferente. Quiero conocerte y saber quién es la mujer que tiene un cuerpo digno de pecar.

Tras su exposición, acercó sus labios para besarla, pero se retiró al descubrir que dos jóvenes se acercaban. La giró hacia ellas, la acercó a su cuerpo, la abrazó de la cintura, apoyó su barbilla en el hombro derecho y se recostó de nuevo sobre la parte trasera de la moto.

«¡Joder! ¿Por qué cojones tienen que aparecer en este preciso momento esas dos gilipollas?».

—¿Ohana, necesitas los apuntes de hoy? Como has estado tan despistada durante las clases hemos pensado que los necesitarías para estudiar… —alegó como excusa Yannem sin apartar los ojos del hombre que apretaba contra su cuerpo a Ohana, exhibiendo una posesión total sobre ella.

Ohana resopló. Aunque no sabía muy bien por qué lo hizo. Intentó decidir si era por la declaración de Bruce o por el tonto pretexto que las había llevado hasta ellos. ¿Cómo se había imaginado que se quedarían allí mirando mientras hablaba con Bruce? ¡Qué boba!

—Bruce Malone… —comenzó a decir moviendo lentamente el rostro hacia él, notando en esos suaves roces las caricias que le ofrecía la barba—, te presento a Yannem y a Theva, mis compañeras de clase.

—Encantado… —respondió extendiendo la mano hacia cada una para saludarlas—. Me alegra mucho saber que Ohana tiene un par de amigas. Pensé que estaría sola en el mundo —añadió divertido mientras la mano retornaba a su lugar: la cintura de Ohana.

—Si fuera por ella, no las tendría —comentó un tanto nerviosa Theva, que, al mantenerse tan cerca, esa aura oscura de la que habló se hacía más grande alrededor del hombre.

—Bueno, por lo menos me reconforta averiguar que aquí está protegida —apuntó él directo.

El cuerpo de Ohana se tensó al escucharlo. ¿Qué

diablos pretendía hacer? ¿No había quedado claro que el tema James se había zanjado?

—No te muevas de esa forma —le susurró Bruce—. Si continúas contoneando tus caderas de esa forma sobre mi sexo, se pondrá tan grande que los ojos de tus amigas saldrán disparados al comprobar cuánto te deseo.

Y la combustión espontánea regresó a ella. Volvió a tener las mejillas al rojo vivo y aquella dichosa humedad regresó con más energía. Sin mencionar lo que le estaba sucediendo a su clítoris. ¡Parecía saltar de emoción!

—Imagino que te refieres al gilipollas de James, ¿verdad? —soltó Yannem tan directa como él.

—Ajá —respondió Bruce aferrando con más fuerza el cuerpo de Ohana para que se quedara quieta. Sabía que el tema la iba a alterar, pero le urgía conocer hasta qué punto aquel futuro cadáver había sido capaz de llegar.

—Hace tiempo que no aparece por aquí —lo informó—. Pero como lo intente, te prometo que saldrá lesionado.

—Eso espero —apuntó Malone.

Ohana, al ver que la conversación iba a centrarse en James, se giró despacio hacia Bruce, como si fuera a darle un beso tranquilizador en la mejilla. Pero lo que pretendía era decirle...

—Te prometo que, si me sacas de aquí ahora, hoy me escucharás chuparme los dedos con los que me masturbo. —¿No la dejaba a ella en *shock* cuando hacía referencia a su sexo? ¡Pues ella estaba aprendiendo muy rápido qué estrategia tomar para que él cumpliera sus deseos!

Fue todo lo que necesitó escuchar Bruce para levantarse, sin apartarse de ella, e indicarles a las amigas que ya estaban molestando.

—Como os he dicho antes, estoy encantado de conoceros. Ha sido un verdadero placer averiguar que Ohana cuenta con unas amigas tan fieles. —Volvió a tenderles la mano.

—Lo mismo te digo —señaló Yannem aceptando en primer lugar esa despedida—. De ahora en adelante también estaremos tranquilas sabiendo que la protegerás cuando salga de nuestro alcance.

—No me voy a retirar de ella ni un solo centímetro, te lo aseguro —declaró con firmeza.

Después de que Theva lo saludara, ambas se despidieron de Ohana con dos besos. Mientras se alejaban intentaron controlar las ganas que tenían de mirar hacia atrás y ser testigos del motivo por el que las había despechado con tanta rapidez.

—¿Crees que hemos hecho lo correcto? —espetó dubitativa Theva.

—¿Lo correcto? —soltó Yannem poniendo los ojos en blanco—. Si yo me encontrara entre sus brazos, en lo único que podría pensar es cuándo me dejaríais a solas de una puñetera vez.

Ohana permaneció en silencio hasta que estuvo segura de que sus amigas no la escucharían gritar. Al perderlas de vista, se apartó bruscamente de Bruce, se giró, le levantó un dedo para increparle su conducta y… no pudo hacerlo porque él la atrajo hacia su cuerpo y la besó como nunca antes había sido besada.

—Bruce… —jadeó tomando aliento mientras él continuaba ajustándola a su pecho y su cadera, sin ocultar la excitación que sentía tras besarla.

—Ohana…, espero que me hayas levantado ese dedo para informarme de que será uno de los que te masturben.

—Bruce… —repitió sin voz y abriendo los ojos como platos.

«¡Y el maestro gana a la alumna! ¿Esperabas que cayese en tu trampa?», exclamó esa diablilla antes de soltar una carcajada.

—Me has vuelto loco cuando te he escuchado insinuarme tal perversión. Tanto que se me han quitado las ganas de comer. En estos momentos, lo único que quiero tener en mi boca son esos bonitos dedos impregnados con la humedad de tu sexo. ¿Estás húmeda por mí, Ohana? ¿Te has excitado al sentir mi polla en tu culo?

—Bruce, yo... —Pero antes de que pudiera decir una palabra más, este invadió de nuevo su boca.

Esta vez, Ohana cerró los ojos, dejó caer los libros, alargó los brazos para enredarlos en su cuello y se sumergió en la pasión salvaje que sentía por Bruce. El vello se le erizó al notar cómo la lengua se adentraba en su boca con tanta voracidad y creyó morir cuando los labios de Bruce chuparon dos dedos de su mano como si fueran estos los que debía mojar con su humedad. Ante esa visión tan lujuriosa emitió un leve jadeo. Uno que escuchó Bruce y que casi lo puso de rodillas. ¿Cómo podía encenderlo de esa forma? ¿Cómo no se había dado cuenta en el pueblo de quién era la verdadera Ohana Colhan?

—No sé cómo voy a contenerme hasta esta noche... —le confesó Bruce totalmente excitado—. Creo que no seré capaz de pensar en nada hasta que te llame por teléfono y escuche tu voz describiéndome de qué color son las braguitas que escondes bajo ese vestido verde y que llevarás puesto cuando te eches sobre la cama.

Ohana tragó saliva, abrió los ojos como platos y sintió cómo el pulso se le aceleraba.

«O se lo dices tú o me meto en tu puñetera mente y se lo digo yo misma. ¡Vamos, joder! ¿A qué narices esperas?».

—Entonces hoy te llevarás una decepción —empezó a decir con voz entrecortada por la actitud tan perversa que había decido adoptar.

—¿Por? —Enarcó Bruce las cejas al preguntar. ¿¡No pensaría dejarlo!? ¿Sería incapaz de aceptar su llamada? Avergonzada. Esa palabra le brotó en la cabeza. Ella se definió así cuando terminaron de masturbarse. «Es lógico que no quiera algo como la de ayer —comenzó a decirle su mente—. No fue apropiado para ella. ¿No te das cuenta de cómo tiembla? ¿De cómo se muerde el labio? No insistas, Bruce. Si lo haces, la perderás»—. Ohana, yo… —intentó disculparse.

—Bruce… —le dijo posando sobre sus labios los dedos que él había chupado segundos antes—. Hoy no me he puesto braguitas porque no tengo ninguna de color negro. Así que lo único que he encontrado para igualar nuestras condiciones es un pequeño tanga de… encaje.

Y en ese momento, el que sintió cómo su temperatura subía más de veinte grados fue él. Con los ojos abiertos como platos, con el pulso a mil y con el sexo más duro que un diamante, Bruce extendió los brazos hacia ella, la sepultó bajo su cuerpo y, tras posar las grandes manos sobre los glúteos y descubrir que eran ciertas sus palabras, emanó de su garganta el rugido de un toro ardiente que deseaba empotrar, lo antes posible, a esa vaca en celo.

—Nena, acabas de despertar a la bestia que vive en mí —le susurró al oído mientras la pegaba tanto a él que Ohana no podía ni respirar—. Te juro que no voy a comer nada que no seas tú durante días, meses, años, si consigo sobrevivir a esta excitación que recorre mi cuerpo. Quiero pasar mi lengua por toda tu piel y recorrer con mis manos esas caderas, ese culo, después de quitarte el precioso vestido verde.

Ohana apoyó la frente en el pecho de él. Abatida, rendida, excitada y destrozada ante esa lujuria que despertaba cada vez que le hablaba. La debilidad se apoderó de ella y le flaquearon las piernas. Bruce la cogió con rapidez, creyendo que se sentía mareada por no haber comido nada desde que salió de la casa. Pero se equivocaba.

—Tranquila, yo te sujeto —le dijo con tono suave—. Creo que, antes de encerrarnos en tu habitación, tendremos que llenar nuestros estómagos para afrontar la pérdida de energía.

—Costillas… —susurró ella.

—Con puré de patatas y guisantes —añadió él antes de darle un beso en la nariz.

—¿Dónde? —preguntó con entusiasmo.

—Lejos de aquí —le respondió sin poder apartar las manos de su cuerpo.

—¿En ella? —dijo dudosa mirando la moto.

—¿Tienes algún problema? —demandó enarcando las cejas—. ¿Te dan miedo? Te prometo que no correré.

—Mi vestido… Creo que no podré… —Fijó sus ojos marrones en los azulados y se quedó sin palabras al descubrir deseo y diversión en ellos. ¿La tomaría por una niña tonta al alegar tal insensatez?

—Yo te ayudaré a montarte y, si sientes vergüenza porque durante el trayecto no puedas ocultar esas preciosas piernas, no sufras. A mí me encantará ver la cara que pondrá más de un gilipollas cuando te vea, te desee y descubra que la única persona que puede tocarte soy yo.

—Bruce… —volvió a murmurar.

—Ohana… —le contestó antes de besarla de una forma tan posesiva que a ella no le quedó ninguna duda sobre la sinceridad de sus palabras y de las frases que empleó en su último wasap.

CAPÍTULO VIII

HABLEMOS DE TODO MENOS DE SEXO

Cuando Bruce le dijo que la llevaría lejos, ella no creyó que fuera *tan lejos*. Durante algo más de una hora, condujo por carreteras secundarias sin reducir la velocidad. Por desgracia, tal como pensó, el viento movió el vestido por ambos lados, convirtiéndola en una mujer con alas. Al principio se sintió incómoda por mostrar a los demás conductores los muslos; retiraba sus manos, colocadas alrededor de la cintura de él, y se afanaba por ajustarlo en su lugar. Pero terminó desistiendo al descubrir que Bruce aceleraba cada vez que lo hacía. Quería sus brazos rodeándolo y que olvidara de una vez por todas su insistencia en no exhibir las piernas. Después de resoplar un millar de veces y de reír tímidamente cuando los ojos de aquellos a quienes adelantaban se abrían como platos, desistió en su empeño y se envolvió en el confort que le proporcionaba sentir el calor que desprendía Bruce. Era una sensación tan extraña para ella que contuvo como pudo las ganas de llorar que le causaron dicha emoción. Su corazón se engrandeció tanto que no le cabía en el pecho, su respiración se hizo pausada, calmada y tranquila después de tanto tiempo.

Se apretó aún más a la espalda de Bruce, lo agarró con fuerza, cruzando sus manos por las muñecas, y decidió dejarse llevar a su lado porque, como le había dicho, nada malo le sucedería si permanecía con ella. Ese sentimiento de protección, de cuidado, de ser consciente de que él daría su vida por salvarla, la dejó paralizada. ¿No estaría perdiendo la cabeza? ¿No habría sido víctima de algún encantamiento masculino? Ella, Ohana Colhan, la niña de Samantha, esa que lucía unos vestidos tan inapropiados para vivir en un pueblo como el suyo… La niña tímida, la adolescente resguardada del mundo que la rodeaba y la mujer que veía cómo el tiempo transcurría mientras perseguía un sueño, aceptaba con su abrazo a un hombre que todos los habitantes de Old-Quarter habían vetado por causar el mayor desastre que había vivido el tranquilo pueblo.

Ohana tomó aire, cerró los ojos y continuó presionando el casco sobre la gran espalda. No debía rememorar el pasado. Debía dejarlo atrás porque Bruce había cambiado. Su mundo ya no era peligroso, se merecía otra oportunidad y ella sería la persona que lo haría reconciliarse con el pasado. Para ello tendría que sacar esa fuerza que nunca había poseído y enfrentarse a los demás. La obtendría… por él.

Cobarde. Esa palabra la definía a la perfección. Siempre evitó enfadarse con alguien, no se negó a ponerse aquellos vestidos que odiaba, no provocaba altercados a su alrededor y pasaba inadvertida para el resto del mundo. Sin embargo, allí se encontraba, aferrándose a un hombre que le había puesto, en menos de veinticuatro horas, el mundo patas arriba y dirigiéndose hacia algún lugar apartado de la ciudad, transformándola en una mujer valiente, decidida. Abrió los ojos para confirmar que se encontraban aún en la carretera, apartados del bullicio en el que vivían, rodeados de árboles, nubes y... soledad. Sus párpados se cerraron de nuevo, percibiendo cómo la seguridad y la felicidad que Bruce le proporcionaba aumentaban en cada segundo de ese viaje. De manera inexplicable él la hacía sentir que podía volar, que podía respirar sin agobiarse y que no debía pensar en el mañana. De repente, una idea alocada apareció en su mente. Esta vez no tuvo que escuchar a esa diablilla, quien permanecía en su hombro callada y disfrutando del trayecto. Era ella misma quien deseaba notar el aire impactando en su cuerpo, convertir sus manos en alas, vivir evocando la muerte. Muerte que no alcanzaría porque él estaría allí para ayudarla. Despacio, apartó las manos de la cintura de Bruce, se reclinó lentamente hacia atrás, notando el respaldo de la moto en su espalada, respiró hondo y... disfrutó.

Sintió la presión del viento sobre su pecho, sobre sus piernas y sobre esas manos que había extendido para luchar contra la velocidad. Por primera vez no tenía cadenas, nadie podía juzgarla y, por primera vez, se convirtió en la libélula que tenía tatuada en su piel. Por fin descubría qué significaba la palaba libertad.

Sus brazos se enredaron de nuevo en la cintura de Bruce al este acelerar. A ella no le cabía la menor duda de que la observaba, que no había apartado su mirada del espejo retrovisor y que había estado al tanto de sus movimientos. Cualquier otra persona habría aminorado la velocidad para que finalizara esa locura, pero él no. Bruce le permitía disfrutar de ese placer que encontraba al ser ella misma, sin trabas, sin miradas de reproche; eliminar el miedo que sentía al enfrentarse a James y sin tener que luchar contra el mundo para que le consagraran el lugar que se merecía. Solo con… él.

Cerró los ojos y volvió a dejarse llevar hasta que la velocidad comenzó a reducirse. Entonces contempló lo que había a su alrededor y sonrió. ¿Cómo no lo había imaginado? ¿Pensaría que Bruce la llevaría a comer a un restaurante refinado, donde encontraría sobre la mesa demasiados cubiertos para tan pocos platos?

Tras reducir tanto la marcha que podría saltar sobre el asfalto sin hacerse daño, él decidió aparcar en el lugar más alejado de la entrada de aquel pequeño asador, que anunciaba sobre el tejado el nombre del establecimiento con letras rojas. Ohana miró a su alrededor, quedándose sin aire al descubrir dónde la había llevado. Era tan similar… Impactada por la semejanza entre aquel pequeño espacio del mundo y las afueras del Old-Quarter, ella se quedó sentada hasta que Bruce se quitó el casco, sacudió la cabeza, para que el suave vientecillo secara el sudor de su pelo, y colocó la sujeción de la moto.

—¿Sorprendida? —le preguntó volviéndose hacia ella.

Sorprendida no era la palabra exacta sino boquiabierta. Sin poder respirar con normalidad, se quitó el casco lentamente, como si fuera incapaz de sacarlo de su cabeza. Al finalizar, una leve brisa acarició su rostro y el cabello, liberados de la presión, provocando que ese calor desapareciera ante el ligero toque gélido. Respiró el aire de aquel lugar y sintió cómo sus pulmones volvían a llenarse de oxígeno puro.

—Nunca has podido olvidar el lugar del que provienes, ¿verdad?

No era una pregunta sino una afirmación. Ella contempló el brillo que expresaron aquellos intensos iris azules, confirmando sus palabras. Bruce añoraba su pueblo, extrañaba a su gente y había buscado un lugar donde poder apaciguar el dolor de esa tremenda pérdida.

En silencio, esperó a que Ohana bajara mientras sus ojos no podían mirar hacia otro lado que no fuera ella. Estaba feliz. Envidiablemente feliz. Y no solo se debía a la fascinación que expresaba su rostro al hallar esa similitud con el pueblo, sino que también lo estaba por permanecer a su lado. Cada parte de su cuerpo había notado la seguridad que la invadía durante el viaje y cómo se regalaba al destino como una bella ofrenda. Durante unos segundos, que ella empleó para separarse de él y notar el viento chocando contra su cuerpo, le transmitió una sensación de paz, seguridad y bienestar que lo dejó perplejo. ¿Cómo podía causarle él ese tipo de emociones? ¡¿Él?! Por unos instantes se enfadó consigo mismo al mentirle, por no declararle que en realidad seguía siendo un bastardo sin corazón, sin compasión, y que ella no debía sentirse tan confiada con un hombre tan malvado. Pero al advertir que por primera vez en su vida podía provocar en una persona algo tan hermoso como la felicidad, la ira desapareció. Tenía que cambiar. Iba a cambiar por ella. No entendía muy bien lo que su podrido corazón le dictaba, pero, fuera lo que fuese, solo necesitaba apartarse del mundo en el que se había metido y vivir con su ángel de la guarda.

Después de colocar ambos cascos bajo el asiento de la moto, Bruce cogió las llaves, se las metió en el bolsillo derecho de su pantalón y se giró hacia ella para seguir sorprendiéndola con ese banquete que le prometió. Pero cuando la encontró frente a él, impidiéndole el paso, enmudeció. Sus ojos brillaban de satisfacción, su boca, entreabierta, pedía que la besara y el ritmo acelerado de su pecho le gritaba que deseaba abrazarlo. Paralizado al ver que ella anhelaba con tanta desesperación su cercanía, esperó a que reaccionara con una paciencia dolorosa. En el pasado, con alguna de esas mujeres que ocuparon instantes de su vida, la habría tomado por la cintura y se habría aprovechado de esa debilidad lujuriosa. Sin embargo, allí estaba, expectante, ansioso, suspirando por aquello que pensaba darle y nuevamente... duro.

—Bruce... —susurró con una voz tan suave, tan cálida, que su corazón olvidó latir.

—Aquí estoy, tesoro —le respondió sin aliento.

Malone observó esa sonrisa que mezclaba diversión y erotismo. Ella era testigo de hasta qué punto lo cautivaba su rostro angelical, puro, cándido. Él, un monstruo, el puto Dragón de Fuego, podía arrodillarse ante la hermosa sonrisa de Ohana y suplicarle que hiciera con él todo aquello que deseara porque no había ni una sola parte de su cuerpo que no le perteneciera. Paradójicamente, en aquel momento, se sintió como una bestia esclavizada por la muchacha más inocente. Pero no era cualquier muchacha, era Ohana, su Ohana.

Tras tomar aire, extendió los brazos hacia él, le rodeó el cuello con ellos y lo besó. Ese beso, que al principio fue tierno e inseguro, se fue transformando en cada sollozo, en cada gemido de placer, en uno tan tórrido y pasional que ambos ardieron. ¿Cómo era posible que su temperatura subiera de esa manera por Bruce? ¿Qué tenía él de especial para despertar ese lado salvaje que ella no imaginaba poseer? Fuera cual fuese el motivo por el que la enloquecía, Ohana llegó a la conclusión de que quería más, mucho más.

—Si sigues besándome de ese modo, te prometo que me saltaré los primeros platos y me zamparé ahora mismo el postre —rugió de manera erótica, lasciva, lujuriosa.

—Y... ¿cuál será ese postre, Malone? —le preguntó pícara, nerviosa y permitiendo que la Ohana perversa, diabólica, tomara el control de sus palabras.

—¿Quieres saber cuál será mi postre, tesoro? —repitió sin poder separar los labios de los de ella, notando el calor de su aliento acariciarle la boca.

—Ajá... —Sus ojos brillaban, destilando la pasión, el anhelo y la necesidad que le recorría por el cuerpo. La misma que sentía él.

—¿Qué puedo desear en este mundo, Ohana? —respondió mientras su mano derecha abandonaba la cintura femenina y vagaba por las piernas hasta que encontró el filo del vestido.

—No lo sé... —ronroneó casi sin voz, notando cómo sus mejillas ardían al sentir el tacto de su mano primero sobre la tela del vestido y luego sobre su propia piel.

—Deseo algo dulce y salado. Deseo el sabor de tu cuerpo, de tu excitación, la esencia que emanará tu sexo por mí —le susurró al tiempo que su boca tocaba la de ella al hablar.

—Yo... —intentó decir.

«¿Te has quedado sin palabras? Yo también...»

—¿Yo?

—Bruce... —pudo susurrar después de notar una intensa presión en su interior.

Echó la cabeza hacia atrás, tomando ese aire fresco que necesitaba. Le urgía sentir algo gélido en su cuerpo, aunque fuera en los pulmones.

—Quiero mi postre, tesoro... —murmuró colocando la boca sobre su cuello, lamiendo la delicada piel de arriba abajo, de derecha a izquierda. Clavando los dientes en el lugar donde el corazón le latía desenfrenado.

¿Alguna vez llegó a alcanzar tal nivel de anhelo? No. Ni una sola vez. Entre los jadeos causados por las penetraciones de Bruce en su sexo y las respiraciones agitadas de ambos, Ohana cerró los ojos y se embriagó de ese perfume masculino que él emanaba por doquier. No solo percibió el reconocido olor a Hugo Boss, sino también el de su sudor: esa fragancia varonil que le marcaba la piel cada vez que estaban cerca. Tensó todo el cuerpo cuando advirtió cómo la llegada del orgasmo la arrastraba hacia su perdición. Una bajo la mano protectora de Bruce... Notó como la lava del volcán ascendía, como luchaba por salir de esa prisión en la que se encontraba. Se agarró con más fuerza a él, intentando transmitirle la satisfacción que le estaba ofreciendo. Compartirla. Los dos. Solo ellos ante un paisaje que los acercaba a su pueblo, al mundo del que procedían y en el que no lograron encontrarse pese a ser tan pequeño.

—Bruce... —volvió a sollozar cuando su sexo caliente emanó del interior un caudal de placer, llenando no solo esos dedos que él utilizaba para penetrarla, sino la mano entera.

Chasquidos... Ohana podía escuchar a la perfección los chasquidos producidos por esas desesperadas embestidas. Cerró los ojos y se dejó llevar, disfrutando de ese placer tan exquisito y demente.

—Dámelo, tesoro. Córrete sobre mi mano. Quiero ser testigo de tu deseo, de tu placer y de cómo te derrites por mí —la animó.

Y lo hizo. Después de jadear su nombre, anhelando cada caricia que debía ofrecerle cuando ambos permanecieran desnudos, gritó. Pero Bruce amortiguó el eco de ese grito con su boca, haciendo que no solo sus dedos la invadieran, la tomasen, la poseyeran, sino también su lengua.

Voracidad. Esa era la palabra que los describía desde que ambos se vieron en la cafetería y que no calmarían con el paso de los días, de las semanas, de los meses e incluso de los años.

Alterada, abochornada por haber mostrado semejante espectáculo, posó su frente en el pecho excitado de Bruce, evitando un cruce de miradas.

—¡Mírame! —le ordenó él sin salir aún de su interior.

—Yo... —balbuceó.

—Abre los ojos, Ohana. Mírame y contempla la maravilla que acabas de hacer por y para mí.

Despacio, muy lentamente, como si sus párpados pesaran dos mil toneladas, se aventuró a observar el rostro masculino que, pese a estar cubierto de una espesa barba rubia, podía ver, a través de ella, cómo sus mejillas estaban tintadas de rojo.

—Eres lo más bello que he tenido en mi vida —le confesó—. Nunca imaginé que encontraría una persona que me hiciera olvidar todo lo que fui, todo lo que soy y en lo que me convertiré.

—Bruce... —intentó decir.

—Y esa hermosa mujer, la única, me regalará su tesoro más valioso, aunque no me lo merezca —terminó de declarar.

Cuando Ohana iba a preguntarle a qué se refería, Bruce sacó despacio los dedos de su interior y se los llevó hacia la boca, chupando hasta la última gota de ella. Esa imagen tan erótica le provocó una debilidad tan grande que tuvo que retroceder hasta que encontró el apoyo del sillín de la moto.

—Mi postre, mi regalo, mi tesoro, el sabor más suculento del mundo y que seré incapaz de olvidar. Tu esencia, Ohana. Solo y nada más que la tuya manifestó antes de posar las palmas de las manos sobre ambos lados de la cara de ella y atraerla hacia él para que los dos disfrutaran de ese exquisito manjar.

«Es tuya... —aseguró la voz de su conciencia—. Ohana será tuya el resto de tu vida».

Resguardada bajo la protección de su cuerpo, ambos caminaron hacia el restaurante para poder alimentarse, aunque ella sabía que nada de lo que pudiera ingerir superaría el beso que le había dado con esa mezcla de su propia esencia y el sabor de aquella boca que la poseía con dominación cada vez que se acercaba. La marcaba. Pese a resultarle lo más inverosímil del mundo, cuando Bruce la tocaba, la besaba o la miraba, la señalaba suya y de nadie más. Pero... ¿ella podía aceptar con tanta facilidad su elección? ¿Estaban haciendo lo correcto?

«¡No me jodas! ¿Ahora me vienes con esas? ¿Después de ver cómo ha devorado cada gota que tus entrañas han emanado en su mano? ¿Acaso no te has derretido cuando lo has visto beber de ti? Porque yo casi me corro de nuevo...».

—Me gusta venir aquí cuando me siento agobiado —le dijo antes de abrirle la puerta para que accediera primero al interior y haciendo callar a esa conciencia malvada que seguía regañándola por dudar sobre lo que estaba creciendo entre ellos—. No se parece en nada al hostal de la señora Duffy, pero el trato que me ofrecen es muy semejante.

—¿Estás avisándome de que me encontraré una Kathy metomentodo? —preguntó enarcando las cejas morenas mientras sonreía con timidez.

—¿Metomentodo? —respondió frunciendo ligeramente el ceño. La cogió de la mano, entrelazando sus dedos en los de ella, y la condujo hasta la mesa en la que solía sentarse, al final del todo, fuera del alcance de cualquier mirada.

—Sí —respondió con un largo suspiro. Tomó asiento y esperó a que él hiciera lo mismo, pero antes de colocarse frente a ella se desprendió de esa chaqueta de cuero negro que se había puesto antes de montarse en la moto.

—Bueno, ten en cuenta que el pueblo es bastante aburrido y la señora Duffy se encarga de amenizar ese desesperante paso del tiempo —alegó divertido, sentándose y cogiendo esas delicadas manos que se posaban sobre la mesa.

—Pero... alguien debe frenarla —comentó con suavidad.

«Sobre todo porque te dijo que Bruce no era el hombre adecuado para ti y... ¿quién está aquí?»

—¿Y eso? ¿Qué es lo que ha hecho esa pobre mujer? —espetó enarcando las cejas.

—Pues lo último que hizo antes de que yo recibiera la carta de admisión, fue intentar emparejarme con Gerald Kenston —confesó clavando la mirada sobre esas manos protectoras.

—¿Eso planeó? —dijo un tanto sorprendido—. ¿Y por qué quiso hacer esa tontería?

Su cuerpo se puso tenso como una cuerda. ¿Qué habría sido de él si ella no se hubiera cruzado en su camino? ¿¡Gerald!? ¡Ese mestizo no podía descubrir lo que Ohana escondía en su interior! «Relájate, texano, ella está aquí contigo, no con el indio», le calmó esa voz racional que necesitaba para apaciguar cualquier instinto pernicioso.

—Eso me pregunto yo —resopló—. Desde que él apareció con su sobrina sobre Doncella, todo el mundo fue consciente de qué sucedería entre ellos.

—¿La montó en su yegua? —espetó abriendo los ojos como platos.

—Sí. Se la encontró en mitad de la carretera y decidió llevarla al pueblo sobre los lomos de su preciado animal —le contó.

—Y a ti te dejó allí sola, desamparada y bajo una terrible tormenta —gruñó. Odiándose él mismo por no haber ido a recogerla, por dejarla tan abandonada como hizo el mestizo.

—No me sucedió nada —dijo con rapidez al notar cómo los músculos de los brazos de Bruce se tensaban—. Además, no habría aceptado esa ayuda. ¡Soy incapaz de montar a caballo! —exclamó divertida, intentando apaciguar esos ojos que ya no eran azules, sino rojos ante la ira que le producía recordar aquel tiempo. En esos momentos no quería ver rabia en Bruce, sino pasión, deseo y felicidad al estar a su lado.

—Pues has sido muy buena copiloto. Hasta he visto cómo te soltabas de mí y disfrutabas del viaje —agregó orgulloso. Notando cómo su pecho se ensanchaba al declararle esa afirmación y cómo el enojo que sentía consigo mismo desaparecía al ser consciente de que ella no había dudado en acompañarlo.

—Me haces sentir protegida, Bruce, y sé que nada malo me sucederá si estás a mi lado —expuso notando cómo sus mejillas volvían a sonrojarse por la vergüenza.

—Eres mi chica, Ohana, y cuidaré de ti hasta que me muera —reveló.

Pese a lo perplejo que se quedó ante tal juramento, no se retractó.

—Gracias... —exhaló agachando la cabeza, abrumada por escuchar esas palabras tan firmes de Bruce y que no debía exponer a la ligera.

¿No se daba cuenta de que la estaba seduciendo? ¿De que empezaba a sentirse suya de verdad? Si entre ambos solo había una historia con principio y final, cuando llegara la última parte de su romance, ella moriría rota de dolor.

—Cariño, mírame —le ordenó apartando una de sus manos para acercarse a ese rostro colorado. Posó un dedo bajo su barbilla y él mismo se lo alzó—. Eres un tesoro, mi tesoro, y no permitiré que nadie se acerque a ti para hacerte daño mientras yo respire. —E, inclinándose hacia esos labios temblorosos, los besó con ternura para calmar cualquier inquietud que tuviera hacia sus sentimientos. Unos que cada minuto se hacían más fuertes e intensos.

—¿Texano? —le preguntó la camarera que había permanecido junto a ellos con un bloc en la mano y un boli sobre su oreja izquierda, esperando el momento adecuado para tomar nota de su pedido.

—¡Buenas tardes, Hailee! —le saludó después de separarse de la boca de ella.

—Veo que hoy no vienes solo —apuntó ella mirando sin parpadear a su acompañante.

Ohana seguía mirando a Bruce, no quería dirigir sus ojos hacia la camarera y contemplar el rostro airado de otra amante. No, no podría permitir que la magia que los rodeaba se esfumara al averiguar cómo otra mujer añoraba lo que ella tenía en ese instante.

—Ohana, cariño. Te presento a Hailee, la camarera más guapa del mundo, pero no se puede comparar contigo porque tú eres mi...

—¡Cierra el pico, idiota! —exclamó Hailee mientras alargaba su mano para saludar a Ohana—. Hola, preciosa, encantada de conocerte. Pensé que este imbécil era un lobo solitario que no sería capaz de encontrar a nadie en este mundo que valiera la pena.

—Pues no está solo, como puedes ver —respondió con firmeza antes de girar la barbilla hacia quien le hablaba y descubrir que su rostro, arrugado por la edad, no solo mostraba una gran sonrisa sino también diversión—. Lo… lo siento —añadió avergonzada.

Entonces, ante esa actitud de protección, Bruce se levantó del sillón, se inclinó hacia ella y la besó.

—Mi pequeño y tierno tesoro… —le susurró sujetándole la barbilla—. Ha sido precioso averiguar que tú también lucharás por mí. Me ha excitado muchísimo ver que te has puesto celosa.

—En fin —carraspeó Hailee—, imagino que serviré dos de los de siempre, ¿verdad, texano?

—Sí —respondió sin mirarla—. Tenemos hambre, mucha hambre… —recalcó exhibiendo unos ojos repletos de lujuria.

—Ya, pero esa hambre solo puedes apaciguarla en alguna de las habitaciones que tenemos arriba. Lo que os ofreceremos en los platos no os calmará —comentó divertida la camarera antes de girarse para alejarse de allí entre carcajadas.

—¡Hailee! —exclamó Ohana capturando su atención. Se levantó, bajo la atenta mirada de Bruce, le extendió la mano y la saludó.

—Encantada de conocerte, me llamo Ohana y me gustaría pedirte perdón por mi inapropiado comportamiento. Ando algo tensa últimamente…

—Igualmente, cielo —respondió al tiempo que estrechaba la mano—. Y no tengo que perdonarte nada. Si estuviera en tu lugar, también sacaría las garras si apareciera cualquier fulana para quitarme lo que es mío.

Bruce sonrió satisfecho al escucharlas. No podía creer lo que veía. Su chica, su modosita niña oldquateriana, había sacado fuerzas para luchar por él. ¿Había algo más maravilloso en el mundo? ¡No! Decididamente, no lo había. Sin apartar la mirada de ella, observó cómo la calma de su tesoro regresaba al tiempo que tomaba asiento. Alargó las manos y atrapó las de ella, intentando reconfortarla, darle su calor, ese que radiaba su cuerpo cada vez que la tenía cerca.

—¿Qué has pedido? —preguntó cambiando de tema.

No quería hablar sobre lo ocurrido ni sobre la tonta reacción de ella. ¡¿Celos?! Debía controlarse. No podía sobrevivir bajo un estado constante de ira porque... ¿cuántas mujeres se encontraría a lo largo de su relación con Bruce que habrían disfrutado de aquello que ella tenía en aquel momento? ¿Miles?

«¡Las mataremos a todas! —gritó la diablilla levantando su tridente como si se preparara para una batalla inminente—. **¡Ninguna pelandusca nos quitará a nuestro chico!».**

—Si dejas de fruncir el ceño y de pensar con cuántas mujeres he estado, te lo diré —la advirtió.

Ohana soltó un leve suspiro. Bruce era capaz de leer sus pensamientos o tal vez ella mostraba en su rostro aquello que le pasaba por la cabeza sin percatarse de que fuera tan clara para él.

—Yo jamás te preguntaré cuántos hombres has metido en tu cama. De este modo evitaré recordar que he sido un tonto por no haber descubierto antes la clase de mujer que eres en verdad —declaró apretando con más fuerza esas grandes manos.

—No tengo una lista muy larga, Bruce. No tengo ni lista porque en mi vida solo ha habido uno y, si pudiera retroceder el tiempo, ni él —exhaló.

—¿Qué sucedió? —perseveró en averiguar mientras acariciaba las manos de ella con sus pulgares, intentando reconfortarla con ese tierno gesto.

—No elegí bien, solo eso. El príncipe azul que se presentaba ante mis ojos se convirtió en rana, una rana despiadada y cruel —explicó.

—No quiero indagar en ese pasado que te duele, pero me volveré loco si no me cuentas cómo ese gilipollas fue tan inepto para hacerte daño y no cuidarte como te mereces. Aunque, por otra parte, he de agradecerle que fuera un gilipollas y que no fuera capaz de descubrir a la mujer que tengo frente a mis ojos.

—¿Estás seguro de que debes agradecerle algo? —preguntó enarcando la ceja izquierda, suspicaz.

—Tesoro, ten por seguro que algún día se lo agradeceré… a mi manera. —En su tono de voz no mostró nada semejante a gratitud, sino crueldad. Una que le causó a Ohana un grandioso escalofrío.

—Prefiero que me cuentes cómo hallaste este lugar —expresó apartando sus manos y cruzando los brazos frente a su pecho mientras se recostaba en el asiento. Adoptando de ese modo una actitud defensiva.

Aceptó sin protestar esa actitud. No quería enfadarla en uno de los momentos que debía recordar con felicidad. Nada ni nadie enturbiaría la primera vez que comerían juntos. Así que adoptó la misma pose que ella, pero en vez de mirarla, clavó los ojos hacia la ventana, contemplando el lugar en el que se encontraba y buscando la historia de aquel lugar. ¿Podría ser sincero? ¿Le comentaría que llegó hasta allí desesperado por huir del calvario que vivía? Sí, lo haría. Ohana se merecía escuchar algo de verdad por su parte.

—Desde que salí del pueblo de aquella manera sufro pesadillas —comenzó a decir mostrando en su rostro el calvario que padecía mientras estas duraban—. Veo la cara de horror de la gente del pueblo y la decepción que sintió mi padre al ser consciente de que su hijo fue el causante de todo. Escucho una y otra vez los latidos que mantuvo mi corazón aquella noche y el eco que provocó el disparo. —Tomó aire al tiempo que notaba cómo la actitud defensiva de Ohana desaparecía en cada palabra—. Una noche, después de sufrir otro ataque de pánico, me levanté del colchón en el que duermo y deambulé por mi apartamento. Mi cuerpo estaba bañado en sudor, el producido al rememorar la barbarie que hice. Fui a la ducha, con la firme determinación de eliminar cualquier resto de ese pasado, de ese acto…, pero la culpa se había pegado a mí y no desaparecía, así que decidí enfrentarme a ese dolor. Recuerdo que aún era de noche, que no había amanecido cuando me monté sobre ella y aceleré. Mi rumbo, ese que me había marcado mentalmente, era Old-Quarter, pero en cada milla que recorría hacia el pueblo, más destrozado me encontraba. El sudor regresó a mí, empañándome la visión, perdiendo todo contacto con la realidad, con la conducción. De repente vi a lo lejos un letrero rojo. Parecía que me llamaba, que me rogaba que parase, que no avanzara. Así que decidí abandonarme a la insistencia de mi destino.

—Bruce… —susurró Ohana extendiendo las manos hacia él para que se las tomara y sintiese su apoyo.

—Llegué al aparcamiento desorientado. No recuerdo el momento en el que perdí el conocimiento, solo poseo la imagen de cómo la moto se deslizaba entre mis piernas sin poder sujetarla. Cuando logré abrir los ojos, permanecían a mi lado dos personas extrañas para mí, pero que me relajaron al escuchar que se preocupaban por mi bienestar.

—Hailee y su marido, ¿verdad?

—Sí —respondió mirándola al fin, aceptando esas manos que se extendían sobre la mesa buscando las suyas—. Tras recuperarme, cuando fui capaz de salir de aquí, descubrí lo que había a mi alrededor y entendí lo que deseaba decirme ese desdichado destino: que aún no estaba preparado para enfrentarme a lo que hice y que debía contentarme con un lugar muy parecido.

—Bruce... —repitió notando cómo las lágrimas se apoderaban de sus ojos—. Lo harán. Ellos te perdonarán algún día y yo te ayudaré. Te lo prometo.

Apretó esas manos temblorosas con toda la fuerza que pudo, aunque ella entendía que no solo podía ofrecerle ese apoyo, necesitaba que alguien lo hiciera salir del abismo en el que se había sumergido y parecía que el destino había sido generoso poniéndola en su camino. A ella. A una muchacha que, pese a vivir en el mismo pueblo durante tantos años, se había mantenido alejada de él como si vivieran en dos mundos diferentes.

—Yo... —intentó decir, pero se quedó mudo al escuchar los pasos de Hailee acercándose a ellos.

—Como hoy tienes copiloto, la cerveza está descartada, texano —comentó la camarera tras interrumpirlos—. Debéis comer antes de que las costillas se enfríen. Si Herson descubre que no las devoráis en su punto, saldrá de la cocina dando voces. ¡Y Dios sabe que hoy no tengo ganas de escuchar sus bufidos! —exclamó tras posar los platos.

Ohana no meditó la idea que le apareció en su cabeza ni un solo segundo. Se levantó del asiento y abrazó a la buena mujer mientras le daba las gracias por haberlo ayudado en el pasado.

—No fue nada, cariño —comentó emocionada—. Y no merecemos ningunas gracias porque te puedo asegurar que mi marido y yo pensamos, *en primer lugar* —recalcó—, que era un miserable ladrón que venía a robarnos a punta de pistola, pero que Dios le había dado un escarmiento antes de cumplir con su objetivo.

—¿Un criminal? —gruñó Bruce con cierta diversión. Su percepción no erraba. Si al principio de su vida como delincuente, cuando atracaba establecimientos con Ray, los hubiera encontrado, no habría dudado en sacar su arma, pero en aquel entonces, al conocerlos, solo quería alejarse de la maldad en la que subsistía.

—¡Joder, mírate, texano! —exclamó Hailee poniendo los ojos en blanco sin dejar de abrazar a Ohana—. ¡Desprendes la palabra delincuencia por cada poro de tu piel!

—¡Pues no lo es! —lo defendió ella apartándose cariñosamente de la camarera—. Es un buen hombre. Se ha convertido en el dueño de un gimnasio y por eso tiene una pinta musculosa, pero le aseguro que, bajo todos esos músculos, hay un corazón enorme.

Y en ese momento Bruce quiso morir.

—Si lo hubieras visto hace un par de años… —apuntó Hailee sorprendida al observar que había reconducido su vida, una que, por lo que podía comprender, ella no conocía—. Aunque me alegra averiguar que este texano ha encontrado la brújula que necesitaba para hallar el buen camino. Todo el mundo merece ser feliz y mirar al futuro sin olvidar los errores del pasado. Y ahora, comed, que no quiero ver a mi esposo fuera del lugar que le corresponde —agregó antes de marcharse.

Malone no tenía hambre. Ese sentimiento punzante de tristeza se había adueñado de su musculosa figura y le apretaba tanto el estómago que no le cabía ni un mísero guisante. ¿Cómo podía ser tan villano, tan hijo de puta con ella? Ohana era la mujer más cándida del mundo y, por desgracia, empezaba a corromperla en cada segundo que permanecía junto a ella.

—Umm... ¡Está deliciosa! —exclamó Ohana cuando dio el primer bocado a una de las siete costillas que el marido de Hailee le había puesto en el plato.

—¿Te gustan? —le preguntó percibiendo cómo el nudo que le estrangulaba la garganta se hacía cada vez más grande, más fuerte, más dañino...

—¡Pruébalas! —le animó—. Y luego me respondes — comentó cerrando los ojos para deleitarse, a través de todos sus sentidos, de otro maravilloso bocado.

Reunió las pocas fuerzas que le quedaban tras sentirse un miserable y cogió con las manos una de las costillas para llevársela a la boca. Tierra. La carne le sabía a tierra. Esa que tragó el día que corrió por las calles del pueblo y que, tras caerse, encontró en sus labios. ¿Cómo podía disfrutar de unos momentos tan placenteros recordando quién era realmente? ¿Cómo podía mirarla a la cara? ¡¿Cómo?!

—¿Qué te ha parecido? —le preguntó Ohana sonriendo de oreja a oreja.

—Perfecta —le respondió sin voz. Alargando sus labios para que no se percatase del dolor que recorría cada parte de su piel.

—Creo que tu costilla no sabe igual que la mía —comentó entornando los ojos, desconfiada. Algo le sucedía a Bruce, pero no podía concretar qué era con exactitud. Se había abierto a ella confesándole que sufría pesadillas y que deseó eliminarlas regresando al pueblo. Sin embargo, su instinto femenino le gritaba que había algo más. Algo más oscuro, más tenebroso, más cruel.

—¿No? ¿Crees que Herson quiere envenenarme por estar con una mujer tan buena y hermosa como tú? —

Se relajó. Debía hacerlo para que Ohana se mantuviera tranquila, serena a su lado. No quería mostrarle que no era un hombre adecuado para ella. La necesitaba, por mucho que le costara asumir esa determinación, lo hacía.

—¿Quieres saborear mi comida? —preguntó atrevida.

—¡Adelante, sorpréndeme! —la instó, permitiendo que su corazón dejara de sufrir—. ¿Cómo vas a hacer que me deleite con tu comida, tesoro?

Osada, atrevida, perversa, Ohana clavó sus ojos marrones en los azulados mientras acercaba a la boca de Bruce la costilla que ella misma había mordido.

—Toma —le ofreció—, saborea lo que te ofrezco y luego deduces si Herson quiere envenenarte.

«¿Eso que escuchas es alguien llamando a la puerta? —preguntó una voz en la cabeza de Bruce—. ¡No! ¡Para nada! ¡Es tu polla golpeando la mesa porque quiere salir del pantalón y marcarla hasta dejarla sin aliento!».

Con los ojos ardiendo de deseo, el abrió lentamente la boca para que Ohana posara sobre sus labios ese pedazo de carne. Despacio, como si quisiera que el tiempo se parara en aquel momento, Bruce enseñó los dientes y mordió.

—¿Sabe igual que la tuya o pretende envenenarte? —le preguntó sin poder retirar su mano de los esponjosos y brillantes labios. Fuego. Su cuerpo empezó a arder de nuevo al ver cómo se relamía con la lengua de manera tan sensual y esa diablilla, que no había manera de despegarla de su hombro, impactó contra el suelo del restaurante como si fuera una inmensa roca lanzada desde un avión.

—Creo que le falta un condimento muy importante… —empezó a decir al tiempo que apresaba la muñeca de Ohana con su mano izquierda.

—¿Cuál? —quiso saber.

—Tú —respondió justo antes de chupar los delicados dedos manchados de grasa.

Cuando su lengua lamió cada gota brillante, cuando Ohana había olvidado de respirar, de vivir, de pensar, Bruce mordió ese último dedo que tenía en el interior de su boca: el corazón.

—¡Ay! —exclamó abriendo los ojos como platos, ruborizándose más de lo que ya estaba.

—La próxima vez que me des algo para probar, no debes ofrecerme algo tan mísero. Soy un hombre que no se contenta con tan poco, como ya has advertido ahí fuera —le dijo antes de incorporarse y darle un beso tan apasionado que olvidaron, por un rato, en seguir devorando esas costillas; lo único que necesitaban para sentirse llenos era degustarse el uno al otro.

—¿Crees de verdad que ella puede reconducirlo, que lo llevará por el buen camino? —le preguntó Herson a su esposa mientras permanecían ocultos dentro de la cocina.

—¿Ha traído, en los años que lo conocemos, alguna muchacha hasta aquí? —le devolvió la pregunta.

—No.

—Pues ahí tienes la respuesta. Ha venido a presentarnos a la única mujer que puede liberarlo del mundo en el que vive y, solo espero, que ella sea consciente de la fuerza que ha de tener para sacarlo de donde se encuentre.

CAPÍTULO IX

LO SIENTO, QUIZÁS EN OTRA OCASIÓN

Se había decidido, no había marcha atrás. Una vez que Bruce la dejara frente a su casa, ella le ofrecería algo de beber y luego, con mucha discreción, terminarían en su cama, haciendo realidad esos sueños que tuvo durante la noche. La excitación se apoderó de ella con tanta fuerza que un nudo apareció en su garganta impidiéndole respirar. ¿Por qué actuaba de esa manera tan irracional con Bruce? ¿Por qué no dejaba de pensar en cómo sería sentir sobre su cuerpo aquellas manos?

«No voy a responderte a eso —le comentó la diablilla—. **Aún sigo convaleciente por el impacto. Tú sabrás qué quieres hacer».**

Pero... ¿lo sabía? ¿Estaba segura de la importancia que tendría ese paso para los dos? ¿Pasarían de vivir una fantasía sensual y prohibida a una relación carnal con tanta facilidad? ¿Y si no estaban preparados para dar ese paso? ¿Y si, una vez que se acostara con ella, la olvidaba como había hecho con las demás? ¿Qué obtendría ella? Una cama vacía y un sinfín de lágrimas por haberse comportado como una idiota hipnotizada.

El último acelerón le indicó que el viaje había terminado, que se encontraban frente a los edificios donde vivía y que su decisión debía confirmarla lo antes posible. Bruce apagó el motor de la moto, desplegó la patilla para apoyarla, se quitó el casco y miró a su alrededor.

—No es de las mejores zonas de la ciudad, pero es muy tranquila. Además, solo recorro cuatro manzanas hasta llegar al instituto —comentó al verlo tan callado, observando su entorno como si quisiera hacer un exhaustivo plano de los edificios, ventanas, puertas y pasillos que había frente a sus ojos.

—¿En qué planta está tu apartamento? —preguntó sin apartar la mirada de esa verja negra que rodeaba el inmueble.

—La cuarta —le respondió al tiempo que le ofrecía el casco. Se bajó despacio y, cuando sus pies permanecieron seguros en el suelo, se palmeó el vestido mientras su mente le ofrecía las dos alternativas: sí o no.

Sin embargo, cuando ya había tomado una decisión, observó que Bruce se apartaba de la moto, le cogía los libros que había guardado bajo el sillín, ponía en su lugar los cascos y se dirigía hacia ella con la intención de acompañarla.

—Tienes razón, parece muy tranquilo… —declaró cogiéndole la mano, enredando sus dedos entre los suyos y permitiéndole la distancia justa para que avanzara.

No tenía pensado entrar en el apartamento. Ella todavía no estaba preparada para una relación completa. Lo único que pretendía era estudiar el lugar donde vivía y descubrir cómo narices accedía el puto James hasta la puerta de su hogar. Abandonó al Bruce encandilado por Ohana e hizo regresar al criminal que se escondía en el interior. Su mente, despejada y preparada, le ofreció mil alternativas de cómo adentrarse al interior sin ser visto, pero las fue descartando una tras otra al no ser adecuadas. Había diez cámaras de seguridad, dos alarmas que sonarían con tanta fuerza que atraerían a cualquier agente con rapidez, sin contar lo difícil que parecía acceder al almacén de su derecha. Ni tomando un gran impulso alguien podría saltar del tejado de aquel local, aparentemente abandonado, al patio del edificio. Tenía que haber otra forma.

—Ya te lo he dicho —suspiró Ohana—. Aquí nunca sucede nada importante.

En silencio, caminaron hacia la verja negra. No apartó los ojos de las manos de ella, que había soltado para teclear un código antes de meter la llave y girarla hacia la derecha. Bruce se mordió la lengua cuando le iba a preguntar si era la única forma de acceder al interior del edificio. No quería sobresaltarla al hacerla comprender que su objetivo era averiguar cómo James entraba sin que ella se lo permitiera. Al encontrarse frente a la siguiente puerta, se cruzó de brazos y miró hacia arriba. El cuarto. Ohana vivía en la planta cuarta. Solo le quedaba saber en qué número.

—¡Señor Fill! —exclamó sorprendida al verlo sentado detrás del mostrador de recepción—. Buenas tardes. ¿Todavía sigue trabajando?

—Buenas tardes, señorita Cohlen —le respondió el anciano levantándose al verla—. Solo me queda seleccionar el correo y habré terminado por hoy.

Sus ojos verdes abandonaron a la muchacha para clavarlos en el acompañante. Al verlo vestido de aquella forma, frunció el ceño. ¿Dónde estaba la joven sensata que conocía? ¿No era consciente de la clase de hombre que tenía a su lado? Estuvo a punto de decirle que no se admitían perros peligrosos en el edificio cuando apretó los labios. No, no era prudente hacer tal comentario. Aquel joven de ojos azules y mirada gélida podría saltar por encima del mostrador y morderle el cuello hasta que su sangre brotase como el corcho de una botella de champán.

—Le presento a Bruce Malone, un amigo de la infancia. Ambos nacimos en el pueblo y nos hemos encontrado por casualidad en esta gran ciudad —le explicó al ver el rostro de espanto que exhibió el pobre empleado.

—Señor Fill —dijo Bruce extendiendo su mano hacia él, rompiendo el hielo entre ambos. No era el primero ni el último que lo miraba y lo miraría así, aunque le importó un bledo. Lo que realmente debía averiguar era la manera de hacer desaparecer a James de la vida de Ohana y sabía que aquel hombre podría ayudarlo.

—Señor Malone —le respondió—, me alegro de conocerlo.

«¿De veras? —preguntó una voz en la cabeza de Bruce—, porque yo no estoy tan seguro de eso por cómo arrugas la frente. Pero no me temas... No voy a matarte salvo si eres tú quien le facilita el acceso a mi próximo objetivo».

—El señor Fill es nuestro portero —reveló Ohana para apaciguar la tensión que había en el ambiente—. Lleva veinte años trabajando aquí, ¿verdad?

—En efecto. Desde hace veinte años comienzo a las ocho y termino a las cinco. Y seguiré asistiendo de lunes a viernes hasta que Dios decida que ya he trabajado lo suficiente.

«¡Perfecto! —volvió a hablar la voz de Bruce—. Así que ese gilipollas aprovecha que ya no está en la portería para aparecer. Bien, Malone. Tienes que averiguar cómo lo hace. ¿Tendrá llaves? ¿Le daría ella una copia que no ha devuelto todavía?».

—Me alegro muchísimo por usted —comentó Fill sobre aquello que estaban conversando y a lo que Malone no prestó atención—. Espero que lo consiga, se lo merece.

—¡Ojalá! —exclamó ella poniendo los ojos en blanco—. Es la oportunidad de mi vida y…

—¿Hay otra manera de acceder hasta a la vivienda? —soltó de repente Bruce.

El anciano amusgó sus ojos y torció el labio hacia la izquierda. No le gustó la pregunta, pero ese instinto de protección que expresaba el joven hacia Ohana le indicó que se preocupaba de ella. «Lo sabe», pensó el señor Fill.

—No —respondió secamente.

—Gracias por aclararme la duda, señor Fill —le agradeció Bruce, cortando la conversación que había iniciado con el portero antes de que ella se volviera hacia él y le preguntara el motivo de esa inoportuna pregunta. Le cogió de nuevo la mano, se la llevó a la boca y le dio un tierno beso para calmar su zozobra—. Vamos, tesoro. Quiero dejarte en casa antes de regresar al gimnasio.

Todo lo que había pensado decirle desapareció de su cabeza al escucharlo comentar que debía marcharse. ¿Eso que sentía era decepción? ¿Ella era la culpable de que su corazón se redujera de tamaño? Respiró hondo, cabeceó ligeramente, aceptando sin rechistar esa decisión e intentó eliminar el desconsuelo de su rostro. Aunque hasta un ciego podía haber visto la tristeza que transmitieron sus ojos al descubrir que él tenía pensado marcharse en cuanto la dejara en su piso. En silencio, mordiéndose los labios cada vez que deseaba preguntarle si no había una posibilidad para que se quedara con ella, caminó agarrada a Bruce hacia el ascensor, presionó el botón y esperó, resguardada bajo el cálido cuerpo, a que las puertas se abrieran. La tarde tan maravillosa estaba llegando a su fin y ella no quería que finalizara. Deseaba vivir una noche con él y despertarse al día siguiente agotada, rendida, saciada, calmada y observada por aquellos ojos azules que la tenían hechizada.

—Pasa —le ordenó con un tono tan suave que se derritió.

De repente la temperatura de su cuerpo aumentó, al igual que los latidos de su corazón. Procuró, de todas las formas que sabía, mantener una respiración pausada, controlada, tranquila. Pero no lo logró al tener unas visiones demasiadas apasionadas. Solo de pensar que permanecerían encerrados en el ascensor, que Bruce apretaría el botón de parar, que la agarraría de las caderas, que volvería a masturbarla, a besarla de aquella manera tan salvaje y que terminaría por adentrarse en su interior en mitad de un tropel de gemidos y sollozos, le temblaron las piernas y se le contrajo la vagina.

«**Si no lo hace, moriré** —le dijo la diablilla, que frotaba las manos con tanta fuerza que provocó una pequeña llama de fuego—. **Estoy deseando ver cómo la tiene de grande y cómo se endurece frente a nosotras**».

Abriendo los ojos como platos, con las mejillas rojas como tomates y sin poder apartar la mirada de él, Ohana alargó el dedo hacia los botones y presionó el número cuatro. Las imágenes eran más nítidas hasta el punto de sentir cómo se le endurecían los pezones, pero ocurrió algo que eliminó toda excitación en un suspiro.

Cuando las puertas comenzaron a cerrarse, cuando se suponía que Bruce la asaltaría, él se giró hacia ellas, colocó las manos sobre el detector de movimiento y salió.

—He olvidado una cosa en la moto, tesoro —comentó al tiempo que le ofrecía los libros que mantuvo agarrados—. Dime qué número de piso es y ahora mismo subo.

—Dieciséis… —murmuró notando cómo su corazón se partía en mil pedazos y el ruido que emitía se asemejaba al de un espejo tras caer al suelo.

La dejaba, se marchaba, no quería estar con ella. Por muy difícil que le pareciese su historia había llegado al final. ¿Por qué? ¿Qué había hecho para que quisiera alejarse de aquella forma tan brusca? ¿No podía hacer como todos los demás, ofrecer excusas sobre lo buena que era ella y lo poco que merecía él la pena? Tratando de no mostrar esa tristeza que congelaba cada partícula de su ser, ella mantuvo una sonrisa en su rostro mientras las puertas se cerraban y Bruce desaparecía de sus ojos, de su vida…

—No tardaré, te lo prometo —declaró antes de que el ascensor comenzara su recorrido hacia arriba, pero Ohana no llegó a escucharlo.

Ella cerró los ojos y permitió, una vez que se halló sola, que esa lágrima que estaba luchando por salir brotase y recorriera su rostro mientras buscaba la respuesta a su pregunta. Se abrazó con fuerza a esos libros que mantenía pegados a su pecho, dándose ese calor que ya no tenía sin él y soportando los gritos de esa diablilla que le indicaba que parase el ascensor, que saliera corriendo tras él y que lo arrastrara de los pelos hasta su habitación. Ella no era así. Jamás obligaría a una persona a permanecer a su lado. No quería hacerle a nadie aquello que James intentaba.

Bruce respiró hondo al notar cómo ella dudaba sobre sus intenciones, pero antes de que llegara a su puerta, antes de que metiera la llave en la cerradura, él estaría allí, cubriéndola con su cuerpo, transmitiéndole su calor y eliminando de esa cabeza cualquier duda sobre sus sentimientos. Pero antes de eso debía hablar con el señor Fill. Necesitaba respuestas, muchas respuestas.

Una vez que escuchó el motor del ascensor, se giró y se dirigió hacia el portero, quien seguía observándolo sin pestañear.

—¿Desea algo?

—Imagino que no debo andarme con rodeos, ¿verdad? —comentó Malone cruzándose de brazos.

—No —respondió con la misma determinación que él.

—Quiero saber cómo cojones accede el hombre que acosa a Ohana —manifestó solemne.

—Sabía que esa era su intención, señor Malone —le respondió dibujando una amplia sonrisa—. Y no sabe hasta qué punto me alegro de que al fin alguien pueda ayudarla.

—¿Y bien? —perseveró Bruce sin inmutarse.

—No he encontrado nada concreto. La única opción que me queda por barajar es que uno de los inquilinos le abra la puerta cada vez que aparece —declaró.

—¿Alguien ha podido darle las claves de acceso?

—Puede..., aunque se cambian cada mes. Cada vecino tiene una y se puede hacer un registro de entrada y salida —reveló con entusiasmo.

—¿Las llaves? Porque, según he comprobado, para acceder hasta aquí se necesita también la llave de esa cerradura —indicó con la barbilla la puerta del exterior.

—También se cambian, aunque cada seis meses.

El dueño de este edificio vela por la seguridad de sus arrendatarios, no quiere problemas ni dentro ni fuera de este lugar —explicó.

—Ajá. Imagino que es una buena forma de blanquear el dinero sin tener al fisco en tu espalda: inquilinos felices que pagan mensualmente… —reflexionó Bruce esperando que el viejo confirmara su exposición, pero el rostro de Fill era hermético, impenetrable. Se descruzó de brazos, adoptando una actitud más relajada y dio dos pasos hacia el mostrador—. ¿Sabe si algún vecino de este bloque ha tenido algún problema con ella? ¿Hay alguien que desee hacerle daño?

—Es una buena muchacha, como ya habrá descubierto… Nadie puede ser tan sinvergüenza para hacerle daño a una mujer tan bondadosa —expuso sin dudar, aunque sus ojos reflejaban cierta duda.

«¿Qué piensa, señor Fill? ¿Qué guarda en esa cabeza?», se preguntó hasta que una idea le apareció sin avisar.

—Entiendo lo que ha querido decirme. Nadie desea hacerle daño, pero sí necesita quitársela de en medio porque le estorba para conseguir algo… —meditó en voz alta. Se llevó la mano a la barba, se la acarició y dejó que el brillo de sus ojos creciera como si fuera a iluminar la ciudad durante una noche de apagón—. ¿Quién es la joven que vive con Ohana? ¿Cómo se llama? ¿De dónde viene? ¿Qué pasado arrastra?

—Veo que es muy suspicaz —dijo a modo de cumplido—. La señorita Corinne Dacheux llegó dos meses después que la señorita Colhan. Según me contó ella misma, respondió a un anuncio que puso en el periódico y, después de varias entrevistas, la eligió porque ambas trabajan en el mundo de la moda, aunque en funciones diferentes. Por las pocas cartas que ha recibido, no mantiene mucha relación con la familia, aunque ya sabe que hoy en día hay muchas formas de contactar. Las pocas que he seleccionado para ella provienen de un bufete de Francia. Según me ha comentado en varias ocasiones, su intención es convertirse en modelo y estoy seguro de que lo conseguirá porque además de ser preciosa es una luchadora —expuso.

—Es usted un gran observador —le devolvió el halago Bruce—. Ahora me queda preguntarle si sabe quién desea hacerle daño.

—¿Daño? No. No creo que sea esa la razón por la que alguien se está tomando tantas molestias, más bien sospecho que se trata de algún que otro esposo que desea ofrecerle a la señorita Dacheux algo más que unas cucharadas de azúcar —apuntó molesto.

—Esa idea es bastante lógica, señor Fill. Empezaremos a trabajar sobre ella desde ahora mismo. —Bruce alargó la mano derecha sobre el mostrador, cogió un folio y un boli para apuntar su número de teléfono—. Quiero una lista de todos los hombres que están casados y que pueden sentir atracción por ella.

—Si le doy la lista de los que no desean meterla en la cama, terminaré antes —resopló—. Pero no se preocupe, tengo los datos de todos los inquilinos en el ordenador y revisaré las cámaras de vigilancia.

—Hágame un favor —le interrumpió Bruce.

—Dígame cuál —comentó entornando los ojos.

—Busque los registros de esas claves. Si alguien los ha utilizado para entrar, no debería haber otro registro de entrada sino de salida, ¿verdad?

—Cierto —afirmó Fill notando cómo la alegría por fin aparecía después de tanto tiempo. El acoso hacia la señorita Colhan le impedía dormir y más de un vecino podría respirar tranquilo cuando descubrieran al culpable.

—En cuanto tenga el nombre de ese hijo de puta, me lo envía por wasap y me añade el piso en el que vive. Pronto recibirá una visita y no será la de Papá Noel… —masculló apretando los dientes.

—Me pondré a ello en cuanto reparta el correo. Solo le pido una cosa, señor Malone.

—¿El qué? —demandó enarcando la ceja. ¿Un chantaje? ¿Aquel hombre con rostro bonachón iba a mencionar la palabra chantaje?

—Que le deje bien claro que no hay que molestar a las buenas personas —manifestó mientras se metía la nota en el bolsillo.

—Se lo dejaré marcado en la piel, señor Fill. Se lo dejaré marcado en cada parte de su cuerpo… —prometió antes de girarse sobre sí mismo y dirigirse hacia las escaleras para subirlas de tres en tres.

Cuando pisó el último peldaño, sus labios se alargaron. Allí estaba, en mitad del pasillo, caminando sobre una alfombra azul, dirigiéndose hacia la puerta. Bruce dio unas grandes zancadas hasta colocarse tras su espalda, la abrazó y la atrajo hacia él.

—Ya estoy aquí, tesoro. ¿Me has echado de menos?

El corazón de Ohana volvió a latir, su respiración regresó y esas lágrimas que recorrían sus mejillas se evaporaron al recobrar estas el calor que había perdido mientras Bruce se había mantenido lejos de ella. Se giró bruscamente hacia él, tiró los libros al suelo, extendió los brazos para rodearle el cuello y le dijo:

—Mucho…

—Me alegra escuchar eso, tesoro, porque yo también te he extrañado —expresó mientras rodeaba su cintura con los brazos

—¿Qué tenías que coger? —le preguntó curiosa.

—Condones. No me conformaré con los dos que

tengo en la cartera. Necesito el paquete entero para que pasemos la noche. —Y antes de que Ohana se escurriera entre sus brazos y se diese con la barbilla en el suelo, la atrajo hacia él y la besó.

Mientras ella cerraba los ojos y se dejaba llevar por ese beso, Bruce los mantuvo abiertos, observando las puertas que había en el pasillo. Pretendía que, si aquel hijo de puta que dejaba entrar a James se encontraba detrás de la mirilla espiándolos, entendiera que Ohana no estaba sola, que había alguien velando por ella y que tarde o temprano tocaría a su puerta para hacerle pagar todo lo que había hecho. Y, en ese momento, el gran Dragón de Fuego extendió sus alas y ocultó a Ohana bajo estas, protegiéndola como la bestia que era.

—No hago otra cosa salvo arder desde que estoy a tu lado —le comentó Bruce apartando con los pulgares los restos de esas lágrimas que ella había emanado por su culpa—. Y te puedo asegurar que, si esto es el infierno, pretendo vivir en él toda mi vida.

—Bruce… —susurró colocando la frente sobre el pecho agitado después del beso—. No me digas esas cosas… Me avergüenzo…

—Pues yo no —aseveró extendiendo las manos hasta que sus palmas alcanzaron su objetivo: el voluptuoso glúteo. Ese que se escondía bajo el vestido verde y que se refugiaba en un mísero tanga.

Ohana echó la cabeza hacia atrás y soltó una gran carcajada al sentir las grandes manos sobre su culo. El sonido que ella emitió a Bruce le pareció tan hermoso que estuvo a punto de arrodillarse y pedirle que continuara riéndose de esa forma el resto de sus días, que no parara nunca. Pero de repente esa risa se congeló. La figura relajada se tensó y no había ni un músculo de ella que no permaneciera rígido.

—¿Ohana? ¿Qué sucede, tesoro?

—¿Hueles eso? —espetó enarcando las cejas al tiempo que inspiraba con fuerza por la nariz.

—¿El qué? —Apartó las manos de Ohana y las preparó para un inminente ataque.

Todo su cuerpo se puso en alerta al notar la inquietud de ella.

—Tabaco —murmuró girándose bruscamente hacia la puerta de su hogar—. ¡Imposible! —exclamó antes de correr hacia ella.

—¡Espera! —le ordenó Bruce corriendo tras Ohana después de cogerle los libros que tenía desparramados en el suelo—. ¡Detente!

—Corinne está fumando —le dijo abriendo los ojos como platos—. Y… —Se llevó las manos a la boca, como si quisiera sofocar un grito aterrador.

—¿Y? —perseveró Bruce al borde de un ataque de ira.

—Y eso quiere decir que algo malo le ha sucedido —declaró después de liberar sus labios.

—Abre la puerta y averigüemos qué le ha ocurrido.

«Tranquilo, texano —habló la voz en su cabeza—, si el hijo de puta hubiera aparecido, el señor Fill te lo habría dicho. Tiene tantas ganas de sacarlo de la vida de Ohana como tú».

—Bruce… —murmuró al tiempo que metía la llave.

—Te prometo que solo voy a confirmar que no correrás peligro y que ella se encuentra bien. Si todo está correcto, me marcharé y te dejaré sola con ella. Seguro que necesitará a su amiga para desahogarse —le indicó para calmarla.

Muy despacio, giró la llave y entreabrió la puerta. El humo salía por la rendija como si Corinne lo tuviese apresado en el interior del piso. Los ojos de Ohana se abrieron aún más cuando advirtió que Corinne estaba sentada sobre el sillón, dándoles la espalda. No había manera de evaluar en qué estado se encontraba. Lo único que podía ver era el cabello rubio de ella por encima del respaldo, tan despeinado que parecía una mujer de la prehistoria.

—¿Corinne? —le preguntó tímidamente mientras daba un paso hacia el interior—. ¿Estás bien?

—No —respondió cortante.

—¿Qué ha sucedido? ¿Ha venido James? —insistió sin dar un paso más.

Cuando su amiga se enfadaba, cuando algo la alteraba, reaccionaba de dos maneras: fumando y tirando todo lo que tenía a su alcance. Así que, si no quería que Bruce la arrastrara fuera de su apartamento y la metiera en el suyo bajo llave, debía actuar con cautela. Jamás de los jamases podría dormir en un colchón sin somier, aunque a su lado permaneciera desnudo, prometiendo regalarle la luna.

—No. Ese hijo de puta sin cojones no es capaz de aparecer a estas horas —reveló.

Entonces Ohana pudo respirar, al igual que lo hizo Bruce. Se giró hacia él, le puso las palmas sobre el pecho, le dio un tierno beso y le dijo:

—Creo que, como has dicho ahí fuera, mi amiga me necesita.

—Sí, eso veo —le comentó en voz baja mientras posaba con lentitud los libros de ella sobre la mesita que había en el recibidor—. Tienes mi número, llámame en cuanto todo esto haya pasado. Quiero saber qué le ha ocurrido.

Su cabeza no paraba de evocarle una y otra vez la declaración del señor Fill. Tal vez el infiel esposo se había cansado de esperar a que Ohana se marchara y había tomado la determinación de actuar.

—Seguro que habrá sido algún hombre —le murmuró a Bruce como si fuera un secreto.

—¡Sí! ¡Un puto hombre que podría ser mi puto padre! —exclamó Corinne que, al escucharlos, se inclinó hacia la mesa donde permanecía el paquete de tabaco y se encendió otro cigarrillo.

—Te llamaré, te lo prometo —le indicó Ohana al notar cómo crecía la tensión en Bruce.

—Estaré despierto toda la noche si no lo haces —le confesó antes de abrazarla de nuevo y darle un suave beso—. Echa los cerrojos cuando salga.

—Tranquilo —le dijo achuchándolo hacia la salida.

—Que me llames…

—Sí.

—Que estaré despierto…

—Lo sé.

—Que eres mi tesoro y que me volveré loco si no te cuidas.

Ohana se quedó congelada al escucharlo. ¿Estaba diciéndole lo que ella creía o solo eran imaginaciones suyas?

«Eso que oyes no son los timbales en una fiesta, muchacha, son los latidos de tu corazón», le aclaró la diablilla, que sonreía de oreja a oreja.

—Me cuidaré para que eso no suceda —expuso antes de ponerse de puntillas y besarlo de nuevo—. Buenas noches, Bruce.

—Buenas noches, Ohana.

Y, pese a que la mano le temblaba, a pesar de que notó cómo su alma salía del interior y corría tras él, ella echó los cerrojos, se apoyó en la puerta y miró a su amiga.

—Precioso —comentó Corinne levantándose del sofá, con el cigarro sobre sus labios, como si fuera una fumadora empedernida, y comenzó a aplaudir—. ¡Bravo! ¡Ha sido increíblemente precioso!

—¿Qué diablos te ha ocurrido para que fumes? ¡¿Estás loca?! ¿No recuerdas qué ocurrió la última vez que intentaste desengancharte de ese maldito vicio? —clamó caminando hacia ella.

—¿Loca? ¡¿Loca?! —gritó fuera de sí—. ¡He de estarlo después de lo que he hecho! —bramó tras coger el cigarro con la mano derecha y moverlo como si quisiera hacer señales a un piloto que espera aterrizar.

—¿Tan mal terminó la fiesta? —preguntó mientras elegía qué sillón se encontraba más alejado de ella para no salir herida en alguno de sus bruscos movimientos.

—La fiesta terminó con dos putos polvos que no olvidaré en mi puta vida, con más de veinte orgasmos y con tantos gemidos que mi voz no regresó hasta que cerré esa maldita puerta —refunfuñó.

—Bueno…, no está mal ese resumen. Ahora, si no te importa, apaga ese cigarrillo y cuenta la versión extensa de lo sucedido —pidió mientras se sentaba.

CAPÍTULO X

Y ESO FUE TODO

¿De verdad? —preguntó atónita Ohana.

Corinne afirmó con un suave movimiento de cabeza, respiró hondo y se lanzó de nuevo al sofá, haciendo que su camisón de Hello Kitty se subiera hasta la cintura y permitiéndole a Ohana ver el color de su ropa interior.

Durante algo más de dos horas narró lo sucedido la noche anterior. Aparecieron las risas y los comentarios divertidos hasta que llegó a la parte en el que uno de los guardaespaldas de Ralph la sacó de la fiesta para traerla a casa. Entonces su rostro cambió drásticamente. La sombra que apareció en ella dejó a Ohana sin aire. ¿Qué diablos había ocurrido entre los dos para transformarla en un ser sin alma?

—Terminó por llevarme a su apartamento —murmuró Corinne mientras fijaba sus verdes ojos en el paquete de cigarrillos, como si necesitara encenderse otro para continuar hablando.

—¿Y? —insistió Ohana sin ser capaz de evitar esa pregunta.

—Y me demostró la sinceridad de sus palabras —dijo al fin—. Cuando se quedó dormido, agarrado a mí, me quedé tan estupefacta, tan saciada y plena que no pude ni respirar. En vez de relajarme y disfrutar del sueño, mi mente evocó una y otra vez aquello que habíamos hecho y regresaron los temblores, la necesidad y la urgencia de sentirlo en mi interior de nuevo.

—¿Qué... qué hiciste? —comentó intrigada mientras abría los ojos como ventanas.

—Aparté su mano de mi cuerpo, bajé de la cama despacio, me vestí y salí de allí todo lo rápido que pude —declaró alargando la mano hacia ese paquete de tabaco.

Ohana actuó en ese momento, se levantó del sofá, le quitó bruscamente los cigarrillos de la mano y se los llevó a la cocina para tirarlos al cubo de la basura. Luego regresó al salón e hizo lo mismo con el envase de cristal que Corinne había utilizado como cenicero. Cuando la mesa estuvo limpia, se colocó frente a ella con las manos en la cintura, adoptando la postura de una madre a punto de soltar un sermón a su desobediente hija, pero al observar la tristeza en el rostro de su amiga, se relajó, se sentó a su lado e intentó apaciguar ese dolor. Uno muy extraño porque, hasta esa tarde, ningún amante la había dejado tan destrozada. Según Corinne, ella era la reina de la fiesta, la diosa perfecta y la mujer que todo amante soñaba con tener en su cama y, por lo sucedido hasta el momento, no se equivocaba. Las ofertas le llovían por doquier y ella, cauta y astuta, elegía con tranquilidad quién sería su próxima víctima. Sin embargo, en esta ocasión, la verdugo se transformó en mártir. ¿Qué le había hecho aquel hombre que le doblaba la edad?

—Ese hombre solo ha sido uno más de tu lista. No debes darle tanta importancia. Seguro que se acuesta con un centenar de mujeres todas las noches y, cuando se levante, no se acordará ni de tu cara —expuso después de meditar cómo hacerla reaccionar.

Pero las palabras, aquellas que debían tranquilizarla, la pusieron tensa. Con una lentitud agonizante, Corinne giró su cabeza hacia ella, permitiendo que su amiga contemplara la ira que había provocado aquella inocente opinión y con la que solo pretendía alejarla de ese estado de aflicción.

—O… no —rectificó Ohana. Se levantó de nuevo y regresó a ese sillón en el que había permanecido fuera del alcance de su amiga. ¿Qué le sucedía? ¿Acaso no era lo que deseaba escuchar? Entonces… ¿por qué sus ojos ya no eran verdes, sino anaranjados como el fuego y brillaban como tal?

—Si ese bastardo le grita a todas las que se folla la palabra mía, tendrá un serio problema —masculló enojada.

Ohana contuvo la respiración y el deseo de preguntarle la razón por la que se había alterado tanto. Aunque la respuesta apareció sin tener que hacerla.

—Un hombre jamás puede clamar a viva voz eso si no lo siente de verdad —empezó a decir al tiempo que se levantaba—. Hay muchas palabras que se pueden gritar cuando una polla excitada está dentro del coño empapado de una mujer, pero nunca se ha de vociferar mía tan a la ligera. Eso equivale a posesión, dominio, territorialidad y ninguna mujer debe escucharlo salvo que realmente se sienta suya. Por mi parte, no quise escucharla, la eliminé con rapidez. Yo no pertenezco a nadie. Así que esa muestra de salvajismo estuvo fuera de lugar… —comentó con tanta fiereza que Ohana parpadeó varias veces.

—Los hombres son imprevisibles —empezó a decir tan dudosa que comenzó a rizarse algunos mechones de su cabello con los dedos—. Nunca sabes qué pasa por esas cabezas pensantes tan brutas. Quizá solo fue un término que salió por su boca sin meditar. Deberías olvidarlo si tanto enfado te provoca recordar ese comportamiento tan tosco. Además, el tiempo es...

—¿Olvidar el mejor encuentro que he tenido con un hombre? —bramó.

—Eso es lo que deseabas hacer, ¿no? —preguntó tomando algo de valentía. Ya empezaba a cansarse de esos cambios de humor y de pensamientos—. Porque, cuando yo he aparecido por esa puerta, la Corinne que se encontraba sentada sobre el sillón, fumando sin parar, ansiaba sacar a ese hombre de su mente lo antes posible. ¿Qué ha cambiado en estas dos horas que llevamos charlando? —insistió.

Corinne dejó caer las manos sobre su cuerpo, laxas, débiles, carentes de fuerza. Ohana acababa de propinarle un tremendo derechazo a su alma al soltarle aquella afirmación. Y era cierto. Ella no debía sentirse tan oprimida, tan triste e imprudente por haber pasado la noche con un hombre como él. Pese a notar cómo su cuerpo reclamaba desesperadamente aquellas manos, aquellos labios y sus duras invasiones, debía olvidarlo lo antes posible porque no estaban hechos el uno para el otro. ¿Cómo iba a vivir con un hombre que casi le doblaba la edad? ¿Qué clase de vida podría ofrecerle? ¿Aceptaría su carrera como modelo y todo lo que ello implicaba? No, por supuesto que no. Ningún hombre tan posesivo como Castelli, cuyo apellido ya erizaba el vello porque era el mismo que el de uno de los mafiosos más sanguinarios de Nueva York, podría aceptar su estilo de vida.

—No ha cambiado nada —respondió a la última pregunta—. Y nada cambiará... —añadió entre susurros.

—¿Entonces? ¿Por qué diablos estás así? Mañana conocerás a otro hombre que superará la noche que has pasado con ese misterioso anciano y estoy segura de que en unos días no recordarás ni su nombre. Además, si es empleado de Ralph y consigues el contrato con el que sueñas, serás intocable. Por si tu memoria te falla después de esa tórrida relación sexual, me has asegurado miles de veces que las modelos que trabajan para Ralph se convierten en diosas y nadie puede acceder a ellas. ¿Cierto?

—Cierto... —contestó con un largo suspiro.

—¿Cuál ha sido siempre tu objetivo, Corinne? ¿Por qué abandonaste tu querida Francia y te instalaste aquí? —Debía despertarla de esa sumisión en la que se encontraba antes de que perdiera el norte y la única forma de hacerlo era recordándole todo lo que abandonó importante en su pasado.

—Para convertirme en *la* modelo —respondió con suavidad.

—¡Exacto! ¡Nada de *otra* modelo o *una* modelo, sino *la* modelo! ¡La única! —exclamó con energía—. Y ahora, vete de una vez a la ducha, elimina de tu cuerpo todo lo que te recuerde a esta noche y... ¡cepíllate de una vez por todas ese pelo!

Corinne la miró sin parpadear, aspiró con fuerza y se lanzó a sus brazos llorando.

—¡Gracias, Ohana! ¡Gracias por ser tan buena persona! —exclamó entre sollozos—. ¿Qué haría yo sin ti?

—No merezco tus agradecimientos —le susurró mientras la abrazaba y la consolaba al fin—. ¿Las amigas no están para eso? Pues no le des más vueltas. Ningún hombre merece las lágrimas de una mujer y menos las tuyas.

Una vez que Corinne se quedó tranquila, caminó hacia el baño. Aunque seguía con la cabeza agachada y los hombros inclinados levemente hacia delante. Estaba triste, más de lo que se suponía que debía estar una persona tras aceptar una determinación tan solemne. Ohana no volvió a sentarse hasta que escuchó cómo el agua golpeaba el suelo de la ducha, entonces se derrumbó en el sofá. Tenía una extraña sensación. Algo en su interior le indicaba que Corinne había cambiado y que su vida, esa que soñó tener, también. Colocó sus manos sobre el rostro y se lo acarició de forma apesadumbrada. ¿Tanta alteración podía provocar un hombre? ¿Una mujer podía olvidarse de todo lo que había deseado cuando aparecía el hombre correcto para ella? Y la respuesta apareció sola, de manera tranquila y con una suavidad que congeló el cuerpo de Ohana. ¿Qué le había pasado a ella después de encontrarse con Bruce? ¿No le había sucedido algo parecido? Porque si él no ocupase su mente, ella estaría frente a su ordenador, eligiendo los tres bocetos que necesitaba para lograr su sueño y… ¿qué es lo que hacía en realidad? Esperar a que llegara la noche para hacerle esa llamada de teléfono. Enfadada consigo misma, se levantó del sillón, caminó hacia su dormitorio y buscó el portátil. Tenía una misión en la vida y debía cumplirla, no solo por ella, sino también por su madre, la mujer que había dado todo lo que poseía para hacerla feliz y a quien no debía decepcionar.

Ray golpeó la mesa con tanta fuerza que todo lo que había sobre ella cayó al suelo, creando un gran estruendo a su alrededor. Miró a su informador como si quisiera matar a la persona con quien hablaba y soltó otro improperio.

—Jefe, solo he hecho lo que me has ordenado —comentó el espía intentando relajar la furia de Walton.

—¡Maldito hijo de puta! ¡Será bastardo! ¿Quién cojones se ha creído que es? —vociferó Ray mientras golpeaba una y otra vez esa superficie de madera con tanta fuerza que hasta la hizo levitar en varias ocasiones—. ¡Lo mataré! ¡Lo mataré a él, a la zorra con la que está, a su puta familia, a los putos habitantes de su puto pueblo y a todo el que le sonría!

—Relájate, camarada. —La voz suave de Square apareció detrás de él. Ray lo observó por encima del hombro y le ofreció un gruñido de advertencia. Si pretendía tocarle los huevos, no era el mejor momento—. Él solo ha cumplido tus órdenes. Si la información que te ha ofrecido ha confirmado tus sospechas, no creo que debas pagar tu ira con él, ¿verdad? No puedes agredir a un miserable mensajero por haber realizado una gran labor.

En ese momento, el chivato miró a Square agradeciendo su intervención y prometiéndole en esa mirada que le debía un favor. Favor que no tardaría en pedirle.

—¡Lárgate ahora mismo! ¡Déjanos solos de una puta vez! —le ordenó al soplón. Este, después de hacerle una reverencia como si fuera el mismísimo Dios, se marchó más rápido de cómo había llegado.

—¿Qué piensas hacer ahora? —Con una tranquilidad inverosímil, caminó hacia el asiento que había frente a la mesa de Ray y se sentó.

—¡¿Qué voy hacer?! —tronó Walton—. ¿Qué crees que voy a hacer? ¡Exterminarlo! ¡Arrancarle los huevos con mis propias manos! ¡Sentir en mi piel su maldita sangre caliente! ¡Nadie desobedece una orden mía y quebranta las leyes de la banda! ¿Queda claro? —continuó gritando.

—Cristalino, Ray. Ha quedado completamente cristalino... —expresó mientras se acomodaba en el asiento—. Aunque pienso que un líder, como lo eres tú, no debe actuar cuando la ira se apodera de su sensatez. Creo que deberías tranquilizarte y recapacitar sobre la decisión que vas a tomar. Si no recuerdo mal, tienes una alta apuesta en este juego...

—¿Qué harías tú en mi lugar, Square? —le preguntó posando las manos sobre la mesa, fijando su oscura mirada en aquel muerto viviente.

—Si me cuentas qué te ha dicho, podré ayudarte. Sabes que estoy aquí por ti, para que tengas un hombro donde apoyarte. Por los viejos tiempos, Ray. Los mejores que pasamos juntos y en los que nadie pudo hacernos sombra porque éramos los amos del mundo... —declaró con tanta firmeza que hasta él llegó a aceptar su mentira.

Pero el verdadero motivo por el que había regresado, la única razón por la que se había arrastrado ante aquel hijo de puta era para recobrar el lugar que él le había usurpado. Tenía que haber estado preso, Ray no debió escapar de la redada. Sin embargo, allí estaba, libre como un pájaro y disfrutando de todo lo que le pertenecía. Pero eso iba a cambiar pronto... muy pronto.

—Llevo mucho tiempo siguiendo a Malone —empezó a confesarle al tiempo que se sentaba—. Algo me decía que no debía confiar en él, que terminaría traicionándome.

—Eso no se le hace a un padre... porque, ¿no es así cómo te llama? —preguntó mientras cruzaba la pierna izquierda sobre la rodilla derecha y balanceó suavemente ese pie descolgado. Su bota, negra como la de todos los hermanos, aún seguía manchada de su último vómito.

La sonrisa que dibujó Ray podía congelar un continente entero, pero Square ni se inmutó porque estaba demasiado ocupado pensando en cómo quitarse las manchas de sus únicas botas.

—Así es como le he pedido que me llame desde que salió de ese puto pueblo de mierda. Pensé que, de ese modo, olvidaría su pasado y se centraría en la promesa que me hizo.

—¿Cuál? —quiso saber Square, levantando al fin su rostro para mirar a Ray.

—Ser uno de nosotros y servirme sin oposición alguna —apuntó con determinación.

—Continúa... —le dijo mientras cogía el paquete de tabaco que guardaba en el bolsillo derecho y, tras sacar un cigarrillo y ponérselo en la boca, depositó la cajetilla sobre la mesa.

La cosa estaba poniéndose muy pero que muy interesante. Él había visto, en los ojos del chico, las ganas de salir de la banda y de manera sutil, por supuesto, él le había ofrecido la única alternativa para conseguir su libertad: matar a Ray. Así que solo le faltaba la posición del otro bando.

—Al principio me acompañaba a los atracos, a proteger el contrabando, pero el gilipollas no servía —refunfuñó—. La mano de ese imbécil temblaba cada vez que mantenía un arma. Así que decidí aprovechar lo único que se le daba bien, porque he de admitir que nadie podía hacerle sombra cuando combatía cuerpo a cuerpo.

—Entiendo… —susurró Square mientras el humo que guardaba en su interior salía por la nariz.

—Al principio tuve mis dudas. Las peleas que había presenciado se realizaban entre los propios hermanos, así que, como comprenderás, con el alcohol y las drogas corriendo por las venas de esa panda de ineptos nada era fiable. Sin embargo, tras el primer combate oficial descubrí que era una mina de oro que debía explotar. —Alargó la mano hacia el paquete de tabaco que había colocado Square sobre su mesa y cogió uno—. Hasta hace un par de días, lo único que hacía ese texano era entrenar en el gimnasio, follarse a cualquier puta y meterse en el piso que tiene alquilado, en el que el muy gilipollas se siente seguro, hasta que lo llamaba y le ordenaba salir.

—¿Y? ¿Qué ha cambiado? Porque, si mi adicción no ha destrozado mis recuerdos, ayer lo vi aquí, acatando como un perrillo una orden de su dueño. Y, pese a no comportarse como un verdadero hombre, se folló a mi pareja tal como le pedí.

—Pero no lo hizo como siempre —le advirtió—. ¿Crees que le quitaría los ojos a mi gallina de los huevos de oro? He visto cómo actúa con otras mujeres y la que tiene ahora es diferente —refunfuñó.

—¿En qué sentido? Una mujer siempre es una mujer. Puede ser más alta, más gorda, más educada o más zorra…, pero todas valen para lo mismo: chuparnos la polla —apuntó Square muy sereno.

—Siempre se ha mantenido distante con ellas. A ninguna la ha montado en moto, ni invitado a comer, ni acompañado hasta su casa para resguardarla del resto del mundo —le confesó reclinándose hacia el respaldo de la silla, soltando el humo por la boca después de hablar y clavando los ojos en los de Square.

—Puede que su parte romántica lo haya confundido. O que esa mujer solo folle con él si se comporta como un caballero. ¡Todavía quedan almas cándidas por el mundo! —exclamó antes de soltar una gran carcajada.

—¿Y tiene que aparecer justo cuando él quiere abandonar la lucha? No, Square, no estás prestándome atención. Supongo que toda esa mierda que te metes en el cuerpo ha hecho estragos en tu mente —gruñó—. Esa puta le está comiendo la cabeza y he de actuar lo antes posible para que no consiga su objetivo —sentenció apagando el cigarro sobre la mesa, quemándola sin compasión.

—Puede que esa mierda que me meto esté destruyéndome el cerebro, pero voy a regalarte aquello que necesitas escuchar porque te aprecio como si fueras mi hermano, viejo amigo. —Se incorporó hacia la mesa y lo miró sin mover ni una sola pestaña—. Si de verdad ese muchacho está encoñado, se cabreará mucho si algo le ocurriera. Si estás pensando en deshacerte de ella, te enfrentarías a un gran problema. ¿Crees que es tan tonto que no sabría quién habría dado la orden de hacerla desaparecer? No solo perderías ese combate, sino que lo encontrarías frente a la puerta del almacén apuntando, con esa mano temblorosa, a tu sensata cabeza. Sin embargo… —Tomó aire, volvió a recostarse en el sillón y esperó a que Ray le pidiera que continuase.

—¿Sin embargo? —preguntó enarcando las canosas cejas, aquellas que en el pasado fueron rojas.

Square volvió a sonreír maliciosamente. El oso ya había captado el olor de la miel, solo necesitaba esperar a que apareciera para atraparlo.

—Sin embargo, si adelantas ese combate todo lo que puedas, él no tendrá opción de huir con esa puta antes de que se celebre. Así que puedes echarle el guante justo después de esa lucha. Podrás quitarte de en medio a la zorra y habrás solucionado el pequeño problema que tienes con tu hijo —concluyó.

Ray se mantuvo en silencio y acarició su canosa barba, meditando la alternativa que Square le acababa de ofrecer.

—¿Qué ganarás tú con todo esto? —demandó suspicaz frunciendo el ceño.

—¿Yo? —soltó levantando las manos como si le apuntaran con un arma—. ¿Acaso tengo que pensar qué obtendré? ¡No me jodas, Ray! ¡Yo solo quiero que sigas trayéndome ese *crack* con el que evadirme del mundo en el que subsisto!

Walton continuó manteniendo esa mirada pétrea sobre quien fue su líder una vez. El aspecto tan fantasmal, la expresión de esos ojos sin vida y su adicción al *crack* no debían causarle ningún problema. Él era quien gobernaba, ordenaba, mandaba a los chicos y ellos cumplían sus normas sin dudar ni un solo segundo.

—Aún no está preparado —reflexionó Ray al cabo de un rato.

—Ni tampoco lo estará dentro de tres semanas si esa puta lo distrae —insistió—. ¿No tienes el teléfono de Farsien? ¿No puedes pedirle que adelante la pelea? ¿Se opondrá a eso?

—Las apuestas mermarán y no conseguiré la cantidad que había calculado —declaró Ray pensativo.

—¿Prefieres algo o nada? —perseveró—. Si tu gallinita sale huyendo, no solo te quedarás sin esa pequeña ganancia, sino que pondrán precio a tu cabeza. Ya sabes cómo actúan los Darks… Yo que tú no los cabrearía. Aún siguen buscando el cuerpo del último que los traicionó.

—Pero si hago lo que dices, tendré que apostar contra el chico… —reflexionó entornando ligeramente los ojos.

—¿De verdad crees que ese muchacho tiene alguna posibilidad de ganar? —preguntó antes de soltar una gran carcajada. Se levantó, palmeó la mesa con diversión, alzó un dedo hacia Ray y le dijo—: Solo un retrasado apostaría por un puto texano de mierda que solo piensa con la punta de su polla, Walton. Y… ¿eres tú ese retrasado? Porque yo no.

Tras ese asalto verbal, lo dejó solo para que reflexionara y actuara con prontitud. Necesitaba estar solo, resguardarse en sí mismo para meditar sobre la conversación y dar el paso decisivo. Mientras que Ray cavilaba qué debía hacer, Square sonreía de satisfacción escondido entre las sombras que le resguardaban.

—Tic… Tac… Tic… Tac… Tu tiempo se acaba, Ray Walton —murmuró antes de regresar al lugar de donde había salido.

Ray permaneció en silencio durante algo más de media hora. Su cabeza echaba humo de tanto pensar. Su instinto animal, ese que lo había guiado durante sus más de cincuenta y cinco años, le gritaba que Square planeaba algo y que debía permanecer en alerta. Sin embargo, su parte racional le indicaba que aquel cadáver parlante tenía razón. Si actuaba sobre aquella zorra, Bruce iría a por él sediento de·sangre: la suya. No obstante, si adelantaba ese combate, pese a reducir considerablemente las ganancias, lo tendría de nuevo bajo sus órdenes y se apartaría de esa mujer, si realmente le interesaba porque… ¿quién deseaba convivir con un criminal, con un bastardo que no era capaz de decidir cómo llevar su vida? Una gran sonrisa apareció en su sombrío rostro, palmeó la mesa tal como había hecho

Square antes de marcharse, buscó su móvil y llamó a Farsien, quien le cogió cuando sonó el tercer toque.

—¿Qué quieres, Walton? —le preguntó con su típico tono de no me toques los cojones.

—Quiero cambiar la fecha del combate —le aclaró.

—¿Por qué?

—Porque es lo más conveniente para todos —añadió.

—¿Tu chico quiere morir pronto? —comentó antes de soltar una perversa risa.

—Mi chico hará lo que yo diga —refunfuñó.

—En tal caso, hablaré con Shabon para que regrese lo antes posible. No creo que le cause ningún contratiempo luchar este sábado. La última vez que hablé con él estaba deseando sentir la piel de tu muchacho en sus nudillos —le informó—. Aunque tendremos que cambiar de local.

—Eso no es un inconveniente —masculló.

—Lo sé, pero te olvidas de las apuestas, Walton. Hay muchos corredores que no les agradará saber que hemos adelantado la jugada sin poder informar a sus clientes.

—Estamos a martes, Farsien. Queda mucho tiempo para hacer todo lo necesario salvo que no confíes en tu luchador —le instó.

La carcajada al escucharlo provocó un eco en el almacén donde Ray se encontraba.

—¿Y bien? —perseveró Ray después de que este dejara de reír.

—Dile a tu chico que vaya eligiendo dónde quiere ser enterrado, Walton, porque Shabon no parará hasta que deje de respirar —señaló con firmeza.

—¿Hay trato, entonces?

—Lo hay, Walton. Lo hay… —confirmó antes de finalizar la llamada.

Ray miró el visor del teléfono. El muy hijo de puta seguiría burlándose de él, pero pronto dejaría de hacerlo. Frunció el ceño y llamó a su agente de apuestas. Como siempre, aceptó tras el quinto toque.

—¿Walton?

—Quiero que cambies mi apuesta —le dijo tras escuchar su voz.

—¿Contra tu Dragón? —espetó asombrado.

—Sí y he de aclararte que el combate se ha adelantado al sábado. En cuanto tengamos el nuevo local, te informaré de dónde se celebrará. —Cogió ese cigarro arrugado que aún permanecía sobre la mesa y lo partió para esparcir todo lo que había en su interior sobre el suelo.

—Esperaré esa información, Walton. Que tengas una buena noche.

—Lo mismo te deseo.

Esta vez, como debía ser siempre, él terminó la conversación. Se reclinó sobre el asiento, cruzó los dedos de las manos como si fuera a ponerse a rezar y acercó sus labios hacia ellos. No había sido una decisión incorrecta. Square tenía razón. No solo tendría ese combate, sino que su chico volvería a estar a su lado y le haría olvidar a la zorra que lo desconcentraba. Y, si para ello debía matarla, lo haría. Nadie se atrevía a interponerse en su camino, y menos una puta.

—Ray, te noto tenso —le dijo una de sus cuatro amantes, que se había acercado al escucharlo gritar.

—Pues ya sabes cómo tranquilizar a la bestia —le indicó mientras giraba la silla hacia ella y se bajaba la bragueta.

—Oh, sí que lo sé… —le respondió antes de arrodillarse y meter el sexo erecto de su amante en la boca.

CAPÍTULO XI

CAMBIO DE PLANES

El teléfono no había parado de sonar desde que llegó a su apartamento y continuó llenando el silencio de su hogar mientras permanecía en la ducha. Enfadado, porque la melodía le indicaba que era Ray, Bruce decidió averiguar qué tramaba. Aunque no deseaba hablar con él, aunque solo anhelaba eliminarlo de su vida como si no lo hubiera conocido, debía actuar como siempre para no despertar sospechas. Después de secarse con la toalla, se dirigió hacia el salón, cogió el móvil, que lo había dejado junto a las llaves sobre la mesa, y lo desbloqueó. En ese mismo momento descubrió que tenía varios wasaps y uno de un número que no había registrado.

«He dado con el marido infiel. Se trata del señor Beckham. Un *amable* médico que, mientras su esposa trabaja con turnos nocturnos en el hospital, él intenta satisfacer esa soledad a su manera. He de decirle que me ha sorprendido tanto que he revisado sus entradas y salidas varias veces, pero no hay duda. Accedió a la vivienda ayer a las seis menos cuarto. Sin embargo, hay dos registros de entrada más. Uno, a las siete menos cuarto y otro, casi a las dos y media de la madrugada. Salvo que hubiera salido por la ventana en ambas ocasiones, cosa que dudo porque vive en el quinto, no encuentro otra razón. Le recomiendo que aparque la moto en el edificio número ciento veinte. El propietario no ha invertido tanto dinero en la seguridad de sus inquilinos y no habrá prueba alguna de su presencia. Por supuesto, no acceda como visitante por nuestra entrada principal, es mejor abrir el portalón destinado a los contenedores de residuos que tenemos en la parte izquierda, allí no hay cámaras de vigilancia. La clave para acceder es: 66—33. No hace falta llave. Espero que borre este mensaje. Tal como le comentó la señorita Colhan, llevo veinte años trabajando en este edificio como conserje y no me gustaría que me echaran de manera indigna. Por cierto, la letra es la C, 5º C. Dele su merecido, señor Malone. Buenas noches».

La ira que le habían producido las quince llamadas que le hizo Ray desapareció. Bruce dibujó una sonrisa tan maléfica que ni el líder de la banda hubiera pasado por alto aquella maldad. Lo tenía. Tenía a la persona que le abría la puerta a quien acosaba a Ohana. Ahora faltaba encontrarse con el tal James y darle su escarmiento, después de que el amable doctor Beckham obtuviese el suyo.

«Mensaje recibido. Gracias», le respondió Bruce al señor Fill. Como le pidió, borró la conversación y eliminó el número de teléfono, haciendo desaparecer cualquier rastro de aquella relación. Después leyó el destinatario del otro mensaje. No era Ohana, como deseaba, sino Ray, insistiendo en que lo llamara. Se apartó el cabello que aún goteaba sobre su pecho, suspiró hondo y tecleó el maldito número infernal.

—¿Qué cojones hacías, texano? ¿Tan ocupado estás que no puedes atenderme cuando más te necesito? —vociferó Walton—. ¿Estás evitándome? ¿Te has olvidado a quién debes servir?

—Estaba en la ducha —le aclaró, intentando mantener a raya la cólera que regresaba a él con más fuerza—. ¿Qué es lo que quieres, Ray? ¿No me dijiste que ibas a darme unos días de descanso? ¿Has olvidado tu promesa?

—Tus días de vacaciones han terminado, texano. El combate se ha cambiado de día y de lugar. —Mientras escuchaba cómo respiraba el muchacho, Walton dejó que esa sonrisa que aparecía en su boca se extendiera por ambas mejillas.

—¿Por qué? —espetó Bruce con una mezcla de sorpresa y rabia—. ¿Qué diablos ha sucedido?

—Han aparecido algunos contratiempos que hemos tenido que solventar… —respondió, misterioso.

—¿Contratiempos? —Malone caminó hacia el dormitorio, se sentó sobre el colchón y cogió su arma. El instinto de supervivencia emergió del interior de su cuerpo haciéndolo temblar. Algo terrorífico estaba a punto de suceder. Pero… ¿el qué?

—El almacén no se podrá usar esa noche y hemos escogido otro lugar más… tranquilo y seguro —dijo con un halo enigmático.

—¿Cuándo se celebrará entonces? —insistió mientras sacaba y metía las balas del cargador.

—Este sábado.

—¿Este sábado? ¿A quién cojones se le ha ocurrido esa gilipollez? ¡No estoy preparado! —clamó, levantándose de un salto, tirando las balas sobre el suelo—. ¡Me va a matar en el *ring* antes del segundo asalto!

—Pues céntrate en entrenar y en prepararte todo lo que puedas durante los días que te quedan porque no hay vuelta atrás, está decidido —señaló con firmeza Ray.

—¡Joder! ¿Nunca vas a contar con mi opinión? ¿Siempre vas a hacer lo que te salga de la polla? —tronó. La desesperación se convirtió en amargura. Su saliva se solidificó. Ya no era líquida y suave, sino rígida y cortante.

—Mientras me quede un halo de vida, sí. Y tú ya sabes cuál es tu puesto en esta relación, texano —aseveró con rudeza.

—¡Vas a perder el dinero que has apostado! —apuntó con la esperanza de que eso captara su atención y que le sirviera de aliciente para cambiar el día del combate. Si quería ganar el dinero que había mencionado, si deseaba adquirir aquella desorbitante cuantía, debía recapacitar.

—Confío en mi chico, en mi Dragón de Fuego, en ti. Sé que harás un buen trabajo y que seguirás al pie de la letra mis órdenes. Y por el dinero no te preocupes, nos haremos ricos cuando le des a ese hijo de puta el golpe de gracia —comentó antes de mantenerse callado unos segundos en los que solo se escuchó el tamborilear de sus dedos sobre la mesa—. Tengo fe en ti —insistió—, y tus hermanos, también.

—Lo ves muy sencillo…, demasiado. ¿Qué es lo que estás tramando, Ray? ¿Qué as guardas bajo tu asquerosa manga? —masculló, acariciándose el cabello mojado con exasperación, con impaciencia, con angustia.

—No tramo nada salvo que mi chico luche como el campeón que es y lo veo muy sencillo porque no seré yo quien reciba los impactos mortales de ese bastardo —alegó, divertido.

—Eres un gilipollas… —murmuró.

—Lo he sido, lo soy y lo seré siempre. Por eso he llegado hasta donde estoy, texano —le respondió con desdén.

—No te importa nada ni nadie —le replicó.

—Te equivocas. Todo lo que tengo a mi alrededor, todo lo que he conseguido, me importa y mucho. Por eso te he llamado con tanto tiempo, para que te prepares. Si no me importaras, te habría comentado el cambio de planes un día antes. Sin embargo, aquí estoy, discutiendo contigo, perdiendo el tiempo adoptando el papel de padre y soportando la rabieta de un miserable adolescente —le dijo con voz severa.

—No eres mi padre…

—¿Ya no lo soy? —espetó con aparente sorpresa—. ¿Por qué?

Bruce apretó los puños y apaciguó la cólera que lo embargaba. «Actuar como siempre. Seguir igual que antes», se decía una y otra vez.

—Porque un padre no manda a la muerte a su hijo —manifestó tras hacer acopio de su sensatez.

—No te mando a la muerte, sino a combatir y, como te he dicho, confío en que ganarás.

Silencio. Ambos se mantuvieron en silencio durante unos segundos.

—Por cierto, los hermanos quieren desearte suerte a su manera, así que espero verte el viernes en el almacén o iré a buscarte… allá donde te encuentres —declaró con firmeza.

—Si tanto te preocupa mi bienestar y el maldito dinero, no apareceré por ese almacén hasta que haya peleado —replicó.

Su corazón latía a mil. El sudor bañaba su cuerpo y la ansiedad se hacía tan espesa que no lo dejaba pensar con claridad. ¿Qué estaba sucediendo? ¿Por qué todo empezaba a darle vueltas? ¿Estaría al borde de un ataque de pánico?

—¿Por qué? ¿No quieres el apoyo de tus hermanos, de esos que te aceptaron después de salir con el rabo entre las piernas? —lo instó.

—No creo que sea conveniente llenar mi cuerpo de cervezas y de coca la noche anterior a una pelea semejante —manifestó, buscando un punto de la habitación donde poder mirar y encontrar algo de paz.

En efecto, el pánico se adueñaba de él. Pero ese pavor no tenía nada que ver con su posible muerte, sino con Ohana. Había tenido la esperanza de vivir un poco más con ella y disfrutar de esa calma que solo ella le ofrecía. No podía permitir que su historia terminara tan pronto. ¡Ni había encontrado a James para hacerlo desaparecer! Su miedo fue aumentando con cada pensamiento hasta el punto de arrodillarlo sobre el suelo.

—Bueno, pues no tomes nada, solo goza de las putas. Algunas de estas zorras te echan de menos. ¿Verdad, chicas? —Ray dirigió el teléfono hacia ellas y estas respondieron con perversas frases e insinuaciones.

—Prefiero disfrutarlas cuando todo esto termine. He de ahorrar fuerzas para…

—¿Estás ocultándome algo, texano? —Y en ese momento el cuerpo de Bruce se congeló, todo a su alrededor se oscureció—. Sabes que no se puede esconder nada a los hermanos. Así que, si tienes algo que confesar, este es tu momento.

Ray continuó sonriendo sin apartar la oreja del teléfono. Malone estaba tan asustado que no podía ni respirar. Lo tenía atrapado, cogido por los huevos, a su merced, como él deseaba que permaneciera el resto de su vida.

—No estoy ocultando nada, Ray. Y no deberías ser tan desconfiado con la persona que te llena de riquezas. —Se llevó las manos a la cabeza, cerró los ojos y emitió un grito sordo.

Walton estuvo a punto de dar un puñetazo sobre la mesa por la satisfacción que sentía en ese momento, pero se contuvo. Si él actuaba, si adoptaba un papel en aquel teatro, él haría lo mismo.

—Bien... Una vez aclarado que combatirás y que no me ocultas nada, la conversación ha finalizado. Te enviaré la localización del nuevo almacén y la hora en la que debes estar. Te permitiré que descanses estos días y que no aparezcas por aquí hasta que hayas luchado. Pero si yo acepto esas condiciones, tú tienes que acatar la mía.

—¿Cuál? —espetó, doblándose hasta que su frente tocó el frío suelo.

—Después de la pelea vivirás con nosotros. No me gusta tenerte fuera del alcance de mis ojos —comentó con voz serena.

—No me gusta la pocilga en la que vivís —masculló, echando la cabeza hacia atrás, silenciando el dolor y la desesperación que corrían por sus venas.

—¡Pues contrata una maldita criada para que limpie! Quizá se contente con esas folladas rápidas que ofreces a las mujeres... —expuso antes de soltar otra sonora carcajada.

—Ray... —¿Podía suplicar que le diera la libertad? ¿Podría ofrecerle todo el dinero que había guardado a cambio de dejarlo libre? No. Él jamás sería libre hasta que lo matara, como le sugirió Square.

—El sábado, con Shabon. Te diré dónde y cuándo en cuanto me lo confirmen, y ya sabes que después del combate te quiero durmiendo en la habitación que hay al lado de la mía. Buenas noches, texano.

Y antes de poder decirle que no iba a aceptar esa orden, ni ninguna otra, Ray finalizó la llamada.

Oscuridad. Todo a su alrededor era oscuro. Sus ojos, pese a no encontrarse con la barrera de los párpados, solo encontraban una opacidad como la de una noche sin luces ni estrellas. Aún seguía arrodillado, con el corazón palpitando sin control, notando cómo el recorrido de su sangre le causaba dolor. Estaba perdido. Su final había llegado… Entonces, en mitad de esa tiniebla visual, surgió una pequeña luz que avanzaba hacia él. Mientras se acercaba, esta empezó a crecer, permitiéndole contemplar esa silueta de mujer que adoraba, que necesitaba y por quien estaba dispuesto a morir: Ohana. Sí, su querido ángel se aproximaba a él para tenderle la mano, para levantarlo del suelo, para liberarlo de esa tenebrosidad en la que se había sumergido. Sintió el calor de ella en su piel, en sus entrañas, transmitiéndole una fuerza tan increíble que hizo despertar al dragón que había sido triste con las palabras y mandatos de Ray. Despacio, como si fuera un caballero medieval arrodillado frente a su reina, se fue levantando, aceptando su ayuda, su apoyo, su valentía. Y, justo cuando las yemas de esa imagen angelical tocaron su rostro, apartándole las lágrimas que habían brotado de sus ojos, él percibió algo tan maravilloso que dejó de respirar. Solo ella podía liberarlo, sacarlo del abismo en el que se había metido y por ella lucharía los pocos días que le quedaban hasta que llegara su fin.

—Tesoro… —murmuró.

Y eso era Ohana para él. Lo único valioso en la vida. Lo único por lo que debía seguir adelante. Lo único por lo que sería capaz de morir.

—Tesoro… —repitió cuando esa luz maravillosa se fue apagando, cuando empezaba a mostrarle lo que había de verdad a su alrededor.

Con una fuerza sobrehumana, con una energía digna de un dios, Bruce se quedó de pie, observando cómo esa aura de paz desaparecía. Entonces lo vio todo muy claro. Debía hacerlo por ella, solo Ohana se merecía ser liberada de la jaula en la que vivía sin importarle qué le sucedería a él después de esos días. Tomó aire, caminó despacio hacia su dormitorio, abrió las puertas de este, tiró la ropa que se pondría para salir y cogió el bate de béisbol. Daría el primer paso hacia la libertad de su chica liquidando el único tema pendiente que tenía hasta que llegara ese combate: apartándola del mal y ese mal, durante esa noche, poseía un apellido, Beckham, y un lugar donde encontrarlo, 5 C.

Llevaba horas mirando el ordenador, repasando los diseños, pero era incapaz de concentrarse. Su cabeza estaba en otro lugar, al igual que el resto de su cuerpo. Por mucho que intentó volcarse en el trabajo, le resultó imposible. No podía apartarlo de su mente. El rostro de Bruce aparecía sin avisar una y otra vez. Era como si todo su ser le indicara que no debía permanecer encerrada en su dormitorio, con el ordenador sobre las piernas, sino a su lado, porque, de alguna manera, la necesitaba.

Cerró por un momento los ojos, intentando apaciguar esa inquietud que brotaba de sus entrañas. Durante unos segundos consiguió calmarse, pero fueron solo unos segundos porque al verlo arrodillado en el suelo, llorando por algo que le causaba dolor, caminó hacia él, como si lo tuviese a su lado, y le tocó suavemente las mejillas para apartarle las lágrimas. Azorada por esa visión, por esa ensoñación que le transmitió la tortura que él sentía, saltó de la cama, haciendo que el portátil cayera al suelo.

—¡No, no, no! —gritó al escuchar el impacto.

Con manos temblorosas lo cogió, rezando a todos los santos que recordaba porque no se hubiese roto, que la pantalla continuase intacta, que un ángel de la guarda frenara el impacto con sus piadosas manos. Pero no fue así. Sus diseños no estaban, habían desaparecido y solo había unas líneas intermitentes que le indicaban el alcance del impacto. Lo colocó sobre la cama, arrodillándose frente al aparato, presionó el botón de inicio y esperó a que este se encendiera. Solo un milagro lo haría arrancar y, por desgracia, el mago que podría ayudarla tenía que estar de vacaciones porque por mucho que apretó el botón nada aparecía.

—¡Maldita sea! —clamó mientras se apartaba los mechones de cabello que le impedían ver para colocarlos detrás de las orejas—. ¡Maldita sea! —repitió.

Enfadada consigo misma, se levantó de un salto y comenzó a deambular por el dormitorio buscando una solución económica a su problema. Lo único que se le pasó por la mente lo desechó al momento. No podía llamar a James para que le resolviera el problema. ¡Él ya era uno de sus problemas! Continuó andando sin rumbo, ojeando de vez en cuando el ordenador, como si en algún instante el artilugio sin vida decidiera regresar al mundo de los ordenadores útiles. Aunque no sucedió nada. El ordenador había fallecido.

—¡Joder! —exclamó, permitiendo que su boca soltara toda esa ira que tenía presa en el interior—. ¿Qué narices has hecho, Ohana? ¿Qué diablos haces con tu puñetera vida?

Sus mejillas, esas que siempre ardían cuando Bruce permanecía cerca, volvían a enrojecerse. Sin embargo, en esta ocasión no lo hicieron por esa pasión que él le despertaba, sino por odio. Un inmenso odio que sentía hacia ella misma.

De repente, la habitación se hizo tan pequeña que no había aire que respirar. Nada entraba ni por su nariz ni por su boca. Era como un pez fuera del agua, luchando por sobrevivir. Notó como sus pulmones disminuían de tamaño al no llenarlos de oxígeno. La presión en el pecho aumentó y todo a su alrededor comenzó a dar vueltas. Se llevó las manos a la cabeza, como si así pudieran cesar esos bruscos giros. Pero no terminaron. El hecho de no poder controlarlos le causó una angustia tan grande que comenzó a perder la visión y sus latidos, desenfrenados, zarandearon con crueldad su débil cuerpo. Estaba sufriendo un ataque de pánico...

—¡No! —gritó, lanzándose hacia la puerta de su dormitorio, escapando de esa prisión y tomando ese aire que necesitaba en cuanto la suave brisa acarició su rostro.

Se llevó las manos al pecho, intentado apaciguar ese terror que la había invadido. Aunque nada podía tranquilizarla.

«¿Sabes por qué te has puesto así? Y no me respondas que por el maldito portátil porque toda la información importante la tienes en la nube», le dijo la diablilla, que se había sentado sobre su hombro y tocaba con el talón la clavícula.

—¿Por qué? —susurró la pregunta sin poder apartar esas manos de su pecho.

«Porque lo has visto sufrir. Ese hombre, ese ser que produce pavor a quien lo mira estaba tan asusta-

do como un niño y solo ha podido calmarse cuando has aparecido... El amor acojona, pequeña. Y el mundo en el que vives no tiene ni idea del poder que uno posee cuando se está enamorado. Ese vínculo que has sentido, esa aparición fantasmal que has vivido, es solo el principio. Recuerda una cosa. Si hay una persona destinada a ti, por mucho tiempo que pase, él volverá a tu lado. Kathy intentó que lo olvidaras, pero la vida te demuestras que siempre fue tuyo. Ahora, solo debes aceptar lo que te ofrece el destino».

Ohana miró sus brazos. El vello se había erizado al escucharla y su corazón seguía latiendo agitado. No podía tener razón. Ella solo quería engatusarla para hacerla gozar del cuerpo de Bruce. Lo que había vivido en su habitación solo se debía a la angustia que le había provocado romper el portátil y no tenía nada que ver con él. Con paso lento, con los hombros inclinados hacia delante y notando los suaves toques de su cabello en las mejillas, se dirigió hacia la cocina. Necesitaba con urgencia una copa de aquello que tomaba Corinne cada vez que quería caer muerta sobre la cama. Sin embargo, justo cuando pasó por el dormitorio de ella, se quedó parada en la puerta, pensando si debía tocar y hablar un rato. Un poco de charla era más sensato que llenar su cuerpo de alcohol.

—¿Corinne? —preguntó al entreabrir la puerta.

El dormitorio se mantenía en penumbras, solo la luz que atravesaba el ventanal iluminaba algunas zonas del interior. Caminó hacia la cama, tanteando con los dedos la pared.

—Corinne, cariño, siento si he sido brusca contigo —comentó, colocándose al lado de la cama, extendiendo la mano para poder tocarla—. No pretendí...

La frase no la terminó al descubrir que allí no había nadie. ¿Dónde se había metido? ¿Habría salido a la calle sin comentarle que iba a marcharse? Y en el momento que se giró para salir, observó que la cortina se movía despacio. Ohana se volvió hacia la ventana, dando unos pasos muy pequeños, como si su instinto femenino la previniera de lo que podría haber hecho Corinne al sentirse tan desesperada. Pero ella no podía lanzarse al vacío por un hombre, pese a ser una bestia en la cama, como dijo. Apartó con manos temblorosas la cortina y, al descubrir que ella estaba apoyada en la barandilla fumando de nuevo, suspiró aliviada.

—¿Corinne? —llamó su atención al correr la ventana para acceder al exterior.

—No pases si vas a seguir regañándome —le advirtió.

—No, no voy a hacerlo. Tú sabrás qué necesitas —le respondió, andando hacia ella.

—Ahora mismo no tengo muy claro qué deseo, ni qué necesito, ni qué aspiro encontrar en la vida —comentó, sincera.

—Estamos jodidas... —susurró mientras apoyaba los antebrazos en esa baranda y miraba hacia el frente, tal como estaba haciendo Corinne antes de interrumpirla—. ¿Eso te calma? —preguntó, moviendo levemente la barbilla hacia el cigarrillo.

—Si estuviera aliñado con algo de hierba, seguro que lo haría —apuntó mordaz.

—Te ha dado fuerte, ¿verdad? —comentó, poniendo los ojos en blanco.

—Ni te imaginas hasta qué punto ese hombre me ha dado fuerte... —continuó con ese tono sarcástico.

—¿Cómo es? —decidió preguntar. Puesto que era el primer hombre que había destrozado la coraza de su amiga, estaba deseando averiguar cómo sería.

—¿Castelli? —soltó antes de tomar una calada.

—Castelli… Me suena ese apellido, pero ahora mismo no lo ubico —dijo pensativa.

—Es el nombre de una de las familias de gánsteres más sanguinarias de Nueva York. Durante los años veinte se convirtieron en una mafia tan poderosa que nadie pudo frenarla —explicó con admiración.

—Pero imagino que él no tendrá nada que ver con esos criminales… —dijo, esperanzada.

—No, creo que no —murmuró al tiempo que daba por finalizado el cigarro—. Castelli siempre va vestido de traje, como si fuera James Bond —empezó con la descripción que le había pedido Ohana.

—¿De qué color es su pelo, sus ojos? ¿Es alto, bajo, gordo, delgado? ¿Abdominales?

—Tiene el pelo negro y sus ojos son marrones, aunque ayer por la noche eran tan oscuros como el carbón. —Al recordar cómo la miraba y cómo escuchaba su voz cuando se colocó detrás de ella para asestarle las cachetadas que juró darle tras meterla en el coche y ella refunfuñar como una niña furiosa, volvió a excitarse—. Tiene un aura misteriosa, dominante, peligrosa y, si estás mucho tiempo a su lado, notas cómo las fuerzas te abandonan… Pocas veces sonríe, quizás porque está muy centrado en su trabajo. Pero, cuando lo hace, te quedas sin respiración. La primera vez que lo vi tú estabas a mi lado, fue en la pasarela en la que me puse de rodillas, ¿te acuerdas? —Ohana asintió—. Pues de entre todas las miradas que encontré, allí estaba la suya.

—¡Jolín! —exclamó Ohana, abriendo los ojos como platos—. Me acabas de dejar de piedra.

—¿Y eso? —preguntó, intrigada, Corinne.

—Porque no has hecho referencia al tamaño de su pene, ni de si tiene un cuerpo que quita el aliento, ni si tiene un cutis más cuidado que el tuyo. Te has centrado en unos aspectos que pensé que no te importaban —le indicó sin salir de su asombro.

—¿Sabes? —continuó diciendo mientras su mirada regresaba al frente, adoptando una actitud reflexiva, calmada—. Cuando me monté en el coche y cerré la puerta, tuve la sensación de que mi vida iba a cambiar, pero nunca imaginé que sería tanto...

—Interesante... —reflexionó Ohana.

—¿Interesante? —repitió ella.

—Sí, me parece interesante que por fin un hombre esté tocando ese corazón que escondes bajo el camisón de la Kitty.

—¿Sabes lo que me parece interesante a mí en estos momentos? —preguntó, frunciendo el ceño y mirando a su amiga con aparente enfado.

—¿El qué?

—Averiguar por qué narices estás aquí perdiendo el tiempo escuchando cómo es *mi* hombre en vez de estar eligiendo tus diseños. ¿Has terminado esa dichosa selección?

—No, porque he roto el ordenador —confesó.

—¿Cómo? —espetó, abriendo los ojos como platos.

—Intenté centrarme en los bocetos, pero no he podido repasar ni la mitad. Pensé que era cansancio, así que cerré los ojos y me relajé. Pero una pesadilla me hizo despertar bruscamente y... ¡boom! El ordenador estaba en el suelo.

—¡Dios! ¿Y ahora qué? —preguntó, alarmada.

—Por suerte los tengo guardados en la nube, así que podré trabajar desde el móvil. Aunque no será igual —dijo afligida.

—Ahí tienes el mío, puedes utilizarlo cuando quieras. Por ahora no lo necesito —afirmó.

—Gracias...

Ohana echó el brazo sobre los hombros de su amiga y las dos se quedaron mirando hacia la nada, en silencio, respirando despacio y cada una pensando en el hombre que ocupaba un lugar especial en sus vidas. Sin embargo, toda esa calma se vio interrumpida cuando se escucharon unos ruidos ensordecedores en el apartamento de arriba.

—¿Qué estará haciendo el señor Beckham a estas horas? —preguntó Ohana mientras las dos se giraban y miraban hacia la ventana del piso de arriba.

—Ese bastardo estará cambiando los muebles de lugar o reformando el apartamento. Cada vez que su esposa trabaja en el hospital de noche, suele hacer muchas locuras —refunfuñó Corinne.

Y la última había sido aparecer en la puerta de su apartamento con una caja de bombones. Lógicamente, le dijo que se metiera los bombones por el culo. Y, por la cara que puso, no le pareció buena idea.

—Pues a mí me parece una persona encantadora. Cada vez que coincidimos en el ascensor me saluda correctamente, me pregunta cómo me va la vida y si estoy contenta de vivir en este barrio —alegó Ohana al tiempo que se decidía a entrar en el apartamento para no escuchar más esos insoportables sonidos.

—Cariño, para ti, todo el mundo es bueno… —manifestó, caminando detrás de ella—. Oye, ya que eres tan bondadosa y piadosa podrías acompañarme mañana al cine. Es mi tarde libre y me gustaría disfrutarla viendo una buena peli.

—Me parece un buen plan. ¿Qué quieres ver? —se aventuró a preguntar.

—¿Cincuenta sombras?

—¡No me jodas! —exclamó Ohana, volviendo a poner los ojos en blanco.

CAPÍTULO XII

SI QUIERES VIVIR, DÉJALA EN PAZ

La suerte estaba de su lado y lo ayudó a viajar en su Harley sin llamar la atención. Nadie lo miró pese a volar sobre ella por la carretera con un bate de béisbol alojado bajo sus pies.

Cuando llegó al domicilio de Ohana, disminuyó la velocidad, se dirigió hacia el edificio que el señor Fill le indicó, aparcó, guardó el casco, cogió esa arma de madera por el puño y se la echó al hombro. Parecía un maldito leñador. Aunque con un propósito diferente: él no pensaba partir un árbol, sino unas piernas.

Observando todo lo que había a su alrededor, Bruce caminó hasta situarse frente al portalón, miró hacia arriba y luego hacia su derecha y a su izquierda para confirmar que no había cámaras que registraran su presencia. Alargó la mano hacia el teclado de la cerradura, metió la clave y sonrió al ver que, tras un leve clic, se abría dándole paso, concediéndole la oportunidad de cumplir con su objetivo. Cerró al entrar y caminó guiándose de la poca luz que ofrecía el indicador de salida de emergencia. Esquivó los contenedores, aún repletos de la porquería que los inquilinos habían echado por el conducto, y abrió la siguiente puerta, necesitando solo una ligera presión para hacerlo. Entonces otra luz más intensa desveló que estaba allí. Cogió el bate, lo alzó, como si fuera el mismísimo Thor agarrando su martillo, y rompió el foco. La oscuridad volvió a protegerlo bajo su manto.

El crujido de los cristales al aplastarlos fue lo único que se escuchó mientras se dirigía hacia las escaleras. No podía subir por el ascensor, el ruido que hacía alertaría a los vecinos cuyas viviendas dieran hacia esa zona del edificio. Lo mejor, la opción más propicia para mantener su aparición fantasmal, era subir y esconderse cuando se encontrara en peligro de ser descubierto. Sin dejar de pensar cómo el buen señor Beckham le permitiría entrar en su hogar antes de que decidiera llamar a la policía, Bruce pisó los peldaños como si quisiera traspasarlos con sus botas negras. La cólera emanaba de su cuerpo por cada poro de su piel. Ese halo de maldad, de criminalidad, que había evitado como la peste, lo rodeaba con tanta intensidad que podía tocarla, acariciarla con las yemas de sus dedos. El Dragón de Fuego había despertado de su letargo y lo único que deseaba era una presa a la que destrozar.

Con el cuerpo rígido por la tensión, con la mente trabajando sin cesar para ofrecerle esas alternativas que deseaba, Bruce se colocó frente a la puerta del médico. Miró por encima de su hombro hacia el techo, confirmando que nadie lo había visto, que nadie era testigo de su presencia y que el golpe que había dado a la cámara, que vigilaba el pasillo, seguía parpadeando al haberla desactivado. Volvió la mirada hacia esa hoja lacada que le impedía actuar con sorpresa. El mejor ataque era el no previsto, el no esperado. Sin embargo, tal como le había explicado el amable conserje, no había otra posibilidad para adentrarse al interior de la vivienda del gentil médico. Conteniendo ese monstruo que ya rugía y escupía fuego intentando quemar la puerta, metió la mano en el bolsillo y sacó el móvil. Lo desbloqueó y buscó en Google el nombre de la compañera de Ohana. Tal como se imaginó, había mucha información sobre ella. Seleccionó la opción de imágenes y buscó aquella que le pareció más seductora. Ningún depredador sexual podría negarse a nada tras ver la foto de su próxima víctima y, si no erraba en su premisa, intentaría averiguar qué intenciones lo habían conducido hasta él. Antes de colocarla frente a la mirilla y llamar al timbre, desactivó el volumen. No sería apropiado que Ohana lo llamara en mitad de un trabajo... Tras confirmar que no sería molestado, levantó la mano que sujetaba el teléfono y presionó el botón incrustado en la pared. Un repique suave de campanas informó que había llegado.

Durante algunos minutos, tras escuchar cómo su presa se acercaba y contenía el aliento al descubrir la foto que había detrás de la mirilla, ambos permanecieron en silencio.

—¿Quién es? —preguntó justo cuando Bruce empezaba a pensar que no había sido una buena idea atraerlo de esa manera tan brusca.

—Me envía ella —le respondió con un tono tan suave que ni la niña más dulce y tierna podría haberlo superado.

—No la conozco —mintió, como haría cualquiera en su lugar—. ¿Quién eres? —repitió Beckham.

—Si no la conoce, no importa quién soy. Buenas noches y disculpe las molestias. Creí que el mensaje que me ha dado era para usted. Escucharía mal la letra del apartamento —comentó sin apartar la imagen de Corinne de la mirilla.

—¿De qué mensaje se trata? —dijo tras suspirar tan hondo que Bruce lo escuchó con facilidad.

Los labios de Malone se extendieron rápidamente. La presa empezaba a acercarse a la trampa.

—No lo he leído porque ella lo ha guardado en un sobre de color rosa después de rociarlo con su perfume. Pero, como ya me ha dicho que no es para usted, porque ni tan siquiera la conoce, le vuelvo a pedir disculpas.

—Soy yo. Soy yo a quien busca —comentó con rapidez cuando la imagen de Corinne se movió para retirarla de sus ojos.

—¿No me había dicho que no la conocía? —lo instó.

—Es que... soy un hombre casado —le confesó como excusa.

—Ajá. Entonces sí que es para usted... —afirmó—. ¿Está seguro? Ella me regañará si le doy esto a la persona equivocada.

—Sí, soy yo. Imagino que pretende disculparse después de cómo me trató el otro día —explicó el médico.

—Quizás... —respondió acercando completamente el teléfono a esa mirilla.

Bruce seguía sonriendo mientras que ese monstruo alojado en él se movía inquieto, luchando por ser liberado, rugiendo de satisfacción.

—¿Puedes hacérmelo llegar metiéndolo por debajo de la puerta? —le ofreció Beckham.

Su voz entrecortada, casi jadeante por la emoción, le indicó a Bruce que necesitaba solo un pequeño aliciente para que le permitiera entrar. Aunque, como era lógico, ofrecería miles de excusas para no abrir la puerta. Solo tenía que buscar algo tan sumamente perverso que no fuera capaz de resistirse.

—Voy a intentarlo —le dijo, bajando el móvil, dando la impresión de que realmente lo estaba haciendo—. No puedo. Creo que eso que ha guardado en el interior lo impide.

—¿Qué ha metido? —preguntó, ansioso, Beckham.

Bruce escuchó cómo se había puesto de puntillas y cómo intentaba averiguar lo que sucedía mirando por esa pequeñísima rejilla de la puerta. La curiosidad nunca había sido buena, no solo para los felinos, sino también para los depravados.

—¿Me da su permiso para abrirlo? Tenga en cuenta que ella me ha recalcado mil veces que debía dárselo en mano —comentó con aparente duda.

—¡Hágalo! —le ordenó, desesperado, ansioso por averiguar qué había en el interior.

—Bien, lo haré porque usted me lo ha pedido, pero, cuando hable con ella, no se lo diga, por favor.

—De acuerdo, no se lo diré… —le confirmó.

Malone colocó las yemas de sus dedos en la puerta y la acarició despacio, produciendo un suave sonido. Uno muy parecido al que se origina cuando se abre un sobre con demasiada calma.

—No debería haberlo abierto… —le dijo.

—¿Por qué? ¿Qué hay en el interior? —preguntó, quitando el primer cerrojo.

—Son… preciosas… —susurró casi sin voz—. Ya no puedo dárselas.

—¿Qué? ¿Qué son preciosas? ¿Qué no me puede dar? —repitió, descorriendo la siguiente cerradura.

—Sus bragas… Y están usadas… —paró de hablar e inspiró fuerte, como si las estuviera oliendo—. Ella las habrá llevado puestas todo el día porque desprende el perfume de su co…

¡Puerta abierta!

En ese momento, Bruce golpeó el estómago de aquel depredador con la parte más gruesa del bate, haciendo que este cayera de culo mientras abría los ojos como platos. Dio un paso hacia delante y cerró la puerta al entrar.

—¿Quién eres? —le preguntó Beckham mientras llevaba sus manos hacia la zona dolorida y lo miraba aterrado.

—Soy tu pesadilla —le respondió, levantando el bate y exhibiendo una sonrisa tan maligna que dejó al médico congelado.

—Yo… Yo… Yo no sé qué desea… —balbuceó arrastrándose hacia atrás, buscando algo que lo ayudara a levantarse y huir de allí lo antes posible.

—Deseo tantas cosas… —Sus ojos, rojos por la ira, se clavaron en él de una forma tan peligrosa que Beckham giró la cara con brusquedad, como si le hubiera asestado un puñetazo.

—Si quieres dinero…, te llevaré hasta donde está la caja fuerte. Mi esposa guarda allí las joyas y, como verás, el piso está lleno de cosas valiosas. ¡Llévatelo todo! ¡Puedes sacar mucho dinero!

—Cuando termine contigo, voy a seguir destrozando todo eso que, para ti, tiene algún valor… —gruñó, levantando el arma de madera.

—¡Dime qué quieres, pero no me mates, por favor! —suplicó llorando.

Bruce no lo escuchó. Bajó el bate con fuerza y este impactó sobre las piernas del médico.

Música… El crujir de los huesos y el alarido que soltó aquella sabandija tras el impacto eran música celestial para él.

—¿Te suena el nombre de Ohana Cohlen? ¿No? —se respondió él mismo—. Quizás te resulte más familiar el de Corinne Dacheux…

—¡No las he tocado! ¡Yo no he hecho nada! ¡Si me acusan de algo, es falso! —Alzó la mano izquierda, como si eso le sirviera de escudo para el siguiente impacto, pero no fue así. No solo alcanzó de nuevo las piernas, sino que le partió la muñeca.

—¿Cómo contacta contigo? ¿Cómo sabes cuándo aparecerá? —preguntó a través de un gruñido.

—¿Quién? —gritó su presa—. No sé de quién me habla.

Otro golpe.

—¡Está bien! ¡Está bien! —clamó Beckham—. ¡No me pegues más! Te diré todo lo que quieras saber… —aseguró sin poder dejar de llorar.

—¿Y? —Bruce enarcó las cejas al tiempo que volvía a empuñar el bate con sus dos manos y lo levantaba.

—Te juro que yo solo le abro cuando toca… y le doy la clave de la entrada —confesó mientras tomaba aire e intentaba soportar el dolor—. Pero no hago nada más… ¡No las he tocado! —repitió.

—¿Cómo? —le preguntó después de asestarle otro leñazo.

—Se lo ruego… Le suplico que no me golpee más y le diré todo lo que quiera saber. —El rostro de Beckham miraba en dirección contraria de donde se encontraba Bruce. Tenía el cuerpo totalmente extendido sobre el suelo, el cerco mojado en el pantalón indicaba que se acababa de mear encima.

—¿Y bien? —perseveró Malone. El cuello de la bestia atravesó su espalda y lo alargó hasta que se apoyó sobre su hombro. Los rugidos de ese monstruo, de ese engendro enfurecido, le pedían sangre. Quería que todo aquel apartamento se llenara de esa sangre podrida que corría por las venas del depredador.

—Yo le mando un wasap al llegar. Él aparece al

poco tiempo y, si ella no está o no le abre, vuelve horas después.

—¿Así que… tenéis un pacto? —Aunque sonó como una pregunta no lo era.

—Yo solo quiero estar con la chica… —susurró—. La otra mujer no es mi problema, nunca lo ha sido. Pero cuando él descubrió mis intenciones y me habló de su plan, lo acepté sin pensarlo. Pensé que nadie saldría perjudicado. Solo era cuestión de tiempo que esa muchacha se marchara y…

«¡Mátalo! —le gritó el monstruo mientras alargaba su cuello hacia Beckham y abría la boca para escupirle ese fuego amenazador—. Quiero escuchar cómo rompes sus costillas, sus brazos y ese cráneo… ¡Hazlo pedazos!».

—¡No! —clamó Bruce. Sus manos movían el bate, mostrando el temblor que le recorría cada parte de su cuerpo. No podía matarlo. Si lo hacía, la perdería para siempre, porque ella no se merecía estar con un asesino.

—¿No? —preguntó, confuso, Beckham, observando la lucha interior que soportaba su asaltante. Tal vez había una esperanza para no morir.

—¿Le has enviado ese mensaje? ¿Aparecerá hoy? —insistió.

—No. Hoy no sabe que estoy aquí. He cambiado el turno a última hora porque necesitaba descansar —lo informó.

—Pero pretendías hacerlo —masculló, clavando esa mirada gélida en el médico y apretando tanto los dientes que su presa observó cómo se le movía la mandíbula—. ¡Levántate! —le ordenó.

—¡No lo volveré hacer! ¡Te lo juro! Puedes llevarte todo lo que encuentres. ¿Quieres las joyas? ¿El dinero?

Te prometo que todo será tuyo si no me ma… —le ofertó a cambio de su vida.

—¡Cállate! ¡No hables! —bramó—. Como escuche una sola palabra más, dejaré que la bestia tome el control y sufrirás una muerte lenta y agónica, ¿entendido?

—Sí… —susurró Beckham, clavando los ojos en el suelo.

Mientras el médico intentaba levantarse, Bruce caminó hacia el interior de la casa y destrozó todo aquello que encontró a su paso. Aquel bate de madera se convirtió en el potente martillo de Thor y destruía todo lo que tocaba. El sudor, causado por el esfuerzo y la rabia, transpiró la piel y alcanzó sus ropas. Debía parar, debía girarse y asestar un par de golpes más al bastardo que abría la puerta a quien dañaba a Ohana. Pero no podía seguir las indicaciones de su bestia porque si lo hacía, estaría perdido para siempre.

Cuando todo quedó despedazado, destruido, colocó el bate sobre su hombro y caminó hacia la salida. Como ya se había imaginado, el médico no se había podido levantar. Además de tener las piernas rotas, el miedo lo había dejado tan paralizado que le costaba hasta respirar. ¿Quién, en su lugar, no estaría aterrado?

—No te acerques a ellas, no las mires, ni se te ocurra respirar el aire que sueltan. Si lo haces, vendré a buscarte y te aseguro que la próxima vez que me veas no seré tan piadoso —le gruñó después de cogerlo del cuello de la camisa y acercarlo a su rostro—. Y si descubro que alguien me busca, que has sido un puto chivato de mierda, lo último que escucharás antes de morir serán los gritos que darás cuando las llamas de una gran hoguera quemen lentamente tu carne. ¿Has entendido lo que quiero decir? ¿Te ha quedado claro?

—Sí..., sí —balbuceó Beckham, sintiendo el aliento y la respiración agitada de su asaltante en el rostro—. Te prometo que no voy a decir ni una sola palabra.

—Bien... —lo soltó bruscamente—. Sabía que en el fondo eres un buen tío —dijo antes de sonreír—. Es una lástima que los ladrones que te han atacado no se hayan llevado nada de valor, ¿o sí? —insinuó.

—Le prometo que no diré nada. Que... —Apretó los labios cuando su agresor se giró hacia él y le puso el bate sobre la boca, enmudeciéndolo al momento.

—Lo sé —comentó antes de levantar su arma de madera y golpearlo con fuerza en la cabeza, dejándolo inconsciente—. Pero he de estar seguro de que tú también sabes lo que te espera si me delatas —agregó mientras sus pasos, tranquilos y suaves, lo conducían hacia la salida.

Una vez que cerró la puerta, Bruce sacó el móvil y frunció el ceño al ver que Ohana no le había enviado un wasap, pero la entendía. Era tan bondadosa que seguiría consolando a su amiga. Y, tras dibujar una leve sonrisa en su rostro al pensar en ella, avanzó hacia la salida, sintiendo como el dragón regresaba a su interior para descansar, pese a no estar saciado aún toda su sed de venganza.

CAPÍTULO XIII

CALIDEZ

No lo había dejado donde siempre, sobre la mesa de la entrada junto a las llaves, la cartera y las gafas de sol. Se dirigió al baño, lo colocó sobre el lavabo, antes de volver a mirarlo, y se desnudó. Esperaba ansioso el mensaje de Ohana. ¿Se habría olvidado de él? ¿Seguiría consolando a su amiga? Había confirmado, en su última revisión, que eran las dos de la madrugada, muy tarde para ella. Debía estar dormida, descansando para levantarse temprano al día siguiente. Pese a esa reflexión, pese a decirse que ya no tendría ningún mensaje de la mujer por quien sentía una atracción enfermiza, antes de meterse en la ducha volvió a mirarlo y suspiró al no encontrar nada. Abrió las puertas de la mampara, se metió en el interior, giró el grifo del agua caliente, apoyó las manos sobre las baldosas y se sumergió en el estado que aparecía cada vez que el agua recorría su cuerpo. No solo eliminaba el sudor producido durante la visita al doctor, sino que también desaparecía de su cuerpo toda esa maldad que aún perduraba en él. Alargó la mano hacia el champú, se echó un poco en la palma y se frotó el cabello. Mientras el jabón ocultaba los mechones rubios, pestañeó varias veces para que esa espuma blanca no le impidiera ver si la luz de color ámbar parpadeaba en el teléfono. Aunque podía detectar el ligero aleteo de una mosca en la cocina, cuando se trataba de Ohana, dudaba hasta de su máxima habilidad. Apartó la mirada del dichoso aparato, cerró los ojos y se permitió disfrutar de ese chorro que le presionaba la cabeza, apartando de su piel todo aquello que le estorbaba. Y entonces... lo escuchó. Estuvo a punto de atravesar esas puertas acristaladas de la ducha, pisar los cristales con los pies desnudos, desbloquear el teléfono y averiguar cómo se encontraba. Era tanta la necesidad de leer algo de ella que todo a su alrededor perdía importancia, incluso su propio bienestar. Pero algo en su cabeza, esa parte racional que se ausentaba cuando emergía la bestia, lo obligó a seguir los pasos convenientes: cerrar el grifo, abrir lentamente la puerta, secarse con la toalla y... respirar.

«Benas noxes, teflano».

Bruce parpadeó varias veces y leyó el mensaje más de cien veces. ¿Estaría tan dormida que sus ojos le impedían ver el teclado? ¿Se habría despertado en mitad de un sueño y se acordó que debía escribirle?

«Querrás decir... buenas noches, texano. 😝», le respondió ansioso por averiguar la razón de esas palabras sin sentido.

«Síííííííí».

Vale. Había un problema, pero no tenía nada que ver con el sueño. Bruce soltó una enorme carcajada antes de buscar el número de Ohana y llamarla para confirmar esa sospecha. Tenía que estar muy graciosa con algunas copas de más y esa parte de ella no la iba a evitar. ¿No decían que los borrachos y los niños siempre decían la verdad? Pues intentaría sonsacarle algo que le carcomía las entrañas desde que se había marchado horas antes del edificio.

Después de dos tonos, aceptó su llamada.

—¿Una mala noche, tesoro? —le preguntó nada más escuchar un suspiro profundo al otro lado.

—Creo que… las copas que nos hemos tomado… me han sentado un pooooquito mal —comentó antes de resoplar con tanta fuerza que Bruce apartó el teléfono para no dañarse el oído.

—Eso me he temido tras leer tus mensajes —dijo al tiempo que sus labios se alargaban para dibujar una gran sonrisa—. Entiendo, entonces, que la tarde ha sido muy larga y que la charla ha terminado en una inesperada fiesta de pijamas —añadió mientras se dirigía hacia el dormitorio. No la entretendría demasiado. Una vez que confirmara que se encontraba bien, pese a recorrer por sus venas ese desdichado alcohol, finalizaría la llamada y la dejaría descansar.

—¿De pijamas? ¡No! ¡De camisetas! Y… ¿larga? No sé cómo será de larga. Llevo dos días calculando los centímetros… —soltó sin pensar, dejando que el alcohol, o esa diablilla, tomase el control.

Bruce paró de andar, echó levemente la cabeza hacia atrás y volvió a sonreír con tanta fuerza que los vecinos pronto le llamarían la atención por el escándalo. Cuando respiró con tranquilad, cuando su pecho empezó a subir y a bajar con normalidad, miró el teléfono y contestó:

—Menos de lo que puede parecer y algo más de lo que se supone que tienen como medida estándar… —Ohana se quedó callada, pero su respiración era inquieta. Bruce cerró los ojos y, al hacerlo, pudo imaginarla sobre la cama, con las mejillas sonrojadas y con los labios apretados, intentando controlar aquello que pasaba por su cabeza—. Creo que deberías dormir —le sugirió—. No quiero que mañana te levantes culpándome de tu falta de descanso. Mi chica tiene que levantarse temprano y comerse el mundo.

«Mi chica...», susurró Ohana para sí.

¿Cómo era posible que él hablara con tanta facilidad de ese sentimiento hacia ella tan rápido? Era cierto que se conocían desde niños, pero provenían de dos mundos diferentes pese a vivir en un pueblo tan pequeño. ¿Qué había cambiado?

«Estoy demasiado ebria para contestarte —le dijo la diablilla, pinchando con las puntas de su tridente el hombro, intentando no caer de nuevo—. Pero fíjate en el comentario que has hecho... ¿quieres averiguar el tamaño de su sexo? ¡Pues que se meta entre tus piernas, joder!».

Bruce empezó a inquietarse cuando no la oyó hablar. Solo su respiración se escuchaba a través del teléfono, una que no supo interpretar con exactitud.

—¿Qué sucede? ¿Te encuentras mal? —preguntó después de cavilar mil razones por las que ella se mantenía en silencio—. ¿Ohana? —insistió al no contestar.

—Es doloroso... —susurró con una voz tan frágil que Malone se quedó congelado.

—¿El qué es doloroso, cariño? ¿Te has hecho daño? ¿Estás herida? —quiso saber al tiempo que percibía cómo su cuerpo se tensaba.

—Si alguien me hubiera dicho en el pueblo lo que me sucedería una vez que saliera, me habría reído tanto que aún tendría agujetas. Pero no sé ni cómo ni por qué ha ocurrido... Tú estás... Yo quiero... —comentó, misteriosa.

—Sé que hay algo que quieres decirme, pero no entiendo el motivo por el que te frenas. ¿Sigo sin obtener tu confianza? —preguntó inquieto.

—¿Estarías dispuesto a escuchar algo que es tan viejo como las colinas que rodean nuestro pueblo?

—Sí —contestó mientras se apartaba el cabello mojado de su mejilla derecha.

«¡Díselo! ¡Díselo!»

—Bruce... —empezó a decir—. Siempre he estado enamorada de ti. Creí que sabía guardar muy bien mis sentimientos, pero no fue así. La señora Duffy habló conmigo el día de campo, ese en el que Miah y tú discutisteis. Me dijo que no eras el hombre adecuado para mí y que debía olvidarte. Me marché al río para pensar en si debía hacerle caso. Entonces, apareciste. Aquello lo tomé como la respuesta que esperaba. Luego, todo fue un caos para mí...

—El intento de secuestro, la aparición de aquel criminal —masculló Bruce.

—Todo aquello me hizo mucho daño. Pasé meses y meses llorando. No porque nuestro amor sería imposible sino por la locura que habías hecho —volvió a suspirar—. Luego tuve que viajar y tu nombre no aparecía con tanta frecuencia. Es cierto que hablé de ti a Corinne, pero también añadí la locura que hiciste en el pueblo.

—Ohana, yo...

—Lo sé. No tenías ni idea de que estaba enamorada de ti. Por eso, no quiero una disculpa ni tonterías de ese tipo. No las necesito.

—¿Qué pasó después? —preguntó intentando averiguar un poco más de la vida de Ohana y, de este modo, asumir su confesión.

—Corinne me presentó a un chico. Al principio parecía agradable. Tal vez me contentaba con poco o simplemente me conformaba con el hecho de que no me llamara pueblerina.

—No eres una pueblerina sino una oldquateriana —masculló Bruce.

—Nosotros sí sabemos la diferencia, ellos no —declaró divertida.

—¿Qué ocurrió con James? ¿Por qué no deja de acosarte?

—Pensó que un hombre como él podía tener a la mujer que quisiera y no se equivocó durante un tiempo. Puedo ser inocente, Bruce, pero no tonta y descubrí su verdadera personalidad en poco tiempo. —Tomó aire, inclinó levemente la cabeza hacia delante y colocó su palma izquierda sobre la frente—: No quiero convertirme en mi madre…

—James no volverá a ser un problema para ti y tu madre salió de aquella pesadilla.

—No tienes ni idea de qué clase de pesadilla vivimos, Bruce. —Contuvo el aliento e hizo que su mente, esa que debería estar nublada por la ingesta del alcohol pero que actuaba mejor que nunca, le ofreciera esas imágenes que había intentado olvidar—. No fue fácil ver como mi padre se marchaba —continuó—, nos abandonó a nuestra suerte cogido de la mano de una mujer que no era mi madre. Ella no paraba de llorar… Se preguntaba mil veces qué había hecho mal para que su marido, el amor de su vida, se marchara. —Dejó de hablar durante un breve instante, justo el tiempo que necesitó para tomar fuerzas y afrontar aquel pasado—. Estaba tan destrozada, tan hundida que pensé que terminaría olvidándose de la hija que estaba agarrada a su mano, suplicándole que se levantara de la cama y luchara por sobrevivir. Por suerte me escuchó… —Volvió a suspirar—. Cuando al fin ella salió de la depresión, cuando sus ojos dejaron de llorar y comenzó a sonreír, me prometí que ningún hombre me haría caer en el mismo abismo que padeció mi madre. Esa decisión me ha regalado muchas cosas buenas, pero también una bastante mala.

Bruce no podía respirar. Estaba tan triste por lo que se imaginó que iba a escuchar que la tristeza lo impedía mover su corpulento cuerpo salvo una pequeña zona. Se llevó la mano al pecho, justo donde se escondía su corazón, e intentó apaciguarlo. Si ella había decidido no verlo más, apartarlo de su vida, lo aceptaría, aunque eso le provocara morir de dolor y sumergirse en el abismo en el que Samantha había permanecido tras la partida de su marido.

—¿Cuál? —decidió averiguar, aunque se temía la respuesta.

Bruce apoyó la frente en el quicio de la puerta de su dormitorio, cerró los ojos e intentó hallar una manera de regresar al momento antes de reencontrársela. Sin embargo, su mente no era capaz de retroceder ni un solo minuto, parecía que todo se había borrado de su memoria. Su pasado no existía, se había evaporado y, tal como pensó, su vida comenzó en el momento que él decidió apoyar los codos en la barra de la cafetería y observarla en silencio.

—La soledad… —susurró al fin—. Aunque a veces no ha sido tan mala. Me ha ayudado a centrarme en lo que me interesa, en lo que quiero ser. Pero… ¿sabes qué me ha sucedido desde que has aparecido?

—No… —susurró casi sin voz. Avanzó hacia el interior de la habitación, se sentó en el colchón, apartó despacio esos cabellos que luchaban por ocultar su rostro sombrío y cerró los ojos otra vez.

Ya estaba todo había terminado. Su historia con ella llegaba a ese temido punto y final.

—Que ese sentimiento de soledad ha desaparecido. Me siento tan feliz como cuando era niña y te veía en el taller manchado de grasa.

—Ohana... —dijo notando una horrible presión en su pecho. No podía confiar tanto, no debía hacerlo.

—Desde que has aparecido no quiero estar sola. Me costaría mucho admitir que un día no estarás a mi lado, que te habrás olvidado de mí y me dejarás... —Enmudeció. Apretó los labios y no terminó la frase—. Es una locura, ¿verdad? Toda una vida juntos. Yo amándote en silencio y tú... bueno, amando a todas las jóvenes que no eran yo. Y, de repente, el destino decide que el tiempo de estar separados ha terminado y que debe actuar para unirnos en un lugar muy lejano a nuestro pueblo.

—No voy a permitir que estés ni un día más sola. Siempre que lo desees, siempre que me necesites, estaré a tu lado. ¿Me has oído bien, Ohana? —declaró con tanta firmeza que escuchó como ella emitía un suspiro de alivio—. Te pido mil perdones por no descubrir tus sentimientos en el pueblo, pero todo ha cambiado entre nosotros. Ese amor que escondías, es correspondido. Aunque mi forma de amar es diferente. Soy brusco, Ohana. No suelo ser muy educado. Actúo como un salvaje y puede que te avergüences de mí. Sin embargo, te puedo asegurar que yo también te necesito.

—Bruce...

—Pídemelo y lo haré —la animó a que tuviera la confianza suficiente para hablar sin complejos.

Una noche con ella. ¿Qué más podría pedir? No, no se trataba de sexo, sino de permanecer al lado de una persona que podía aportarle algo que no había tenido: calidez. ¿Cómo sería dormir a su lado? ¿Podría cerrar los ojos e inspirar durante horas su perfume?

¿Le dejaría abrazarla? Necesitaba averiguar cómo sería tener una vida normal junto a Ohana.

—Me gustaría... Deseo... —Enmudeció. Tomó aire, lo soltó. Inspiró otra vez, cerró los ojos y dijo al fin—: Bruce, quiero que vengas. Necesito tenerte a mi lado. No quiero estar sola...

Al escuchar lo que tanto había esperado, se levantó de un salto del colchón, se dirigió al armario y buscó una camiseta blanca. Esta noche tenían que permanecer en igualdad de condiciones.

—Estaré allí en veinte minutos, tesoro. Y te prometo que no me voy a retirar de tu lado hasta que me eches —aseveró, solemne.

—Gracias...

¿Le agradecía que permaneciera a su lado, abrazándola, protegiéndola, velando su descanso? Era él quien debía darle las gracias por hacerle soñar con la libertad y hacerlo disfrutar de una vida que jamás creyó alcanzar. Pero así era su Ohana, su tesoro, su ángel de la libertad y él había sido un imbécil por no haberla descubierto en el pueblo. Si lo hubiera hecho, no habría tenido que marcharse. Estaría trabajando con su padre en el taller y habría disfrutado de cada momento a su lado.

No. No era acertado pensar eso. Él tendría que sufrir para luego poder alcanzar el cielo con la punta de sus dedos. Pero, por suerte, ya empezaba a sentir como recorría por su cuerpo eso que llamaban felicidad.

—Ohana, dame las claves de la entrada. Así solo te molestaré cuando esté frente a tu puerta —dijo al tiempo que lanzaba la ropa deportiva que se pondría sobre la cama. Si ella le permitía acompañarla toda la noche, saldría de aquel apartamento como si ambos vivieran juntos desde años atrás y, con una inusual sonrisa, aparecería en el gimnasio de Siney. Al evocar aquel nombre recordó que la lucha se había adelantado, que debía entrenar y que, posiblemente, podría disfrutar de unas pocas noches junto a ella. Pero ni eso lo haría retroceder. Soportaría mejor el golpe final sabiendo que había vivido feliz sus últimos días.

—¿Te las envío por wasap? —atinó a decir después de varios intentos fallidos.

Bruce percibió como le temblaba la voz, o quizás eran sus labios los que no podían mantenerse quietos.

—No, tesoro. Prefiero que me los susurres, como si me desvelaras un secreto. Uno que solo compartirás conmigo, ¿entendido? —expuso al tiempo que apoyaba el teléfono sobre la mesita de noche, presionaba el botón del altavoz y regresaba hacia la cama para vestirse.

—Bruce… —suspiró, dudosa.

—Escúchame, cariño. Te juro por lo más sagrado que tengo que nunca te haré daño, que el día que tú decidas separarte de mí me mantendré alejado, aunque mi corazón se rompa en mil pedazos —aseveró con firmeza mientras enlazaba el cordón del pantalón de chándal; se sentó y se puso los calcetines y las zapatillas.

No quería decirle en ese momento tan especial entre ellos que él jamás sería otro James. ¡Por supuesto que no! Él sería el primero en dar un paso atrás cuando Ohana no lo quisiera cerca, cuando se sintiera insegura o en peligro.

—¿Tesoro? —insistió al permanecer tan callada.

—Doce, setenta y ocho, almohadilla, cuatro —enumeró una vez que constató su verdad, su honestidad… Además, ese deseo de verlo, de tenerlo cerca, era cada vez más intenso y poderoso. ¿Alguien podía salvarse con tan solo una cucharada de la lava de un volcán?

—¡Eres mi tesoro, Ohana! ¡Solo mío! —exclamó, emocionado y fuera de sí, al escuchar cómo ella le ofrecía ese secreto tan maravilloso. No solo eran unos números o la clave para abrir una puerta. Ella, con esa confesión, le brindaba una oportunidad para estar juntos, para olvidar durante unas horas su pasado y para vivir aquello que nunca había creído: ternura—. Llegaré en diez minutos —agregó, cogiendo el móvil y dirigiéndose hacia la puerta de la salida.

—Creí que habías dicho veinte —susurró, confusa, Ohana.

—¡No puedo desaprovechar tanto tiempo! —exclamó, eufórico.

—Bruce…

—¿Sí?

—Ten cuidado —le pidió mientras se giraba hacia el reloj e intentaba calcular si tendría tiempo suficiente para ir al baño, refrescarse la cara y lavarse los dientes antes de que apareciera.

—Lo tendré —le aseguró antes de finalizar la llamada.

No utilizó el ascensor para bajar al sótano. Sus pies volaban sobre las escaleras y apenas las rozaba con las plantas de las zapatillas. Cuando abrió la puerta de la cochera, donde estaba su moto, corrió hacia ella, cogió el casco, se lo puso, metió las llaves y las giró, haciendo rugir el motor de manera desesperada. No había tiempo que perder. En diez minutos estaría frente a ella y olvidaría toda esa mierda que lo rodeaba. Solo Ohana podía ofrecerle ese estado de bienestar que deseaba alcanzar.

Después de que las puertas se abrieran, aceleró y se alejó de allí sin mirar por los espejos retrovisores como solía hacer. Si lo hubiera hecho, habría observado la figura de un hombre que se movía oculto bajo la oscuridad.

CAPÍTULO XIV

IGUALDAD DE CIRCUNSTANCIAS

Ohana apoyó ambas manos sobre el lavabo, alzó lentamente la mirada y contempló su reflejo en el espejo. Sus ojos brillaban, su rostro expresaba una felicidad que no había visto en años y sus labios temblaban levemente. Estaba emocionada y feliz por saber que pronto llegaría a su hogar. Había sido una locura darle la clave de la puerta del bloque, pero... ¿por qué no realizar una demencia semejante? Era Bruce el hombre que subiría, el que no paraba de declarar que la protegería, que la cuidaría hasta que ella decidiera apartarse de él. Sonrió al recordar cómo actuó desde que apareció. ¿Cómo podía sentirse tan atraída por él? ¿Qué diferencia había entre el muchacho que recorría las calles del pueblo armando escándalo con la persona que dejaría entrar en su apartamento? Muchas... Había muchas diferencias entre esas dos vidas de Bruce y daba gracias por haberlo encontrado, por tenerlo a su lado y por haber descubierto a una persona tan increíble. Sin borrar esa sonrisa de enamorada, agachó despacio el rostro y fijó la mirada en la espuma dentífrica que aún no se había llevado el agua. Volvió a abrir el grifo y con la palma de la mano fue eliminando los restos de pasta. Se había lavado los dientes para hacer desaparecer el aliento a alcohol y había bebido una gran cantidad de agua para que su estómago no le provocara ninguna impertinencia cuando él la besara. Se miró otra vez en el espejo y soltó un suspiro al ver que sus mejillas volvieron a cambiar de tono. Pensar que él tomaría su boca la alteró tanto que su temperatura subió veinte grados. «¡Leches!», exclamó al ser consciente del efecto que Bruce producía en ella.

Con un entusiasmo más propio de una niña, Ohana salió del baño y se colocó frente a la puerta de la entrada. ¿Cómo debía esperarlo? ¿Con los brazos cruzados? ¿Con una pose tranquila? Sin poder ralentizar los latidos de su corazón, apoyó las palmas sobre la puerta y acercó la oreja. Quería anticiparse a su llegada escuchando los pasos por el pasillo. Le encantaba ese caminar tan característico: seguro, tranquilo e imperturbable. No le cabía la menor duda de que cualquier persona miedosa se apartaría con rapidez al verlo aparecer. Contuvo la respiración para poder oír esos determinantes pasos, pero por desgracia todo estaba muy tranquilo, demasiado para una persona que observaba el reloj cada segundo. Imaginando que tardaría más en llegar, se alejó de la entrada. Quizá había más tráfico de lo habitual, quizá necesitó más tiempo para terminar de arreglarse o tal vez decidió retrasar su llegada por si ella cambiaba de opinión. Sin embargo, ella estaba más segura que nunca de lo que iba a hacer.

Después de concluir que tardaría en presentarse dio varios pasos y, justo cuando estaba acercándose a su dormitorio, oyó unos leves golpes en la puerta.

Ohana abrió los ojos como platos mientras su corazón recobraba vida de nuevo. Había llegado. Bruce estaba allí tal como le había prometido. Nerviosa, retrocedió con lentitud, procurando que sus pasos no delataran su presencia. No quería que él fuera consciente de que lo había esperado detrás de la puerta.

Haciendo el menor ruido posible, depositó el móvil en la mesa de la entrada, se apoyó en la fría lámina de madera y miró por la mirilla. Como era de suponer, la había escuchado. La sonrisa que le cubría el rostro le indicaba que no podía engañar a ese oído tan afinado. Aun así, no le abrió, se quedó observándolo como si fuera una *voyeur*.

Vestía con ropa de deporte. El pantalón de chándal gris, pese a no ajustarse a sus piernas como lo hacían los *jeans*, le ofrecían una sensualidad que muy pocos mostraban con ropa tan informal. En esta ocasión decidió ponerse una camiseta blanca de manga corta, permitiendo a quienes lo observaran disfrutar de la belleza de sus brazos fuertes y tatuados. ¿Cómo podía ser tan atractivo? ¿Qué diablos le había sucedido para que no pudiera apartar los ojos de un hombre con el que vivió dieciocho años? Por mucho que buscaba algo concreto para dar un razonamiento lógico a su cambio de actitud, a esa atracción tan salvaje, no lo encontró. Existían demasiadas cosas que le quitaban el aire.

—¿Ohana? ¿Puedes abrirme?

Lo preguntó sin borrar esa sonrisa traviesa de su rostro. La barba, aquella perilla rubia que rodeaban sus carnosos labios, se extendió con lentitud arrebatándole el aliento. Sin apartar los ojos de él se preguntó qué sentiría cuando esa barba recorriera su cuerpo. ¿Sería capaz de soportar los roces de esta sobre su piel? La respuesta se la ofreció su propio cuerpo. Sus pezones, ocultos bajo los copas del sujetador, se endurecieron buscando esos toques que imaginaba. Estaba perdida. Si reaccionaba de esa manera separados por una puerta… ¿cómo lo haría cuando estuvieran juntos en su dormitorio?

Tras emitir un suspiro lastimero, fue desencajando los cerrojos hasta que abrió y se lo encontró enfrente, con la espalda pegada a la pared y cruzado de manos.

—Hola… —le dijo en voz baja—. ¿Cómo te encuentras? —preguntó sin moverse de donde se encontraba.

La escuchó respirar tras la puerta e incluso pudo oír los latidos de su corazón. Quizá tenía dudas sobre lo que iban a hacer. Tal vez se lo había pensado mejor y no quería que se quedara. O, posiblemente, empezaba a ser consciente de que no era la persona idónea para ella.

Pese al deseo de besarla, mientras acariciaba con la mirada esas piernas que apenas se cubrían con la camiseta blanca de dos tallas más grande, él esperaría a que tomara una decisión.

—Igual que hace diez minutos —le respondió al fin—. Aunque noto cómo mi mente se recupera poco a poco…

—Ohana, tesoro, si no quieres que entre, si has cambiado de opinión, lo respetaré. Sabes que sería incapaz de hacer algo que tú no de… —trató de aclararle, pero dejó de hablar cuando Ohana le abrió los brazos, invitándolo a acercarse a ella, a que la cobijara bajo su cuerpo.

—¡Joder! —exclamó, eufórico, ofreciéndole un abrazo tan fuerte que ambos dejaron de respirar durante unos segundos—. Pensé que habías cambiado de opinión, que no me querías a tu lado… —confesó mientras colocaba sus manos en el rostro de ella para darle un ligero beso.

—No he cambiado de opinión. Nada me hará retractarme —le aseguró sin apartar la mirada de esos ojos azules que, pese a ser gélidos, a ella la hacían arder.

—Me alegro —manifestó justo antes de besarla.

Cuando sus labios se separaron de ella, notó como su cuerpo se endurecía reclamando más, pero se reprimió. Ohana no era otra más. Ella era especial, muy especial. Con la cabeza sobre su pecho, la rodeó con un brazo por la cintura y caminaron hacia el interior del apartamento. El clic que sonó al encajar la cerradura le indicó que había llegado a su hogar, a su casa, porque allá donde ella se encontrara lo definiría de esa manera.

—¿Quieres que vayamos al salón? Podemos charlar un rato si no tienes sueño —le preguntó, girándola con suavidad hacia el lado derecho, donde se encontraba la sala de estar en la que había encontrado a la compañera de Ohana sentada en el sillón.

—No —contestó—. Prefiero mi dormitorio. No quiero despertar a Corinne. Se ha quedado dormida después de beber y lo último que me dijo fue: «No me despiertes hasta que llegue el sábado».

Al escucharla dejó de respirar.

«Actúa con tranquilidad. Si no quieres perderla, relájate —pensó—. Recuerda que aún sigue bajo los efectos del alcohol y puede que, cuando se despierte mañana, se arrepienta de lo que está haciendo».

—¿Cuál de esas dos habitaciones es tu dormitorio? —le murmuró, atrayéndola hacia él con más fuerza.

—La que está abierta —le respondió con total seguridad.

El abrazo de Bruce era fuerte, sólido. Ohana se sentía tremendamente segura entre ellos. Sin embargo, esa fortaleza empezó a desaparecer cuando él encendió la luz de la habitación y contempló lo que había en el interior. Alzó el rostro para advertir en esos ojos azules una sorpresa, una inquietud e incluso una inmensa tristeza. Tenía que haberle advertido de lo que encontraría.

El corazón de Bruce se paralizó cuando la luz iluminó el dormitorio. Notó como su sangre se congelaba en sus venas. Intentó mantener la calma, pero no lo logró. Aquellos dos grandiosos pósteres de su pueblo lo perturbaron tanto que el Bruce que era desapareció para hacer regresar al que fue cuando vivió en Old-Quarter. No le hizo falta que ella le explicara de qué zonas se trataban, las reconoció con rapidez. Estaba seguro que la panorámica del pueblo la había tomado desde lo alto de la segunda colina que había detrás del hostal de la señora Duffy. Solo desde ese lugar se podrían abarcar todas las calles y fotografiar la mitad del lago. La otra se trataba de un primer plano de la iglesia y sus alrededores. El edificio estaba totalmente reformado. Ya no quedaba ni rastro del devastador incendio. Un suspiro hondo emergió desde su interior al recordar los domingos en los que el pueblo entero abandonaba sus casas y tomaban los alrededores de aquel paraíso. Allí trabajó, junto con su padre y el resto de los habitantes, para restaurarla. Pero no solo rememoró el esfuerzo que hicieron y las horas de calor que soportaron, sino también los momentos felices en los que nadie lo odiaba y lo trataban con admiración.

—Pensé que era una buena forma de sentirme como en casa —explicó Ohana al ver que se había quedado sin palabras al descubrir las fotos. Lo apretó hacia ella con más fuerza, intentando serenarlo. Aunque mucho se temía que no lo conseguiría. Un oldquateriano jamás olvidaría su pueblo y siempre soñaría con regresar hasta su último aliento.

—Son espectaculares —confesó con voz asfixiada por la emoción.

Procurando esconder las sensaciones de angustia que lo dominaban, caminó despacio hacia la cama para depositarla sobre esta antes de acercarse a esas imágenes. Si cerraba los ojos, podía oler los campos y escuchar cómo las hojas de los árboles se movían por el viento. Cuando se frenó ante la fotografía que ella había colocado en la pared frente a la cama, su piel se erizó, su corazón se olvidó de palpitar y, por primera vez en cinco años, quiso arrodillarse y ponerse a llorar. ¿Cómo había sido tan imbécil para pretender olvidar el lugar donde fue feliz? ¿Cómo iba a ser capaz de vivir desterrado los años que le quedaran de vida?

—Parece que puedo sentirlo… —murmuró Bruce tras inspirar con fuerza—. Parece que estoy allí y que no ha transcurrido el tiempo —agregó sin poder alejarse.

—Esa la hice justo la mañana que me venía —comentó Ohana al verlo parado frente a la que mostraba las calles de Old-Quarter, concretamente, el portalón del taller de su padre—. Ya sabes que para hacer una buena foto del pueblo es necesario subir hasta la segunda colina que hay detrás del hostal.

—¿Lo fotografiaste al amanecer? —preguntó sin mirarla.

Acercó la mano derecha hacia la foto para tocar el lugar donde se había criado, donde había sido feliz y el que añoraba. ¿Qué estaría haciendo su padre en aquel instante? Si, tal como suponía, acababa de cantar aquel ruidoso gallo, estaría tomando café en la cocina, apoyando su cintura en la encimera de madera y, sin apartar los ojos de la calle, haría un repaso mental sobre las tareas que lo esperaban en el taller.

—Sí —le respondió al tiempo que se decidía a levantarse y caminar hacia él.

Por mucho que Bruce quisiera estar solo para asumir en silencio esos sentimientos que poseía, no podía abandonarlo. Debía estar a su lado, reconfortándolo y que comprendiera que ella no lo abandonaría, que ahora tenía una persona que podía ayudarlo. Y lo haría, fuera como fuese, buscaría la manera de llevarlo hasta el pueblo y que todo el mundo olvidase qué sucedió cinco años atrás.

Una vez que se colocó a su espalda, lo abrazó y él aceptó esa muestra de afecto.

—¿Por qué la pusiste aquí? —quiso saber.

Ese abrazo, esa calidez que Ohana le ofrecía, empezaba a reconfortarlo. Un sinfín de emociones se manifestaron al contemplar el lugar donde había crecido, pero también rememoró como si hubiese sido esa misma noche el desastre que causó. Así que, por mucho que añoraba regresar, por mucho que deseaba volver a ver a su padre y a los demás, ya era tarde para pedir perdón. Su vida debía continuar y necesitaba olvidar esa parte de su pasado.

—Te parecerá una cursilería, pero me encanta despertarme y que mis ojos capten esa imagen antes de levantarme. Al principio, lo utilicé como una terapia, de ese modo eliminaba la tristeza y la morriña, pero, con el tiempo, se ha convertido en una manera de seguir adelante. Aun así, lo añoro. Echo mucho de menos la vida que tuve y odio todo lo que me rodea en esta ciudad. ¿Sabes el tiempo que tardé en acostumbrarme al ruido de la calle? ¿A negarme a saludar a las personas porque, por mucho que las saludaras con un *buenos días*, ellos no te responderán? Pensarás que soy tonta, pero mi corazón sigue gritando que mi futuro está allí y que no hallaré otro lugar donde alcanzar mi felicidad —confesó con cierta desesperación.

—Pero Old-Quarter no puede ofrecerte todo lo que necesitas para avanzar en tu carrera —comentó, dándose la vuelta hacia ella—. Tienes muchos sueños y allí no los lograrás. ¿Quieres seguir haciendo cortinas o manteles para los habitantes del pueblo? ¿Quieres pasarte la vida arrepintiéndote de haber tomado una opción incorrecta? —Al ver la expresión dubitativa en el rostro de Ohana, lo atrapó entre sus manos para que pudiera mirarlo a los ojos—. No puedes pensarlo… Ni tan siquiera planteártelo. Acuérdate del proyecto que te han ofrecido y lo que alcanzarás cuando lo consigas —insistió.

«¡Egoísta! —exclamó una voz en su cabeza—. ¡Eres un maldito egoísta! Lo que realmente quieres es que ella siga aquí, contigo. Porque si regresa al pueblo… la perderás».

—Hoy no es un buen día para hablar de esa propuesta —comentó ella, agachando el rostro, pero Bruce se lo alzó de nuevo, buscando algún gesto que le aclarara el motivo de esa reflexión negativa.

—¿Por qué? Te he dicho que si te molesto, que si no debo estar aquí… —perseveró sin apaciguar esa determinación que mostraban sus ojos.

—No tiene nada que ver contigo, Bruce. Ni siquiera te había enviado el wasap cuando ocurrió.

—¿Qué has hecho? —preguntó, impaciente.

Rezó, mientras esperaba la respuesta, porque no fuera aquello que le había pasado por la cabeza; si era así, la sentaría sobre sus rodillas y le daría unos buenos azotes. Podía permitirle que fuera un poco osada con él e incluso juguetona con esas copas de más, pero si había hecho algo de lo que podía arrepentirse el resto de su vida, le pondría ese culo que tanto adoraba como un tomate.

—He roto el portátil —confesó, apartándose de él para dirigirse hacia la mesa donde había dejado el ordenador—. Así que parece que el destino me está diciendo que me olvide de todo. Tal vez sea lo mejor…

—¿Cómo ha ocurrido? ¿Lo has golpeado sin querer? —se interesó.

—Después de hablar con Corinne y de que ella se retirase a su dormitorio para seguir llorando, decidí enclaustrarme aquí, tumbarme sobre la cama y centrarme en esa dichosa selección. Pero me quedé dormida durante unos minutos y desperté alterada por una pesadilla. —Se quedó en silencio, recordando las imágenes de Bruce arrodillado, gritando desesperado y cómo ella se acercaba para consolarlo—. Cuando abrí los ojos, ya no estaba sobre mis piernas sino en el suelo. Imagino que, al moverme inquieta, se escurrió de la cama.

—¿Han desaparecido tus bocetos? ¿No tienes una copia en algún *pendrive*? ¿No puedes comprarte otro? —preguntó sin apenas respirar mientras caminaba hacia ella.

—Tengo una copia de todos mis proyectos en la nube. Es más difícil trabajar desde el móvil, pero podría hacerlo. Aunque estoy perdiendo las ganas… No sé qué futuro podré tener si me va bien. ¿Y si no quiero llegar hasta el final? ¿Y si el destino me está diciendo que debo frenar? —expuso sin mirarlo.

—¡Joder! —exclamó, cogiéndola de los brazos y haciéndola girar hacia él con demasiada fuerza—. ¡No puedes hablar en serio!

—Pues sí… —le respondió—. Llevo días que no me concentro en nada. Tengo la cabeza en otra dimensión.

—¿Días? ¿Cuántos días? ¿Desde que nos vimos en la cafetería? —preguntó, alterado—. ¿Soy quien te desconcentra? Porque, si es así, hay una solución bastante fácil para eso.

—¡No! —exclamó, nerviosa—. ¡Ni se te ocurra pensar eso, Bruce!

—¿Entonces?

—¿Nunca has tenido días en los que te sientes tan agotado de luchar contra el mundo que deseas arrodillarte y rendirte?

—Ese es mi día a día, Ohana. Desde que me levanto hasta que me acuesto tengo la necesidad de tirar la toalla. Pero siempre hay algo que me ayuda a superar esos momentos difíciles —dijo relajando su tono de voz, colocando sus manos sobre sus brazos para acariciarlos y ofrecerle algo de confort—. Busca algo en lo que puedas apoyarte.

—¿Ahora mismo? —preguntó, apoyando la frente en el pecho de Bruce. Las caricias empezaban a relajarla y el perfume que podía inspirar de la camiseta le aportaba un bienestar tan increíble que podía quedarse así eternamente.

«¡Estás a una milésima de meter la pata! —le gritó la diablilla—. **¡Ya puedes arreglar la gilipollez que acabas de hacer porque, si no lo haces, se va a largar por esa puerta y no lo veremos más, salvo en nuestros sueños eróticos!».**

—Ahora, ayer, mañana —enumeró—. Da igual dónde y cuándo, pero encuéntralo.

—¿Y si lo que necesito es tenerte a mi lado? —le dijo, elevando el rostro—. ¿Y si la fuerza me la das tú? ¿A qué conclusión llegas, Bruce?

«¡Buena jugada! Se nota que soy la mejor profesora sexual que has tenido en tu vida. Esa mojigata a la que has hecho caso hasta ahora solo te ha causado problemas», comentó la diablilla mientras se acomodaba en el hombro para no perderse lo que ocurriría a continuación.

—Cariño... —le habló con tanta ternura que hasta él mismo se sorprendió de ese cambio de actitud—. Si me necesitas, aquí estoy. Soy todo tuyo.

—¿Estás seguro? —Colocó sus manos en aquel sólido pecho que subía y bajaba alterado—. ¿Y si cuando te marches mañana no quieres saber nada de mí? ¿Y si encuentras a otra?

—Te equivocas, texana. Mañana saldré de aquí añorándote, extrañándote y contando las horas que quedarán para volver a verte. Como te dije en el almuerzo, he tenido muchas mujeres a mi alrededor, pero ninguna ha llegado a tocar lo que tú has logrado en un abrir y cerrar de ojos —afirmó con tanta seguridad que él mismo se quedó pétreo al escucharse.

—Entonces... —empezó a decir mientras presionaba con las yemas el torso de Bruce, como si estuviera caminando con los dedos—. ¿A qué esperas para besarme?

«Eso, texano, ¿a qué esperas para besarnos?»

—¿A que me lo pidas? —le dijo, alzando sus cejas rubias hasta realizar un arco perfecto.

«Sin duda alguna, esta mujer te ha vuelto loco —le habló a Bruce esa voz racional en su cabeza—. ¿Cuándo has esperado a que te pidan algo? ¡Lo tomas, lo usas y... adiós!».

—Bruce... —murmuró Ohana, apoyando las puntas de los dedos de sus pies en el suelo para disminuir la considerable altura entre ellos.

—¿Qué? —le susurró sin poder ni hablar. ¿Cómo podía convertirlo en gelatina? ¿Cómo podía resistirse a ella?

«No puedes, ni quieres», pensó él.

—¿Quieres... besarme?

—¡Creí que no me lo ibas a decir nunca! —exclamó antes de que sus labios impactaran en los de ella como un tsunami contra todo aquello que se encuentra a su paso.

Cuando notó la calidez de las manos de ella en su espalda, tocándolo con cierta indecisión, Bruce aumentó la voracidad del beso, haciéndola temblar. Era tan tierna, tan cariñosa y a la vez tan apasionada que le rompía el alma. Sin poder separarse de esa boca que poseía, dominaba y marcaba como suya en cada caricia de su lengua, alargó las manos y las colocó alrededor de la cintura. La alzó, haciendo que sus piernas se enredaran en él, y caminó hacia la cama. Se sentó despacio, dejando a Ohana sobre él, disfrutando de los roces de sus caderas y que provocaron, con aquellos movimientos tan eróticos, que su sexo se endureciera y se preparara para atravesar las telas que le impedían acceder a ella.

Muy lento, como si sus brazos no pudieran moverse, él empezó a acariciarle la espalda. Esa piel suave, aterciopelada, le causó un impacto tan maravilloso que le resultaba imposible controlarse.

—Ohana... —susurró justo cuando alejó su boca para poder respirar—. Eres puro fuego, tesoro...

—Bruce... —le dijo con el mismo tono de voz—. Eres la mecha que prende mi fuego...

Ante ese comentario tan inesperado, Malone soltó una sonora carcajada y, cuando terminó de reír, volvió a besarla con tanta pasión y ansiedad que su barba hizo estragos en aquella delicada piel.

Ohana estaba fuera de sí. Sentada sobre él podía notar esa erección que escondía bajo el pantalón. Sin embargo, en vez de sobresaltarse o sentirse avergonzada por lo que estaba haciendo con la luz encendida, se sintió poderosa y comenzó a mover las caderas lentamente mientras ese beso se intensificaba hasta no permitirles respirar, hasta que en la habitación solo se podían escuchar los jadeos de ambos.

—¿No decías que no te gustaba montar a caballo? —le preguntó, burlón, sin dejar de manosearle la espalda, sin poder apartar sus ojos de ella y maravillarse con aquellas mejillas tintadas de rojo.

—Quizá no encontré el caballo adecuado… —le respondió sin mermar esos movimientos eróticos con su cadera.

«**¡Eso es, pequeña!** —la animó la diablilla—. **¡Haz que le crezca tanto que rompa el maldito pantalón!**».

—Eres un hombre peligroso, Malone. Me estás volviendo loca —susurró, acercando tanto los labios a los de él que los acarició al hablarle.

—Yo enloquecí nada más verte, tesoro…

Extendió sus manos, abarcando el ancho de la espalda de ella, y la atrajo hacia él para volver a besarla con esa urgencia que lo atormentaba. Era un sueño. Tener de esa forma tan desinhibida a su texana era una fantasía hecha realidad.

Al responderle ella con la misma avidez, Bruce se atrevió a acariciarla desde la nuca hasta la cintura, deleitándose con la suave desigualdad de ese tatuaje que al fin descubriría. Lentamente, de manera pausada, sin prisas para no asustarla, fue subiéndole la camiseta. Esperó a que Ohana emitiera algún sonido de desagrado, de negación, pero lo único que podía escuchar eran unos pequeños gemidos pidiéndole más.

El momento se acercaba y ella fue consciente de lo que iba a pasar entre los dos. Percibió la indecisión al subirle la camiseta, como si temiera dar un paso erróneo. Pero estaba muy equivocado, ella lo deseaba tanto como él. Así que abandonó esa boca que la había llevado a un magnífico éxtasis y se separó lo suficiente como para que esa dichosa prenda no le impidiera tocarla. Sin embargo, en el instante en el que su cabello se movió con tanta delicadeza que se asemejó a una caricia, empezó a entrarle la duda. ¿Debía pararlo? ¿Tenía que levantarse y apagar la luz? ¿Qué pensaría al verla desnuda? ¿Le sugeriría ponerse a dieta como le había dicho en más de una ocasión James? ¿Le regalaría un bono para que visitara su gimnasio? Ohana contuvo el aliento hasta que la prenda cayó al suelo y contempló la mirada de Bruce. No halló desagrado en sus ojos, ni duda, ni reflexión sobre su cuerpo, sino deseo, lujuria y una necesidad urgente de tocarla.

—Una libélula… —murmuró al tiempo que sus dedos recorrían con ternura el abdomen del insecto—. Debí imaginármelo.

Si ya se había quedado asombrada al observar el deseo que manifestaban aquellos gélidos ojos, el hecho de que lo primero que comentara al verla prácticamente desnuda fuera una referencia hacia el tatuaje la dejó boquiabierta. Ohana clavó la mirada en su vientre, justo donde él había colocado las manos y le resultó increíble ver que aquellos fuertes y grandes dedos temblaban al acariciarla.

—Cuando uno de los amigos de Corinne se ofreció a hacerme un tatuaje, no dudé ni un segundo de qué llevaría en la piel el resto de mi vida. Sé que soy algo rara y que muy pocas personas se tatuarían un insecto semejante, pero a mí me gustan desde que era muy pequeña —le explicó con tono apacible, calmado, como si estuviera anestesiada por las caricias de Bruce.

—Lo sé —comentó sin poder apartar los ojos de ese grabado de colores que comenzaba en su vientre y parecía abarcar toda su espalda—. Levántate —le indicó—. Quiero verlo entero. Como entenderás, me encantan los tatuajes y el tuyo acaba de captar toda mi atención.

Ohana colocó los pies en el suelo, se giró para mostrárselo, se apartó el cabello y olvidó respirar cuando las yemas de sus dedos palparon con mimo aquel dibujo. Iba tan despacio, con tanta calma, que parecía pintarlo de nuevo.

—Increíble… —susurró, levantándose de la cama.

No podía satisfacerse con tocarlo con las manos, ansiaba rozar cada milímetro de aquella imagen con sus labios. Por ese motivo, una vez que se puso de pie, inclinó la cabeza y fue besando la espalda, atrapando en cada impacto el sabor de su piel.

Aunque para ella solo era un reflejo del ser vivo que adoraba, para él significaba muchísimo más. Aquel insecto, aquel bicho que cualquier persona apartaría de su lado con movimientos agitados de sus manos, era una señal que le marcaba su destino. Una llamada de atención que le ofrecía la vida para indicarle que, ya en el pasado, él había reparado en ella cuando caminó tras una pequeña libélula.

Y aquel día, sin entender muy bien el motivo por el que necesitó protegerla, lo hizo guardando un secreto.

«Lástima que solo te dejaras llevar por la insensatez —le dijo la voz—. Si te hubieras parado a pensar por qué motivo mantuviste la boca cerrada y los ojos pegados a ella, no te habrías marchado con el rabo entre las piernas».

—Bruce… —dijo Ohana en voz baja mientras inclinaba hacia delante la cabeza, permitiéndole que le besara el cuello.

—Cariño… —le susurró al tiempo que posaba sus dedos en el broche del sujetador para desengancharle los dos corchetes metalizados, mientras que sus labios tocaban los hombros y la nuca.

—Bruce… —repitió con cierto temor al sentir que la presión de sus pechos desaparecía.

—Gírate para mí, tesoro. Quiero verte… —comentó a medida que deslizaba los tirantes por los brazos hasta que la prenda impactó en el suelo de manera descuidada.

En ese momento, Ohana empezó a temblar ante la incertidumbre. ¿Le gustaría de verdad su cuerpo? ¿Le agradaría? Asustada, aterrada por lo que vendría después de que él la contemplara, se giró muy despacio con la cabeza agachada, para no afrontar su reprobación. Sin embargo, todo ese miedo se esfumó al escuchar un suspiro febril de Bruce. Levantó suavemente el mentón y jadeó muy bajito al descubrir que aquellos ojos azules se habían tornado a unos tan oscuros como el zafiro por el aumento del deseo.

—¡Joder! —exclamó, embelesado, Bruce—. ¡Joder! —repitió al tiempo que clavaba sus rodillas en el suelo con brusquedad.

Justo cuando Ohana iba a preguntarle el motivo de esas exclamaciones y la razón por la que se postraba ante ella, Bruce extendió sus manos hacia cada uno de sus senos, abarcándolos por completo, y los acarició con muchísima ternura.

Todo lo que había pensado decirle se borró de su mente de un plumazo cuando los pulgares de Malone tocaron sus pezones duros y firmes por la excitación.

—Me acabo de enamorar —susurró Bruce, acercando la boca hacia el pezón derecho.

—¿De mis tetas? —dijo, divertida. Colocó sus manos sobre aquella melena dorada e intentó sujetarse. Su cuerpo temblaba tanto que, tarde o temprano, caería hacia atrás.

—Sí —le respondió antes de meter el terso pezón en la boca para succionarlo, acariciarlo con la lengua y presionarlo con sus dientes.

«Pues no tienes ni idea de lo que vamos a hacer contigo, texano. Seguro que vas a tener los ojos en blanco una buena temporada...»

Ohana echó la cabeza hacia atrás y entreabrió su boca para exhalar minúsculos jadeos. Aquello era tan placentero, tan gustoso, que no era capaz de sostenerse de pie. Bruce no rechazó sus grandes pechos, al contrario, los veneró, los reverenció como si jamás hubiese visto algo tan hermoso, y esa actitud la hizo sentirse fuerte, poderosa y seductora.

—Eres deliciosa... Perfecta... —dijo justo cuando se giraba hacia el otro pecho para saborearlo de la misma forma.

—Bruce... —suspiró al sentir esos toques con sus labios, con la lengua e incluso las leves presiones que él hacía con los dientes.

—Me los había imaginado... Te juro que mi mente perversa deseaba verlos desde que te encontré en la cafetería y advertí sus posibles dimensiones —le confesó, retirando despacio su cabeza para volver a sujetarlos con las manos—. Pero mi imaginación se ha quedado corta.

—Son grandes —replicó sin abrir los ojos, extasiándose de la fuerza que esas palmas ejercían en ambos pechos.

—Son perfectos para mí —le dijo mientras colocaba su boca en el ombligo para comenzar un reguero de besos hasta esa feminidad que lo llamaba a gritos.

No podía hablar. Era incapaz de decir algo cuando la boca de Bruce empezó a bajar hacia su sexo. Elevó las caderas y, tras escuchar un leve gruñido, abrió los ojos, quedándose asombrada al descubrir que la mirada azulada de Bruce expresaba deseo. Entonces ella emitió otro sollozo, otro jadeo, otro gemido de placer.

—Estoy tan excitado que estoy a punto de correrme —confesó cuando su nariz inspiró por primera vez a través de la lencería—. Eres una delicia, Ohana...

Estuvo a punto de desplomarse al oírlo. Pero Bruce, notando esa pérdida de fuerza, colocó con rapidez las manos en su trasero para agarrarla mientras acariciaba con la lengua sus braguitas.

—Bruce... —susurró, extasiada.

—Ohana... —le respondió.

Al levantar la mirada, descubrió que ella se encontraba tan débil que podía caerse al suelo en cualquier momento, así que decidió colocarla sobre la cama. Allí no sufriría ningún daño y él bebería de aquel sexo, empapado por la excitación, todo el tiempo que deseara.

Con facilidad, se puso de pie, la alzó y se volvió sobre sí mismo para depositarla lo más suave que pudo.

—¡Ni se te ocurra! —exclamó al ver que Ohana, una vez que se acomodó sobre la cama, intentó alargar los brazos en busca de una sábana que cubriese su desnudez—. Quiero verte así, tesoro. Quiero deleitarme con la imagen de una diosa, mi diosa —dijo mientras la devoraba con los ojos.

Era perfecta. Magnífica. El cabello negro se extendía por sus hombros y la almohada. Su piel blanca, sus caderas, sus voluptuosos muslos, sus brazos, el brillo de sus ojos y hasta esas mejillas coloradas le daban un aspecto inmejorable.

—Pero... —intentó decir. Aunque se quedó muda cuando él se acercó a la cama y caminó a cuatro patas sobre esta.

—No tienes que avergonzarte de nada, tesoro, porque eres la viva imagen de una deidad —declaró, colocándose encima de ella—. El único que puede hacerlo soy yo, por no estar a tu altura.

—¿Hablas en serio? —le preguntó, poniendo sus manos sobre la musculosa espalda, en la que solo podía tocar la textura de la camiseta—. Porque yo creo que no puedo quejarme.

—Ajá... —afirmó justo antes de que su boca comenzara a besarle el cuello.

Muy despacio, deleitándose en cada caricia, Bruce fue besándole la garganta, la clavícula y continuó hasta llegar a esos senos que lo habían hipnotizado. En ellos permaneció todo el tiempo que deseó para saborearlos de nuevo mientras escuchaba los pequeños gemidos que Ohana exhalaba al tocarla. Colocó ambas manos sobre esas caderas que le parecieron exquisitas y las acarició lentamente, causando en ella tantos escalofríos que su vello se erizó.

—Eres muy suave, tesoro, y tu piel desprende un perfume que me tiene completamente seducido —expuso justo cuando la barba de su mentón llegaba a la cintura de esa prenda blanca que ocultaba su parte más íntima.

—Me dices todo eso para que no me sienta incómoda con la luz encendida —murmuró Ohana con un pequeño hilo de voz.

—Conmigo no debes sentirte incómoda porque todo lo que veo me gusta, lo deseo y, para tu desgracia, lo marcaré como mío —le respondió, colocando sus labios en el triángulo de la braga.

—Pero… —volvió a decir dudosa.

—¿Estoy escuchando un pero? —espetó burlón mientras intentaba observar el rostro de ella—. Porque yo… no —agregó antes de hincar sus dientes en aquella zona, provocando que Ohana alzara sus caderas y chillara al ser marcada por aquella dentadura.

—Bruce… —musitó, extendiendo las manos hacia él para tocarlo.

Sin embargo, él no respondió con palabras. Volvió a morderla en el mismo lugar hasta que su cuerpo se tensó y brotó de su boca otro grito. Sin darle una pequeña tregua, deslizó con lentitud aquella prenda por sus piernas. Una vez que esta cayó al suelo, Bruce se inclinó hacia atrás, para observarla, para admirar aquella flor sexual y ese instinto primario de marcar cada centímetro de su piel brotó de nuevo con tanta fuerza que podía sentir cómo la sangre le hervía.

Sin apartar sus ojos de los abultados bordes que brillaban por el jugo que emanaba al estar tan excitada, bajó la cabeza y se situó frente a aquellos labios húmedos y empapados por él. Inspiró tan hondo que ella lo escuchó a pesar de los gemidos que emitía. Abrió la boca y comenzó a saborearla, a enloquecerla de placer mientras Bruce llenaba su lengua de aquella esencia tan deliciosa.

—Muero por masturbarte con mis dedos, muero por beber de ti, muero por ver cómo gritas mi nombre cuando te sacuda el orgasmo… —dijo antes de introducirle dos dedos y penetrarla con fuerza.

—¡Bruce! —exclamó ella al sentir aquella presión.

Con rapidez se llevó las manos a su boca para que nadie la escuchara gritar de aquella manera tan salvaje.

¿Cómo era capaz de enloquecerla hasta el punto de perder la visión, de no importarle las dimensiones de sus pechos, la de sus caderas y olvidar que Corinne estaba durmiendo justo al otro lado de la pared?

—Dámelo…, córrete en mi boca, cariño. Quiero llenarme de ti —comentó justo en el momento que notaba cómo las paredes vaginales se comprimían, se ajustaban a sus dedos.

Volvió a acercar los labios a la entrada de Ohana y, mientras el dedo índice y corazón de su mano derecha la penetraban, mientras que su lengua recogía hasta la última gota de aquel zumo, el dedo pulgar de su mano izquierda se centraba en estimular su clítoris hinchado.

—¡Bruce! —gritó, desesperada. Alargó los brazos hacia ambos lados de la cama y enredó entre sus dedos las sábanas. Estaba fuera de sí. Estaba fuera de la habitación, del mundo e incluso de la vida. Si él seguía así, empezaría a levitar sobre el dormitorio—. ¡Me… me…!

—¡Hazlo! —le ordenó Bruce, que movió ambas manos con más rapidez y fuerza—. ¡Joder! —exclamó—. ¡Esto no es real! —añadió antes de retirar sus dedos y beberse la corrida de Ohana. Ese jugo, esa esencia de ella, impactó en su lengua con tanta energía que empezó a mover sus caderas como si estuviera penetrándola hasta que gritó por la llegada de su propio orgasmo.

No era real. Que él se corriera de esa forma no era real…

Confuso por ese acto tan inaudito, ralentizó el movimiento procurando que ella no descubriese lo que acababa de pasarle. ¿Cómo era posible? ¿Por qué había sucedido? Aturdido por ese orgasmo, alargó sus manos y las posó sobre los muslos de Ohana. Necesitaba agarrarse a algo real, a algo verídico, porque, si no lo hacía, terminaría desplomado en el suelo.

—¿Bruce? —le preguntó al observar que no movía su rostro de entre las piernas y que las apretaba con intensidad.

—¿Te he dicho que eres única? —murmuró sin mirarla—. ¿Que no hay nadie como tú ni la habrá?

—¿Qué sucede? —Nerviosa, intentó levantarse, pero él no se lo permitió. Seguía abajo, sin retirarse ni un solo milímetro de su sexo, como si necesitara permanecer de aquel modo una eternidad.

—Lo que sucede… —empezó a decir después de un silencio en el que aprovechó para recomponerse. Con mucha tranquilidad y mostrando un brillo lujurioso en sus ojos, se fue colocando de nuevo sobre ella—. Lo que me ha dejado totalmente inmóvil, texana, es lo que acaba de pasar.

—¿Qué ha pasado? —insistió, alargando sus brazos alrededor de su cuello. Esperó con paciencia a que sus miradas se cruzaran y, al hacerlo, olvidó respirar.

—Me he corrido mientras gritabas mi nombre, mientras el orgasmo te poseía —confesó al fin.

—¿Eso… es malo? —le preguntó dudosa.

—No, Ohana. Eso es fascinante, porque nunca me había ocurrido.

—Tal vez… —comenzó a decir al tiempo que entrelazaba sus piernas en la cintura de él—, deba sentirme orgullosa por lograr algo que ninguna otra mujer ha hecho…

—¿Tú crees? —le respondió, enarcando la ceja derecha mientras dibujaba una sonrisa lasciva.

—Sí —aseguró antes de acercarlo a ella para besarlo.

Durante bastante tiempo permanecieron besándose sin apenas respirar. Ohana supuso que Bruce necesitaba ese espacio para tomar fuerzas, aunque no estaba completamente segura, ya que podía notar la nueva erección. Aun así, respondió a esos besos apasionados con intensidad. Pero cuando Malone comenzó a moverse sobre ella, cuando notó las fricciones de su sexo en la piel, decidió que el periodo de descanso debía terminar en ese mismo momento.

—Estamos en desigualdad de condiciones —le dijo una vez que él apartó sus labios para tomar aire—. Y... ¿cómo podemos arreglar ese desajuste, texano? —añadió con tono sarcástico.

—¿Y si no te gusta mi cuerpo? ¿Apagamos la luz? No quiero avergonzarme... —le respondió con picardía.

—Déjame juzgarte y, si no me gusta lo que veo, la apagaremos —apuntó de manera traviesa.

Bruce apoyó las palmas sobre el colchón y fue deslizándose hasta los pies de la cama sin parar de besarla. Una vez que las plantas de sus zapatillas tocaron el suelo, entornó los ojos.

—¿A qué esperas, texano? Mi paciencia se está agotando y, como no te desnudes pronto, yo misma te arrancaré la ropa —le dijo al tiempo que se sentaba sobre las almohadas.

—Hum... eso suena muy bien —indicó con tono juguetón.

Pero justo cuando ella iba a hacer lo que le había dicho, Bruce se quitó la camiseta bruscamente. En ese instante, Ohana se quedó paralizada. Ya había supuesto que no solo tendría tatuados los brazos, sin embargo, lo que encontró en el torso la dejó sin palabras.

—Todo el mundo necesita una brújula que le guíe por el buen camino —empezó a explicar—. Y, como no encontraba la mía, me la tatué. Lo que hay debajo de ella es un mapa del mundo.

—Pero... ¿por qué has cambiado las iniciales de las orientaciones? Y, ¿por qué la aguja no está indicando el norte sino a una O? ¿Qué significan? —insistió.

—La D es de Dylan, que, como bien sabes, es el nombre de mi padre y ocupa el lugar del norte porque él siempre me llevó por el camino correcto. La R es de responsabilidad, algo que me faltó en el pasado, por eso está en la parte inferior de la esfera. En aquel momento solo podía pensar con la polla —recalcó—.La C es de culpable. La he puesto en el derecho para que el recuerdo no me haga torcerme hacia el lado erróneo. Y la O, esa que está donde se encuentra mi corazón, hasta hace dos días era la primera inicial del pueblo en el que fui feliz, aunque ahora empiezo a darle otro significado... —Al ver que ella se llevaba las manos hacia la boca y que no podía ni moverse al escuchar su explicación, se giró para mostrarle los que tenía en su espalda. Seguro que esos la aturdirían aún más—. Estos son más normales y me los hice por si algún día alguien me encontraba tirado en la calle, muerto. Es mejor tatuar mi nombre y el lugar en el que nací en la piel que llevar una cartera en el bolsillo —aclaró.

—¿Por qué te has grabado dos armas, Bruce? —preguntó con voz temblorosa.

Malone contuvo la respiración en ese instante. No debía hacer referencia al verdadero motivo por el que lo hizo, tenía que buscar otra razón creíble. ¿Qué pensaría si le comentaba que se los dibujó porque era la insignia de la banda a la que pertenecía, de la que todavía no había sido capaz de salir? Huiría. Lo echaría de su casa y jamás volvería a verla.

—Como bien sabes, a los texanos siempre se nos ha relacionado con las armas, así que opté por tatuármelas como recuerdo de lo que soy —terminó por decir—.

Los demás, los que ves en mis brazos, los elegí al azar. —Permaneció en silencio durante unos instantes, esperando a que ella hablara, pero no lo hacía—. Te has quedado muy callada, Ohana. ¿No te gustan? —preguntó, volviéndose hacia ella.

Aguantó las ganas de llorar. Suspiró hondo para hacer desaparecer esa tristeza que empezaba a apoderarse de ella al confirmar que no había olvidado ni su tierra, ni sus orígenes, ni a su padre... Seguían en él y lo corroboraba cada centímetro de esa espalda y de ese pecho duro como el acero. De repente escuchó que le hablaba y apartó todo lo que su mente cavilaba a gran velocidad para prestarle atención.

—Me gustan mucho —le contestó con voz suave—. Muchísimo —reiteró.

—¿Crees que estoy a la altura de tus expectativas? —quiso saber mientras extendía los brazos hacia ambos lados.

«¡Joder! ¡Joder! ¡Joder! ¡Menudo bombón nos vamos a comer! ¡Dile que sí de una puñetera vez para que se quite el pantalón! ¡Quiero saber si su polla es tan grande como me ha parecido!», gritó la diablilla, dando saltos en el hombro de Ohana.

—Seguimos en desigualdad de condiciones... —señaló después de recomponerse.

Bruce sonrió al escucharla. Colocó sus manos en la cintura del pantalón y lo fue bajando lentamente, como si le costara desprenderse de esa prenda. Se despojó de las zapatillas, de los calcetines y, tras levantar un pie y luego otro, la apartó de él.

—¿Te parezco adecuado? —preguntó al tiempo que uno de sus dedos tocaba la goma elástica de sus bóxeres.

—Seguimos en desventaja, texano.

Se movió inquieta sobre las almohadas. No solo su mente estaba agitada o ardiente, sino que su sexo, ese que ya se humedecía de nuevo y palpitaba como loco, también.

Con los ojos clavados en ella, Bruce fue bajando el bóxer. La sonrisa de su rostro no desapareció al observar cómo las mejillas de Ohana tomaban un intenso color rojo, ni cuando advirtió que se movía nerviosa y que podría estar manchando esas almohadas con su humedad. Estaba entusiasmado al comprender que todas esas señales solo le indicaban una cosa: lo deseaba.

«¡Que alguien me traiga un desfibrilador! ¡Voy a sufrir un infarto! ¡Menudo trabuco tiene! ¡Como no abras bien las piernas, eso no te entra!», gritó casi sin voz esa diablilla.

—Ya estamos iguales —le dijo mientras se subía a la cama como un tigre. Sí, así era. Se sentía un tigre en celo y su tigresa estaba a punto de correrse sobre los almohadones al verlo desnudo—. ¡Ven aquí! —le ordenó al tiempo que le cogía las manos y la acercaba a su cuerpo candente.

—He perdido la voz, Bruce —comentó ella cuando sus pezones tocaron el fornido pecho masculino—. Y no sé si algún día la encontraré…

—Esta noche te prometo que no, preciosa —le aseguró antes de volver a someterla a otro beso apasionado.

Extasiada, anonadada, embelesada por esa voracidad, por esas manos que se ajustaban a sus nalgas con tanta urgencia que tendría la marca de los dedos de Bruce durante años, se reclinó de nuevo sobre la cama, exhibiendo su cuerpo sin pudor.

—Te quiero dentro de mí, Bruce —pidió sin apenas voz. No podía apartar los ojos de otro lado que no fuera aquel duro miembro. Tal como le había dicho la diablilla era demasiado grande y grueso para ajustarse a ella. Pero, por muy extraño que le pareciera, no temía sentirlo en su interior, al contrario, tal como le había dicho, quería aquel rígido falo entrando y saliendo de ella.

—Y me tendrás… después —fue lo último que habló antes de que su boca regresara a beber de aquel sexo húmedo, empapado, bañado de su esencia y tan caliente que le quemó los labios.

Ohana se retorcía, no podía controlar los movimientos de su cuerpo, cada vez que él la tocaba allí veía luces de colores y contenía la respiración. Solo pudo encontrar algo de control cuando dejó de acariciarla. En ese instante, levantó la cabeza para averiguar qué estaba haciendo y la echó hacia atrás con fuerza al notar cómo aquella lengua la penetraba.

—¡Bruce! ¡Bruce! —exclamaba entre gemido y gemido.

—¡Vamos, nena! —la animó después de que dos de sus dedos ocuparan el lugar en el que había estado su lengua—. Córrete gritando mi nombre, eso me pone más duro de lo que estoy.

Afónica. Sí, por supuesto. Le había prometido que perdería la voz y lo estaba cumpliendo. No podía dejar de gritar, de gemir, de sollozar ante ese placer tan demente por el que la estaba llevando. Aunque tampoco quería hacerlo desaparecer…

Con las piernas temblando, con los resquicios de ese orgasmo recorriendo su cuerpo, Ohana notó como Bruce se deslizaba de nuevo sobre la cama, pero no se colocaba sobre ella, sino que se alejaba.

—¿Bruce? —preguntó sin moverse, cerrando los ojos por si le había ocurrido otra vez. Una gustaba, dos…, no tanto.

—Voy a buscar un condón, Ohana —le aseguró mientras intentaba calmar su inquietud acariciándole los pies.

—Estoy protegida, tomo la píldora desde que salí del pueblo. Ya te dije que mi madre se puso histérica cuando todas empezaron a quedarse embarazadas y me obligó a ir a un ginecólogo —le indicó al tiempo que apoyaba los codos sobre la cama para descubrir qué reacción tendría al escucharla.

—Quiero decirte algo antes de que pierda la razón y me ponga a aullar como un lobo —señaló sin apartar la mirada de aquel rostro sonrojado.

—¿Qué? —preguntó, expectante.

—Nunca me he metido dentro de una mujer sin condón —le desveló.

—Vale... Te comprendo..., búscalo —le respondió un tanto confundida.

—¡No quería decir eso, Ohana! —la rectificó con rapidez—. Lo siento, no me he explicado bien, intentaba decirte que jamás me he permitido mantener una relación sexual sin cubrirme con látex.

—Así que... ¿voy a ser la primera? —preguntó orgullosa.

—Y la única —aseveró, saltando sobre ella.

¿Podía su corazón latir con más fuerza? ¿Podría salir disparado de su pecho e impactar contra el de Ohana?

—¡Soy el hombre más afortunado de esta puta vida! —comentó fuera de sí en el momento que ambos cuerpos desnudos volvieron a tocarse—. Y todo, todo, te lo debo a ti, tesoro —declaró antes de besarla.

Mientras la enloquecía con ese beso tan ardiente, tan desenfrenado, su mano derecha regresó al lugar donde debía estar: acariciando el sexo cálido de Ohana. Sus dedos la fueron preparando para esa penetración, para esa invasión que la marcaría el resto de su vida. Y, pese a que le urgía poseerla, hacerla suya y escuchar su nombre cuando le hiciese el amor, no sacó los dedos hasta que sus hermosas piernas se agitaron descontroladas.

Enardecido, exaltado, satisfecho y desesperado, posicionó su glande en esa estrecha abertura, la miró y le dijo:

—No seré suave, tesoro. Quiero hacerte el amor duro, porque necesito… necesito sentir que eres mía.

—¡Hazlo! —gritó, desesperada, abriendo las piernas todo lo que podía—. ¡Hazlo, Bruce! ¡No seas tierno, por Dios!

—No lo seré —aseguró, embistiéndola con tanta fuerza que su glande rebotó al chocar contra la matriz.

—¡Oh, Dios! —exclamó Ohana al sentir esa invasión.

—No, cariño, Dios no tiene nada que ver aquí… Solo nosotros —apostilló antes de tomar su boca de nuevo.

Con la necesidad que requería la bestia que residía en su interior, Bruce salía y entraba en Ohana mientras ella gritaba sin cesar su nombre. No pudo apartar sus labios de los de ella ni callar sus propios gemidos. Esa intimidad caliente, ajustada, lo volvía tan loco, tan desenfrenado, que le causó un éxtasis increíble. Solo alcanzó a pensar una cosa: si debía morir, si tenía que dejar de existir, que ese Dios que gritó Ohana le permitiera terminar su vida dentro de ella.

—¡Ohana! ¡Tesoro! —tronó antes de que su cuerpo se agitara por la llegada de ese maravilloso orgasmo. Tuvo que cerrar los ojos cuando las gotas de sudor empezaron a bajar por su frente. Pero los abrió al advertir que ella iba a convulsionar al mismo tiempo que él—. ¡Mía! ¡Joder! ¡Eres mía y de nadie más! ¡Dímelo, Ohana! —le pidió cuando sus embates fueron más duros, bruscos, toscos.

—Soy tuya —le respondió ella, clavándole las uñas en el hombro porque, debido al sudor de ambos, las manos se resbalaban—. ¡Solo tuya! —gritó justo en el instante que el eléctrico orgasmo la recorrió desde su matriz hasta los pechos, golpeando con sus pezones aquel torso agitado.

—¡Y yo tuyo! —vociferó en su última embestida, aquella en la que expulsó su semen en el interior de Ohana y la marcó tal como había deseado.

Una vez que las convulsiones desaparecieron, intentó mantenerse con las palmas sobre el colchón para mirarla, para observar a esa mujer que yacía bajo él, pero terminó por perder la fuerza cuando su sexo hizo su última sacudida dentro de ella. Cansado, extasiado y sin reducir los fuertes latidos de su corazón, se colocó sobre la cama, la atrajo hacia él y permanecieron en silencio hasta que recobraron el aliento.

—Doy y daré mil gracias al destino por haberte reencontrado, Ohana —declaró con sinceridad.

—Quién lo diría, ¿verdad? —respondió, girándose hacia él—. De todas las personas que he conocido en mi vida, jamás habría imaginado que aquel chico rebelde e indomable aparecería en mi camino para volverme loca.

Bruce le acarició el pelo mientras ella apoyaba el rostro sobre su brazo y palpaba con suavidad esa brújula que le abarcaba todo el torso.

—Fui un imbécil por no haberme dado cuenta de quién eras en realidad y de lo mucho que significarías para mí —dijo con una voz tan frágil que a Ohana se le congeló el corazón—. Si en vez de cegarme con una persona que solo me quería como un hermano hubiera mirado a mi alrededor, te habría encontrado.

—Pero lo has hecho ahora y eso es lo que importa. Yo también he hecho muchas tonterías —expuso, levantando el rostro para observarlo. Al advertir que sus ojos se ensombrecían, se movió hacia arriba, hasta que ambas bocas estuvieron en el mismo nivel—. Debes aferrarte a algo que pueda ayudarte a salir de esos negativos pensamientos —apuntó casi con las mismas palabras que él había utilizado para que no abandonara el proyecto.

—¿A cualquier cosa? —le preguntó, enarcando la ceja y sonriendo perverso.

—Sí, cualquier cosa que hayas encontrado ahora, ayer o mañana —le enumeró—. Da igual dónde y cuándo, pero encuéntralo.

—Ajá. Me parece un consejo muy apropiado, texana. ¿Dónde lo habré escuchado antes? —agregó, entornando los ojos.

Y, de repente, se movió de la cama, apartando a Ohana de su lado. Ella se quedó inmóvil, sin saber cómo reaccionar ante ese frío distanciamiento. Pero sus labios se extendieron de lado a lado cuando él se colocó encima de ella, apoyando las rodillas sobre la cama para que sus caderas no soportaran su peso.

—¿Ahora, ayer o mañana? —repitió, entornando los ojos.

—Sí —afirmó.

—¿Me servirán estos algos, tesoro? —preguntó después de atrapar entre sus manos los pechos de Ohana.

Sus ojos volvían a brillar y toda esa tristeza, que momentos antes había expresado su rostro al recordar lo que hizo en el pasado, se eliminó.

—Creo que son lo suficientemente grandes como para que te sirvan de apoyo —le respondió antes de soltar una carcajada que fue silenciada por la boca de Bruce.

CAPÍTULO XV

UN DÍA, UNA SONRISA, UNA MUJER INCOMPARABLE

No quería abrir los ojos para confirmar que había llegado la hora de marcharse. Era la primera vez que le costaba separarse de una mujer. Aunque no podía compararla con ninguna de las que habían pasado por su vida. Ella, como le había dicho en multitud de ocasiones durante la noche, era única y especial. ¿Cómo si no podía haber gritado que ella era suya, que le pertenecía cada parte de su cuerpo? La miró de reojo, intentando no despertarla con sus movimientos y, al verla tan relajada, se le ensanchó el pecho. Jamás se retractaría de lo que dijo, no se arrepentía de nada porque lo sentía así. Ahora ella era suya y de nadie más. Echó la cabeza hacia atrás, acomodándola entre los almohadones y fijó sus ojos en la foto colgada en la pared de enfrente mientras colocaba su mano sobre la espalda de Ohana para acariciarla. ¿Cómo había sido tan estúpido de no haber reparado en ella? ¿En qué estaba pensando?

«En joderte la vida —meditó triste—. Si en vez de perseguir a una mujer que se comportaba como una hermana para mí, hubiera levantado la mirada, Ohana llevaría conmigo cinco años y yo no habría caído en la miseria en la que vivo».

Penoso por esa reflexión, arrepintiéndose más que nunca de la atrocidad que hizo, permitió que la desesperación, acumulada desde que se alejó de Old-Quarter, brotase en su rostro en forma de lágrimas. Despacio, se las apartó y las contempló con extrañeza. La última vez que se había permitido llorar fue en el entierro de su madre y, cuando su padre le puso las flores, juró que no lo volvería a hacer. Sin embargo, había roto esa promesa. La suprimió de su cabeza porque deseaba volver atrás y recuperar el ser que fue. Añoraba aquella vida, la extrañaba tanto que, hasta que ella apareció, deseó morir cada vez que se despertaba. Pero el ángel que yacía sobre su cuerpo lo estaba ayudando a salir de esa profunda depresión. Ella le aportaba tantas cosas buenas que empezaba a pensar que debía regresar lo antes posible. Sí, si salía victorioso del próximo combate, arreglaría los temas pendientes con Ray, ofreciéndole su libertad a cambio de todo el dinero que tenía ahorrado y viajaría hasta Old-Quarter. Tragó saliva, procurando que ese nudo que se le había formado en la garganta se eliminara. Asumiría el castigo con dignidad y gritaría en cada puñetazo que recibiera una declaración de arrepentimiento. Solo esperaba que después de esa condena, lo aceptaran de nuevo.

«Lo harán —le dijo esa voz racional de su cabeza—. Los oldquaterianos son diferentes al resto del mundo. Pero debes someterte a ese castigo…».

Si con ello conseguía su absolución, si después de ser castigado podía aparecer con Ohana agarrando su mano y que nadie lo mirara con repulsión o desconfianza, lo haría. Por ella haría cualquier cosa.

Inspiró el olor de aquel oscuro cabello, haciendo que la mezcla de esa fragancia a champú y el sudor causado por la pasión de ambos llenara sus pulmones. Se sentía pletórico, feliz y afortunado. Sin apartar los ojos de las calles de su pueblo, intentó recordar las veces que la vio caminando frente al taller de su padre. Este siempre se volvía para saludarla, para charlar con ella mientras que él, impasible a su presencia, continuaba con las tareas que realizaba. Una chiquilla tímida, miedosa y sin aliciente alguno. Así la había definido hasta que la descubrió persiguiendo ese insecto que no atraía a nadie salvo a ella. Fue entonces cuando descubrió que su cabello era negro como la noche, que su piel tenía un tono tan pálido y delicado que podría dañarse si permanecía durante mucho tiempo bajo los rayos de sol. También concluyó que ella guardaba en su interior más atrevimiento del que mostraba. Aunque nunca habría imaginado el alcance de esa valentía. Porque, contra todo pronóstico, continuaba al lado de una persona como él, regalándole el tesoro más importante: ella misma. Mil veces, después de dejar escapar su nombre por aquella deliciosa boca, declaró con firmeza que su cuerpo era suyo y de nadie más. Ese sentimiento de posesión lo puso de nuevo duro.

Avergonzado por esa necesidad que sentía por Ohana, fijó sus ojos en el hostal de la señora Duffy e intentó recordar aquella anciana figura y el descaro que utilizaba al hablar con la esperanza de que su sexo se relajara con rapidez.

—Buenos días —le susurró con la boca apoyada sobre su pecho—. ¿Pretende atravesarme el pecho con su lanza, señor? —le preguntó, divertida, al notar esa erección palpitando.

—Buenos días, texana. Lo siento, no puedo remediarlo. Tenerte aquí, desnuda, ofreciéndome una imagen tan erótica de tu culo… —le respondió extendiendo las manos hacia esos cachetes gustosos—. ¿Quién puede resistirse a no marcarte de nuevo?

—Me has marcado todo el cuerpo, texano. Te puedo asegurar que no hay una zona de mi piel que no tenga las muescas de tus dientes —comentó moviéndose lentamente hacia arriba para colocarse a su mismo nivel.

—Seguro que me he olvidado algún sitio —le dijo justo antes de besarla con dulzura—. Pero pretendo ponerle remedio ahora mismo, tesoro.

La giró con rapidez, se colocó sobre ella y comenzó a besarla.

—Aquí tienes una pequeña marca —le informó susurrando—. Pero para que no se borre…

Y le mordió de nuevo en ese lugar, justo sobre el seno derecho. Ohana se alzó hacia él mientras emitía un leve gemido.

—Creo que no voy a poder lucir escote en bastante tiempo —comentó después de tomar aire.

—Puedes hacerlo, cariño —ronroneó, colocando el rostro sobre su vientre—. Es más, te obligaré a que los lleves. Así todo hombre que te vea e intente acercarse, sabrá que no tiene ninguna posibilidad.

—Porque… —empezó a decirle ella elevando suavemente sus caderas.

—Porque estos brazos —señaló acariciándolos con sus manos— son míos. Estos pechos —los agarró— son míos. Esta preciosa barriguita… es mía. Estos muslos… son míos.

—Y… —comentó sin voz cuando los labios de Bruce besaron su sexo empapado, caliente, húmedo y necesitado.

—Y este coño... es mío —declaró antes de abrir la boca y morder aquellos hermosos labios vaginales hasta que palidecieron.

—¡Bruce! —gritó ella al notar, después de aquella tremenda mordida, la lengua recorriéndole de nuevo y el roce de su barba por toda esa zona dolorida.

—¿Bruce qué? —la instó, introduciéndole dos dedos de nuevo.

—¡Soy tuya, Bruce! ¡Solo tuya! —clamó al tiempo que sus manos volvían a enredarse entre las sábanas arrugadas.

—Eso es lo que quiero oír, tesoro. Que eres y serás mía el resto de mi vida —manifestó antes de llenar el interior de su boca con ese zumo salado.

Las luces de colores regresaron a sus ojos al igual que sus aullidos ante la llegada del placer. Muerta. Bruce la iba a matar como siguiera de esa forma.

«¡Yo quiero morir a polvos! ¡Déjalo que nos asesine sin compasión, joder!», chilló la diablilla, que emanaba de su cuerpecito llamas de fuego.

Exhalando despacio, intentando recuperarse de ese clímax, Ohana abrió las manos y se liberó de las sábanas. Su pecho subía y bajaba desesperado, su cuerpo temblaba y podía sentir cómo brotaban de su piel un sinfín de gotas de sudor. Cuando empezó a tomar conciencia de lo que había sucedido, de ese inesperado despertar, alzó la cabeza para ver a Bruce y lo que observó en su rostro, lo que aquellos ojos oscuros por el deseo le mostraron, la dejó helada.

Antes de poder hablar, él colocó sus manos sobre sus muslos, la giró boca abajo, le alzó las caderas y empezó a acariciarle los cachetes.

—¿Te he dicho cuánto me gusta tu culo? Porque si no lo he hecho, he cometido un pecado capital —indicó mientras sus dedos apartaban los sabrosos labios para permitirle un acceso rápido de su sexo al interior de ella.

—Sí, me lo has dicho una docena de veces esta noche —contestó, expectante. Su corazón volvía a latir desenfrenado, apenas podía hablar sin pararse a tomar algo de aire y esas manos rozándole su trasero la quemaban al tocarla.

—Pues te lo repetiré una y mil veces —manifestó justo en el momento que la penetraba duro—. Me... gusta... tu... culo —recitó en cada embestida, en cada invasión, en cada golpe de su cadera contra la de ella—. ¡Mucho! —gritó, desenfrenado, alocado, perdido por el deseo.

—¡Bruce! —gritó una y otra vez ella en cada intromisión.

—¡Dímelo! —le ordenó—. Haz que mis oídos se deleiten con esas palabras, cariño.

—¡Soy tuya! —clamó, echando la cabeza hacia atrás, permitiendo que su boca pudiera tomar algo de aire y dejándose llevar por ese nirvana que volvía a tocar con la punta de sus dedos.

—¡Y yo tuyo, Ohana! ¡Soy tuyo! —afirmó antes de que su boca se cerrara, antes de que sus labios se apretaran tanto que habían palidecido. Se agarró con más fuerza a las caderas de ella y la embistió con rudeza, con fuerza, con tanta necesidad que podía encajarse entre sus huesos. Pero... ¿habría algo más bello que convertirse en un solo ser?—. ¡Ohana! —gritó al sentir cómo su semen salía de su sexo con tanta voracidad, con tanta potencia, que terminaría tumbado sobre aquella espalda tatuada completamente laxo.

Y ella le respondió gritándole su nombre y jurándole que nadie la tocaría salvo él. En ese momento,

Bruce entendió que su vida había cambiado y que se enfrentaría a su pasado por ella, solo por ella.

Una vez que dejó de temblar, regresó a su lado, atrapándola entre sus brazos, besándola hasta que el agotamiento se fue disipando. No quería. De verdad que haría cualquier cosa en el mundo para no salir de allí y dejarla sola, pero después de la conversación con Ray y de ese inesperado adelanto del combate, debía hablar con Siney.

—Ohana... —le murmuró, acariciándole la mejilla izquierda—. Tengo que irme al gimnasio. He de resolver algunos problemillas.

—¿No puedes quedarte aquí un poco más? —preguntó sin moverse.

—Te juro que es lo único que deseo en este mundo, pero he de solventar ciertos temas antes de que llegue el sábado —se le escapó. En ese momento su cuerpo se tensó.

—¿Qué sucede el sábado? —quiso saber, levantándose para mirarlo.

—No te lo había dicho porque quizás no salga bien el asunto, pero hay una persona que está interesada en comprármelo —soltó sin pensar.

«¡Vuelves a estar con la mierda hasta el cuello! ¿Cómo puedes ser tan gilipollas?», le regañó su conciencia responsable.

—¿Quieres venderlo? —dijo un tanto asombrada—. Pensé que te hacía feliz, que era lo que deseabas.

—No está mal... El gimnasio me ha ayudado durante estos años. —En eso no le mintió—. Pero mi sueño siempre ha sido otro.

—¿Cuál? —insistió en averiguar, acomodándose mejor sobre la almohada.

—Hasta que me marché de Old-Quarter —comenzó a decir mirando de nuevo la foto que tenía en frente—, soñé con seguir los pasos de mi padre, pero cuando hui de esa forma…

—¿Quieres comprar un taller? ¿Eso es lo que de verdad deseas?

La emoción que ella desprendió en sus palabras y en su tono de voz lo dejó descolocado. Apartó los ojos de las calles del pueblo para mirarla y olvidó respirar al descubrir un brillo hermoso en aquellos iris marrones.

—Sería lo normal después de haber sido criado por un mecánico, ¿no te parece?

—¡Dios! ¡Qué orgulloso se sentirá Dylan cuando lo sepa! ¡Seguro que llorará de emoción! —comentó, entusiasmada.

—Pero hay que ir despacio, nena. Roma no se construyó en un día —intentó apaciguar ese arrebato tan fogoso.

—Vale… Lo comprendo… Es que me emociono muy rápido —comentó, agachando la mirada, avergonzada por haber expresado de esa forma tan infantil su entusiasmo.

Bruce colocó sus dedos bajo la barbilla, le alzó el mentón y le dio un beso tierno y suave.

—Descansa, tesoro. Duerme hasta que te llame para llevarte a almorzar.

—Tengo que ir a la universidad. Necesito que alguna de mis amigas me dé los apuntes del día. No puedo ir retrasada porque el mes que viene tengo algunos exámenes finales —expresó, inquieta.

—Yo mismo me acercaré y las buscaré para que me los den. No debes preocuparte de eso. En cuanto nos veamos, te daré esos apuntes.

—¡Eres un amor! —exclamó, rodeándolo con los brazos el cuello.

—Soy un egoísta, Ohana. Porque si te quedas dormida, si descansas lo suficiente, esta noche no tendrás sueño y yo estaré encantado de acompañarte en ese insomnio —le dijo burlón.

—Y yo esperaré a que eso ocurra —aseguró antes de volver a besarlo.

Media hora más tarde, Bruce se vestía bajo la atenta mirada de Ohana. Ella ya se había tapado con la sábana, haciéndole más fácil su marcha.

—Te enviaré un wasap cuando salga del gimnasio —le explicó cuando se puso la camiseta—. Así tendrás tiempo de sobra para arreglarte.

—¿De verdad que no te importa? ¿No alterará tus planes? —persistió.

—No.

Caminó por el lado derecho de la cama, dirigiéndose hacia la salida, pero antes de abrir la puerta y que la realidad regresara, se inclinó hacia ella y la besó.

—Descansa, tesoro. Debes recobrar fuerzas para esta noche. Porque volverás a perder la voz.

—Intentaré buscar algo que me ayude a gritar —le respondió sin poder apartar sus ojos de esa espalda de Bruce.

—Chica lista —le dijo, mirándola por encima de su hombro.

Antes de que cerrara la puerta, Ohana pudo leer en esa camiseta «Gimnasio You Don´t Stop». ¿Así es como se llamaba su local? Hasta el momento no habían hablado nada sobre eso y estaba ansiosa por averiguar la historia de cómo lo compró y si el hombre que lo había visitado decidía comprarlo. Una vez que escuchó cómo la manivela se encajaba, se acomodó bajo las sábanas y sin poder borrar una amplia sonrisa se dejó atrapar por un bonito sueño.

No podía borrar la sonrisa de su rostro. Pese a ser consciente de que debía cambiar todo lo que lo rodeaba y que necesitaba enfrentarse contra ese odioso mundo en el que estaba metido, el sentimiento de felicidad no desaparecía. Agachó la cabeza, suspiró hondo y se dirigió hacia la salida. Pero justo cuando había dado dos largos pasos se paró y se giró hacia la figura femenina que se apoyaba sobre la puerta contigua de la habitación de Ohana.

—¿Eres Bruce? —le preguntó Corinne, que había estado esperando la aparición del semental que había hecho gritar de esa forma a su amiga.

—¿Y tú Corinne? —le respondió sin moverse.

—Sabes que no es una chica cualquiera, ¿verdad? —apuntó mordaz.

—Sí, lo sé —aseveró con firmeza.

Lo miró de arriba abajo con el ceño fruncido. Ante ese descaro, Bruce hizo lo mismo. Si aquella mujer no tenía reparos en hacerle un exhaustivo escrutinio, él tampoco.

—No eres su tipo de hombre —expuso al fin con retintín.

—Ni tú mi tipo de mujer —respondió cortante.

Corinne extendió sus labios para esbozar un gesto de satisfacción. No había sido la respuesta que ella había imaginado, pero le encantó escuchar esa determinación con la que la expresó. Sin duda alguna, Ohana había encontrado a un hombre que solo bebía los vientos por ella y eso la alegró. La mañana que James había salido de aquel dormitorio para marcharse, se acercó a la cocina, donde ella tomaba un té y, antes de decir una mísera palabra, la miró con tanto deseo que deseó vomitar todo aquello que había ingerido hasta el momento. Sin embargo, aquella especie de dios griego se hallaba tan feliz y satisfecho que lo único que expresaban sus ojos era rechazo hacia cualquier mujer que no fuera su amiga.

—No le hagas daño —le advirtió—. Aunque no creo que te lo haya contado, su última relación no acabó tan bien como esperaba.

—No es mi intención hacerle daño y sobre el tema de ese tal James… —dijo reflexivo mientras se tocaba la perilla—, ¿sabes dónde puedo encontrarlo? Tengo una conversación pendiente con él.

—Ohana me matará si se entera de que te he dicho dónde vive —comentó Corinne con los ojos abiertos como platos. Un escalofrío de miedo la recorrió desde la cabeza a los pies. El tono de su voz, esa manera tan relajada con la que se tocó la barba y la expresión fría de sus ojos no le auguraron nada bueno. Pero se trataba del imbécil de James y, en el fondo, le daba igual lo que hiciera aquel titán musculado y tatuado, porque se lo merecía por subnormal.

—Ella no sabrá quién me ha dado esa información. Es más, nadie le hablará sobre eso. Solo se extrañará cuando transcurran los días y no aparezca. Y, en el caso hipotético de que te preguntara, le dices que se habrá cansado de volver y armar un escándalo. Tal vez hasta puedas comentarle que se ha buscado a otra chica a la que acosar —expuso con tanta calma y frialdad que Corinne estuvo a punto de girarse y encerrarse en su dormitorio.

Silencio. Los dos permanecieron callados sosteniéndose la mirada. Corinne meditaba una y otra vez lo que estaba a punto de hacer. ¿Y si le daba una paliza mortal? Caería sobre ella el peso de su conciencia. Respiró profundo, se cruzó de brazos, adoptando una actitud distante, y miró de reojo la puerta de la habitación de Ohana.

—No voy a matarlo, aunque lo desee. Solo quiero apartarlo de ella. No quiero pensar en ese tema mientras estoy lejos de aquí. Por si no lo sabes, la última vez que apareció no paró de insultarla. Ohana tiene que centrarse en la oportunidad que le han ofrecido y, si regresa ese tal James aporreando la puerta, terminará por marcharse al pueblo y su vida se convertirá en un caos.

Muy despacio, Corinne lo volvió a mirar.

—No lo mates, ¿de acuerdo? Con que entienda que ella ya no está sola será suficiente.

—Como te he dicho antes, no voy a matarlo. Si lo hiciera, tarde o temprano terminaría detrás de unos barrotes y no deseo alejarme de ella ahora que ha vuelto a mi vida —aseguró, rotundo.

—De acuerdo, confío en ti —respondió con suavidad—. James vive entre Lexington Avenue y 35 Street. En un bloque de apartamentos con una tienda de antigüedades. 3º derecha, B. Si no recuerdo mal. Pero confírmalo en los buzones. Su apellido es Staunton. James Staunton —reveló al fin.

—Gracias. Te debo una, Corinne. —Extendió la mano para sellar ese pacto de confidencialidad surgido entre ellos.

Y ella lo aceptó de buen gusto. Por fin Ohana sería libre y no tendría que correr de un lado para otro, huyendo para evitar un posible encuentro con aquel soplapollas.

—¿Se va a levantar? —preguntó una vez que apartó su mano.

—No. Está bastante cansada y ha decidido dormir hasta que la recoja para almorzar —explicó.

—Me lo imagino —susurró Corinne, divertida—. Entonces la dejaré tranquila hasta que decida salir de ahí y contarme lo sucedido. Sabes que nos contamos todo, ¿verdad? ¿Y que no le permitiré que se olvide de ningún detalle?

—Si la has escuchado durante esta noche, no creo que pueda desvelarte nada más —señaló jocoso.

—Tapones —le mostró lo que guardaba en el bolsillo de ese camisón de Kitty—. Cuando la escuché gritar por segunda vez, me los puse. Me gusta demasiado el cotilleo femenino.

—Pues siendo así, espero que te haga una descripción bastante detallada —replicó, extendiendo de nuevo la mano para despedirse.

—Que tengas un buen día, Bruce.

—Que tengas un buen día, Corinne, y gracias por serle tan fiel.

Malone la observó caminar hacia su dormitorio y, una vez que cerró la puerta, él salió del apartamento encajándola con fuerza. Miró hacia el pasillo, respiró hondo y, notando cómo su cuerpo ya la extrañaba, se dirigió hacia el único lugar que debía visitar antes de almorzar: el gimnasio de Siney.

CAPÍTULO XVI

PLANES

Supo que estaba agotado cuando el saco de boxeo impactó sobre su torso y lo impulsó hacia atrás. Bruce lo cogió con ambas manos, apoyó la frente, empapada de sudor, y respiró hondo. Apenas llevaba en el gimnasio dos horas y estaba muerto de cansancio: dormir poco y el encuentro con Ohana habían mermado considerablemente sus fuerzas. Pero no se sentía mal, al contrario. Se hallaba pletórico porque su texana había logrado dejarlo tan satisfecho que solo deseaba asaltar la cocina de algún restaurante y devorar todo aquello que encontrara a su paso. Opción que debía considerar porque, si nada le alteraba el plan, esa tarde, después de haber llenado sus estómagos, regresarían al dormitorio y volverían a quedarse sin energías.

Sin apartar el rostro del saco, soltó una grandiosa carcajada al recordar la cara de sorpresa que puso tras hallar las marcas de los dientes en su piel. Ohana tardaría mucho en hacer desaparecer aquellas huellas, aunque no estaba dispuesto a que se eliminaran del todo porque, cuando volviese a estar desnuda, buscaría los lugares que había olvidado morder y le haría más. Era una forma muy primitiva de marcarla, de hacerla suya, pero no podía evitarlo. Cada centímetro de aquella sedosa piel era suyo, al igual que él le pertenecía. Se apartó del saco sin parar de pensar en el giro que había dado su vida desde que se reencontraron. Habían pasado tres míseros días, menos de setenta y dos horas, y lo normal sería que meditara con calma todo lo que sucedía entre los dos. Sin embargo, o por egoísmo o por desesperación, no estaba dispuesto a retractarse de nada. La había conocido en el pasado, bueno, más bien sabía de su existencia, pero jamás imaginó que aquella tímida chiquilla se convertiría en su tabla de salvación, en lo único que necesitaba para luchar contra el mundo que lo rodeaba. ¡Hasta había pensado en regresar! Eso sí que lo había dejado estupefacto. Durante cinco años había evitado enfrentarse al castigo y, de repente, buscaba el día más adecuado para presentarse en la entrada de Old-Quarter y asumir su condena.

Tras ser consciente de que no iba a rendir como siempre por mucho que lo intentara, se apartó del saco y echó otro vistazo a la recepción, justo donde Siney había estado desde que él llegó. Esa mañana al dueño del gimnasio se le acumulaba el trabajo y apenas podía salir de detrás del mostrador. Nuevos socios, nuevos proyectos de entrenamiento, comerciantes intentando ofrecerle todo tipo de *vitaminas* energéticas para sus clientes y curiosos preguntando las tasas mensuales pasaban sin darle una tregua. Bruce decidió dirigirse hacia los vestuarios, darse una buena ducha e intentar colocarse lo más cerca de él para poder hablar. Necesitaba informarlo sobre la conversación que había mantenido con Ray y preguntarle cómo afectaría eso a la decisión que habían tenido respecto a Harrison. Le urgía ese encuentro con el luchador mexicano. Si antes pensaba que era una buena opción, ahora no le cabía duda de que se había convertido en su única salida.

Mientras caminaba por el pasillo, admirando de nuevo aquellas fotos de los ganadores, rezaba para que la oferta que le había hecho de un cuarto de millón fuera suficiente para sacarlo de la guarida en la que se escondía. De él dependía su victoria o su derrota. De repente, le vino a la cabeza el error que cometió al confesarle a Ray que deseaba marcharse y combatir por libre. Ese pensamiento le causó tal ira que deseó pegar un puñetazo a la puerta de las duchas. Había sido un gilipollas por decirle tal tontería. Conociéndolo como lo hacía, debió mantener la boca cerrada y de la noche a la mañana coger las maletas y su ranchera para hacer lo mismo que Mathew. Aunque había un pero en aquella reflexión. Y tenía el nombre de Ohana; después de lo ocurrido entre ellos, no podía alejarse sin darle una explicación.

«¿Y qué vas a hacer cuando, después del combate, no puedas verla hasta que se curen las heridas? ¿Has pensado en eso?», le preguntó la voz de su conciencia.

Pues no lo había pensado, ni siquiera se había planteado que, cuando apareciera por su hogar, tendría el rostro tan destrozado que ni lo reconocería. Hasta el momento, salvo alguna ceja partida o un labio roto, no había tenido nada importante. Sin embargo, el sábado no sería un combate cualquiera. Sería el combate con el Gran Shabon y este lo dejaría tan destrozado que necesitaría asistencia hospitalaria. ¿Qué le diría cuando ella lo visitara en el hospital? «Tesoro, no te preocupes, las costillas fracturadas, el labio roto, este ojo morado y las heridas que tengo sobre las cejas se curarán pronto. Y, una vez que lo haga, buscaré a los asaltantes que me acorralaron al salir del gimnasio y me vengaré».

No podía seguir mintiéndole porque, tarde o temprano, la verdad saldría a la luz y llegaría ese temible final.

Con el corazón encogido por ese pensamiento, se desnudó y se metió bajo una de las duchas. Su cuerpo estaba tenso. Aunque esta vez no se trataba de una consecuencia del sobreesfuerzo de una pelea, sino una respuesta inconsciente a lo que sucedería cuando Ohana descubriese la verdad. Le costaría una vida y otra más para superar la ruptura. Pero si lo dejaba, si decidía alejarse de él, tendría que agachar la cabeza, recoger los pedazos de su corazón y marcharse. Porque, por mucho que le doliese, no se convertiría en otro maldito James.

Tras terminar de ducharse, cogió la toalla y se secó con rapidez. Le urgía hablar con Siney e ir aclarando ciertos temas. Como ya había concluido antes de llegar al vestuario, su única posibilidad de salir victorioso del enredo en el que se encontraba era hablar con Harrison y, si ese Dios al que gritaba Ohana era benevolente, lo ayudaría a ganar esa pelea.

—¡Menuda mañana! —exclamó Siney al entrar mientras se masajeaba los hombros—. Dos días así y tengo que visitar a una quiromasajista.

—Seguro que no te quejarás si terminas con un *final feliz* —apuntó mordaz al tiempo que se ataba la cinta del pantalón del chándal.

—Si quisiera finales felices, me bastaría con aceptar las citas de las chicas que entreno —refunfuñó—. Pero con la edad descubres que necesitas algo más que sexo. Aunque claro, eres demasiado joven para comprender esos temas —añadió, acercándose a Bruce. Se sentó en el banco sin apartar los ojos del muchacho y posó las manos sobre sus rodillas, adoptando una pose cansada—. ¿Por qué te vas tan pronto? Pensé que te quedarías hasta las tres, como siempre.

—Esta noche no he descansado y estoy flojo —comentó a modo de excusa.

—¿Tan incansable es la joven de la que me hablaste? —preguntó, punzante.

—Ella no tiene nada que ver —refunfuñó—. Tengo otros asuntos en la cabeza que me preocupan.

—¿Cómo cuáles? —insistió sabiendo que le mentía. Solo debía observar los ojos de aquel muchacho para conocer los sentimientos que poseía hacia esa misteriosa muchacha.

—El combate se ha adelantado —lo informó después de ponerse la camiseta.

—¿Qué cojones dices? —espetó Siney, levantándose de un salto.

—¿No te has enterado? Me parece extraño que no lo sepas —señaló, entornando los ojos.

—No he podido mirar el móvil —comentó mientras lo sacaba del bolsillo. Con el dedo fue deslizando la pantalla hasta encontrar el mensaje que buscaba—. ¡Joder! —tronó—. ¡No puedes hacerlo!

—Ya me gustaría a mí... —reflexionó, posando el pie derecho sobre el banco—. Pero, como ya sabes, en esta mierda de historia solo soy quien acata las órdenes.

—¿Qué clase de imbécil puede adelantar un combate de esas dimensiones? ¡No estás preparado! —enfatizó.

—Gracias por tu confianza —dijo sarcástico—. Esperaba que por lo menos tú tuvieses fe en mí.

—No se trata de fe, Malone, sino de juicio y, por mucho que puedas creer que puedes enfrentarte a ese criminal, no estás preparado. Te va a machacar en la lona —expuso con temor.

—Bueno, intentaré esquivar algunos golpes mortales —dijo burlón.

Siney no replicó a ese comentario, mantuvo la mirada clavada en el móvil y empezó a poner cara de horror según iba leyendo.

—¿Tan mala pinta tiene la cosa? —quiso saber Bruce mientras se ataba los cordones de las zapatillas.

—¿No me dijiste que el gilipollas que te busca los combates apostaría por ti? —preguntó sin apartar la mirada de la pantalla del teléfono.

—Eso fue lo que me dijo —afirmó. Posó en el suelo el pie calzado y subió el otro.

—Pues mucho me temo que te ha mentido —desveló, dirigiendo su móvil hacia el rostro de Bruce—. No tienes ni una puta apuesta a tu favor y ciento veinte en contra.

Malone confirmó las palabras de Siney cuando leyó el mensaje que alguien le había enviado. Respiró hondo, intentó mantener la calma y eliminó de su mente todos los posibles motivos por los que Ray había apartado su apuesta.

—¿Quién te ha enviado eso? —espetó tras enlazar el cordón. Colocó el pie en el suelo, movió lentamente la cadera para que el pantalón se deslizara por las piernas y esperó la respuesta con una paciencia inverosímil.

—Es un viejo conocido. Un corredor con el que contactaba cuando alguno de mis clientes tenía un combate —confesó.

—¿Así que te has aprovechado de tus socios? Muy mal, Siney, muy mal…

—El dinero extra siempre viene bien. Tengo demasiados gastos —comentó, sentándose de nuevo. Colocó el móvil sobre el banco y se acarició con desesperación la cabeza rapada—. Vas directo al cementerio —aseguró después de un tiempo en silencio.

—Quizá pueda evitarlo. Tenemos dos días para hablar con ese mexicano. ¿Te pusiste en contacto con él? ¿Le dijiste cuánto estoy dispuesto a pagarle si me ayuda?

—Sí.

—¿Y?

—Me dijo que se lo pensaría.

—¿Se ha de pensar ganar un cuarto de millón? —tronó Bruce—. ¿Qué cojones tiene que pensar? —reiteró, enfadado.

—Tiene miedo. Según me comentó, el mismo Shabon lo amenazó con matarlo si se ponía en contacto con alguno de sus contrincantes —reveló Siney, alzando el mentón para observar cómo Bruce caminaba de un lado a otro, como si fuera un león encerrado en una jaula.

—¡Joder! ¡Me cago en la puta! ¿Por qué todo tiene que ir en mi contra? ¿Es que no me puede salir nada bien ahora que estoy encontrando la luz de este puto túnel? —declaró, angustiado—. ¿No puedes llamarlo de nuevo? Si quiere más dinero, estoy dispuesto a pagárselo a cambio de esa información —ofreció, desesperado.

—Déjame que lo intente —pidió Siney—. A ver si, una vez que le explique este cambio de planes, se compadece y termina por acceder.

—Si te pide más cantidad, acepta sin dudarlo un segundo. ¡Estoy desesperado, joder!

A Siney no le cabía la menor duda de que era así. No solo por la inquietud que mostraba caminando de un lado para otro o por el tono iracundo de su voz, sino también por la expresión ensombrecida de su rostro. Estaba atrapado. Encarcelado en algún tipo de relación con aquel que le buscaba los combates y, por cómo actuaba, deseaba deshacerse del chico. ¿Qué habría hecho para que lo odiara tanto? ¿Tan poco valor tenía para él la vida del joven?

—Vamos a hacer las cosas bien —empezó a decir Siney, levantándose del asiento.

—¿Tú crees? —Por primera vez en mucho tiempo, sus ojos pedían a gritos que alguien lo ayudara, que se apiadara de él y lo salvara.

—Sí, pero debes ser sincero conmigo, Malone.

—¿Qué quieres saber? —preguntó Bruce después de respirar hondo.

—Cuéntame quién eres y qué hiciste hasta esta misma mañana —le pidió—. Pero como advierta que me mientes en algo, aunque sea en un pequeño dato, saldré por esa puerta y te dejaré solo, ¿entendido?

—¿Y si no te gusta lo que escuchas? —replicó él, sentándose de manera brusca.

—Tengo algo más de cuarenta años, muchacho, y te puedo asegurar que nada de lo que me cuentes me sorprenderá —lo animó mientras echaba el brazo sobre aquella espalda afligida.

—Está bien… ¿por dónde quieres que empiece?

—Por el principio —le indicó.

—Genial, pues todo empezó el día que murió mi madre…

Durante algo más de hora y media, Siney escuchó la historia de Bruce. Notó, a lo largo de la exposición, cómo el rostro del joven mostraba todo tipo de emociones; cuando hablaba de su padre, ese mecánico de un lejano pueblo de Texas, se le entrecortaba la voz, su pecho le dolía como si lo atravesaran con un puñal y parecía que iba a echarse a llorar en cualquier momento. Cuando apareció el tema de la mujer a quien intentó secuestrar, expresó dolor y arrepentimiento. Las mismas emociones que mostró cuando habló del pueblo, de la gente y del momento en el que aquel tal Ray disparó. Sin embargo, cuando ese nombre brotó de su boca todo se volvió un infierno. Sus ojos destilaron odio, sus puños se apretaron tanto que palidecieron, la bestia que emergía en cada combate surgió de su interior para enseñar su fuerza, su ira y su deseo de venganza. Esa rabia llegó a la cúspide al describir cómo, frente a los ojos de Ray, él tuvo que asestarle una paliza a un hombre que alimentaba a su familia con las ganancias que le aportaba su pequeño comercio. ¿Por qué tuvo que pegarle? Porque no le había pagado la famosa *cuota amistosa para el bienestar*. Un pago que debían realizar todos aquellos que deseaban mantener a Ray alejado de sus negocios. También le habló de los atracos, de los trapicheos con las mafias sudamericanas y los contratos con los rusos. Pero toda esa ira, todo ese odio desapareció cuando empezó a hablar de la joven que había aparecido en su vida. Una tal Ohana, una muchacha que había crecido con él en ese pueblo, y por la que deseaba salir de toda la mierda en la que se había sumergido.

—Tengo que salir de aquí —dijo, acariciándose con desesperación el cabello—. No solo por mí, sino también por ella. Ahora mismo está protegida porque no saben de su existencia, pero si Ray la descubre, si averigua que mantenemos una relación, puede hacerle daño para castigarme y, como lo haga, lo mataré.

—No te entiendo —dijo Siney, levantándose del banco—. Si tanto te preocupa, ¿por qué diablos no te apartas de su lado?

—Es difícil de explicar si no uso la palabra enamorado —respondió—. Y, aunque lo sienta, no quiero expresarla con tanta facilidad. Aún no sé qué siente ella por mí. Esta relación va demasiado rápido y puede confundirse.

—Sería más sencillo lograr tu propósito si ella no hubiese aparecido en tu vida —le advirtió Siney—. Aunque no lo creas, esa chica se ha convertido en un problema añadido. Si, como bien dices, ese Ray es un bastardo desconfiado, mucho me temo que ya se habrá enterado de su existencia.

—¡Explícate! —le pidió, intranquilo.

—Mira, Bruce, si estuviese en el lugar de ese Walton, si tuviera la mínima sospecha de que mi gallina de los huevos de oro, como te has definido, deseara marcharse de la banda, hallaría la forma de retenerte —indicó, sereno.

—¿Tú crees? —preguntó.

—No lo creo, lo afirmo. Yo reconsideraría esa opción, por lo menos, hasta que termine el combate. Si pierdes, ya no le serás de utilidad y se olvidará de que existes. Pero si ganas, si derrotas milagrosamente a Shabon, se obsesionará contigo y destrozará todo aquello que te impida estar con ellos —continuó explicándole.

—Entonces, lo único que necesito hacer es dejarme pegar —reflexionó, dubitativo.

—Yo elegiría esa opción —apostilló.

Bruce anduvo por el vestuario, intranquilo, meditando esa alternativa. Su mente no cesaba de ofrecerle ideas, conclusiones y posibles hipótesis a esa exposición. Había una posibilidad, mínima, de que Ray lo abandonara una vez que perdiera el combate. Sin embargo, algo en su interior, esa experiencia que había adquirido desde que salió del pueblo, le gritaba que se equivocaba, que Walton decidiría emplearlo en otro servicio en el que aún fuera útil.

—¿Qué piensas? —preguntó Siney después de observar esa inquietud.

—Que él no me liberará por las buenas. He visto hermanos que han cambiado de trabajos porque han dejado de ser rentables en los anteriores. Por lo que he aprendido durante estos años, Ray no deja cabos sueltos.

—¿Piensas que te matará si pierdes? —dijo, atónito.

—Sí. No me cabe la menor duda de eso —afirmó sin dudarlo—. Ya te he dicho que buscó al médico durante años para matarlo. Ray no admite términos medios: o eres su amigo o su enemigo.

—Y... ¿qué posición quieres tomar? —preguntó Siney, levantándose del asiento.

—Si consigo salir vivo y puedo proteger a Ohana, el único que puedo elegir: el de enemigo —concluyó sin titubear.

—No lo veo adecuado, pero en tu posición haría lo mismo —discurrió—. Pero... ¿estás dispuesto a luchar? ¿Quieres ganar ese combate pese a sus posibles consecuencias?

—Si gano, si apuesto a mi favor y logro vencer a Shabon, tendré el suficiente dinero como para regresar al pueblo, poner a Ohana bajo el cuidado de los oldquaterianos, viajar hasta aquí y buscar algunos rivales de Ray para que me ayuden a aniquilarlo. Si quiere una muerte, le concederé el deseo —indicó, malicioso.

—No creo que sea la opción ideal para salir de ese lío, porque terminarás entre rejas —expuso, serio.

—Yo no apretaré el gatillo de esa pistola que apunte a su cabeza, Siney. Pero sí que estaré presente cuando lo haga. Después de todo, tengo que confirmar que no respira —aseveró.

—¿Qué harás después?

—Me marcharé a Old-Quarter, me arrodillaré frente a Ohana y le pediré perdón hasta que me salgan heridas en las rodillas.

—¿Volverás a delinquir? —preguntó.

—¡No! ¡Solo deseo retomar la vida que tuve! —insistió—. Quiero comprar, si aún sigue en venta, un terreno que había a las afueras del pueblo y construir mi propio taller. Ese ha sido mi sueño desde que mi padre me puso por primera vez en la mano una herramienta —dijo con tristeza.

—Siendo así… te ayudaré. Aunque te advierto que apostaré a tu favor y, como pierdas, tendrás un enemigo más —comentó antes de marcar un número de teléfono—. Soy Siney de nuevo —dijo después de que alguien aceptara la llamada—. Quiero que me escuches con atención. Ajá. Sí. Sé qué posición has tomado, pero hay algo que debes saber. —Siney miró a Bruce, levantó la mano para que no hablara y prosiguió—: El joven de quien te hablé está vinculado con Ray Walton. Yo tampoco lo sabía hasta que me lo ha dicho hace unas horas. Sí, lo sé, por eso necesitaba que… ¡Perfecto! ¡Sabía que lo harías! ¿Cuándo? Me parece buena hora. Dime dónde tengo que… ¿En el gimnasio? Vale, me parece bien. Gracias, te debo una.

Siney finalizó la llamada, se metió en el bolsillo el móvil y le dijo a Bruce:

—Resuelve el problema con tu chica, es mi única condición. Tienes hasta las diez de esta noche para hacerlo. A partir de esa hora, te quedarás a mi lado.

—¿Qué quieres decir? —preguntó expectante Malone—. ¿A quién has llamado?

—A Harrison.

—¿Y?

—Ha decidido venir para ayudarte, pero la única condición que pide es que no salgamos del gimnasio hasta que sea la hora del combate. Nadie debe saber que está aquí, nadie debe verle o… Ray lo matará.

—¿Ray? ¿Qué tiene que ver Walton en todo esto? —espetó, sorprendido.

—Tu médico no fue el único que huyó de ese malnacido… —desveló al fin.

Bruce no sabía si saltar de alegría, gritar o ponerse a bailar. Estaba feliz, muy feliz como para indagar sobre lo ocurrido entre el mexicano y Ray. Ya lo averiguaría durante los siguientes días. Miró su reloj y frunció el ceño al descubrir que era la una del mediodía. Tenía muchas cosas que hacer antes de quedar con Ohana y explicarle que se ausentaría. Tal vez la excusa del posible cliente lo salvaría después de todo.

—¿A qué hora debo regresar? —demandó, cogiendo la bolsa de ropa por el asa.

—Vente sobre las nueve, pero no por la puerta principal, sino por la trasera. No quiero que nadie te vea entrar justo cuando estoy a punto de cerrar —expuso.

—De acuerdo, aquí estaré —comentó, caminando hacia la salida.

—¿Malone?

—¿Qué? —preguntó, volviéndose con rapidez.

—Si de verdad te interesa esa joven, mantenla alejada —le aconsejó.

—No voy a abandonarla, pero sí que la dejaré fuera de mi alcance durante estos días. No solo por su seguridad, sino también por la mía. Llámalo egoísmo si quieres.

—Más bien lo definiría como sensatez, algo que te ha faltado durante estos años —expuso Siney empatizando con el chico.

—Por cierto...m necesito comprar un ordenador, ¿sabes de algún sitio que esté abierto y que me atiendan rápidamente?

—¿En un centro comercial? —le respondió sarcástico.

—Tienes razón... Nos vemos a las nueve —le dijo antes de desaparecer.

—Hasta dentro de unas horas.

Siney respiró hondo cuando Malone salió del vestuario, se sentó sobre el banco en el que había estado casi dos horas escuchando la historia de Bruce y volvió a tocarse la cabeza rapada con desesperación.

—Señor, ayúdanos —susurró mediante un profundo suspiro.

CAPÍTULO XVII

¿DE VERDAD?

Ohana salió de su dormitorio como si fuera un ladrón. No quería que Corinne la escuchase dirigirse hacia el baño. Tenía demasiada prisa después de hablar con Bruce y concretar que se verían en media hora, como para entretenerse en el interrogatorio que le haría nada más verla. Aunque sabía que se enfadaría al saltarse ese acostumbrado cotilleo sobre los hombres que dormían en el apartamento. Hasta el momento, ella solo había hablado de James y, con el paso del tiempo, tampoco resultó tan interesante. Sin embargo, Corinne era una caja de sorpresas. Al confirmar que ella seguía en su habitación, fue pisando el suelo con todo el sigilo que pudo, incluso aguantó la respiración. Solo esperaba que se hubiera puesto sus magníficos tapones y no la hubiera oído gritar de aquella forma durante la noche. Solo de pensarlo le ardieron las mejillas de nuevo.

«A eso le llamo yo sexo salvaje, nena. Todo lo demás… ¡es falso!», le comentó la diablilla mientras atravesaba el pequeño pasillo.

Una vez que accedió al interior del baño, cerró con suavidad la puerta y respiró. Estaba a salvo. Podría ducharse y arreglarse con tranquilidad porque Corinne no solía interrumpirla. La francesa respetaba muchísimo esa intimidad, cosa que, en aquel momento, agradecía. Sin apartar los ojos del espejo, se quitó la camiseta, quedándose atónita al ver su propio reflejo. Bruce la había marcado desde el cuello hasta la cintura. Parecía que un carnívoro se había alimentado con su propia carne. Se giró para un lado y luego para otro, confirmando que no había ni un solo centímetro sin señalar. Eran unas mordeduras tan intensas que podía untarse sobre ellas escayola y hacer un molde perfecto de la dentadura. Ese pensamiento le causó una carcajada que silenció con las manos. ¿Cómo podía hacerlas desaparecer? ¿Existiría en el mercado algún tipo de crema sanadora de mordeduras humanas? Sin poder borrar esa sonrisa de complicidad, se metió dentro de la ducha, abrió el grifo y dejó que el agua corriera por su piel. Mientras lo hacía, las imágenes de ellos pasaban una y otra vez por su mente. Su amiga Yannem no erraba cuando comentó que a Bruce le gustaría el sexo salvaje y acertó también cuando añadió que cualquier amante quedaría destrozada después de un encuentro con él. Ella era la viva imagen de esas conjeturas y daba gracias a que Bruce se ofreciera a cogerle los apuntes porque no podía aparecer delante de ellas con aquellas marcas sin contarles lo sucedido.

Cogió el champú y vertió un buen chorro sobre la cabeza, no había tiempo para echárselo en la mano, moverlo con los dedos, como indicaban las instrucciones, y esperar a que la espuma cambiara de color. Su ansiedad, sus ganas de verlo, le hacían saltarse todos esos pasos que acostumbraba a realizar. Una vez que se frotó el pelo, abrió el grifo hasta el máximo y se aclaró con rapidez.

—¡Joder! ¿Qué coño te ha pasado? —gritó Corinne al abrir las puertas de la ducha.

—¿Hola? —le respondió, abriendo los ojos como platos.

—¿Hola? ¡¿Hola?! ¿Eso es lo que me contestas? ¿Qué diablos te ha hecho? ¿Ese tipo es sadomasoquista? ¿Ahora te has convertido en una adoradora del dolor?

—No, para nada. Lo único que sucede es que Bruce es bastante apasionado —dijo, volviéndose hacia ella.

—*Oh, mon Dieu!* —exclamó atónita—. ¿También te ha mordido ahí? Pues menos mal que te depilaste, porque si no lo hubieras hecho, ese caníbal te habría arrancado los pelos de raíz. ¿Cómo se puede ser tan bestia? Y... ¿cómo diablos has permitido ese salvajismo?

—No es para tanto —expuso después de cerrar el grifo. Se cubrió con la toalla, para que no siguiera observando la obra de Bruce, y salió del cubículo acristalado.

—Si en vez de dientes hubieran sido cerillas, tendría que llevarte al hospital por tener quemaduras de tercer grado —expuso, anonadada ante esa pasividad de Ohana. ¿La habría drogado? ¿Le habría dado algo para que ella no fuera consciente de lo que hacía?

«**¿La tetona tiene envidia? ¡No me jodas!** —exclamó la diablilla—. **Pues que se fastidie. ¡Seguro que no gritó tanto como nosotras cuando hizo aquel *mènage à trois*!**».

—Creo que es normal —comentó mientras caminaba hacia su dormitorio.

—¿Normal? ¿Quién eres tú y dónde está la modosita de Ohana? —espetó, apoyándose en el marco de la puerta.

—Soy la misma de siempre —alegó, sacando del armario la ropa. Unos vaqueros y una camiseta de cuello alto serían lo apropiado para que nadie la mirara como lo estaba haciendo Corinne. No quería que todo el mundo la observara como si fuera un bicho raro.

—No, no eres la misma de siempre y, si quieres aferrarte a esa idea, te estás mintiendo —gruñó, cruzándose de brazos.

—¿Has estado alguna vez con un texano? —le preguntó al tiempo que se ponía los *jeans*.

—No. He estado con muchos hombres, pero ninguno ha sido un *cowboy*. ¿Me lo estás recomendando? —Enarcó la ceja derecha para enfatizar ese sarcasmo.

—La gente de mi pueblo es muy apasionada. Además, Bruce es igual que su padre.

—¿Perdona? —la interrumpió. Se descruzó de brazos y se adentró en la habitación—. ¿Ese sádico es de tu pueblo? ¿Por qué no me has hablado de él? ¿O lo has hecho y no recuerdo la conversación en el que hacías referencia al hijo del diablo?

—Sí, es de mi pueblo. No, no es el hijo del diablo y, aunque no llegamos a conocernos en aquel entonces, ahora nos hemos reencontrado y han brotado chispas entre nosotros —reflexionó—. Pero volviendo al tema de su padre…

—¿Chispas? ¿Que han brotado chispas? —repitió—. Yo no definiría a eso como chispas… —La miró de arriba abajo de nuevo mientras su mente intentaba recordar algo sobre las conversaciones que habían mantenido sobre la gente de aquel pequeño pueblo. Pero no, no había dicho nada sobre Bruce. Lo único que habló, justo cuando se conocieron, fue de un incidente que protagonizó un muchacho que se marchó después de haber llevado al tranquilo lugar un asesino. Entonces contuvo el aliento, frunció el ceño y le preguntó con una mezcla de miedo e inquietud—: ¿No será Bruce el mismo tipo que llevó al asesino a tu pueblo, el que armó aquel desastre? —Al ella afirmar con un leve movimiento de cabeza, empezó a gritar mientras realizaba un sinfín de aspavientos con las manos—: ¡No puede ser verdad! ¡Dime que no es él! ¡Estás loca!

—Ha cambiado... Ahora es una persona diferente. Es dueño de un gimnasio y...

—¿Eso te ha dicho? ¿Que es dueño de un gimnasio? ¡Claro... no te va a decir que es un criminal y que tiene las manos manchadas de sangre! ¡Serás ingenua!

—No soy ingenua. Él es el dueño de un gimnasio y quiere venderlo para hacer sus sueños realidad — lo defendió con uñas y dientes.

—¿Sí? ¿De verdad? ¿Te ha llevado a verlo? ¿Sabes si es cierto lo que dice o te ha mentido para follarte? —vociferó fuera de sí—. Porque si yo estuviera en su lugar, antes de meterme en tu cama, te habría ensañado con orgullo el gimnasio para que te hubieras derretido allí mismo.

—¡No lo juzgues tan a la ligera! —le respondió Ohana, enojada—. ¡Si él me ha dicho que ha cambiado, lo creo!

—¡Joder! ¡Joder! ¿Estás enamorada de ese monstruo? —berreó.

—¡No es un monstruo! —volvió a alzar la voz. Angustiada por cómo se estaba caldeando la conversación, se puso con rapidez la camiseta, se sentó sobre la cama para atarse las zapatillas y salió de allí desesperada.

—Voy a anular el billete. No puedo dejarte sola en estos momentos. Me necesitas más que nunca. Estás en peligro y no te das cuenta —indicó, saliendo de la habitación.

—¿Te marchas? ¿Adónde? ¿Por qué? —preguntó sin respirar.

—Tenía pesando ir a visitar a mis padres durante un par de días —explicó, girándose en mitad del pasillo—. También es una excusa para despejarme después de lo ocurrido con el italiano.

—Por mí no debes preocuparte —le habló con un tono más sereno—. Puedes seguir con tus planes. Te prometo que no me pasará nada. Además, tengo que sentarme y seleccionar esos diseños.

Se acercó a ella y permaneció inmóvil hasta que Corinne le abrió los brazos.

—¡Joder, Ohana! ¡Solo quiero lo mejor para ti, *chérie*! No quiero que se repita la historia de James. —Y justo en ese momento, Corinne se petrificó al recordar que le había dado la dirección del ex de Ohana. ¿Tendría que llamarlo? ¿Debía avisarlo que pronto aparecería en su puerta el hijo de Lucifer? Porque ya no le cabía la menor duda de que James se arrepentiría de haber nacido.

—Lo sé... Y te juro que Bruce es bueno para mí. Ha cambiado mucho... —insistió—. Se ha transformado en una persona bondadosa, noble y sincera. Es cierto que no tenía ni idea de lo apasionado que sería en la cama, pero eso no tiene que preocuparte porque a mí me encanta.

—Un hombre muestra en la cama su verdadero yo, Ohana —le insinuó—. Y eso que he visto en tu piel denota posesión extrema. ¿Quieres pertenecerle de esa manera? ¿No prefieres que te regale flores y bombones? ¿Que te lleve a cenar y dar un paseo romántico? Porque, hasta que te he visto en la ducha, pensaba que eras de ese tipo de mujeres.

—¿Si te garantizo que lo regañaré cuando vuelva a abrir la boca, te irás tranquila? —indicó, separándose de ella.

—Me iría más tranquila si me aseguraras que te mantendrás alejada de él —repuso—. Pero como sé que no lo harás, tendré que conformarme con eso —aseguró, admitiendo que había perdido esa batalla. Cuando un hombre consigue alcanzar el corazón de una mujer, todo lo demás deja de existir, y ella misma era un ejemplo. ¿Qué estaba pensando desde que se había acostado con Edwin Castelli? Que no podía eliminarlo de su mente, que no lo haría, pese a que todo el mundo apareciese en su apartamento para gritarle que no podía enamorarse de un hombre quince años mayor que ella.

—Sabes que te adoro, ¿verdad? Y que eres mi mejor amiga —le dijo, abrazándola de nuevo.

—Sí, y el sentimiento es recíproco, pequeña. Por eso insisto que deberías recapacitar…

No pudo terminar la frase en la que insistía en la necesidad de reconsiderar esa relación, porque el teléfono de Ohana comenzó a sonar, indicándole que le había llegado un mensaje de wasap. Agitada, sobresaltada y ansiosa, esta se retiró para confirmar lo que ambas ya sabían.

—Es Bruce. Dice que ha llegado y que me espera —reveló después de leerlo y dibujar una gran sonrisa.

Corinne observó el brillo de aquellos ojos marrones, la ilusión que expresaba el rostro y hasta advirtió cómo se alteraba su respiración, concluyendo que, muy a su pesar, estaba enamorada de aquel salvaje y, que por mucho que le aconsejara que lo olvidara, no lo haría.

—Solo voy a pedirte una cosa —le dijo cuando había cogido el bolso y abría la puerta para marcharse.

—¿Qué? —preguntó, atenta.

—Que, si puedes confirmar todo aquello que te ha dicho, lo harás antes de que te destroce el corazón.

—Lo haré —afirmó.

Ohana le dio un beso en la mejilla, salió del apartamento disparada y Corinne encajó la puerta. Se apoyó en esta, miró hacia su dormitorio y suspiró hondo mientras le suplicaba al destino que se apiadase de ella.

Tras aparcar la moto frente al edificio de Ohana, cogió el móvil y le envió un mensaje.

«Tesoro, ya estoy aquí».

Sin apartar la mirada de la pantalla descubrió que ella lo había visto. Así que no tardaría en aparecer por la puerta. Se apoyó sobre el asiento trasero de la moto, se cruzó de brazos y la esperó expectante. ¿Qué habría decidido ponerse? ¿Algún vestido o una camiseta con un buen escote? Fuera lo que fuese, esperaba que no se avergonzara de las marcas que tenía en su piel, porque para él era muy importante que ella las mostrara con orgullo. Ellas la declaraban como su chica, la única en el mundo que podía conducirlo a la locura, a su ansiada libertad y, si todo salía según lo previsto, terminaría declarándole aquello que le había dicho a Siney. Solo de pensar que estaba enamorado de aquella jovencita despistada, que caminaba detrás de una libélula vestida con esas prendas tan horrendas, se echó a reír.

Había cambiado, tal como le decía Ohana. O quizá no había prestado la suficiente atención a aquellas que no rellenaban los pantalones. Pero su chica no solo los completaba de una manera espectacular, sino que todo en ella era extraordinario. ¿Podía pedir algo más al destino? ¿Podía esperar que la fortuna volviese a hacerlo tan feliz?

Su corazón, ese que escondía bajo la chaqueta de cuero negra, dejó de latir cuando escuchó cómo la puerta de la entrada se abría y, al verla salir, toda esa alegría se desvaneció de un plumazo. Quiso morir al descubrir que ella ocultaba su cuerpo con tanta ropa que parecía una momia. Tal vez ese sentimiento no era recíproco. Posiblemente, su mente tergiversaba las señales de ella con la esperanza de tener, por fin, algo bueno en su vida. Pero si ella no sentía lo mismo, se conformaría con lo poco que quisiera darle. Era mejor poseer algo que nada.

—¿Te gusta la comida china? —le preguntó de manera tosca.

Ante ese tono de voz tan rudo, Ohana se paró tres pasos delante de él, colocó sus manos en la cintura y frunció el ceño.

—¿Qué te pasa? ¿Por qué me hablas de ese modo? —lo atacó.

—No me pasa nada —refunfuñó sin mover ni una sola pestaña—. Solo me gustaría saber si te apetece almorzar en el barrio chino. Como no te conozco lo suficiente para averiguar tus gustos, no quiero obligarte a hacer algo que no desees —dijo a modo de excusa.

Pero sus ojos lo delataron. Si se hubiera dejado las gafas de sol, ella no habría visto la tristeza que la mirada azulada mostraba. Ante esa divertida rabieta, que solo un niño caprichoso mostraría, Ohana adoptó la postura de la madre que debe hacer entrar en razón al pequeño mocoso.

—Una cosa he de decirte, Malone —indicó, levantándole el dedo—. Si pensabas que iba a mostrar los dientes que tengo clavados en mi piel, te equivocas.

—No pretendía imponerte… —intentó decir.

—Espera, deja que me explique y luego me das tu opinión. No es educado hacer que la gente se quede con la palabra en la boca —lo regañó. Al observar que Bruce seguía con aquella pose de niño consentido, prosiguió—: No deseo que todo el mundo piense que eres un sádico y yo una entusiasta del dolor. Si estuviéramos en el pueblo, la gente se echaría a la calle y quemaría tu casa. Tampoco quiero que descubran lo buen amante que eres porque, cuando me diera la vuelta, se te echaría encima cualquier mujer que ansiara tener lo que es mío. Y…

Y, como es lógico, Bruce no le permitió terminar. Embelesado, anonadado y loco de amor, se inclinó hacia ella, cogió esa mano que lo señalaba de manera fulminante y tiró de Ohana hasta que pudo besarla.

—Ninguna mujer puede igualarte ni superarte, tesoro —le declaró después de apartar la boca—. Así que muestra tu cuerpo cuando te dé la gana. Y, por suerte, no estamos en Old-Quarter, que, tal como dices, caminarían por el pueblo levantando antorchas como en la Edad Media sedientos por aniquilar al vampiro que seduce mujeres inocentes.

—¿Y si otro vampiro quiere morderme? ¿Y si la mente calenturienta de aquel que me mire desea hacer lo que tú has hecho? —preguntó, mordaz.

—Cogeré una estaca y se la clavaré en el corazón —declaró, solemne.

—¡Eres un monstruo, texano! ¡Una bestia dominante y posesiva! —exclamó, jocosa.

—¿No te lo he dejado claro, texana? Porque pensé que ya no te quedaba ninguna duda al respecto —le respondió, colocando sus grandes palmas sobre sus generosos glúteos—. Y, como bestia dominante y posesiva que soy, insisto e insistiré mil veces que lo mío... no se toca.

—Lo acepto. Pero ahora mismo lo tuyo necesita alimentarse. Después de la noche que me has dado, mi estómago no para de rugir. Así que mucho me temo que voy a comerme todos los rollitos que esa cocinera esté preparando.

—Entonces... ¿nada de menú? —le preguntó sin poder borrar la sonrisa de su rostro.

—No. Quiero hacerte pagar tu desconfianza —le aseguró antes de empinarse para darle un tierno beso. Cuando Bruce quiso convertirlo en algo más apasionado, ella se retiró con rapidez—. Tengo hambre —reiteró, divertida.

—¡Está bien! —exclamó después de resoplar. Le palmeó con fuerza el culo y, antes de que Ohana se quejara, la colocó frente a la moto y la ayudó a subir—. ¿Preparada? —preguntó una vez que él tomó asiento.

—Contigo, siempre —manifestó, segura.

La chaqueta de cuero de Bruce se encogió de repente. Nunca había imaginado que unas palabras tan simples fueran tan significativas para él. Sin embargo, ya había deducido que ni ella era como las demás, ni encontraría a otra mujer semejante. Ella era una oldquateriana y, para su satisfacción, completamente suya.

Una vez que Ohana se agarró a su cintura, aceleró la moto y se dirigió hacia Chinatown, donde los esperaba la señora Liu, esposa del señor Liu, el dueño del restaurante en el que comerían. No era de los mejores locales a los que podía llevarla, pero confiaba en la discreción del matrimonio. Y, aunque su estado de felicidad podía nublarle de vez en cuando la mente, las palabras que Siney le comentó sobre la seguridad de ella se habían grabado a fuego en su cabeza.

Ohana se quedó un tanto inquieta cuando Bruce no aparcó en el reducido aparcamiento del restaurante, sino que lo rodeó hasta alcanzar la puerta trasera, por donde sacaban la basura. Una vez llegaron, extendió las piernas hacia el suelo, provocando un ruido seco al posar las suelas de sus botas sobre el asfalto, estabilizó el vehículo, sacó el móvil del bolsillo de esos *jeans* azul claro con roturas y marcó un número. Escuchó cómo alguien le hablaba y él respondía que ya estaban en la parte de atrás. Colgó y dos segundos después un jovencito, vestido de camarero, les abrió y, sin dejar de sonreír, los hizo entrar con moto incluida. Si utilizaba la palabra pasmada para definirse, se quedaba corta. Aquel comportamiento tan extraño la dejó boquiabierta. Pero seguro que había una explicación. Siempre la había… Y, pese a que deseaba preguntarle qué sucedía y porqué lo trataban de aquella forma, se mantuvo callada.

—Señor Malone —le dijo el joven antes de saludarlo inclinando la cabeza hacia delante como si quisiera verse las rodillas.

—¿Te ayudo a bajar? —le preguntó al ver que ella no se movía de atrás.

—No —contestó sin apartar los ojos del muchacho.

En silencio, Ohana se posó en el suelo, se recogió el cabello con una goma negra que tenía en la muñeca y observó lo que había a su alrededor. Un almacén. Por la cantidad de utensilios, bebidas y cajas de alimentos, permitían que la moto de Bruce se acomodara entre las reservas.

—¿Vamos? —le pidió, extendiendo la mano para que ella alargara la suya.

—Sí —afirmó con un leve hilo de voz.

Mientras él le cogía la mano y caminaban detrás de ese muchacho, Bruce le besaba una y otra vez los dedos, como si advirtiera su inquietud y quisiera calmarla con aquellas suaves caricias. No obstante, y pese a que intentaba eliminar de su cabeza cualquier pensamiento negativo, la conversación mantenida con Corinne brotaba sin hacerla parar. ¿Por qué lo trataban de esa forma? ¿Quiénes eran los dueños del restaurante? ¿Qué vínculo existía para que pudiera acceder al lugar más secreto de un restaurante chino? Esas y miles de preguntas más aparecían en su mente como si fueran palomitas dentro de un microondas.

—El matrimonio Liu son los dueños de este restaurante —empezó a explicarle, como si adivinase qué pensaba—. Los conocí hace dos años más o menos. Su hijo mayor, quien ahora está en Londres estudiando en la Universidad de Westminster, apareció por el gimnasio pidiéndome que lo entrenara para ser boxeador. Según parece, vio una película titulada *Never Back Down* y creyó que su futuro sería entrenar y luchar.

—¿Y? —preguntó, interesándose por ese joven.

—Después de dos horas en el gimnasio y romperle un labio adrede, regresó a su hogar e hizo lo que sus padres deseaban: aceptar la propuesta universitaria —comentó divertido—. Desde ese día, el matrimonio Liu piensa que está en deuda conmigo y me miman demasiado.

Otra mentira más que añadir a la interminable lista. La verdadera historia era muy diferente. Lo que ocurrió en realidad fue que descubrió que Ray tramaba secuestrar al hijo de los Liu para utilizarlo como moneda de cambio. Walton, en un desesperado intento por adquirir nuevos ingresos, indagó sobre la familia y descubrió que guardaban unos suculentos ahorros en el banco. Como en aquel momento estaba haciendo tratos con la banda rusa, pensó que ofrecerles el dinero del rescate le serviría para consolidar ese nuevo acuerdo. Sin embargo, el día que planearon el secuestro del niño nadie lo encontró en el lugar que debía estar. ¿Quién fue el causante de que el muchacho cambiara su rutina? Él. Bruce, después de lo ocurrido con el dueño del supermercado, aquel pakistaní que suplicaba misericordia por su familia, despertó de ese ensimismamiento que vivía bajo la sombra de Ray y decidió comenzar su transformación personal. Por eso, días antes de que ejecutaran el plan, apareció en el restaurante. Al verlo llegar, el señor Liu le dio el sobre con la cuota que solían pagar para mantener a la banda tranquila, pero tras negarse a aceptar ese cobro y bajo la mirada atónita de la pareja, les contó lo que sus hermanos pretendían hacer. Lógicamente, esa misma tarde le compraron al muchacho un billete de avión con destino a Londres. Desde aquel día, en agradecimiento, el matrimonio devolvía aquel acto de piedad ofreciéndole protección e intimidad cada vez que acudía al local.

—Ya veo... —susurró Ohana, regañándose por cavilar cosas negativas sobre él. Debía olvidar aquello que Corinne le había dicho en contra de Bruce porque, por culpa de esos malos pensamientos, casi empezaba romper la confianza que había crecido entre ellos.

—Señor Malone —lo saludó el señor Liu con un ligero movimiento de cabeza hacia delante acompañándolo con un gesto de manos.

—Señor Liu —le respondió Bruce, imitándolo.

—Es un placer verlo de nuevo después de tanto tiempo. —Y, tras decir aquella frase, el señor Liu le tendió la mano.

—He estado muy ocupado transformando mi vida —comentó, sincero, mientras aceptaba ese saludo.

—¿Hoy no viene solo? —preguntó Liu, mirando de reojo a Ohana.

—No, hoy no vengo solo —añadió, cogiéndola de la cintura y acercándola a él tanto que no se distanciaron ni un centímetro.

—¿Ella es el motivo de su reforma? —le preguntó al tiempo que dibujaba una ligera sonrisa en su rostro.

—Ella es el motivo por el que seguiré haciéndolo día tras día —aseguró, dándole un pequeño beso sobre la cabeza—. Ohana, cariño, él es el señor Liu, el dueño del restaurante.

—Encantada de conocerlo, señor Liu —lo saludó, extendiendo tímidamente la palma derecha hacia él. No sabía si tenía que saludarlo primero de una forma o de otra o si, al ser mujer, no se la aceptaría.

—Es un placer, señorita…

—Cohlen, aunque puede llamarme Ohana si lo desea —indicó, notando cómo los dedos de Bruce se apretaban contra su piel. O era una aprobación al comentario o volvía a sentir celos. Ambas alternativas le resultaron divertidas.

—¿Desea la zona de siempre? —preguntó Liu.

—Si es posible —apuntó Bruce, haciendo que Ohana se colocara delante de él.

—Mi esposa querrá conocerla —comentó Liu mientras los dirigía hacia la segunda planta del restaurante sin que nadie de la primera los viera—. Aunque parece un hombre bastante varonil, nosotros creíamos que el señor Malone era de esos muchachos que no andaban con mujeres.

Y Ohana no pudo aguantar la carcajada que le produjo escuchar las palabras del agradable señor. ¿Había pensado que Bruce era gay porque no había llevado chicas hasta el momento? ¡Eso sí que era divertido a la vez que halagador! Lo miró y, pese a la cara de enfado que mostró al oírlo, sus ojos denotaban diversión.

—¿Te hace gracia? —le susurró al oído mientras colocaba ambas manos en la cintura de ella.

—¿Tú qué crees? —le respondió con voz suave.

—Pues yo que tú empezaría a rezar para que no te baje los pantalones en ese reservado al que nos dirigimos y demuestre a todos lo macho que soy —continuó murmurándole sin apartar los ojos del señor Liu.

—¡Bruce! —exclamó, abochornada—.¡Ni se te ocurra hacer eso aquí!

—Tranquila, tesoro. Te prometo que no lo haré... hoy —afirmó antes de soplarle con suavidad sobre esa nuca desnuda.

El cuerpo de Ohana comenzó a temblar. Instintivamente, alargó sus manos hacia los antebrazos de Bruce y se sujetó a ellos porque tenía la certeza de que sus rodillas tocarían el suelo. Solo figurárselo realizando aquel acto apasionado, sin importarle quién estuviera mirando, la hizo perder la poca fuerza que le quedaba después de la noche. ¿Cómo podía insinuarle ese tipo de perversiones delante de gente que él conocía? ¿Qué imagen daría si lo descubriesen con los pantalones bajados mientras ella gritaba desesperada al ser poseída contra la pared?

Por desgracia, su mente le proyectó cómo se encontraría en esa misma situación y, por cómo se escuchó gemir, estaba garantizado que ella también se olvidaría de todo aquello que los rodeara.

«*¡Yes! ¡Yes! ¡Yes!*», exclamó frenética de alegría la diablilla mientras levantaba el tridente con la mano izquierda y gesticulaba como un cantante de *rock* con la otra.

El señor Liu continuó avanzando por una enorme sala hasta llegar a una zona en la que un pequeño tabique dividía el salón en dos. A un lado, había un sinfín de mesas preparadas para servir a cuatro clientes como mínimo en cada una. En el otro, había solo dos y estas, además, separadas por un biombo. Ohana, en vez de pensar en negativo, como había hecho nada más llegar al restaurante, decidió ser optimista. Así que concluyó que aquellos dos pequeños reservados estaban destinados para parejas de enamorados que deseaban tener algo de intimidad y, de ese modo, abandonó la idea de que, en realidad, era el lugar para reuniones entre mafiosos peligrosos. Si se había equivocado una vez, podría hacerlo otra.

Bruce tomó asiento frente a ella, sin dejar de observarla. Por un momento percibió en sus ojos cierta inquietud, pero desapareció al instante. Eso le causó una enorme tranquilidad. Necesitaba que se mantuviera calmada y que se centrara en lo importante: él.

—¿Lo de siempre, señor Malone? —le preguntó Liu tras separarse varios pasos de la mesa.

—¿Te gusta el arroz cinco delicias, los rollitos y la ternera con salsa de soja? —le dijo a Ohana. Ella afirmó al tiempo que cogía la servilleta y se la colocaba sobre sus rodillas.

—Entonces, dos de lo mismo —le respondió a Liu.

—¿De beber?

—Una cocacola *light*, por favor —comentó Ohana.

—Otra para mí —agregó Bruce.

—Gracias. No tardaremos en servirles —indicó Liu antes de retirarse y dejarlos solos.

—Todo está muy limpio y ordenado... —reflexionó ella después de echar un rápido vistazo a su alrededor.

—La señora Liu es una maniática de la limpieza y el orden. Quiere un restaurante impoluto, así que, además de los diez camareros que sirven las mesas que has visto, tiene contratadas a tres limpiadoras que repasan el interior del local cada dos horas. Te puedo asegurar que el suelo del baño brilla y que, si llevas falda, puedes verte hasta las bragas —añadió de manera graciosa.

—Eres un bestia —afirmó ante ese comentario.

—Lo soy... —confirmó sin poder borrar la sonrisa de su rostro.

—Y... ¿cómo le va? —soltó de repente Ohana una vez que dejó de admirar la zona.

—¿A quién?

—Al hijo de los Liu. ¿Cómo le va en la universidad? —aclaró.

—Imagino que bien porque no ha vuelto desde que se marchó —comentó, reclinándose hacia atrás.

—¿Dos años sin ver a sus padres? —preguntó, atónita—. ¡Qué crueldad!

—¿Cuánto hace que no ves a tu madre, Ohana? —se interesó en averiguar.

—Fui a visitarla en el último semestre. No me quedé mucho tiempo en el pueblo, pero fue suficiente para regresar con el alma encogida.

—Allí no serías feliz. Tu destino está aquí, trabajando con ese gran diseñador y disfrutando de las magníficas oportunidades que te ofrece la ciudad. ¿Qué futuro tendrías en el pueblo? Ninguna, salvo que continuaras trabajando en el supermercado de tu madre. ¿Eso es lo que deseas, nena? —insistió.

Ohana se movió incómoda en la silla al escuchar la pregunta de Bruce porque no sabía qué contestarle. Era cierto que su sueño había sido alcanzar una posición respetable en el mundo de la moda y que podía lograrlo si el gran Bartholomew quedaba satisfecho. Sin embargo, su corazón empezaba a indicarle que todo aquello no la haría tan feliz como pensó. Añoraba a su madre, a los habitantes del pueblo, la vida que tuvo allí y, en esos momentos, también deseaba estar con Bruce. ¿Qué sucedería si vendía el gimnasio y decidía regresar para trabajar en el taller de su padre? Todo estaba muy confuso, demasiado como para dar una respuesta firme.

—Primero tengo que centrarme en los diseños y, una vez que los envíe a Bartholomew, me plantearé qué deseo hacer —dijo a modo de excusa.

Justo en el momento en que Bruce iba a preguntarle cómo iba a trabajar sin ordenador, uno de los camareros se acercó para colocar sobre la mesa las bebidas. Ohana alargó la mano hacia la lata, la abrió y la vertió en su copa. Lo miró, esperando a que él también lo hiciera, y sonrió.

—¿Un brindis? —ofreció.

—Me parece buena idea —respondió Malone, alzando su vaso y dirigiéndolo hacia el de ella.

—Por nuestra vida, que sea la que deseamos, y que el futuro nos ayude a sobrevivir —comentó Ohana.

—Y por nosotros —agregó él.

Tras ese brindis, comenzaron a aparecer más empleados para servirles. En menos de cinco minutos, la mesa estaba llena de sabrosos platos. Como ambos tenían hambre, apenas hablaron de cosas importantes durante la ingesta. Pero cuando llegó el postre, Ohana se quedó patidifusa. Una enorme tarta de queso y frambuesas apareció en la mano de una mujer menuda.

—¿Y eso? —preguntó, expectante.

—¿No es tu preferida? —respondió Bruce.

—Sí… —comentó sin aliento—. ¿Cómo lo has sabido? —Sus ojos no podían abrirse más, su pecho estaba agitado ante ese entusiasmo y su corazón latía desenfrenado.

—He tenido que retroceder en el tiempo varios años para descubrirlo. Aunque te prometo que no estaba muy seguro si la tarta que Marcia hizo aquel día era de frambuesas o de melocotón. Pero sí que pude recordar que alguien se atrevió a cortarse un buen trozo antes de que la propia Marcia repartiera porciones equitativas. —Y el rostro de Ohana se puso rojo como un tomate—. Por supuesto, nadie culpó a la inocente niña de Samantha que permanecía sentada, con carita de ángel, cerca de esa deliciosa tarta, y muda. Así que mi… ahora madrasta —dijo con una sonrisa— imaginó que alguno de nosotros, que no nos habíamos acercado hasta que nos llamó, había sido el culpable de esa desaparición.

—Eres una mala persona al recordarme ese tipo de cosas, Bruce —comentó, como si estuviera enfadada—. Me avergüenza reconocer que no fui capaz de resistirme a probarla. Parecía que el pastel me decía: «Ohana, pruébame, estoy delicioso».

Y Malone soltó una sonora carcajada al oírla hablar de esa forma porque entendió que, bajo aquella apariencia angelical, la verdadera Ohana, esa que él había descubierto, era más atrevida de lo que todo el mundo creía. ¿Qué diabluras habría realizado sin que nadie lograra descubrirlas? Seguro que muchas, aunque todas de manera inocente, por supuesto.

—Señor Malone —dijo la mujer que sostenía la tarta sobre las manos.

—Señora Liu —le respondió, levantándose del asiento.

Ohana imitó a Bruce. Apartó la silla con sus pantorrillas y se alzó sin apartar la mirada de aquella mujer que, por cómo actuaba frente a ellos, parecía bastante tímida.

—Ohana, te presento a la señora Liu.

Esperó a que ella posara sobre la mesa el pastel y le tendiera la mano, pero no lo hizo, solo la saludó con un leve movimiento de cabeza. Entonces la imitó.

—Es un placer conocerla, señorita…

—Cohlen, y lo mismo le digo, señora Liu. Tiene usted un restaurante precioso. He podido observar lo ordenado y limpio que está —apuntó, sabiendo que aquellas referencias la agradarían. Y así fue. La señora Liu sonrió suavemente.

—¿Quiere que se lo traigamos ya? —le consultó a Bruce—. Mi esposo no me dijo el momento de hacerlo.

—Si es usted tan amable —le respondió Bruce bajo la atenta mirada de Ohana.

La señora Liu volvió a hacer un leve gesto con la cabeza y se marchó, dejando a los dos de pie.

—¿Qué ha querido decir? —demandó Ohana.

—Un minuto, no seas impaciente —le contestó Malone sin poder borrar la sonrisa de su rostro.

—¡No puedo tener paciencia, Bruce! ¿Acaso no recuerdas que soy una impaciente? Por si la mente te falla, te mencionaré que mi madre se compinchaba con los vecinos para que guardasen en sus casas los regalos de Navidad. No le cabía ninguna duda de que, si los encontraba, los abriría en el momento —dijo, desesperada.

—Es cierto. Me acuerdo que hasta mi padre la ayudó a guardar en el taller un enorme oso de peluche —evocó, divertido.

En el instante que Ohana había decidido sentarse, porque él no iba a decir nada más, se quedó parada, petrificada, al ver que la señora Liu regresaba con dos regalos sobre sus manos. Sin pensárselo, avanzó hacia ella y la ayudó.

—Gracias —indicó con timidez la dueña del restaurante.

—Espero que te gusten —comentó Bruce, una vez que ambas los depositaron sobre la mesa—. Me he vuelto loco para elegirlos porque he de reconocer que no entiendo mucho de tecnología ni de colores.

Tuvo que tomar asiento para poder relajarse y que su mente asumiera con tranquilidad que él había empleado cierto tiempo para comprarle unos regalos. Posó las manos sobre ellos, advirtiendo que uno era muy blandito y otro, duro, como si estuviera protegido en una caja.

—¿Por qué me miras así? ¿No te gusta? —preguntó, desconcertado, Bruce.

—Yo... Yo... —empezó a decir aguantando las ganas de llorar debido a la emoción.

—Lo he hecho porque me apetecía, porque lo deseaba y porque quiero dejarte claro que eres muy importante para mí —le explicó al verla tan emocionada.

—¿Puedo...? —intentó decir mientras alzaba despacio el mentón para enfrentarse a esa mirada azul.

—¡Sí, ábrelos! ¡Quiero ver la cara que pones! —la animó.

Con los dedos temblando por la agitación, puesto que para ella no eran unos simples regalos, sino un acto que confirmaba que su relación no era pasajera y Bruce consolidaba lo que ambos mantenían, empezó a desenvolverlos. Si creyó que sus ojos no podían abrirse más, se equivocó al desempaquetar el primer regalo.

—¡Bruce! —gritó con mezcla de desconcierto y fascinación—. ¡No debiste comprarlo, es muy caro!

—Para mi tesoro, lo mejor del mercado —expuso, levantándose del asiento y dándole un ligero beso en los labios—. Así no tendrás que trabajar con el móvil. Según el vendedor, la pantalla tiene algo que no te hará daño en los ojos, aunque pases horas y horas trabajando.

—¿Mac? ¿No había algo más barato? —preguntó, atónita.

—Si lo había, ni lo miré. Le dije que quería lo mejor para la mejor —comentó, sentándose de nuevo y exhibiendo una sonrisa que le cruzaba el rostro—. ¿No lo vas a encender? —insistió al observar que ella posaba los dedos de manera temblorosa sobre el teclado.

—Sí —respondió, presionando el botón.

Una vez que el ordenador se encendió y apareció la imagen de inicio, Ohana suspiró en alto.

—No tenía ninguna en el móvil porque necesité desprenderme del antiguo. Pero si buscas en Google hay un sinfín de fotos del pueblo —la informó—. Si quieres cambiarla, puedes hacerlo. Seguro que tú tienes más y mejores.

—No voy a quitarla. Es una imagen preciosa —indicó, más emocionada si cabía.

—La contraseña es tu nombre y apellido. No me acuerdo de tu fecha de cumpleaños —dijo un tanto avergonzado.

—26 de septiembre —dijo de manera automática, como si fuera un robot.

—Vale, no se me olvidará más —respondió sonriendo de nuevo—. Ahora, abre el otro.

Y ella lo hizo. Colocó el regalo blandito sobre el teclado del precioso portátil gris metalizado y empezó a desenvolverlo. Cuando descubrió qué había dentro, se echó a reír.

—Espero que sea tu color preferido porque, si no lo es, puedes descambiarlo.

—¡Me encanta! —exclamó a gritos.

Entonces, presa de un arrebato, se levantó de su asiento, se colocó frente a Bruce, quien se había girado para recibirla, y se abalanzó hacia él con desesperación.

—¡Gracias! ¡Gracias! ¡No sé qué he hecho en esta vida para merecerme todo lo que me sucede desde que apareciste! —exclamó entre beso y beso.

—¡Joder! ¡No digas eso que me emociono! —le respondió Malone con voz entrecortada—. Soy yo quien debe agradecer al destino que te haya puesto en mi camino, tesoro. Porque gracias a ti, quiero ser mejor persona.

—¿Mejor? —dijo, mirándolo estupefacta—. ¡No podrías ser mejor aunque lo quisieras, Bruce Malone! —exclamó antes de besarlo con tanta fuerza y necesidad que volcaron la silla hacia atrás y terminaron en el suelo.

Después de reír por ese momento tan alocado, se incorporaron de nuevo, regresaron a sus asientos y Malone decidió, muy a su pesar, continuar con la segunda parte del plan.

—Ahora puedes dedicarte a elegir esos diseños sin problemas —inició de este modo la conversación agria—. ¿No me dijiste que debías terminar para el sábado?

—Ajá —le respondió, guardando el ordenador en ese bolso rosa que le había comprado.

—Pues… espero que lo hagas —manifestó, apoyando las palmas de las manos a ambos lados del plato de postre.

—¿Qué estás intentando decirme? —preguntó, desconfiada.

—¿Recuerdas que tenía un posible comprador?

—Sí.

—Pues su respuesta ha sido afirmativa. Quiere comprar el gimnasio —mintió.

—¡Eso es maravilloso, ¿no?!

—Cierto, pero, como todo buen negociante, me ha pedido que actualice todos los datos de la empresa: clientes, proveedores, facturas… ¡Un lío impresionante! —dijo de manera disgustada—. Así que he de ponerme al día con todo y he pensado que, mientras tú trabajas, yo haré lo mismo durante los próximos días.

—¿Cuántos próximos días, Bruce? —exigió, enarcando los ojos—. Porque si has utilizado el plural, serán dos o más, ¿verdad?

—He calculado que hasta el domingo, más o menos —aseveró, cogiendo el cuchillo para partir la tarta—. Si ocurriera un milagro y el contable y yo finalizáramos esas tareas antes, me presentaré en tu apartamento y reclamaré mis horas de ausencia. Salvo… que no hayas terminado con tu trabajo y necesites más tiempo.

—¿Hay alguna manera de cambiar ese plan? —refunfuñó, cruzándose de brazos—. No me apetece estar sola tantos días. Además, será fácil trabajar teniéndote a mi lado.

—¿Tantos días? ¿A mi lado? —soltó Bruce entre risas—. No son tantos si luego podemos estar toda una vida juntos, ¿no te parece?

—Toda una vida... —susurró Ohana impresionada—. ¿Entonces... quieres decir que...?

—Quiero decir —se levantó para inclinarse hacia ella— justo eso mismo, tesoro. Que ahora que he conocido a la mujer que puede hacerme el hombre más feliz del mundo, no la dejaré escapar. ¿Te parece bien? —preguntó antes de besarla de nuevo y ver cómo ella respondía a su respuesta moviendo ligeramente su cabeza.

CAPÍTULO XVIII

HOLA, JAMES, SOY TU PESADILLA

Le dolió verla meterse en el edificio tan sola. Le hubiese gustado subir y que ambos disfrutaran de esa pasión que emanaban por cada poro de la piel, pero no podía. Tenía una misión que cumplir antes de aparecer en el gimnasio. Un cabo suelto que debía zanjar por si el combate no salía tan bien como esperaba. Si moría en la lona, si dejaba de respirar, por lo menos se iría de este mundo sabiendo que su dulce y bondadosa Ohana estaría fuera del alcance del imbécil a quien iba a visitar. Escribió la dirección que le había indicado Corinne en el móvil, lo colocó en el manillar y pulsó el botón de comenzar la ruta. Una malvada sonrisa apareció en su rostro al ver que no tardaría más de veinte minutos en presentarse en la puerta del indeseable. Tiempo suficiente para pensar cómo podría acceder hasta el apartamento y que le abriese. Con el médico había sido muy fácil, porque todos los depredadores seguían un mismo patrón. Pero mucho se temía que James era diferente. Un acosador siempre estaba en alerta, puesto que desconfiaba de todo el mundo. Sin embargo, no perdía la esperanza de lograr su objetivo, aunque le costara trepar por los balcones de los vecinos.

Una vez que se subió la cremallera de su chaqueta, encendió el motor, se puso el casco, colocó la patilla en su lugar y, después de acelerar, avanzó hacia el lugar que le indicaba el GPS.

Para su desgracia, la calle era más concurrida de lo que esperaba. Aquella zona era demasiado bulliciosa para su gusto y pretensiones. Aparcó en el edificio de al lado para que no pudieran visualizar su vehículo si había cámaras cerca. Sin bajarse de la moto observó su entorno como un halcón vigila a la presa que camina descuidada por el prado. Salvo la entrada del portal, situada en la misma acera de la calle, no encontró otra forma de acceso. Si ya le resultaba difícil el hecho de que le abriese la puerta amistosamente, averiguar cómo acceder al interior sin levantar sospechas le estaba causando un terrible dolor de cabeza. Al final tendría que decantarse por la idea de escalar por esos malditos balcones.

Respiró hondo, recuperando algo de calma. Justo la necesaria para que su mente trazara un buen plan. Se bajó de la moto, se quitó el casco y la chaqueta, y los guardó bajo el asiento. En aquel momento, mientras advertía cómo las miradas de las mujeres que pasaban por su lado se clavaban en su cuerpo y le ofrecían sonrisitas sensuales, se sintió tan desnudo que hasta se ruborizó. Solo quería ver una mirada ardiente y pasional hacia él: la de su chica. Así que, donde antes enarcaba la ceja derecha, se cruzaba de brazos y sonreía picarón hasta que la joven que lo miraba decidía hablar con él, ahora se giraba, dándoles la espalda y evitando cualquier contacto visual.

«¿Y si utilizo mi encanto para asaltar a alguna mujer del edificio? Seguro que se pondría loca de contenta», pensó. Pero no sería capaz de permanecer al lado de otra mujer que no fuera Ohana. Solo de imaginar otras manos tocando su cuerpo le produjo arcadas. Debía hallar otra forma de acceder sin tener que acudir a sus artes seductoras.

Presionó la alarma de la moto y, después de escuchar el habitual sonido, confirmándole que estaba conectada, se dirigió hacia la puerta del bloque mientras suplicaba a la fortuna que lo ayudara a lograr su propósito.

Bruce caminó por los alrededores del inmueble durante treinta minutos buscando una forma de entrar. Angustiado, por el paso del tiempo y el aumento de la desesperación, comenzó a meditar de nuevo la alternativa de utilizar sus encantos. Pero... ¿qué haría cuando otros labios se posaran sobre su boca? ¡Vomitar todo lo que tenía en su estómago!

«Antes no eras tan quisquilloso —le comentó la voz de esa bestia que se movía incómoda en su interior—. Me estás defraudando... Esa muchacha te está convirtiendo en un inepto. Si no hubiera aparecido, ahora mismo no te encontrarías jodiéndote la vida».

Bruce apretó la mandíbula, como si en vez de causarse daño a sí mismo se lo hiciera a la bestia. Necesitaba sacarla de sus entrañas, hacerla desaparecer o estaría perdido.

—¿Señor? —le preguntó un joven que se colocó a su lado sin que él se diese cuenta de su presencia hasta que habló.

—¿Sí? —respondió, aplacando ese inmenso sobresalto.

—¿Va a entrar? No puedo tardar demasiado con el pedido porque mi jefe me regañará.

Malone amusgó los ojos y repasó al muchacho de arriba abajo. ¿Cómo diablos no se le había ocurrido una opción tan sencilla? ¿Tan nublada se hallaba su mente?

—Estoy esperando a una chica —comentó de forma despreocupada—. Y ya puedes imaginarte que cuando dicen «espera que estoy terminando de arreglarme», quieren decir que falta, por lo menos, una hora para que aparezcan.

—¡Oh, sí! ¡Le entiendo! —exclamó el repartidor de *pizzas* empatizándose con ese suplicio—. Mi novia me tuvo en la puerta durante dos horas porque no terminaba de escoger la ropa que quería ponerse para ir al zoo. ¿Acaso los animales iban a criticar cómo iba vestida?

Ante ese comentario, Bruce soltó una carcajada, apoyó su mano derecha sobre el hombro del joven y le dio un apretón amistoso.

—Pues te advierto que no cambian. Con los años se hacen más obstinadas por la apariencia. Algunas no aceptan que les salgan arrugas y se echan mil potingues incluso para sacar la basura —le dijo, divertido.

—Por suerte, ella tiene quince años y le falta mucho tiempo para eso —respondió mediante un suspiro largo.

—En fin, no te entretengo más —empezó a decir Bruce—. ¿A qué piso va esa *pizza*?

—Al 9º A, para el señor *simpático* —añadió con retintín.

—¿Tú también has sufrido la ira de ese imbécil? —intervino, expectante.

—Sí. El muy idiota ni me da las gracias por traerle la comida. Solo espero que siga aumentando de peso y algún día explote —comentó con rencor.

—Bien, pues si quieres puedo entregarle yo mismo esa *pizza*. Por suerte, me respeta lo suficiente como para no gritarme. Además, le debo un favor por haber recogido el correo de mi novia mientras ha estado fuera del país.

—¿De verdad? —preguntó, abriendo los ojos como platos—. Eso agilizaría mi reparto… —reflexionó.

—Sí, dime cuánto cuesta y te la pago mientras llamas al portero y le dices que has llegado —indicó mientras cogía la cartera—. No me agradaría que telefoneara a tu jefe diciéndole que su empleado es un vago. Ya sabes que, aunque todo esté perfecto, siempre anda quejándose.

—¡Qué me va a contar! —dijo, poniendo los ojos en blanco.

El muchacho, tal como le había pedido, pulsó el botón del cliente y, cuando escuchó su voz, le respondió «su *pizza*». En el momento en el que la puerta se abría, Bruce apoyó su pie derecho para que no se cerrara mientras le ofrecía un billete de veinte dólares.

—Espere, que le doy su cambio —comentó el repartidor después de que Malone sujetara la *pizza*.

—Quédatelo a cambio de la gorra —dijo, alargando la mano para que se la diera.

—¿Mi gorra? Es la del trabajo, señor —apuntó, asombrado—. Está muy sucia y bastante sudada.

—Tranquilo, no me importa. La lavaré antes de ponerla en mi colección —explicó.

—¿Colecciona gorras? Porque puedo traerle, el próximo día que venga, unas diez o veinte —declaró, quitándosela de la cabeza.

—Me parece bien. Le diré a mi novia que el martes, que es cuando nos quedamos en casa, decida comer *pizza* y le pediré, a quien reciba mi llamada, que…

Charles —dijo al ver el nombre del muchacho en una chapa— sea quien nos la entregue. ¿Te parece?

—¡Perfecto! ¡Gracias! ¡Las prepararé para el martes! Le prometo que se las traeré limpias —exclamó el joven, entusiasmado—. Hasta el martes.

—Hasta el martes —respondió Bruce.

Sin esperar a que se alejara, entró en el edificio con una sonrisa de oreja a oreja. Se puso la gorra y caminó hacia el ascensor. En primer lugar, llevaría aquella *pizza* a su dueño para no alarmar al hambriento cliente y después... aparecería frente a la casa de James. ¿Quién puede resistirse a la llamada de un despistado repartidor que trae una *pizza* gratuita por confusión?

Sin eliminar esa sonrisa maquiavélica de su rostro, presionó, una vez que se metió dentro del ascensor, el número nueve y respiró más tranquilo. Su plan empezaba a tomar forma, ahora solo le faltaba encontrarse cara a cara con el famoso James.

—¡Ya era hora de que llegara! —le saludó el gruñón que, tal como le había dicho el muchacho, le faltaban horas de gimnasio y menos comida sobre la mesa.

—Lo siento, señor. Había mucho tráfico —comentó Bruce a modo de excusa.

—Debería llamar a su jefe y expresarle mi queja. ¡Seguro que ya está fría! ¡Y no me gustan las *pizzas* frías! —continuó, enojado.

—A modo de disculpa no se le cobrará, señor. Espero que esa alternativa le agrade. Como dice mi jefe: «Un cliente satisfecho y sonriente vale más que una caja rebosante».

—Si es así... —señaló aquel mastodonte redondo, metiendo el teléfono en el bolsillo de su enorme pantalón corto azul marino con rayas blancas—. Gracias y perdone por mi subida de tono. Estoy hambriento y me cabreo cuando la comida no llega a tiempo.

«Lo que necesita esta morsa es sentarse en el wáter y cagar todo lo que le sobra», gritó la bestia.

—Disculpas aceptadas —le respondió, ofreciéndole la *pizza*—. Buen provecho y espero que la próxima vez le sirvamos a su hora.

Le hizo un leve saludo con la visera de la gorra, se giró sobre sus talones y no paró de caminar hasta que llegó al ascensor. Una vez que se metió, apretó el botón número tres, fijó sus ojos en la puerta y apoyó la espalda sobre el espejo.

Cuando las puertas se abrieron, el Bruce de Ohana había desaparecido por completo. En aquel momento solo era Malone, el pupilo de Ray Walton, el hombre sin compasión, el destructor. Sus iris, azules como el mar, se tornaron negros como la noche. Sus manos, suaves cuando acariciaban el rostro de su chica, ahora eran duras, fuertes y peligrosas. Sus hombros se ensancharon tanto que la camiseta cedió al máximo. Ese pecho, trabajado a diario, se definía bajo la prenda blanca, como si esta fuera papel de fumar. Hasta su forma de caminar era diferente, como si quisiera dejar su rastro en aquellas baldosas relucientes. Mucho tiempo… Había pasado mucho tiempo desde la última vez que necesitó oler el perfume metálico de la sangre y ese aroma tan característico que desprendía una persona por su piel cuando estaba aterrada. Quería escuchar a James pidiéndole piedad por su vida y que le prometiera, entre sollozos, que no volvería a visitar a Ohana, que ella desaparecería de su cabeza para siempre. Y, aunque eso sucediera, aunque se arrodillara suplicándole perdón, él no se lo concedería. La visita que le hizo al médico fue un pobre aperitivo. Aquel día luchó contra la bestia para no romperle el cráneo a golpes contra el suelo, tal como ella deseaba. Sin embargo, en esta ocasión, dejaría que ese dragón enfurecido tomase el control e hiciese lo que le apeteciera.

Una vez que se puso frente la puerta de James, se ajustó la gorra de tal manera que, cuando intentara averiguar quién era a través de la mirilla, lo primero que captarían sus ojos sería la palabra *pizza*. Respiró con suavidad, presionó el timbre y esperó. No tardaría en responder, como el cobarde del médico. Una de las características de los acosadores era que no querían convertirse en víctimas, por eso actuaban con rapidez. Necesitaban capturar antes de ser capturados.

Y así fue…

—¿Quién es? —preguntó James un segundo después de que la campana sonara.

—Su *pizza*, señor —le respondió con voz suave, muy semejante a la del verdadero repartidor.

—Te has equivocado, muchacho, yo no he pedido nada —le reprochó.

—¿Esto no es Lexington Avenue con 35 Street, edificio 21, 3º derecha B? —enumeró de corrida.

—Sí, así es —confirmó, confundido James—. Pero yo no he pedido ninguna *pizza*. Quien te haya dado la dirección la ha tomado mal.

Inquieto… Empezaba a moverse inquieto detrás de la puerta. Bruce supo que debía actuar con rapidez antes de que se alejara de allí y no apareciera de nuevo, aunque fulminara el timbre de tanto tocarlo.

—Disculpe las molestias, señor. Si usted no la ha pedido, voy a preguntar a los vecinos de este inmueble quién lo ha hecho. Si, como dice, mi compañero se equivocó de dirección, podré comérmela con tranquilidad porque está pagada —lo informó mientras se giraba para marcharse.

—¿No hay que pagarla? —preguntó al ver la espalda del joven repartidor.

—No, señor. Quien la pidió por teléfono dio un código que se ha ido repartiendo por los buzones y le salió gratis —continuó diciendo sin volverse. Dejando que James eligiera qué opción era la más adecuada: si permitir que un niñato disfrutara de una *pizza* o poner alguna excusa para retractarse de su comentario.

—Espera un momento, chaval —dijo al fin—, voy a preguntarle a mi hermano, que ha venido a pasar unos días, si él ha pedido algo de comer sin avisarme. ¿Puedes decirme qué clase de *pizza* es?

—Sí. Una barbacoa Meat & Grill —comentó, notando cómo la sangre fluía por sus venas con rapidez. Solo faltaba que él exclamara…

—¡Es mi favorita! ¡Seguro que lo ha hecho para darme una sorpresa! No te muevas, voy a preguntárselo —le ordenó mientras movía los pies, como si se alejara caminando.

Por supuesto que no se movió. Al igual que él, James permaneció detrás de la puerta, pero fingía que se había marchado. Era una artimaña bastante antigua: la de hacer creer que ya no estás cerca para que la persona, confiada por esa intimidad, actúe despreocupada. Pero él continuaba en el mismo lugar y enseñando solo la parte trasera de su camiseta lisa. Porque, si algo había aprendido durante tantos años con Ray, era elegir una ropa sencilla, sin logos, dibujos o frases, así, ninguna víctima podría recordarlo con facilidad. ¿Cuántos repartidores con camiseta blanca y una gorra roja con la palabra *pizza* inscrita en ella estarían circulando por la ciudad a las siete de la tarde?

«Cinco, cuatro, tres, dos...», pensó Bruce una vez que lo escuchó respirar más tranquilo.

—Muchacho —le dijo James con voz agitada, como si hubiera corrido por su hogar.

—¿Sí? —contestó sin moverse.

—Tenías razón. El pedido lo ha hecho mi hermano. Dice que había llamado a una pizzería antes de decidir darse una ducha y que no se había acordado de informarme.

—Me alegro. Ahora debe preguntarle el código de dos cifras que le ha dado mi compañero. Ha de entender que, si antes me ha dicho que no y ahora sí, porque es gratis, debo estar seguro de que no me engaña. Mi jefe me despediría si cometo un error y, como bien sabe, es muy duro encontrar un empleo —comentó Bruce, haciendo que James empezara a desesperarse. Pero si quería que abriera la puerta lo suficiente como para poder acceder mediante un golpe seco, tenía que ganarse su confianza. Y... ¿qué mejor forma de ganársela que mostrando lo buen empleado que era?

—¿Un código? —preguntó James.

—Sí, el número del edificio —desveló, antes de morderse los labios para que el inepto no lo escuchara reírse. ¿Sería tan idiota como para creer que había desvelado el código intencionadamente? Era como preguntarle de qué color es el caballo blanco de Santiago.

—Espera, no te muevas, le pediré ese código —comentó James, frotándose las manos y sonriendo divertido.

«¿Cómo es posible que exista en el mundo gente con la mente tan sencilla? —pensó James—. Por ese motivo eres un simple repartidor, muchacho. Porque dentro de esa cabeza que llevas bajo la gorra no tienes ni una nuez de cerebro».

Movió los pies, como había hecho anteriormente, se paró, contó hasta quince y volvió a moverlos, simulando su regreso.

—Veintiuno. El código es veintiuno, muchacho.

—Sí, correcto. —Bruce hizo un exagerado giro, para que James, quien permanecía atento a todos sus movimientos, no descubriese que sobre esa mano que levantaba como si apoyara algo no había nada—. ¿Puede abrirme?

—¿No puedes dejarla en el suelo? Me basta con recogerla cuando te marches —aseguró James.

«Bien, no eres tan tonto como pensaba», meditó Bruce.

—Señor, ¿puede pedirle a su hermano que firme el recibo? Es uno de los requisitos que mi compañero le explicó cuando habló con él por teléfono... —insistió con astucia.

—¡Por favor! —exclamó, exasperado—. ¿Tanta burocracia hace falta para que a uno le regalen una maldita *pizza*?

«No tienes paciencia, James Staunton, y eso no será bueno para ti...», pensó Bruce al tiempo que escuchaba como se daba por vencido y terminaba por abrir.

En ese preciso instante, Bruce se colocó frente a la puerta y levantó los puños con la intención de asestarle un buen derechazo en cuanto mostrara su rostro.

—¡Joder! ¡Dame ese puñetero recibo! —gritó cuando tiró de la manivela, con tanta fuerza que provocó una ligera bocanada de aire.

Derechazo realizado.

James se tambaleó hacia atrás, desconcertado. Bruce aprovechó esa turbación para entrar en el apartamento y cerrar la puerta.

—¿Quién cojones eres y qué quieres? —le preguntó James, adoptando una postura desafiante.

—Hola, James. Soy tu pesadilla —respondió, alargando los labios tanto que las comisuras rozaron ambas orejas.

—¿De qué me conoces? ¿Qué haces aquí? ¿Qué pretendes hacer? —interrogó, dando varios pasos hacia atrás.

—He venido a impartir justicia, ¿te parece buen motivo? —espetó, sarcástico.

—¿Justicia? ¿De quién? —demandó, inquieto.

—De Ohana Cohlen —respondió justo antes de lanzarse sobre él.

—¡No conozco a…!

No le permitió decir ni una palabra más. Bruce comenzó a asestarle puñetazos como si tuviese delante al mismísimo Shabon. En cada golpe, en cada impacto en alguna parte del cuerpo de James, gritaba el nombre de Ohana, en señal de venganza.

—¡No le he hecho nada! ¡Sea lo que sea que te haya dicho es mentira! — gritaba James cada vez que podía hablar.

Pero Bruce no lo escuchaba, estaba fuera de sí. Necesitaba oler de cerca ese perfume metálico y esa esencia a miedo.

Le partió el labio, las cejas y la nariz. La sangre cubría el rostro de James y se mezclaba con las lágrimas. Pero Malone no solo quería destrozarle la cara, sino todo el cuerpo. Así que, cada vez que le propinaba puñetazos en el estómago, tan fuertes que lo dejaban sin respiración, lo hacía con gusto.

—No volverás a acercarte a ella. Olvidarás que la has visto, que estuvo contigo, ¿me has entendido? —Lo cogió del cuello de la camisa y tiró de él hacia arriba con facilidad para ponerlo de pie. Lo llevó hasta la pared y, mientras sus manos se agarraban al cuello, impidiéndole respirar, continuó hablando—. Si alguien me dice que has vuelto a rondar por su edificio o que, simplemente, has coincidido con ella en la calle, morirás.

—No… No… —Quiso decir algo, pero no podía ni tomar aire, así que mucho menos expresar que no la volvería a ver.

Los ojos enrojecidos por la ira miraban a su presa con tanto odio que terminó por hacerse pis encima.

—¿Te has meado por una pequeña azotaina? —espetó Bruce tan cerca del rostro de James que, al fin, ese olor a metálico fue capturado por sus fosas nasales—. Esto no es nada, tan solo es un anticipo. Ahora viene lo mejor… —dijo, separándolo de la pared para tirarlo al suelo.

James colocó sus manos en el rostro como si quisiera protegerse con ellas, pero no había nada que lo redimiera de los puñetazos y las patadas de su asaltante. Escuchó como se le desencajaba el hombro, como un dolor lacerante brotaba de su costado, ese que aquel criminal golpeaba con una bota negra.

—Los cobardes como tú deberían estar muertos —gruñó Bruce una vez que observó como James intentaba adoptar la posición fetal.

—Te lo suplico, no me pegues más. Te juro por mi vida que haré todo lo que me pides —lloriqueó James, enterrando la cabeza en su propio cuerpo.

—Más te vale —comentó mientras golpeaba con la bota una vez más la espalda del acosador—. Quedas advertido, James Staunton. Si ella me dice —se inclinó hacia él para que pudiera escucharlo perfectamente— que te has cruzado de nuevo en su vida, te la arrebataré sin piedad —amenazó.

—Le… por… no… —balbuceó Staunton.

Malone se enderezó, echó varios pasos hacia atrás y observó su obra. Le resultó tan placentero contemplar aquella imagen que se odió por tener que marcharse tan pronto. Pero ya no había más que hacer allí. El cabo suelto ya estaba atado. Con el cuerpo duro por la tensión, se dirigió hacia la puerta, cogió la gorra que se le había caído al entrar, se la puso y salió del apartamento de James silbando la melodía de la película *Kill Bill*.

No debería sentirse tan feliz después de haber propinado a James semejante paliza. Si el médico terminó con las piernas rotas, el ex de Ohana debería guardar cama algo más de cuatro meses para hacer desaparecer todo lo que le había hecho. Pero eso ya no lo preocupaba. La misión de ahuyentar al acosador había finalizado. Una vez que aparcó la moto en el lugar que le había señalado Siney, el recuerdo de lo sucedido con aquel engendro desapareció de su mente, como si no hubiera existido. Miró el reloj del móvil una vez que dejó de escuchar el ruido de su moto. Aún faltaban unos minutos para que Siney le abriese el portalón de atrás. Tiempo que emplearía en hablar con Ohana y averiguar qué estaba haciendo en aquellos momentos.

—¡Hola! Pensé que no hablaría contigo hasta mañana —le dijo ella al aceptar la llamada.

—Bueno, me he tomado un descanso para preguntarte cómo va ese cacharro.

—¡Va de maravilla! —exclamó, entusiasmada—. He

tenido que descargarme un programa que tiene la facultad en la web para poder enviar los diseños cuando los elija. Pero no he tenido ningún problema.

—¿Qué tal la pantalla? —quiso saber justo en el instante que Siney aparecía.

—Cuando pase estos días frente a ella, te lo diré. Por ahora creo que va bien —aclaró.

—Bueno, tesoro, he de dejarte. Te llamaré de nuevo en cuanto tenga un hueco —se excusó.

—¿Puedo comentarte una cosa? ¿Algo que me ha dejado intranquila?

—Claro. ¿Qué te sucede? —Bruce le hizo un gesto a Siney para que esperara un minuto y a este no le pareció agradarle.

—La noche pasada atacaron a un vecino —reveló.

—¿De tu edificio? —Malone entornó los ojos.

—Sí, un médico que vive en el piso de arriba, justo el que está sobre el nuestro. Es cierto que Corinne y yo escuchamos mucho ruido, pero llegamos a la conclusión de que, como su esposa trabaja de noche, estaría moviendo algunos muebles de lugar —comentó con aflicción—. Quizá, si en vez de reírnos por ese deseo de emplear el tiempo libre en remodelar la casa hubiéramos subido para indagar qué sucedía, no le habría pasado nada.

—¡Ni se te ocurra pensarlo! —la regañó—. ¡Tú debes mantenerte a salvo! Ya se encargará la policía de averiguar qué ha sucedido y atrapar al culpable.

—No lo creo… —murmuró, indecisa.

—¿Y eso? ¿El médico no vio a su atacante?

—Según me ha dicho el señor Fill, el amable señor que conociste ayer, el médico estaba en la cocina cuando abrieron la puerta y se los encontró en mitad del salón.

—¿Se los encontró? —repitió Bruce.

—Sí. Al parecer eran tres hombres y cubrían su rostro con pasamontañas.

—Ajá —respondió Malone sonriendo.

—Según la teoría del señor Fill, ha sido una de esas bandas organizadas —indicó Ohana.

—Si el señor Fill lo dice, tendrá razón —recitó Bruce sin poder borrar ese gesto de satisfacción de su rostro.

—¿Crees que regresarán al edificio? ¿Tramarán asaltar otra vivienda de aquí?

—Las bandas no actúan dos veces en el mismo lugar, Ohana. Además, si de entre todos los inquilinos que hay en tu edificio, solo han asaltado al médico, debían de estar vigilándolo a él, no a los demás. Quizás el buen médico tenga un lado oscuro que nadie sepa —apuntó para que se relajara. Lo que menos necesitaba en aquel momento era que ella anduviera nerviosa y decidiera salir de su hogar para marcharse a otro sitio.

—¿Eso es cierto? ¿No lo dices para tranquilizarme?

—Te lo prometo —le aseguró al tiempo que miraba a Siney y este le indicaba que ya era hora de entrar—. Quédate en casa, Ohana, y no pienses en nada salvo en tu trabajo. Quiero que, cuando haya terminado el mío, estés libre para mí.

—De acuerdo. No pensaré en nada salvo en los diseños —afirmó, risueña—. ¿Bruce?

—¿Sí?

—Eres mi tesoro y doy gracias a la vida por reencontrarte —declaró recitando las palabras que él le decía siempre.

—Y yo, Ohana.

Su corazón se partió en mil pedazos cuando ella finalizó la conversación, pero tuvo que recomponerse cuando Siney le hizo un gesto agitado con la mano para que entrara de una vez por todas. Sin encender el motor de su moto, la agarró por el manillar y la metió en el interior.

—Debes centrarte, Malone. Lo que sucederá en los próximos días requerirá de tu absoluta atención. Así que olvida durante estas horas a tu chica.

—Voy a llamarla cada vez que tenga un hueco para confirmar que se encuentra bien —refunfuñó Bruce, colocando la moto con suavidad—. Si mi corazón está tranquilo, mi mente será capaz de retener toda la información que me deis —aseveró.

—Si tú lo dices… —comentó Siney, dirigiéndose hacia el lugar donde Harrison los esperaba.

Bruce caminó un paso por detrás de este mientras pensaba en lo cobarde que eran algunas personas, como por ejemplo el médico. El muy gallina no había podido explicar que había sido asaltado por una persona, puesto que quedaría en ridículo. Así que decidió que, para no herir su orgullo, el número perfecto eran tres. A mucha gente le gustaba engrandecer sus historias y aquel depravado no sería una excepción.

—Bruce Malone, te presento a Harrison —señaló Siney una vez que ambos estuvieron frente a frente.

—Harrison… —indicó Malone alargando la mano—. Gracias por venir.

—No lo hago por ti, chico. La única razón por la que he salido de mi tranquilo hogar ha sido escuchar el nombre de Ray —aseveró, aceptando ese saludo.

CAPÍTULO XIX

UN DESTINO INCIERTO

Fueron unos días interminables. Harrison era un entrenador durísimo. No era capaz de permitirle un descanso hasta que Bruce terminaba arrodillado en el suelo, respirando entrecortado y con el pelo chorreando por el sudor. Y, pese a verlo en ese estado, no se apiadaba. Le otorgaba el tiempo suficiente para que repusiera fuerzas y continuase como si acabara de comenzar.

—Tienes cuerpo, muchacho, pero no agallas —le decía cada vez que intentaba pedirle un respiro—. Shabon te machacará en los primeros cinco minutos.

Esas declaraciones hacían que la bestia emergiera de él con tanta ira que se incorporaba, levantaba los puños y proseguía sin importarle que, en cualquier momento, perdiera la consciencia debido al atroz esfuerzo. Mientras tanto, Siney se mantenía en un segundo plano, en completo silencio. Solo se acercaba al *ring* cuando Harrison le pedía que trajera más agua o cuando ordenaba que Malone continuara su entrenamiento golpeando el saco. Sentía lástima por el muchacho. Sí, demasiada como para no ayudarlo en lo poco que podía. Solo esperaba que el entrenamiento tan exhaustivo al que estaba sometiéndose diera el resultado que esperaba, porque se merecía esa victoria.

—Entonces, ¿te metiste en este mundo por culpa de un primo tuyo? —le preguntó Malone una de las veces que habían parado para comer.

—Ajá —le afirmó Harrison.

Al verlo la primera vez, Bruce pensó que Siney se había equivocado de hombre, porque no tenía la presencia de un luchador. Sin embargo, una vez que se puso los guantes, aquel rostro dulce se transformó en el del mismísimo diablo. Era preciso, astuto, resuelto. Sus movimientos, pese a poseer un enorme cuerpo, eran esbeltos, correctos, y sus golpes... allí donde impactaban, destrozaban.

—¿Y lo liberaste? —perseveró Bruce antes de dar un buen bocado al bocadillo.

—No —dijo Harrison de manera rotunda.

Sin terminar de comer, se levantó de la silla, cogió la botella de agua y caminó en dirección al cuadrilátero. Malone miró a Siney estupefacto. Este se encogió de hombros, indicándole con ese gesto que él no sabía mucho sobre esa historia y que, si deseaba escucharla, fuera detrás de Harrison. Y eso hizo.

—¿Qué sucedió? —exigió saber. Se apoyó en las cuerdas, se cruzó de brazos y contempló al mexicano con expectación.

—Recibí una llamada de mi primo Juan, el hijo de una hermana de mi madre. Siempre habíamos mantenido una buena relación y ese vínculo le hizo pensar que podría sacarlo de su problema sin que la familia se enterase. —Colocó la botella de agua sobre el suelo del ring, extendió los duros brazos y se agarró a la primera cuerda del cuadrilátero—. Por aquel entonces yo era boxeador *amateur*. Combatía por diversión, la verdad, porque mi verdadero oficio era otro bien distinto. Después de la llamada de Juan, viajé desde México hasta aquí y él me concertó una reunión con Ray. Una vez que hablamos, descubrí que Juan, en un desesperado intento de salvar su vida, me ofreció como garantía.

—¿Por qué debías ayudar a tu primo? ¿Qué había hecho? —Bruce avanzó hacia Harrison.

—El muy imbécil se creyó más listo que Ray y empezó a contactar con los aliados de este para hacer nuevos tratos. Y como en ese mundo de mierda la confidencialidad no existe, lo delataron. Cagado de miedo, mi primo les prometió que saldaría su equivocación aportando a la banda un acuerdo interesante: él me convencería para que luchara a cambio de salvar su vida.

—Entonces… ¿fuiste su primer luchador? —preguntó Bruce con sorpresa.

—Sí. Durante algo más de un año me obligaron a combatir cada sábado por la noche. Ray era quien negociaba las peleas y quien ejecutaba las apuestas. Todo marchaba bien hasta que decidí que ya había trabajado suficiente para ellos.

—¿Qué ocurrió? Porque según veo, Ray te *permitió marchar* —aseveró Bruce.

—¿Qué me permitió marchar? —preguntó Harrison de mal humor mientras miraba, con su ojo, al joven por encima del hombro—. No me permitió marchar, muchacho. Ese hijo de puta quiso matarme. —Tomó aire, apoyó la frente sobre la cuerda y prosiguió—: Según él, para mi último combate, que sería *el colofón de una carrera* —comentó con sarcasmo—, debía encontrar un contrincante que estuviese a mi altura y en el que las apuestas fueran tan altas que ambos saldríamos ricos. Así que contactó con un representante ruso. Según Ray, pese a que todo el mundo hablaba atrocidades de ese luchador, no debía preocuparme porque sería pan comido. Como puedes deducir, mintió. Cuando averigüé quién era el boxeador, lo busqué en internet y encontré más de cien vídeos sobre sus peleas clandestinas. Era una máquina de matar. Un ser humano sin compasión, sin piedad, sin clemencia. Lanzaba puñetazos tan compactos como el acero y destrozaba la cabeza de quienes se imaginaron estar a su altura. Entonces entendí el propósito de Ray: deshacerse de mí. Durante los días previos al combate me mantuve alejado de todos. Entrenaba sin descanso y recopilaba toda la información posible sobre Shabon. Busqué cualquier gesto, palabra o gruñido en esos vídeos que me ayudara a luchar contra él. Pero no fue hasta la tarde anterior que encontré la respuesta: su rodilla derecha. Ese era su punto débil. Según parece, no quedó bien después de un combate en el que se le ocurrió la brillante idea de saltar desde lo alto del *ring* y cayó al suelo como si fuera plomo.

—¿Drogas? —apuntó Bruce, como si ese tipo de comportamiento desquiciado fuera provocado por la ingesta de dichas sustancias.

—¿Hay reglas que lo impidan? —le respondió de manera despreocupada.

—No.

—Pues ese monstruo tomará lo que le salga de los cojones —apostilló.

—Y, sabiendo su punto débil, ¿por qué perdiste? —quiso saber Malone.

—Al igual que a ti, Ray me avisaba de cuándo debía dar el golpe final. Sin embargo, aquel día el tiempo transcurría y no realizaba ninguna señal. Así que yo mismo calculé el momento en el que debía contraatacar. Pero el bastardo de mi primo, a quien le desvelé el punto débil de Shabon, dedujo solito que, si le contaba a Ray lo que sabía, le perdonaría la vida. Y cometió un tremendo error… —Se volvió hacia Bruce para enfrentarse a esa mirada de compasión que tanto odiaba—. Yo perdí este ojo —se señaló con el dedo—, pero a él le sesgaron la vida como si fuera un cerdo. Una pareja que circulaba por la estatal siete se encontró un cuerpo tirado en mitad de la nada y degollado, el de mi primo.

—¿No quisiste venganza? ¿No querías que el alma de tu primo descansara en paz? —preguntó Bruce, agitado.

—Mi primo tuvo lo que se merecía. Si hubiera elegido mejor, aún seguiría respirando —aseveró.

—¿Y el chantaje? ¿A qué vino?

—Yo no lo denominaría chantaje, sino un pago por ese ojo que perdí y por mantener la boca cerrada. Nadie debe saber que Shabon tiene un punto débil o las apuestas serán tan ridículas que todo el mundo perderá —refunfuñó Harrison.

—¿Quién te pagó?

—¿Acaso importa, muchacho? —preguntó, enarcando las oscuras cejas.

—No —negó después de pensarlo durante unos segundos.

—Lo que hay que aprender de esta puta historia es que Ray no es de fiar, que siempre tiene un as bajo la manga y que, si ha decidido matarte, terminarás muerto y arrojado en cualquier lugar del continente. Aunque si eso te sucediera a ti, tu alma descansaría tranquila porque, según he podido leer en tu espalda, has escrito tu nombre y el lugar donde quieres que te entierren, ¿cierto?

—Cierto. Pero no será mañana, Harrison. Antes de que yo muera, muchos deben hacerlo primero —replicó Bruce sin pestañear.

—¡Esa! ¡Esa es la actitud que necesitas mostrar en el *ring*! ¡Olvida de una puta vez el hombre que fuiste y adquiere el comportamiento que te ha enseñado ese hijo de perra! —gritó a viva voz—. Si Shabon advierte en tus ojos que tienes dudas, que empiezas a flaquear, que aparece en ti un retazo de compasión, te romperá todos los huesos mientras sonríe al público.

Y tuvo razón. Una vez que Bruce olvidó al muchacho oldquateriano que añoraba regresar a su pueblo de la mano de Ohana, el monstruo que había crecido en él desde que salió de Old-Quarter hizo su aparición y luchaba sin piedad.

Bruce miró el reloj del móvil. Eran las ocho de la tarde y debía poner rumbo hacia el almacén. Había salido del gimnasio a las seis, porque deseaba pasarse por su casa. La excusa que les puso a Siney y Harrison fue tan absurda que ninguno de los dos se lo creyó, pero la aceptaron sin más. Aunque era cierto que necesitaba un momento de calma, de reflexión y su apartamento era el mejor lugar para eso. Tras llegar, se quitó la ropa, la metió en una bolsa de plástico y se dirigió hacia la ducha. Su cuerpo estaba preparado para la lucha, sin embargo, su mente no. Quería hablar con ella, escuchar su voz antes de que todo a su alrededor desapareciera, pero sabía que no era una buena opción, porque le cambiaría la actitud que había mantenido dentro del gimnasio. Oír ese tono suave y esa sonrisa serena, tranquila y contagiosa despediría a la bestia y él se transformaría en el hombre en el que ansiaba convertirse. Salió de la ducha, se dirigió hacia el dormitorio y metió en dos mochilas la poca ropa del armario, junto con la que había guardado en la bolsa de plástico. Si Harrison tenía razón, Ray ya conocía la dirección de su apartamento y mandaría a varios de los hermanos en su búsqueda para ajustar cuentas. Esa opción era viable si respiraba al finalizar el combate, porque si fallecía, tirarían su cuerpo en algún vertedero donde las ratas se alimentarían de su carne. Se puso el mismo pantalón de chándal que llevó cuando durmió con Ohana, esperando que le diera algo de suerte. No era muy dado a supersticiones, pero el mexicano le comentó que sería conveniente que vistiera con alguna prenda que le trajera un buen recuerdo. Y, lógicamente, esos pantalones le traían el mejor recuerdo de su vida: la noche que pasó con ella. Se sentó en ese colchón sin somier, se ató los cordones de las zapatillas y, al terminar, se arrodilló frente a la puerta del armario. Bajo una de las tablas de aquel mueble empotrado guardaba todos sus ahorros, pero no le importaba el dinero, sino lo que había bajo esos fajos de billetes: sus armas. Esas mismas que tenía tatuadas en la espalda, las mismas que le regaló Ray cuando pensó que estaba preparado para acompañarlo en los asaltos. Pero erró. Él nunca pudo apuntar a nadie, le temblaba la mano tanto que podía meterse una bala en un pie. Eso lo hizo creer a Walton que era el primer texano que no sabía disparar. Se confundía de nuevo. Su padre le enseñó a manejar un arma desde que cumplió los seis años. Mientras su madre le gritaba que era muy pequeño para hacer tal cosa, él le susurraba que debía respirar tranquilo, apuntar al objetivo, no parpadear y escuchar el ritmo de sus latidos. Entonces encañonaba la lata, disparaba y esta saltaba por el impacto. Al igual que Ray, él también guardaba un as bajo la manga...

Una vez que el apartamento estuvo recogido y no quedó ni una sola huella de su paso, bajó al garaje, guardó la moto en una de las cocheras cerradas que había comprado, atrancó el pestillo, acopló el candado y posó la mano sobre la puerta metálica. Debía mantenerla escondida hasta que todo terminara. Si lograba llevar a cabo su plan, necesitaba salir de la ciudad en su ranchera. Se giró hacia el vehículo y suspiró. Con ella salió del pueblo cinco años atrás y, tal vez, ella lo haría regresar. Porque, si de verdad Ray no le permitía vivir, se dirigiría a Old-Quarter para que Ohana permaneciera a salvo y él pudiera redimir sus pecados antes de fallecer.

Suspiró cuando ocupó el asiento del conductor, introdujo la llave, arrancó el motor y salió de allí sin mirar atrás.

—Pensé que no aparecerías —le dijo Ray cuando entró al vestuario.

Después de aparcar la ranchera, Bruce entró en el almacén por la puerta que habían destinado para los luchadores y sus acompañantes. Entró solo, porque no había ni rastro de Walton o de los demás miembros de la banda. Como era costumbre en Ray, estaría ultimando algunas apuestas o afianzando nuevos contratos con otros posibles socios. Al atravesar la sala donde se celebraría el combate, observó ese *ring* de cuatro cuerdas rojas, las sillas colocadas alrededor de este y el acceso principal. Silencio. En esos momentos solo había un apacible silencio que, por desgracia, desaparecería minutos después de abrir las puertas.

Mientras esperaba que los altavoces anunciaran su llegada, se dirigió hacia el vestuario, abrió la mochila donde guardaba todos los utensilios que necesitaba para la lucha y empezó a prepararse. Justo cuando cubría sus muñecas con unas vendas de color azul, Ray hizo acto de presencia.

—¿Crees que perdería una oportunidad así? —respondió sin mirarlo—. Ganaré mucho dinero cuando ese bastardo bese la lona del *ring*.

Al escuchar el comentario, Ray soltó una enorme carcajada y le palmeó con fuerza la espalda.

—¡Ese es mi chico! —exclamó—. ¡Haznos tan ricos que no sepamos qué hacer con tanto dinero! —añadió, tomando asiento en el banco de hierro marrón donde Bruce acababa de colocar el pie derecho para atarse la bota.

—¿Has averiguado algo interesante sobre mi rival? —preguntó sin apartar los ojos de los cordones.

—Ese hijo de puta no tiene ni un punto débil —comentó Ray, posando sus manos sobre las rodillas e inclinando su cuerpo hacia delante—. Ningún contrincante que ha peleado con él ha descubierto nada interesante. Todos dicen que es un monstruo y que, si pudieran echar el tiempo atrás, evitarían haberse enfrentado con él.

—¿Todos? ¿Ni uno solo ha descubierto nada? —preguntó, entornando los ojos.

—Ni uno solo… —apuntó de manera reflexiva.

—Entonces… ¿me puedo dar por muerto? —Levantó el pie del banco, lo posó en el suelo y realizó la misma acción con el otro.

—No llevaría a mi hijo a una muerte segura —apuntó de manera paternal—. Espera a que yo lo estudie mientras combates los primeros minutos y hallaré aquello que los demás no han sido capaces de encontrar. Sabes que nunca se me escapan los detalles importantes —aclaró suspicaz.

Una vez que se ató la otra bota, metió los dedos por el elástico del pantalón corto y se lo ajustó adecuadamente a la cintura. Se giró y caminó hacia su bolsa, que estaba al lado de Ray, metió la mano y sacó los guantes.

—Espero que no te equivoques esta vez —le pidió justo cuando vertía en el interior de estos una humareda de polvos de talco—. No solo están en juego esos sacos de pasta que podremos tener, sino también mi vida. Aunque imagino que a ti te importa una mierda si muero ahí arriba —declaró con firmeza.

—¡Tonterías! —bramó Ray, enojado—. ¿Por qué dices eso, texano?

—¿Será porque, si realmente te importara, no me habrías buscado a ese contrincante? —le devolvió la pregunta.

—Escúchame bien, texano —manifestó, señalándolo con el dedo de manera amenazante—. Es tu oportunidad para demostrar la pasta de la que estás hecho a todos esos que gritarán cada vez que logres golpearlo o al recibir un impacto. Cuando ganes, cuando el puto árbitro de mierda levante tu mano en señal de victoria, tu vida cambiará y la nuestra, también. ¿Eso responde al motivo por el que he pactado este combate?

—Tal vez... —dijo con desdén.

—Pues... tal vez —indicó con retintín—, sea hora de que salgas de aquí, subas y nos demuestres qué puedes hacer. Hasta ahora has jugado con muñecos, texano, y hoy sabrás lo que es combatir con un boxeador de verdad y alcanzar un triunfo real.

—Siempre que respete el momento de tu señal —dijo con sarcasmo.

—Eso mismo —zanjó antes de situarse delante de él, como solía hacer cada vez que un combate estaba a punto de empezar.

Las luces, los *flashes* de los móviles, lo cegaron durante unos instantes. Escuchó esos gritos, esos aplausos y cómo anunciaban su apodo de luchador. Ray levantaba las manos para que el público se animase al aparecer.

—¡Sí! ¡Eso! ¡Apostad por el Gran Dragón de Fuego! ¡Él será el ganador! ¡Ganador! ¡Ganador! ¡Ganador! ¡Mi chico será el ganador! —gritaba enloquecido.

Bruce parpadeó hasta que sus ojos se adaptaron a esos destellos de luz y consiguió verlo. Sí, el Gran Shabon permanecía dentro del cuadrilátero, alzando sus brazos enfundados en los guantes y vociferando como un loco. Tal como habían deducido Harrison y él, aquel mastodonte ruso debía meterse algo que lo tenía tan inquieto, agitado y demente. Saltaba de un lado para otro y agarraba las cuerdas como si quisiera arrancarlas de cuajo, mientras se desgaznataba. La verdad era que él nunca se había comportado de esa forma, era más... reservado, hasta que emergía su bestia. Sin embargo, el dragón de fuego ya estaba despierto y ansiaba luchar para obtener esa victoria.

Caminó hacia su rincón y echó un rápido vistazo a los primeros asientos. Buscaba a Siney, pero aún no había llegado. ¿Se habría entretenido con Harrison? ¿O había decidido ocupar un asiento más apartado del barullo? De repente, la necesidad de saber por qué no había llegado se apoderó de su mente de tal forma que empezó a inquietarse. ¿Y si todo había sido una treta? ¿Y si Ray conocía a Siney y ambos habían planeado destruirlo?

«Relájate —se dijo mientras agitaba su cuerpo para que la capucha que lo cubría se deslizara hasta caer al suelo—. Seguro que llegará. Tal vez ha tenido que llevar a Harrison de regreso a su cueva y se encuentre en un atasco».

—¡Acercaos! —les indicó el árbitro—. Quiero una lucha justa, sin trampas ni argucias. Está prohibida la utilización de las piernas, solo puños, señores. ¿Entendido?

Ambos afirmaron con un exagerado movimiento de cabeza.

—Vas a morir... —le dijo Shabon cuando sus miradas se cruzaron.

—Ni en tus sueños, cabrón —le respondió Bruce, mostrando una enorme sonrisa.

—¡Puto texano de mierda! —exclamó Shabon, saltando sobre el árbitro para que un puñetazo impactara sobre esa sonrisa. Pero Malone ya había intuido esa acción y se había echado varios pasos hacia atrás, así que la mano de su contrincante se paseó sin tocarlo.

—¡Te lo advierto! —gritó el árbitro—. Una infracción más y estás eliminado. —Miró a uno y luego a otro—. Poneos los protectores y regresad al centro.

Shabon se giró, caminó hacia su esquina, abrió la boca y uno de sus ayudantes le encajó el protector dental. Por supuesto, antes de regresar, alzó de nuevo sus puños al cielo para que la gente gritara frenéticamente su nombre. Cuando se volvió sobre sus talones, esa sonrisa de satisfacción desapareció de su rostro. El texano lo estaba esperando con los brazos cruzados, como si presenciara un desastroso espectáculo. Un gruñido salió de su boca, se golpeó el pecho como si fuera un tambor y, en dos zancadas, se colocó junto al árbitro.

—Muerto… —le indicó a Bruce, haciendo una trayectoria curva en su cuello con el pulgar del guante.

—Ya lo veremos —le respondió Malone.

CAPÍTULO XX

DÓNDE TE HAS METIDO

Ohana empezó a dar saltitos por el salón y a bailar una especie de conga tras acabar, de una vez por todas, el trabajo. Lo que imaginó como un imposible se había hecho realidad en menos de dos días. Al calmarse, al hacer disminuir esa euforia que brotó después de elegir el último boceto, se paró frente el ordenador, revisó de nuevo que había tres archivos, releyó el mensaje que le escribió a Bartholomew dándole las gracias por la oportunidad y, conteniendo el aliento, lo envió. ¡Ya estaba hecho! ¡Lo había logrado! Pese a que los diseños eran muy atrevidos y que en otra época de su vida habría elegido otros más recatados, ya no había vuelta atrás. Apagó el ordenador, bajó la pantalla y volvió a tocarlo con las yemas de los dedos con mucho cuidado. Bruce se había preocupado tanto por ella que le había comprado el mejor portátil del mercado para que nada ni nadie le impidiese alcanzar su sueño. Sin embargo, aún no tenía muy claro qué decisión tomar si llegaba el temible día de elegir si avanzar o estancarse. Si hacía una breve recopilación de pros y contras, por ahora ganaban los contras. Ohana movió la cabeza despacio, negándose a meditar cosas negativas o tristes. Era el momento de hablar con Bruce y compartir la buena noticia con él, todo lo demás carecía de importancia.

La pregunta de cómo reaccionaría Bruce al contarle que gracias a su regalo ella había acabado la tarea, la hizo girarse sobre sí misma y correr hacia el dormitorio como si no hubiese un mañana. Corrió tan deprisa que se le enredaron los pies y se estampó contra el suelo. Al principio, cuando notó el duro mármol aplastándole el pecho y un ligero dolor en las rodillas, se quedó inmóvil, aturdida por su torpeza. Pero segundos después, ese desconcierto se transformó en carcajadas. Se rio tanto de sí misma que, cuando se colocó hacia arriba, tuvo que poner las manos sobre el vientre porque le dolía esa zona de su cuerpo más que cualquier otra.

¿Cuándo fue la última vez que se había reído tanto? ¿Cuándo, una bobada semejante, le pareció tan importante que deseaba contársela a Bruce lo antes posible?

Bruce…

Él había cambiado su vida. Se había convertido en ese tornado que arrasa todo lo que encuentra a su paso. Y lo maravilloso de todo eso era ser consciente de que lo único que deseaba atrapar, ese tifón texano, era a ella.

Una vez que su respiración se calmó y las fuerzas regresaron, rodó sobre sí misma, se alzó sobre las rodillas y, apoyando la mano izquierda sobre la puerta de la entrada, se puso de pie. Controlado ese desaparecido equilibrio, continuó caminando, esta vez más despacio, hacia su dormitorio. Horas antes había decidido tirar el teléfono sobre la cama y cerrar la puerta, alejando de ese modo la tentación de mirar la pantalla cada tres segundos. No podía distraerse con nada hasta que terminara y, por suerte, ya lo había hecho. Abrió de golpe la puerta, como si en vez de encontrarse con el móvil, Bruce la estuviera esperando allí dentro. Buscó con la mirada el lugar donde el aparato había descansado tantas horas y soltó un pequeño grito al descubrir que una luz parpadeaba. Se lanzó sobre la cama, lo cogió y exhaló todo el aire que habían retenido sus pulmones al ver que Bruce le había enviado un wasap a las seis y media. Ansiosa por averiguar qué le había escrito, desbloqueó el aparato, bajó la pantalla con el dedo y pulsó el icono de wasap.

«Te echo de menos. Bueno, creo que si no estás conmigo todos los días de mi vida, te echaré de menos todos los días de mi vida. Espero que logres terminar tu trabajo. Sé que lo harás porque mi chica es una campeona. Ohana, pase lo que pase en los próximos días, siempre estarás aquí. Besos, cariño, y, aunque sea una locura confesarte algo tan pronto e intenso, necesito que sepas que te quiero y que nadie más podrá ser mi tesoro. ».

Después de leerlo varias veces y de que su vello se erizara cada vez que lo repasaba, Ohana miró el reloj de la mesita y restó los minutos que habían pasado desde que Bruce le mandó el mensaje. Una hora y cuarto. Habían pasado setenta y cinco minutos desde que él le abrió su corazón y ella ni siquiera había mirado el mensaje. Aturdida por esa inesperada confesión y enfadada por haber decidido no tener cerca el teléfono, se movió por la cama hasta que se sentó. Se apartó los mechones de cabello que le cubrían el rostro por el lado izquierdo, acercó el móvil a sus ojos e intentó responderle. Sin embargo, no encontraba las palabras adecuadas para transmitir todo aquello que sentía. Si alguna vez había creído que tenía facilidad para expresar a los demás lo que pensaba, aquel bloqueo le indicó que se equivocaba.

Treinta veces había comenzado diferentes frases y las treinta veces las había borrado. ¿Cómo iba a responderle con emoticonos de corazones? La mejor opción era presentarse en el gimnasio, saltar sobre él y, después de darle un beso que los dejara a ambos sin respiración, confesarle que sus sentimientos eran correspondidos, porque ella también lo quería.

Entusiasmada por esa repentina decisión, registró, en una aplicación de búsqueda de direcciones, el nombre del gimnasio que Bruce tenía en la camiseta y averiguó cuánto tardaría a pie, en transporte urbano y en taxi. Como imaginó, llegaría antes si pedía un taxi. Así que se levantó con rapidez de la cama, abrió la puerta del armario y buscó un vestido que le diese un aspecto tan irresistible que Bruce fuera incapaz de pensar en otra cosa que no fuera tocarla.

Satisfecha al poseer, por primera vez, una actitud tan decidida y atrevida, se quitó esa camiseta que se había puesto desde que entró por la puerta y la lanzó al suelo. Cogió la percha, posó despacio el vestido sobre la cama y salió del dormitorio para darse una ducha. El tiempo de aseo lo redujo a la mitad, tenía tanta prisa por irse y darle una sorpresa que, si no se hubiera mirado en el espejo antes de abandonar el baño, una enorme bola de espuma aún seguiría sobre su cabello.

Después de recogerse el pelo, limpio al enjuagarse por segunda vez, buscó en el cajón el conjunto de lencería más bonito que guardaba, se puso ese vestido de color rojo sangre, se miró al espejo, se giró hacia un lado y hacia otro y, tras sentirse satisfecha con su apariencia, se inclinó hacia delante para atarse las sandalias. Una vez que estuvo arreglada, cogió el móvil y pidió un taxi.

«El vehículo solicitado estará en la dirección que ha indicado en ocho minutos», le anunció la recepcionista. Ohana se colocó un pequeño bolso, donde solo podía guardar las llaves, el móvil, el monedero y un paquete de pañuelos, sobre el hombro derecho y salió de su apartamento. Mientras esperaba el ascensor, no paraba de imaginarse la cara que pondría Bruce cuando la viese con aquel vestido tan seductor. No le cabía la menor duda de que cuando pusiera los ojos en el escote se le tiraría como si fuera un león hambriento y, por suerte, ella deseaba ser devorada…

—Buenas tardes —la saludó el taxista después de que Ohana tomara asiento.

—Buenas tardes. A la 6th Ave con W15th St, por favor.

—¿Sabe el número exacto al que desea ir? —preguntó el taxista girando levemente la cabeza hacia ella.

—Google Maps dice que está cerca de la decimoquinta —explicó moviendo la pantalla del teléfono en círculo, intentando averiguar el número.

—No se fíe mucho de esas aplicaciones —comentó el taxista tras empezar a transitar por la calle—. ¿No ha visto las noticias? —le preguntó, mirándola por el espejo retrovisor.

Ohana dirigió sus ojos hacia ese espejo, se lo quedó mirando y negó con la cabeza.

—Pues la semana pasada, unos turistas que deseaban visitar una de las iglesias que hay en Stonlydan cayeron por un precipicio. Esa desdichada aplicación les dijo que debían girar hacia la derecha y siguieron las indicaciones al pie de la letra. La suerte fue que salieron ilesos, pero el coche quedó destrozado. Yo, por fortuna, llevo viviendo en esta ciudad desde que salí del vientre de mi madre y la conozco como si fuera la palma de mi mano. Así que si me dice dónde exactamente desea ir, la dejaré en la misma puerta —dijo con orgullo.

—Quiero ir a un gimnasio que hay en esa dirección. Se llama Don´t Stop. ¿Lo conoce? —comentó mientras cerraba la aplicación.

—¡Por supuesto que lo conozco! El menor de mis cuatro hijos es socio desde que cumplió la mayoría de edad —apuntó, dibujando una enorme sonrisa—. A esas edades solo piensan en mirarse en el espejo, enseñar los músculos, hacerse fotos para subirlas a cualquier red social y en mostrar al mundo lo idiotas que son —añadió divertido—. Por suerte, el dueño del gimnasio es una persona bastante sensata y no solo los prepara físicamente, sino que también se preocupa de que tengan en la cabeza algo más que serrín.

Una enorme sonrisa apareció en el rostro de Ohana y un sentimiento de satisfacción le recorrió el cuerpo. Que aquel hombre hablara así de Bruce significaba mucho para ella porque confirmaba lo que ya sabía: que el Bruce egoísta e insensato del pasado había desaparecido.

—Estoy de acuerdo —le dijo al taxista—. Es muy buena persona.

—¿Lo conoce? —Al realizar la pregunta, la volvió a mirar por el espejo retrovisor.

—Sí —respondió ruborizándose—. Lo conozco muy bien…

El taxista no habló más durante el breve trayecto. Pero cada vez que podía mirarla a través del espejo lo hacía y confirmaba la suerte que tenía Siney por encontrar una jovencita tan bonita y educada.

«El sueño de todo cuarentón», pensó.

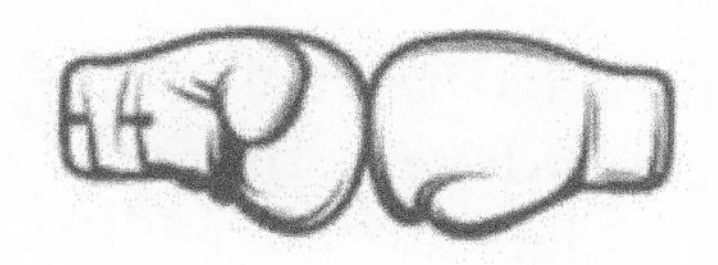

—Puedo llevarte a donde tú quieras antes de aparecer por el almacén. No tienes por qué coger un taxi —le ofreció Siney a Harrison una vez que este había metido todas sus pertenencias en un macuto.

—No. Prefiero que cuides del muchacho. Mucho me temo que se sentirá solo en ese dichoso *ring* y se desmoralizará si no hay nadie de confianza que lo apoye, aunque sea desde la distancia —sugirió, cogiendo con la mano derecha las asas del bolso para apoyarlo sobre la espalda.

—¿Estás seguro? —insistió Siney—. Falta aún media hora para que empiece y tengo tiempo de sobra para hacer ambas cosas —comentó después de mirar su reloj de pulsera.

—Lo estoy —dijo, caminando hacia la salida—. Por cierto, quiero que vigiles a Ray. Si tu muchacho, milagrosamente, ganara el combate, podría actuar de dos maneras: matándolo antes de que salga del vestuario o cuando el joven tenga en su poder el dinero de la apuesta.

—Y… ¿cómo evito yo que ese hijo de puta lo mate? —espetó Siney, abriendo los ojos como platos.

—Quédate cerca de la esquina donde lo hayan colocado y, cuando finalice el combate, intenta explicarle que no debe aparecer por el vestuario ni recoger el dinero de la apuesta. La mejor opción es que, una vez que todo haya terminado, salga de allí lo antes posible y se esconda durante algunos días —expuso Harrison con rotundidad—. Por nuestros pagos no te preocupes, estarán a salvo.

—¿Nuestros pagos? —repitió Siney, sorprendido.

—¿Crees que dejaría pasar la oportunidad de ganar una cantidad tan increíble? —le respondió—. Ayer, cuando hablé con Pit para preguntarle cómo iban las apuestas, me informó que solo dos personas habían confiado en el chico y que, si este ganaba, los dos se tendrían que repartir un millón y medio de dólares.

—¿Un millón y medio? —espetó aún más asombrado—. Bruce me dijo que Ray le había dicho que llegaría al millón.

—¿A estas alturas sigues confiando en la palabra de ese bastardo? —comentó airado—. Walton siempre escupe por su boca medias verdades.

—¡Joder! —exclamó Siney—. ¡Joder! —repitió—. Si gana, tendremos un problema para retirar las ganancias. Ese hijo de puta no permitirá que nos llevemos el dinero con tanta facilidad.

—Por eso le dije a Pit que le daría el veinte por ciento de lo que obtuviera si me hacía una transferencia silenciosa —le explicó Harrison.

—¿Y eso será seguro? ¿Nadie sabrá quién ha apostado? ¿Nos mantendrá en el anonimato? —exigió saber Siney mientras se acariciaba con desesperación su cabeza rapada.

—Pit no es tonto y sabe cómo hacer transacciones de tal índole. Se habrá cubierto las espaldas incluso antes de aparecer por el almacén —apuntó Harrison.

—Siendo así, voy a enviarle un mensaje para pedirle que me haga una transferencia de ese tipo, quiero mantener mi nombre fuera de toda esta mierda —aseguró Siney, cogiendo el teléfono de su bolsillo.

Harrison caminó hacia la salida del gimnasio delante de Siney, quien no paraba de teclear en el móvil. Cuando al fin alcanzaron la puerta principal, miró a ambos lados para cerciorarse de que no había nadie por los alrededores.

—Podríamos haber salido por la parte de atrás —le indicó Siney al verlo tan concentrado.

—Ahora mismo no estamos en peligro. Si alguien lo ha seguido hasta aquí, lo normal es que, cuando tu muchacho se ha largado, el perro haya salido de su escondite para ir tras él.

En el momento que Siney iba a hacerle un comentario al respecto, su teléfono empezó a sonar. Una vez que supo quien deseaba conectar con él, aceptó la llamada levantando un dedo para que Harrison se mantuviese callado.

—Hola, Pit. Sí, así es. Tengo entendido que la apuesta es fuerte y no quiero que me vinculen... Ajá. ¿Cuatro? Ya veo... Yo haría lo mismo si estuviera en tu lugar. Sí, tienes razón, uno no se puede resistir a ganar tanto dinero. Perfecto, me parece una buena opción. ¿Ya estás allí? De acuerdo. Bien, me lo imagino. Yo tengo fe en él. Vale, gracias. Esperaré tu llamada. —Colgó.

—¿Qué quería? —deseó saber Harrison.

—En primer lugar, informarme de que Bruce tiene cuatro apuestas a su favor; la suya, la mía, la tuya y la de Pit.

—No se ha podido resistir, ¿verdad? —preguntó antes de echarse a reír.

—Eso parece... —murmuró tras tomar aire—. También me ha dicho que no hay ningún problema en realizar los pagos a través de una transferencia, pero que las hará fuera de Nueva York —agregó.

—Ese Pit es muy inteligente… —reflexionó Harrison—. Lo más probable es que blanquee el dinero antes de realizar nuestros pagos.

—Me da igual cómo lo haga mientras reciba el dinero. Si Bruce gana, por supuesto.

—Ganará —aseveró el luchador mirando hacia la calle—. Oye, ¿has pedido tú un taxi? —le dijo al observar que un coche se dirigía hacia ellos.

—No.

—¿Esperas visita? —insistió en averiguar al tiempo que enarcaba sus espesas cejas negras.

—No, que yo sepa.

—Pues alguien viene… —afirmó, serio.

Ambos permanecieron inmóviles y sin apartar los ojos del taxi. Cuando este paró, se abrió la puerta de atrás y salió una muchacha. Harrison, después de repasarla con la mirada, dibujó una sonrisa de complicidad.

—¡Te lo tenías muy calladito, granuja! —exclamó, dándole un palmetazo en la espalda—. No sabía que te gustaban las jovencitas, pensé que eras más bien un galán de cuarentonas.

—No es mía… —murmuró Siney, abriendo los ojos como platos.

—Entonces… ¿de quién es? —espetó, intranquilo.

—Creo que es la chica de Bruce —manifestó, estupefacto.

—¿Ella sabía que estaba aquí? ¿Ella está al corriente de todo lo que está pasando?

—No tengo la menor idea, pero mucho me temo que pronto lo descubriré —deliberó Siney antes de caminar hacia el vehículo.

Ohana salió del taxi, pagó al hombre la carrera y se volvió hacia la puerta del gimnasio. Una enorme cristalera, repleta de pósteres informativos, apenas desvelaba lo que había en el interior, aunque tampoco podía ver mucho porque casi todas las luces estaban apagadas. Apartó la mirada de esa enorme fachada y la fijó en las dos figuras masculinas que se dirigían hacia ella. Por la cara de asombro que ambos tenían, dedujo que había elegido un vestido demasiado provocador. Ningún hombre, salvo Bruce, la había observado de aquella forma. Para evitar que Bruce saliera dando gritos proclamando que a su chica nadie la debía mirar de aquella forma, se alejó de ellos lo suficiente como para continuar caminando recto sin tener que saludarlos.

—¡Siney! —exclamó el taxista cuando el dueño del gimnasio se acercó con otro hombre a su coche.

—Buenas noches, Frank. ¿Estás libre? ¿Puedes llevar a mi amigo donde te pida?

—Sí, por supuesto. Después de traer a tu chica, no tengo nada más que hacer —le respondió el taxista con una enorme sonrisa.

—Creo que debes hablar con ella antes de que entre en el gimnasio —apuntó Harrison, extendiendo la mano hacia él.

—Sí. Ya veo... —comentó, aceptando esa mano—. Hablaremos cuando todo esto se calme un poco.

—Esperaré tu llamada. Voy a morirme de angustia hasta que no me expliques qué has hecho con la chica

—expresó Harrison con sarcasmo antes de meterse en el vehículo y cerrar la puerta.

Una vez que el taxi arrancó, Siney se giró con rapidez hacia la muchacha, quien permanecía parada frente a la entrada. Respiró hondo y rezó para que pudiera ofrecerle una excusa lo suficientemente creíble para no dañarla. ¿No le había dejado claro a Bruce que debía mantenerla alejada unos días? ¿Qué parte de todo lo que le había expuesto no entendió? ¿Qué diablos le iba a decir a la joven cuando le preguntara dónde estaba su chico? Agobiado por hallarse en una encrucijada sentimental, caminó respirando de manera pausada.

—Disculpe… —empezó a decir Ohana al ver que uno de los hombres se acercaba a ella—. ¿Sabe usted dónde puedo encontrar al dueño del gimnasio?

Dejó de andar. Siney se paró a varios metros de ella al escucharla.

«¡Serás hijo de perra! —exclamó para sí—. ¿Le has dicho que eres el dueño de mi gimnasio? ¡A ver cómo diablos salgo yo de esta sin joderte la vida, Malone!».

—¿Por quién preguntas? —dijo al fin.

—Por Bruce Malone —respondió Ohana con timidez—. El dueño del gimnasio —aclaró.

—Ahora mismo no se encuentra aquí, ha tenido que salir para realizar una *tarea de vital importancia*. —No le estaba mintiendo. Él había salido para enfrentarse a un bárbaro y luchar para seguir viviendo. ¿Eso no se podía definir como tarea de vital importancia?

—¿Sabe si tardará mucho? Necesito hablar con él —persistió.

Siney miró el reloj y descubrió que pronto empezaría el combate. Si se entretenía comentándole a la joven alguna excusa absurda, el tráfico aumentaría y no llegaría a tiempo.

—Si quieres, cuando regrese de ese trabajo, le diré que has venido. Seguro que en cuanto pueda, se pondrá en contacto contigo, señorita…

—Cohlen —apuntó un tanto afligida—. Ohana Cohlen. Pero con que le diga que ha venido Ohana sabrá quién soy.

¿Podía su corazón romperse en más pedazos? ¿Sería capaz de darse la vuelta y recogerlos del suelo? No, no podría. Lo único que deseaba era darse una buena bofetada para despertar del sueño en el que se había metido y afrontar la cruda realidad: Bruce la había engañado, le había puesto una excusa tonta para apartarse de ella durante unos días. Seguramente, estaría con alguna de sus amantes, haciéndole y gritándole lo que le hizo y le gritó a ella. ¿Cómo había sido tan idiota al creer que un hombre como él se contentaría con alguien como ella?

«Ohana, pase lo que pase en los próximos días, siempre estarás aquí. ♡», recordó. Ahora entendía qué quería decirle en aquella frase: le advertía de lo que podía suceder si ella decidía aparecer en el gimnasio y, como tonta, en vez de quedarse en su hogar, se había arreglado para impresionarlo.

—Está con otra, ¿verdad? —soltó después de meditar en silencio. Alzó el mentón y esperó la respuesta—. Me dice eso porque él se ha marchado con otra mujer y usted no quiere que su puesto de trabajo peligre al no proteger a su jefe. ¿Está muy acostumbrado a cubrirle las espaldas? ¿Tantas hemos aparecido aquí preguntando por él? —En cada palabra, el tono de su voz iba creciendo, adoptando una ira impropia de ella.

—¡Dios! —clamó Siney al verla de ese modo—. ¡No, no se trata de eso, chiquilla! Mira, lo mejor será que regreses a tu casa. Te prometo que le diré que has venido y él mismo te dará una explicación conveniente.

—¿Conveniente? ¿Hay una explicación conveniente? —tronó.

—Por favor, relájate. No es lo que crees. Malone ha tenido que salir porque no le quedaba más remedio si quería vivir —se le escapó.

—¿Vivir? ¿Alguien quiere matarlo? ¿Dónde está? ¿Dónde lo puedo localizar? —Desesperada, Ohana corrió hacia el gimnasio gritando el nombre de Bruce sin cesar, con la esperanza de que aquellas palabras no fueran ciertas. ¿Quién querría hacerle daño? ¿Algún socio enojado? ¿Por qué no habían llamado a la policía?

—¡Joder! ¡Joder! —exclamó, angustiado, Siney al verla regresar como si fuera un caballo desbocado.

—O me cuenta qué está sucediendo o llamo a la policía —señaló Ohana, que después de dar una vuelta por todo el gimnasio y no encontrar a Bruce, caminó decidida hacia aquel hombre de color con la cabeza rapada—. Usted decide —amenazó, poniendo las manos en las caderas.

—Como te he dicho, es mejor que regreses a tu casa y… ¿Qué estás haciendo? ¿Pero qué diablos quieres? —gritó Siney.

—Quiero saber dónde está Bruce y, si no me lo dice, marcaré el número de la policía y usted mismo tendrá que declarar para ellos —gruñó Ohana.

—¡Muchacha, no tienes ni idea de lo pretendes hacer! —tronó Siney con una mezcla de ira, por tener que enfrentarse a esa situación que no le concernía, y asombro, por la tenacidad de la joven.

—Dígame dónde está Bruce Malone y lo dejaré en paz —repitió sin mover ni una sola pestaña.

—¿De verdad quieres saber dónde está el texano?

—Sí —afirmó con determinación.

—Pues si tan segura estás, acompáñame. Pero te advierto que no te gustará lo que vas a encontrar —le advirtió.

—Usted lléveme a donde él esté y ya me encargaré de opinar lo que crea conveniente —sentenció, caminando detrás de Siney.

CAPÍTULO XXI

EL COMBATE

Los gritos que daba el público cada vez que Shabon lo golpeaba se hacían más insoportables. Los *flashes* de las cámaras de los móviles, que relumbraban cuando el ruso tocaba alguna parte de su torso, lo cegaban. No le cabía ninguna duda de que el vídeo de la pelea estaría deambulando por las redes antes de terminar el combate. Bruce mantenía los antebrazos frente a su rostro para que los imparables puñetazos no atravesaran esa barrera que había forjado.

—¡A las esquinas! —gritó el árbitro de nuevo.

Caminó hacia ese rincón que cada vez se le hacía más lejano. Apoyó la espalda sobre la esquina acolchada y tomó aire. La gente seguía alabando a su contrincante, aunque reposara en su rincón sin mirarlos. Tal como había pensado, todo el mundo había apostado en su contra. Solo dos ineptos: él y Siney habían creído que ganaría. Y en ese momento entendió que no solo iba a perder todos sus ahorros, sino también la vida. Cuando vio que el árbitro regresaba al centro del *ring*, cogió la botella de agua que tenía en el suelo e intentó dar un trago. Pero apenas entraba algo de líquido en su boca. Le temblaba tanto la mano por el esfuerzo que casi no podía ni mantenerla cerca del rostro.

Le estaba dando una paliza. Literalmente estaba hecho polvo. Tenía varios golpes en las costillas, los labios le sangraban tanto que su lengua saboreaba su propia sangre. Se había tenido que cambiar dos veces el protector dental porque el bastardo le había dado con tanta intensidad que se los había partido. Antes de dirigirse hacia el centro, echó un vistazo a su alrededor, buscando la figura de Siney, pero este seguía sin aparecer. Algo había ocurrido para que no llegara a tiempo y ese algo empezaba a preocuparlo, a distraerlo. Debía concentrarse en la pelea, en esquivar aquellos terribles puñetazos, pero su mente no estaba dispuesta a abstraerse del mundo que lo rodeaba hasta averiguar el motivo por el que la única persona que confiaba en él no aparecía. ¿Le habría seguido alguno de los secuaces de Ray? ¿Habrían descubierto su plan con Harrison? ¿Qué diablos había ocurrido para que no estuviese allí apoyándolo? ¿Querría mantenerse alejado de la visión de Walton? Estas y mil preguntas más le impedían llevar a cabo la tarea que se había propuesto: sobrevivir.

—¡Vamos! ¡Vamos! ¡Gritad mi nombre! ¡Gritad el nombre del ganador! ¡Soy el puto amo del mundo! —Shabon, entusiasmado ante esa inminente victoria, gritaba desde la lona moviendo las manos para que el público le aplaudiera y lo vitoreara.

Aquel mastodonte ruso con pantalones rojos y cuerpo pálido era más ágil de lo que había imaginado. Por mucho que intentó acercarse a esa dichosa rodilla, no la había ni rozado. Shabon protegía su cuerpo de una forma inverosímil. Era un muro infranqueable, imposible de derrumbar. ¿Cómo se le había pasado por la cabeza que podría ganar? ¿Por qué se imaginó que tendría una posibilidad de alcanzar la victoria? Bruce se incorporó despacio, cogiéndose a las cuerdas, para que el zarandeo provocado por el cansancio se minimizara y pudiera llegar hasta el centro del *ring*. Imposible. Si había barajado la posibilidad de salir triunfador, en aquellos momentos se esfumó como la niebla que cubría Old-Quarter después de un día de lluvia. Todo estaba perdido, había fracasado. Podía respirar su fin...

De reojo, tras apartarse el sudor de la frente con el antebrazo, observó a Ray. Se mantenía sentado junto a varios de los hermanos y otros hombres trajeados que no reconocía. Posiblemente, eran los futuros socios, esos que comentó Square una de las veces en las que ese veneno recorría sus venas y le permitía hablar sin pensar. «Quiere convertirse en el rey del mundo y, como siga así, lo hará», le dijo antes de dejarse llevar por el éxtasis de aquella dosis. Bruce inclinó la cabeza, haciéndole una señal a ver si, de una vez por todas, él le decía que arremetiera, pero el hijo de puta le hizo una mueca de «no, aún no».

«Por supuesto que no —pensó—. Hoy no te interesa que gane. Pues no te preocupes, conseguirás todo aquello que te has propuesto porque el Gran Dragón de Fuego está muerto».

—¡¿Te das por vencido, texano, o quieres que te machaque un poco más?! —le gritó su contrincante desde el otro extremo del cuadrilátero sin poder borrar esa sonrisa socarrona de su rostro.

Bruce se enderezó, levantó los puños y caminó hacia él. Apenas le quedaba aliento para otros cinco minutos. Todo su cuerpo rehusaba, de manera desesperada, ese acercamiento. Y entonces, justo en el momento en el que el árbitro se dirigía hacia él para hacerle una pregunta que no escuchó, la vio.

—¡Puto texano de mierda!

Escuchó gritar a Shabon antes de que otro puñetazo impactara sobre su cabeza, haciéndolo girar sobre sí mismo, escupiendo sobre el suelo más sangre, más sudor, más lágrimas involuntarias de dolor. Terminó tendido sobre ese suelo sucio, respirando entrecortado, mientras intentaba confirmar si la visión que contemplaban sus ojos era real, si su cabeza le estaba ofreciendo la única imagen que deseaba ver antes de morir. Apoyó las palmas sobre la lona, giró despacio la cabeza hacia la entrada del almacén y confirmó que era real. Ohana estaba allí, con un vestido rojo, o quizás la sangre de sus ojos le daba esa tonalidad. Sacudió la cabeza, desesperado al ver que ella tenía las manos sobre su boca, evitando que alguien la escuchara gritar. Pero él pudo oírla, al igual que apreció aquellas lágrimas que brillaban al recorrer sus pálidas mejillas. Sí, su querido tesoro estaba llorando por él. Pese a que su secreto se había desvelado, pese a ser consciente de que todo lo que le había contado hasta ahora era una puta mentira, ella se encontraba a su lado, gritando para que se salvara de esa muerte…

—¿Estás bien, chico? —le preguntó el árbitro.

—Sí —respondió al fin—. Lo estoy.

Aunque todo el mundo lo abucheó al levantarse, porque deseaban verlo muerto, Bruce sacó fuerzas para ponerse de pie. Sin embargo, esta vez no miró a quien volvía a gritar pidiendo ovaciones hacia su persona, sino a ella. Todo su mundo se centró en la única persona por la que moriría feliz.

—¿Sigues respirando? —tronó el luchador ruso sin poder borrar la sonrisa de sus labios ni el tono jocoso de su voz—. ¿Quieres más? ¡Pues adelante! —exclamó moviendo una mano, animándolo a que se acercara—. ¡Ven directo hacia tu muerte, cabrón! —vociferó.

Bruce cerró sus ojos, alejándose de todo lo que había a su alrededor salvo de una persona: ella. La vio andando detrás de esa libélula, con la falda alzada hasta las rodillas el día que la encontró en el río después de discutir con Miah; en el restaurante, con esa mirada clavada en el ordenador. Su sonrisa, sus caricias, sus besos, sus jadeos cuando hacían el amor. Todo lo vivido con ella desde el pueblo hasta el presente pasó por su cerebro como si fueran cortometrajes de una película. Una película a la que no podía poner un punto final... ¡Nunca! Bruce notó, sorprendido, como la bestia se movía inquieta dentro de él, como se apoderaba de su sangre, de sus huesos, de sus tendones, de su cerebro. Ese monstruo, ese dragón, la amaba tanto como él y ambos ansiaban salir victoriosos de aquella situación para poder vivir con ella. Despacio, escuchando cómo su corazón empezaba a latir con fuerza, abrió los ojos. Todo se volvió oscuro y solo encontró dos figuras iluminadas: la de ella, la mujer de quien estaba enamorado, y la de quien podía evitar que permanecieran juntos. Si ella lo perdonaba alguna vez...

—¡Aplaudid! —pidió Shabon mientras él mismo lo hacía—. ¡Este puto texano desea la muerte y la obtendrá! —afirmó justo antes de ponerse en posición para asestarle el golpe de gracia. Pero, para asombro de aquel titán ruso, en esta ocasión, el que recibió un fuerte impacto fue él.

Bruce esquivó ese puño fulminante girándose hacia la derecha y, cuando vio cómo el guante rozaba su hombro desnudo y brillante por el sudor, no se lo pensó y le propinó un derechazo. Eso hizo que Shabon levantara el mentón y diese varios pasos hacia atrás, perdiendo el equilibrio y la sonrisa. Entonces Malone aprovechó ese desconcierto y golpeó el torso de aquel gigante como si fuera el saco en el que había practicado con Harrison.

«Estudia sus movimientos, golpea cuando tengas la más mínima oportunidad y no sientas compasión, porque él no la tendrá». Las palabras de este aparecieron en su cabeza y, tal como le sugirió, no cesó de asestarle puñetazos, aunque sus nudillos empezaron a dolerle.

Un loco, en eso se había convertido al verla. Un loco desesperado por vivir y por tener una mísera oportunidad para explicarle toda la verdad, para convertirse en el hombre que había soñado ser mientras permanecía a su lado. Quería ser el Bruce que durmió a su lado, el que acarició cada centímetro de aquella suave piel y el que deseaba despertar cada mañana abrazado a la mujer que amaba.

Sin apartar los ojos de ese cuerpo, levantó su puño derecho y lo lanzó contra la mejilla izquierda de Shabon. Este se giró sobre sus pies, entrelazándolos como una bailarina novata, y, en ese preciso instante, Bruce lo volvió a golpear en el costado, hundiendo su guante en aquella dura carne.

Los abucheos se hicieron ensordecedores cuando el ruso cayó al suelo. Todo el mundo se levantó de sus asientos y empezó a insultarlo, pero él no los escuchaba, sus oídos solo podían captar los sollozos de Ohana.

—¿Puedes continuar? —le preguntó el árbitro a Shabon.

Este, viéndose en el suelo, se levantó como si fuera un monstruo marino. Apartó con tanta fuerza al árbitro que la espalda de este impactó sobre las cuerdas.

Una vez que se puso de pie, la mirada oscura del ruso se dirigió hacia la grada. Bruce sonrió al descubrir hacia dónde iban esos ojos: a Ray.

—Segundo asalto ganado por el Dragón —anunció el árbitro a los jueces que anotaban sin parar cientos de datos sobre papeles.

Bruce regresó a su rincón, esta vez tomó agua sin temblarle las manos. La bestia no temía, no se asustaba, no se amedrentaba ante aquel monstruo, porque él era el dragón que lo fulminaría. Se secó el sudor y la sangre que cubrían su rostro, se levantó del asiento y, en ese instante, una mano tocó su hombro derecho. Al girarse, para averiguar quién se había dignado a acercarse, comprobó que era Ray.

—No hagas nada hasta que te lo ordene, ¿me escuchas, texano? —gruñó—. ¡Nada!

—¡Y una mierda! —le respondió, sacudiéndose esa mano asquerosa que lo tocaba.

Caminó de nuevo hacia el centro, esta vez fue él quien esperó al otro luchador. Movió la espalda como si estuviera encajando todos sus huesos. Sus tatuajes se meneaban sobre la espalda como si esta fuera una ola de mar. Su nombre, las armas y el nombre del pueblo que adoraba mostraban, a todos los que gritaban, que habían elegido al luchador equivocado. Con paso firme, ese tan característico en él, se dirigió hacia donde lo esperaba el árbitro. Había regresado el Dragón, pero ya no era de fuego sino el de Ohana. ¿Acaso podía haber un animal más cruel que el que defendía a la pareja que amaba? Así, fue notando cómo por sus venas resurgía la energía que había perdido. Vitalidad. Ella lo había llenado de vida y esperanza. Bruce clavó su gélida mirada en Shabon y lo observó sin parpadear. Este fruncía el ceño y negaba con la cabeza, aunque seguía sonriendo. Malone vio el ligero cojeo que mostraba al andar y una enorme sonrisa le cruzó el rostro. Había conseguido su propósito, aquella vieja herida empezaba a debilitarlo.

—¡Adelante! —dijo el árbitro, apartándose de ellos lo más rápido que pudo.

—¿Dudas? —lo instó Bruce al ver que Shabon levantaba sus puños para cubrirse la cara—. ¡No me jodas, ruso! ¿Dónde cojones te has dejado el espectáculo? —exclamó, mordaz—. ¿El texano se ha rebelado? Pues ya era hora de que descubrieras lo que este puto texano puede ofrecer a un miserable como tú.

Golpeó. Golpeó una y mil veces sin reparar en su cansancio, en su desesperación, en la necesidad de terminar de una vez por todas ese calvario. Ni tan siquiera meditó en las consecuencias que tendría cuando todo concluyese. Lo único que deseaba era finalizar, bajar de aquel *ring* y ponerse de rodillas frente a la única mujer que lo miraba horrorizado.

—¡Hijo de puta! —aulló Shabon cuando, al bajar esa protección, Bruce le asestó de nuevo en la cabeza, haciéndolo girar sobre esa rodilla que, al no poder sobrellevar el peso de su gran cuerpo, se clavó en el suelo.

Y Bruce siguió golpeando con fuerza, con toda esa rabia que había guardado desde que salió del pueblo. Todo aquello que retuvo durante los atracos, durante aquellas visitas que hacían para cobrar pagos, por cada palabra despectiva que Ray había hecho sobre su padre, sobre el pueblo, sobre sus orígenes. Atizó tan fuerte que la sangre de Shabon brotó como un aspersor de agua sobre un césped. La gente no cesaba de chillar y de insultar, hasta se atrevían a acercarse al *ring* para escupirle. Pero no redujo la potencia ni la velocidad de esos impactos. Ni cuando su contrincante cayó al suelo, inconsciente, dejó de atizarlo. Lo quería muerto, como todo el mundo le había deseado a él. Sin embargo, al levantar su brazo derecho para asestarle el golpe de gracia, alguien lo paró.

—Ya basta, muchacho —le dijo el árbitro—. Si sigues así, lo matarás.

—¿Lo habrías parado si fuera yo quien estuviera tendido en el suelo? —le preguntó, apartándose de aquel cuerpo desplomado—. ¿O también te han pagado para que vayas en mi contra?

El árbitro lo miró sorprendido, como si aquello que decía fuera una locura, pero Bruce supo reconocer los gestos que intentó ocultar. Ray había controlado todos los detalles salvo uno: él.

Caminó hacia su rincón, con la cabeza en alto, con orgullo, con soberbia. Había ganado. Lo había conseguido. Ahora empezaba la segunda parte del plan.

Mientras se limpiaba con la toalla, miró por el rabillo del ojo hacia la entrada, justo donde Ohana había permanecido. Su mujer, su tesoro, la única persona que había hecho salir al monstruo para ganar, ya no estaba. Respiró hondo, intentando tranquilizarse. Sin embargo… ¿quién era capaz de calmar un corazón azorado por el amor de una mujer?

Volvió a limpiarse al tiempo que, disimuladamente, observaba a Ray. Hablaba con el hombre trajeado que tenía a su derecha, quien, por cómo gritaba, no parecía muy contento con el resultado. Le importaba una mierda lo que le sucediera al hijo de puta que lo había vendido. Lo único que deseaba era salir de allí lo antes posible y hablar con Ohana.

—¡Bruce! ¡Bruce! —le llamó la atención Siney, que se había colocado a su lado cuando Ray había abandonado la sala con todos los demás.

—¿Dónde está? —espetó sin mirarlo, para que nadie descubriese que hablaba con él.

—Tranquilo, se ha marchado en un taxi hacia su casa. Lo siento, pero le he tenido que contar todo lo que sabía.

—Me lo imagino… —le murmuró sin apartar la mirada del pasillo que conducía a los vestuarios.

—Oye, escucha. Antes de que tu cabeza piense en cómo recuperarla, necesitas salir de aquí vivo. Según me ha dicho Harrison no debes acercarte al vestuario y sería conveniente que te alejaras de la ciudad unos días o Ray te matará.

—Lo sé. Gracias por todo, Siney. Ahora vete, me toca joder a todos los que han apostado en mi contra —manifestó antes de girarse y confirmar que aquel mastodonte aún seguía postrado en el suelo—. No debiste subestimar la fuerza de un oldquateriano… —gruñó mientras se acercaba al árbitro, que le hacía señales para que se colocara en el centro del *ring*.

—¡El ganador…! ¡El ganador de esta noche ha sido… el Gran Dragón de Fuego! —exclamó este, levantando la mano de Bruce—. Me alegro de que lo hayas conseguido, muchacho —le comentó en voz baja—. Pensé que terminarías muerto.

—Y yo —manifestó solemne.

Mientras todo el mundo protestaba y silbaba ante su triunfo, Bruce fijó sus ojos en la única salida que no estaba custodiada por los aliados de Ray. Tiró de la mano que aún sujetaba el árbitro, bajó del cuadrilátero y avanzó por esa zona notando cómo los asistentes lo golpeaban al pasar. No se volvió para enfrentarse a ninguno. Su cabeza solo pensaba una cosa: salir de allí y buscarla.

Una vez que estuvo fuera, corrió hacia la ranchera,

cogió la llave, que la había metido bajo el guardabarros de la rueda derecha delantera, la abrió, se metió en ella, arrancó y, dando un acelerón que dejó una estela de humo, se dirigió hacia el único lugar en el que deseaba estar: el apartamento de Ohana.

CAPÍTULO XXII

HARÉ TODO LO QUE ME PIDAS

Le resultó difícil admitir todo lo que ocurría... Una vez que se montó en el coche del hombre, este fue explicándole la verdadera historia de Bruce. En cada frase, su corazón se destrozaba, haciéndose pedacitos tan pequeños que nada ni nadie podría recomponerlos jamás. Aunque continuaba acogiéndose a la esperanza de que todo fuera mentira, que su Bruce, el hombre que había estado con ella durante esos días, con quien había hecho el amor y la había marcado por todo el cuerpo, no podía ser en realidad un criminal, todo a su alrededor le demostraba que erraba. Y esa pequeña esperanza, que su ser suplicaba tener, desapareció una vez que llegó al almacén.

Siney, que así se llamaba el verdadero dueño del gimnasio, le advirtió que sería duro para una joven como ella contemplar la aberración que hallaría en el interior, pero no lo escuchó, no quiso hacerlo, y avanzó hacia aquel terrorífico lugar. Y cuando lo vio allí arriba, siendo golpeado por aquel monstruo, quiso morir. El enfado que acumuló mientras llegaba desapareció de repente, convirtiendo ese sentimiento de odio en tristeza. ¿Así se ganaba la vida? ¿Dejándose pegar mientras todo el mundo gritaba que lo mataran? ¿Por eso evitó contarle la verdad? ¿Tan avergonzado se sentía de sí mismo que no fue capaz de hablar sobre quién era en realidad?

No pudo apartar la mirada de él, necesitaba retener en sus pupilas cada movimiento, cada golpe, cada lamento. Entonces, al hacer Bruce un leve gesto con la cabeza, la vio. Pese a que se mantuvo resguardada, porque Siney le explicó que sería peligroso que la viera el hombre que lo sometía a semejantes combates, él la descubrió y clavó esos gélidos ojos azules en ella. Ohana quiso gritar cuando su rival lo golpeó con tanta fuerza que lo hizo girar y, mientras caía al suelo, de su boca brotó un pequeño caudal de sangre mezclada con saliva.

—No te muevas —aconsejó Siney, agarrándola del brazo, impidiéndole correr hacia él y socorrerlo de aquella pelea tan sanguinaria—. Él está preparado para eso y para mucho más —le aseguró.

Pese a esas palabras que intentaban tranquilizarla, ella no podía ni siquiera respirar con normalidad. No era justo… No lo era…

Observó cómo Bruce apoyaba los guantes sobre la lona del suelo y giraba su cabeza ligeramente hacia ella. Entonces, en un arrebato desesperado, ella le gritó algo que jamás pensó que diría porque era irracional y maligno: «¡Mátalo! ¡Destrózalo, Bruce!».

Creyó que no la había escuchado. Había demasiado ruido como para que pudiera oírla, pero, contra todo pronóstico, él se levantó. Ohana se llevó las manos hacia la boca, para que nadie la oyera gritar de esa forma tan desesperada. Su Bruce se alzaba como una bestia que acabara de despertar. Ante esa actuación, una parte del público lo insultó, otra alabó el triunfo del rival y otros se mantuvieron callados y expectantes ante esa resurrección.

—Ahora es su turno —anunció Siney. Este se cruzó de brazos y lo miró sin parpadear.

Ella no creía que pudiera resurgir de ese estado tan lamentable. Era imposible que recobrase algo de fuerza para contraatacar. Pero parecía tan seguro de lo que decía que continuó mirando aquel terrorífico cuadrilátero esperando que Siney no se equivocara. Observó que el árbitro se dirigía hacia Bruce y le preguntaba algo, él afirmó y se colocó en posición de ataque mientras el otro boxeador pedía más ovaciones del público. De repente, Bruce cerró los ojos durante unos instantes, como si necesitara concentrarse, y, cuando los abrió, Ohana contuvo el aliento. Aquellos iris cambiaron de color. Ya no eran tan azules como el cielo, sino negros como el carbón. Sin poder tan siquiera pestañear, contempló cómo aquel rival dirigía uno de sus puños hacia el rostro de Bruce, pero no llegó a tocarlo. Él se giró en el momento justo y, cuando el desconcierto apareció en el rostro de aquel temible luchador, él le propinó un puñetazo en la mandíbula, haciéndolo retroceder. Y fue entonces cuando su texano libró una batalla sobre aquel titán.

—¡Joder! —exclamó Siney, que se quedó atónito ante esa reacción tan salvaje.

Ohana soltó todo el aire que había retenido en sus pulmones cuando Bruce le asestó un puñetazo en la cara tan fuerte que lo hizo girar con tanta brusquedad que se le enredaron las piernas. Los abucheos aumentaron. La gente se levantó de sus asientos gritando maldiciones por esa repentina resurrección. En cambio, ella empezó a notar como su sangre corría por las venas de nuevo. Había una posibilidad de que ganara. Había una posibilidad de que continuase vivo.

—¡Bien! —gritó Siney. Al ver que ella se volvía hacia él preguntándole en silencio por qué había dicho eso, le aclaró—: Solo hemos faltado al primer asalto que, por lo que puedo deducir, lo había perdido tu chico. Pero, al ganar este segundo, solo ha de librar el tercero.

—¿Y si no lo logra? —preguntó, volviendo su atención hacia Bruce.

—Perderá. Pero, por lo que observo, ese hijo de puta no tiene ni una posibilidad de destrozar a tu texano. Aunque parezca surrealista, el haberte traído hasta aquí ha hecho que ese muchacho recobre las ganas de vivir.

—No lo creo… —se obligó a pensar.

—Escúchame, muchacha —le pidió Siney—. Le advertí que debía apartarse de ti, que debía mantenerte al margen y, ¿sabes qué me respondió? —Ella, sin apartar los ojos de Bruce, negó con la cabeza—. Que antes de perderte, prefería morir —aseveró con firmeza.

Ohana suspiró hondo al escuchar aquella declaración y sintió cómo su corazón se engrandecía tanto que ocupaba todo su pecho. Sin embargo, no era el momento de tomar ninguna decisión sobre el futuro de ellos, ni de pensar en lo que sucedería después del combate, ni averiguar si las palabras que le había escrito en su último mensaje eran ciertas. Lo único que deseaba era que ganara y saliera de allí vivo.

—¿Reconoces a ese tipo? —le preguntó Siney al oído cuando Ray se acercó a Malone para darle la orden de quedarse quieto.

Ella fijó sus ojos en la persona que le ponía la mano sobre el hombro de Bruce y un escalofrío recorrió su cuerpo. Sí que sabía quién era. Nadie podría olvidar aquel rostro después de lo que hizo en el pueblo. Olvidando respirar, observó como el criminal le hablaba y como Bruce se desquitaba de aquel roce al tiempo que le gritaba con ira. Aquel tipo echó varios pasos atrás, desconcertado por la actitud de Bruce y, negando con la cabeza, se alejó del *ring* sin apartar los ojos de los asientos del fondo. Ohana no quiso averiguar hacia dónde se dirigía, necesitaba prestar atención al siguiente paso de Bruce. Este se colocó en el centro del *ring* y sacudió la espalda como si hubiera retenido algo en ella. Esos tatuajes cobraron vida y se movieron al ritmo de esa brusca sacudida, mostrando a los asistentes quién era el luchador y dónde había nacido.

—Ahora empieza lo bueno —le aseguró Siney sin poder borrar la sonrisa de su rostro.

Ohana no entendió qué significaba aquella frase hasta que Bruce arremetió contra su rival. Lo golpeaba con furia, con desesperación, con ansiedad. Ya no había nadie que pudiera frenarlo. Sus ojos se habían ennegrecido aún más y su boca, herida por los impactos de su rival antes de que ella apareciera, se alargaron para esbozar una terrorífica sonrisa.

—Se acabó —comentó de nuevo su acompañante una vez que el adversario cayó al suelo—. Es mejor que te marches, muchacha. Ahora comienza la huida de tu chico y debe preocuparse en salir vivo de aquí. Si te quedas, él no pensará en protegerse, sino en cuidar de ti, y ambos estaréis en peligro.

Ohana se abrazó con fuerza sin poder apartar los ojos de él. Seguía asestando aquellos temibles golpes sobre el cuerpo desplomado. Tras suspirar, se giró hacia Siney y aceptó su propuesta. En silencio salió de aquel horroroso almacén dejando detrás de ella los gritos desesperados de quienes habían apostado en contra de Bruce.

—¿Te llamo a un taxi? —quiso saber.

Ella asintió sin alzar el rostro. Todo su mundo se había vuelto negro, como los ojos de Bruce al luchar. Intentó mantenerse en pie, pese a que su cuerpo deseaba lanzarse contra el asfalto.

—Todo saldrá bien —comentó Siney una vez que finalizó la llamada. Se acercó a ella y la estrechó entre sus brazos. Sin embargo, aquel gesto afectivo no la calmó ni le aportó la calidez que requería. Eran los brazos de Bruce los únicos que necesitaba…

—¿Saldrá vivo de ahí? —preguntó, apoyando la cabeza sobre el hombro de Siney.

—Te lo prometo. Tu chico debe vivir porque tiene una razón para hacerlo… —le respondió.

Él la mantuvo bajo su protección hasta que llegó el taxi. La ayudó a entrar y le cerró despacio la puerta. Una vez que el taxista emprendió el trayecto hacia su hogar, Ohana abrió el bolso, sacó su pequeño paquete de pañuelos y comenzó a llorar.

Bruce aparcó la ranchera en el callejón en el que guardó la moto el día que visitó al médico, tecleó el código para acceder al edificio por el almacén donde guardaban los contenedores de basura y se dirigió hacia la puerta de emergencia. Como en aquella ocasión, le bastó un ligero empujón para que esta se abriera y le permitiera llegar hasta el recibidor. Esta vez no necesitó romper aquel foco que habían reparado. Bajo la luz de este, se dirigió hacia las escaleras y las subió con lentitud. No fue por falta de fuerza física, en aquel momento tenía tanta vitalidad y adrenalina que las hubiera subido saltando, sino por el sentimiento de angustia que lo recorría. Estaba muy triste por lo que iba a ocurrir. Pese a haber meditado en el *ring* que tal vez le diese una oportunidad, durante el viaje, y tras hacer una recopilación de todas las mentiras que le había dicho, esa opción fue desapareciendo. No tenía la esperanza de que Ohana lo aceptara. Si estuviera en su lugar, él tampoco se la daría. Pero se contentaría con que escuchara todo aquello que deseaba decirle y que, una vez fuera de su vida, ella pudiera perdonarlo.

Al llegar al último escalón, exhaló todo el aire que había retenido. Miró hacia la puerta de Ohana y una sensación de ahogo se apoderó de él. No podía respirar porque sus pulmones se habían hecho tan pequeños que no le cabía oxígeno. Estaba muerto. Bruce Malone había muerto justo al entender que la perdería…, que ella no volvería a su lado, que no volvería a escuchar su risa, que se levantaría cada mañana pidiéndole a la muerte que no le permitiese vivir ni un día más sin ella.

Tras respirar hondo, caminó sobre la alfombra, que amortiguaba sus pisadas, se colocó frente a la puerta de Ohana y la golpeó con suavidad con los nudillos.

—Ohana… —dijo, pegando la frente sobre la puerta—. ¿Estás ahí?

Lo estaba. Ella había escuchado su llamada y se había acercado a la entrada tanto que podía escuchar sus respiraciones e incluso los latidos desenfrenados de su corazón.

—Ohana… —repitió en voz baja—. Lo siento… —La voz empezó a temblarle, las lágrimas inundaron sus ojos y la fuerza lo abandonó lentamente—. Lo siento… —repitió mientras posaba las rodillas sobre el suelo, agachaba la cabeza y sus brazos se colocaban a ambos lados de su torso, flácidos ante la pérdida de esa energía—. Si pudiera echar el tiempo atrás… Si pudiera volver al pasado…, no habría hecho nada de esto…

Ohana posó las manos sobre la puerta y apoyó la frente mientras las lágrimas vagaban por su rostro. Estaba vivo… Tal como le había dicho Siney, su texano había salido de allí con vida y, en vez de esconderse, se presentaba en su hogar para hablar con ella sin importarle el peligro que lo rodeaba.

—No tienes nada que decirme. Lo único que debes hacer es marcharte —le dijo con la voz temblorosa.

—No voy a marcharme hasta que te explique todo… —murmuró, acercando la boca a la puerta, como si ese muro de madera no le impidiera tocarla con sus labios.

—No tienes nada que explicarme. Siney ya se encargó de contarme todo lo que necesitaba. Ahora, vete, por favor… —Su tono se iba apagando en cada palabra tanto que el «por favor» lo soltó casi sin aire.

—Ohana, te lo suplico, haré todo lo que me pidas, pero primero escúchame —rogó desesperado.

Silencio. Un silencio tan incómodo que Bruce confirmó lo que ya se temía: la había perdido. Aun así, quería que ella oyese su confesión antes de marcharse.

—Me arrepiento de haber sido un imbécil que se obsesionó con una mujer que me quiso como si fuera un hermano. Me arrepiento de haber llevado a Ray a Old-Quarter, de haberlo liberado, de haber abandonado el pueblo que amaba para dejarme arrastrar a una vida llena de delincuencia, de terror, de depravación.

Me arrepiento de haber sido un inconsciente, de mis mentiras, de mis hechos insensatos, incluso de vivir... —declaró dándose ligeros golpes con la frente sobre la puerta—. Me arrepiento de haberte mirado a los ojos y de engañarte con tanta frialdad, de hacerte daño, de destrozarte la vida... Me arrepiento de no haber sido capaz de observarte en el pueblo y descubrir a la persona que eres en realidad... —sollozó—. Por todo eso, por la inmoralidad que recorre mis venas, soy consciente de que no te mereces estar con una persona como yo. Lo único que quiero es pedirte perdón. No pretendo que lo hagas ahora, o mañana, o dentro de un mes. Me conformo con saber que lo harás algún día. —Suspiró—. He hecho mucho daño, sobre todo, a la gente que he querido y quiero. Me arrepiento de destrozar y dañar lo único que merecía la pena en mi vida. Por eso, cuando te vi en la cafetería, fui incapaz de desvelarte la verdad. Si hasta aquel día había soñado en cambiar, al verte, al conocer a la mujer que eres, ese deseo se hizo más intenso, más fuerte y más real. Pero tenía miedo... Miedo de que me apartaras de tu lado si descubrías quién era el verdadero Bruce y, egoístamente, me gustaba verme a través de tus ojos porque, aunque te cueste creerlo, así es como quiero ser. Tal como tú me has visto...

El cuerpo de Ohana temblaba como gelatina, al tiempo que su diablilla, esa que debía ayudarla a salir de ese enredo y aconsejarla como siempre, se mantenía en silencio, llorando como ella había hecho desde que se metió en el taxi. ¿Qué debía hacer? ¿Qué era lo más sensato? ¿Perdonarlo? ¿Olvidar que la había engañado? Por un lado, deseaba darse la vuelta y hacerlo desaparecer, sacarlo de su vida de una vez por todas. Pero por otro, lo necesitaba tanto... Bruce, pese a todo, se había convertido en la persona que deseaba tener a su lado. Sin embargo, no podía hacer borrón y cuenta nueva. Porque… ¿quién le prometía que no volvería a hacerlo en el futuro?

Despacio, muy despacio, desencajó el cerrojo y abrió la puerta tan lento que le pareció una eternidad. Cuando lo vio allí arrodillado, con el torso desnudo, llevando esos pantalones de boxeo, llorando por ella, su corazón se activó de tal forma que, en el primer latido, parecía que recobraba la vida después de mil años muerta.

—Bruce… —le dijo sin mover ni un solo dedo.

—¡Lo siento! ¡Lo siento! ¡Te juro por mi vida que siento el daño que te he hecho! —exclamó, con esa cabeza agachada, con ese desplome de hombros hacia delante, dejando que sus lágrimas impactaran sobre el suelo.

—No deberías estar aquí… —murmuró.

—Necesitaba verte, necesitaba pedirte perdón antes de…

—¿De qué, Bruce? ¿Qué vas a hacer ahora? —le preguntó, colocando sus manos sobre el marco de la puerta, intentado que le sirviera de apoyo.

—Lo que siempre he hecho, huir. Alejarme de todo lo que amo y buscar un lugar donde refugiarme, o tal vez sea hora de… —Levantó el rostro, destrozado por los golpes de Shabon, y la miró fijamente.

—¿Sea hora de…? —espetó ella, reteniendo el aire.

—De enfrentarme al destino que me he buscado —afirmó, observando esos ojos marrones que brillaban por las lágrimas—. Pero antes de irme, antes de salir de aquí, necesito saber si alguna vez podrás perdonarme.

—Me has mentido, Bruce… Me has engañado… —susurró—. Me has hecho vivir una falsa felicidad. Te has reído de mí —añadió con pesar.

—Ohana… Te juro por mi padre, que es lo más sagrado que tengo, que no me he reído de ti, que mis sentimientos son verdaderos. Que… te quiero.

—¡No me digas eso con tanta facilidad! —le gritó—. ¿Quieres seguir mofándote? ¿Quieres seguir burlándote de esta insensata? —preguntó, airada, fuera de sí.

—No… —murmuró, posando las manos sobre el suelo, arrodillándose por completo ante ella—. No —reiteró—. Mis sentimientos por ti son verdaderos, Ohana. Lo que siento aquí —se golpeó con el puño derecho, que aún llevaba las vendas de color azul, el pecho— es verdad. Es verdad —repitió, desesperado.

—¿Sí? Entonces… ¿por qué no me dijiste quién eras? ¿Por qué me ocultaste esa vida? —interrogó, desesperada.

—Quise hacerlo, te prometo que…

—¡Deja de jurar, de prometer, de afirmar cosas que no son ciertas!

—¡No quería que me dejaras! —exclamó al fin.

—¡Mientes! —tronó—. ¡Eres un cobarde, Bruce Malone! ¡Un miserable cobarde!

—Ohana… —Acercó sus manos hacia los pies de ella, intentando alcanzarlos, pero ella los apartó con rapidez.

—¡No me toques! —vociferó.

—Por favor… —siguió suplicando.

—Has venido para pedir que te perdone, ¿verdad? Pues ya puedes marcharte por donde has venido. Tendrás mi perdón, pero no en este momento. Ahora solo quiero que te alejes de mi vida, que no vuelvas más, que te olvides de mi existencia y que no recuerdes nada de lo que hemos vivido juntos porque, al igual que todo lo demás, ha sido falso —sentenció, echando un paso hacia atrás y cerrándole la puerta.

Ohana, después de ese ataque de ira, corrió hacia su dormitorio y se tiró sobre la cama. Ya estaba hecho. Ya lo había echado de su vida. Ya no quería saber nada de aquel mentiroso, de aquel monstruo que la había besado y amado sin importarle el dolor que le causaría al descubrir que todas sus palabras, sus acciones e incluso ese sentimiento que afirmaba poseer, se irían al traste y la dejaría destrozada para el resto de su vida.

«Yo estoy como tú, pequeña —comenzó a hablar la diablilla—. **Pero debes reconocer que sus palabras, esta vez, han sido sinceras. Ningún hombre se arrodilla frente a una mujer si sus sentimientos no son ciertos. Si él no te amara, se habría marchado para salvar su vida, como te dijo el dueño del gimnasio. Y... ¿qué ha hecho? Salir de allí desesperado para pedirte perdón, poniéndose en peligro sin importarle nada salvo que lo perdones. ¿Eso no cuenta? ¿Eso no te ablanda el corazón? Porque el mío ahora mismo se ha convertido en líquido. Además, piensa una cosa, cariño, si ese hijo de puta consigue lo que se propone... ¿vivirás tranquila pensando que él murió sin tener tu perdón? ¿Serías capaz de asumir esa tortura el resto de tus días?».**

Ohana apoyó las manos sobre la cama, respiró hondo y, hecha un mar de lágrimas, salió de la habitación. Ella tenía razón. Debía ser consciente de que Bruce había antepuesto estar con ella antes que salvarse y se merecía oír las palabras que había venido a escuchar. Porque solo con haber salido vivo de aquel infierno ella lo había perdonado. Cogió la manivela de la puerta, tiró con fuerza, la abrió y se quedó paralizada al advertir que ya no estaba allí, que se había marchado. Dio un salto hacia el pasillo y empezó a llorar aún más fuerte al ver cómo aquella espalda tatuada se alejaba de ella inclinada hacia delante.

—¡Bruce! —gritó.

Él, al escucharla, se volvió y quiso arrodillarse de nuevo al contemplarla con esas lágrimas sobre sus mejillas.

—¡Bruce! —repitió, corriendo sobre esa alfombra azul—. ¡Te perdono! ¡Te perdono! —le dijo antes de lanzarse a sus brazos y agarrarse tan fuerte a él que ambos cuerpos se convirtieron en uno.

—¡Ohana! —le respondió, colocando su rostro sobre el hombro de ella para continuar llorando—. ¡Gracias! ¡Gracias por perdonarme, mi vida! Significa tanto para mí...

Durante unos minutos se quedaron de esa forma: abrazos y escuchándose sollozar por el dolor que ambos sentían, por el temor de haberse separado sin que ninguno de los dos fuera capaz de perdonarse. De aceptar que, pese a todo lo ocurrido, entre ellos había nacido un sentimiento tan fuerte que ningún Ray podría separarlos para siempre...

—¿Dónde te irás? —le preguntó ella, posando la frente sobre aquel pecho desnudo, agitado por la respiración.

—Es mejor que no lo sepas, Ohana. De ese modo te mantendrás a salvo —comentó tras colocarle las manos a ambos lados del rostro—. Pero te aseguro que, cuando regrese, el peligro habrá pasado y podremos reintentar lo que hemos empezado. Si tú quieres, si aún piensas que me merezco una oportunidad —comentó, entrecortado.

—Nos la merecemos, Bruce, nos la merecemos... —le dijo, entrelazando sus brazos en su cuello, aproximando su boca a la de él—. Siempre la mereceremos —

dijo antes de besarlo, de sentir esos labios acariciando los de ella, saboreando la sangre que brotaba al mover más de lo que debía la boca.

—Te quiero… —le susurró él cuando se distanciaron unos milímetros—. Te quiero, Ohana. Te quiero tanto que me duele pensar que no volveré a verte.

—No digas eso… —musitó, permitiendo que las lágrimas nacieran de nuevo.

Bruce se las apartó con los pulgares, la besó en las zonas por donde habían caminado y la abrazó con tanta fuerza que apenas pudieron respirar.

—Esto no es una despedida —apuntó Ohana mientras empezaban a retirarse—. Es un hasta pronto, ¿me escuchas? Quiero que me lo repitas, Bruce Malone.

Bruce dio varios pasos hacia atrás y, pese a que su cuerpo temblaba al no sentir ese confort que ella le proporcionaba, asintió.

—Sí, Ohana. Esto no es una despedida, es un hasta pronto. Cuídate, tesoro, siempre estarás aquí, porque nadie salvo tú es dueña de él —aseguró, haciendo una pequeña cruz sobre el pecho, sobre esa brújula en la que la O se había convertido en el nombre de ella.

—Bruce…

—No me hagas más dura la despedida, tesoro —pidió.

Entonces ella se quedó parada, abrazándose, y él continuó caminando hasta llegar a las escaleras, la miró por última vez y, después de confirmar que seguía observándolo, bajó lo más rápido que pudo.

Necesitaba salir de allí antes de que su cuerpo volviera a requerir sus besos, sus caricias, sus abrazos. Ella le había pedido que le dijera un hasta pronto, pero él sabía que ese pronto no llegaría. Aunque estuviese escondido una década, Ray lo encontraría y zanjaría de una vez por todas su venganza. Se metió en la furgoneta, se apartó las lágrimas del rostro y la arrancó. Debía llegar lo antes posible a un lugar seguro y el único que conocía estaba a una hora de camino.

Cuando Bruce llegó al asador de Hailee, esta lo recibió con los brazos abiertos, como si fuera su madre.

—¡Ven aquí, muchacho! —exclamó cuando Malone se dejó abrazar—. Ya era hora de que decidieras reconducir tu vida… Y le doy gracias a esa muchacha porque solo ella te haya despertado de esa maldita pesadilla —añadió.

—Todavía no estoy a salvo, Hailee. Tengo muchas cosas que resolver.

—Bueno, todo a su debido tiempo. Lo primero que debes hacer es subir al dormitorio que te he preparado, darte una ducha y descansar. Cuando lo hayas hecho, llámame para que te suba algo de comer. Le diré a Herson que guarde tu ranchera en el cobertizo de atrás. Allí nadie la verás mientras permanezcas aquí —afirmó.

—Gracias, Hailee, muchas gracias.

—No me las des aún, jovencito. Guárdatelas para cuando logres ser libre de todo ese mundo de maldad que te rodea y puedas estar al fin con la muchacha que te ha dado las alas para volar —aclaró.

Y, como una buena madre, acompañó a Bruce hasta la puerta de la habitación, le ofreció varias toallas limpias y le dio un beso en la mejilla antes de marcharse. Una vez que accedió al interior de ese cuarto, Malone pudo respirar con tranquilidad. Necesitaba unos días para meditar qué plan sería el más adecuado para enfrentarse a Ray sin salir muy herido. Si tal como le había dicho Square debía matarlo, hallaría la manera de encontrarlo a solas y dispararle sin que le temblara el pulso. Esta vez sus manos se quedarían firmes y apuntaría directo al objetivo. Se sacó las armas de la espalda, las colocó sobre la cama y, antes de sentarse, echó un vistazo a su móvil. Por suerte no lo había metido dentro de la bolsa que llevó al vestuario. Justo antes de salir del coche, decidió dejarlo junto a las dos armas en la guantera y, tal como dedujo, había sido la opción más acertada. Alguien le dijo una vez que un hombre debía guardar en esa parte del coche todo lo que necesitara en un momento dado y ese alguien tan sabio fue su padre. Entonces, aquella conversación, que hasta ahora le resultaba muy lejana, apareció en su mente como si no hubiese transcurrido el tiempo.

«La guantera del coche de un hombre es como el bolso de las mujeres, siempre ha de tener todo aquello que necesitemos para salir de cualquier imprevisto —le dijo Dylan el día que le compró la ranchera—. No metas nada de pintalabios, espejitos o polvos para embellecer ese rostro angelical que has heredado de tu madre —apuntó, divertido—. Mejor llénalo de cosas masculinas, no vaya a ser que una de las chicas, a quien le ofrezcas dar una pequeña vuelta, la abra y piense que vas recopilando enseres de tus amantes. Eso la haría saltar, aunque estés en marcha».

Su padre... Lo echaba tanto de menos, le hacía tanta falta en ese momento tan duro que, sin ser consciente de lo que hacían sus dedos, buscó su número en la agenda y lo llamó.

—¿Sí? —preguntó Dylan un tanto desconcertado al

no reconocer el número que lo telefoneaba—. ¿Diga? —insistió.

—¿Quién llama a estas horas? —Escuchó decir a Marcia—. Como sea de nuevo Sanders pidiéndote que te acerques a su rancho para que lo salves de las tareas que lo obliga a hacer Virginia, yo misma me presentaré en su casa y le soltaré un buen rapapolvo.

—No es Sanders, cariño. Ese número de teléfono me lo sé de memoria —aclaró Dylan—. Ha de ser un forastero porque no lo tengo grabado en la agenda del móvil.

—¡Pues pregunta de una vez quién es! —perseveró Marcia.

—¿Sí? ¿Quién es? —obedeció el mecánico a su esposa sin rechistar.

—Papá, soy yo, Bruce —dijo un tanto relajado y divertido al escuchar la conversación de ambos.

—¿Bruce? ¿Eres tú, de verdad? —Ante la sorpresa, Dylan se sentó de golpe en el suelo y Marcia corrió en su ayuda—. Hijo mío... —dijo con voz espesa—. ¿Eres tú? ¿Cómo estás? ¡Dios mío! ¿Sabes la de veces que he rezado para que me llames, para saber algo de ti, para confirmar que no estás muerto? —Entonces empezó a llorar y Bruce, tras sentarse sobre la cama, respondió a ese llanto de la misma forma.

Marcia observó a su marido y un sentimiento de felicidad le recorrió el cuerpo. Por fin Bruce se había puesto en contacto con su padre, por fin hablaban y, por fin, la oveja descarriada emprendía el camino de regreso a su hogar.

CAPÍTULO XXIII

EL PLAN DE RAY

Ray golpeó de nuevo la mesa tras escuchar que el último grupo de parejas que había salido a buscarlo tampoco lo encontró. ¿Dónde narices se había escondido? Parecía como si se lo hubiera tragado la tierra. Habían registrado ese apartamento en el que vivía y no hallaron ni rastro de él, como si jamás hubiera estado allí. Dos de sus hombres viajaron hasta el bar de carretera que solía frecuentar y, después de buscar la moto o la ranchera del texano, se volvieron con la misma respuesta que los demás: nada. Walton frunció el ceño mientras cavilaba hacia dónde se habría podido marchar. Si, tal como sus hombres afirmaban, la moto había desaparecido, solo podía significar una cosa: que se había marchado de la ciudad, porque Malone jamás la abandonaría. Miró de nuevo el teléfono para confirmar que el texano había leído todos los mensajes que le mandó, pero no se dignó a responder ninguno.

—¿Cuánto tiempo te han dado? —preguntó Square, que se había colocado frente a él.

—¿Los rusos? Tres miserables días —escupió.

—¿Y los mexicanos?

—Dentro de una hora tengo que reunirme con ellos para llevarles todo lo que tenemos en la caja fuerte, pero me faltan diez mil para saldar esa puta deuda. Espero que acepten el nuevo plazo de entrega —explicó, frunciendo el ceño.

—¿Qué harás si no lo encuentras? Porque, según parece, el texano ha huido con el rabo entre las piernas y los bolsillos repletos de billetes. A estas horas, puede estar tumbado sobre una hamaca y bebiendo una piña colada en Honolulu —apuntó, tomando al fin asiento.

—Ese hijo de puta aparecerá… —comentó con un halo de misterio y maldad—. No le quedará más remedio que salir de la madriguera en la que se ha metido si quiere verla con vida…

—¿Verla? —repitió, enarcando la ceja izquierda.

—A su puta —aclaró—. El muy gilipollas la ha dejado en su bonito y cómodo hogar. Se pensaría que no sabríamos nada de ella y que en ese rincón perdido de la ciudad se mantendría a salvo. —Una risa maléfica le cruzó el rostro.

—¿Vas a inmiscuir a una chica inocente en todo esto? —dijo, sorprendido.

—¿Inocente? —bramó, levantándose del asiento—. ¡Nadie es inocente en este puto mundo! Además, es la única alternativa que me queda. Ese hijo de perra no contesta a mis llamadas, ni responde un puto mensaje. Así que… —dijo tras chascar la lengua—, viva o muerta, él decidirá qué será de ella —aseveró.

—¿No has pensado, por un momento, que quizás esa muchacha no sea tan importante para él como te imaginas? —soltó, mirándolo sin pestañear—. Si fuera mi chica, no la habría apartado de mí. Me acompañaría al fin del mundo. Pero si tal como dices sigue en la ciudad y sin ningún tipo de protección, puede que la desesperación por lograr lo antes posible el dinero te esté alterando tanto que termines confundiéndote.

—No estoy confundido —refunfuñó, posando las palmas sobre la mesa—. Aquí, la única persona que se confunde eres tú, por culpa de toda esa puta mierda que te metes.

—Posiblemente… —respondió, reclinándose en el asiento. Golpeó la boquilla del cigarro sobre la mesa y, tras ponerlo en sus labios, lo encendió—. Y, ¿podrías iluminar a este adicto al *crack*? —comentó después de soltar la primera calada de humo.

—¿Has pensado, si es que sabes hacerlo, que él no tenía ni idea de que lo seguíamos? ¿Que vigilábamos todo lo que hacía? ¡No, claro que no! Esa cabeza no es capaz de razonar nada —dijo con diversión—. Pero por suerte, la mía está muy lúcida y alcanzo a ver y a pensar lo que los demás no ven ni piensan.

—Y, ¿cuál es tu magnífico plan? ¿Secuestrarla? ¿Traerla a rastras hasta aquí y pedir un rescate?

—Así es… —afirmó, tomando de nuevo asiento—. En cuanto entre por esa puerta, Bruce recibirá una bonita foto de su chica con el rostro algo cambiado…

—Estás más desesperado de lo que imaginaba para tomar esa decisión, Ray —apuntó Square.

—¿Desesperado? —bramó de nuevo—. ¿Acaso no te das cuenta de lo que nos sucederá si no pagamos las deudas? ¡Estaremos muertos antes del sábado! ¡Todos! —enfatizó.

—Te dije que no amañaras la pelea, ¿lo recuerdas? Insistí en que apostaras por tu chico, pero… ¿me hiciste caso? ¡No! Como siempre, has hecho lo que te sale de los cojones.

—¡Tenía que haberlo matado! ¡Ese puto ruso debió matarlo! ¡Ese era el acuerdo! —gritó fuera de sí.

—Tú mismo lo estás diciendo, debió matarlo, pero no lo logró. Ese texano tiene los huevos bien puestos. Tal vez, si no se hubiera marchado, todos los hermanos lo habrían venerado tanto que te habrían dado de lado. Un jefe como él puede llevarlos hacia el triunfo que desean —comentó, burlón.

—Si no me hiciera feliz verte morir poco a poco, te habría disparado en la cabeza cuando pisaste este almacén —gruñó Ray, levantándose del asiento, dando por concluida la conversación. Estaba demasiado furioso como para escuchar que la culpa de todo la tenía él y encima que se mofara de ese fracaso. La cosa era muy sencilla: si él había dicho que tenía que morir, todo el mundo debía acatar la orden sin importar que fuera ruso, mexicano, español o alemán.

—¡Tranquilo! —le dijo, levantando las palmas en señal de rendición—. Yo solo quiero expresar mis pensamientos que, como bien dices, están algo perturbados por toda esa mierda que me meto. Pero quiero dejarte clara una cosa, Ray, pase lo que pase, aquí tienes a un hermano y, si me pides un favor, te lo haré al instante.

Walton lo miró de reojo mientras se retiraba de ese pequeño habitáculo al que denominaba despacho. Pese a esa apariencia desaliñada y ese olor a podrido que emanaba, desconfiaba de Square. Pero reconocía que, hasta el momento, no había hecho nada en su contra y, pese a que le costaba admitirlo, en el fondo llevaba razón. Si aquella muchacha le hubiese importado al texano, se habría marchado con él o habría buscado la manera de mantenerla alejada del peligro. Sin embargo, no hizo ni lo uno ni lo otro. La dejó a merced de un destino incierto mientras él huía como un gallina tras terminar el combate. Pero, aunque parecía una idea disparatada, no tenía otra alternativa. Secuestrar a la muchacha era la única esperanza que le quedaba para que apareciese. Si comprobaba que Square tenía razón y que no le importaba, les daría permiso a sus hermanos para que disfrutaran de ella hasta que se cansaran. Pero si Bruce reaccionaba cuando viera en un mensaje que la tenía bajo sus manos, él sería quien se divertiría con la muchacha hasta matarla.

—¿Vas a venir o te vas a quedar ahí sentado todo el día? —le preguntó a Square al ver que no se movía del asiento.

—¿Crees que mi compañía te dará credibilidad, Ray? —soltó, mordaz—. Como bien has dicho, esos mexicanos desconfían de todo y no sería conveniente para ti aparecer con un yonqui.

—¿Me ofreces una mierda de excusa para regresar al mundo de los muertos?

—Sí —dijo, encogiéndose de hombros—. Lo hago.

—Puto cabrón de mierda —masculló mientras se dirigía hacia la salida. Pero, de repente, frenó esa marcha, echó varios pasos hacia atrás y soltó una carcajada—. Vaya... Vaya... parece que nuestros muchachos han logrado pescar un pez bastante grande —comentó con mofa—. ¿Estáis seguros de que esa ballena es la chica de Bruce?

Miró a Ohana de arriba abajo con asombro. Nunca imaginó que al texano le gustaran robustas. Hasta ese momento, hubiera apostado la cabeza que la joven con la que se veía a escondidas era una de esas modelos de calendario y quien permanecía frente a sus ojos podía meter en aquellos pantalones a tres de las antiguas amantes del texano. Entonces empezó a sopesar la idea de Square: que no era tan importante para Malone como se había imaginado y que por eso se había marchado sin ella.

—Ray, esta es la chica —le aseguró Sean al observarlo tan confundido.

—¿Seguro? —preguntó, desconfiado.

—Sí. No hay duda, es ella —afirmó el otro hombre que sostenía a Ohana del brazo. El mismo que había seguido a Bruce desde que se lo ordenó Ray.

—Pues no sé cómo voy a controlar mis vómitos cuando te folle. Las mujeres con tanta carne y grasa me dan asco —reveló con repulsión mientras escuchaba como los hermanos se carcajeaban por el comentario.

—¡Cabrón! —exclamó Ohana cuando, al alzar por fin el rostro, descubrió la cara de quien había ordenado secuestrarla.

Ohana se levantó de la cama con rapidez al escuchar el sonido del móvil. Lo desbloqueó ansiosa y, al descubrir que era un mensaje de wasap de Bruce, lo abrió desesperada.

«Buenos días, tesoro. Te echo de menos. Creo que ya te lo he dicho mil veces, 😝 pero sabes que es cierto. Ayer por la noche no pude llamarte porque me pasé horas y horas hablando con mi padre. Terminamos a las tres de la mañana, pero nos pusimos al corriente de todo lo que nos ha pasado en estos cinco años. Me explicó todo lo sucedido con Marcia y que tengo un hermano. Me dijo que es igualito a él. ¡Pobrecito! 😟 Claro está, yo también le hablé de la mujer que me ha robado el corazón, 😝 y todavía sigue en *shock*. 🤣 Dice que no debí confesarle nuestra relación porque ahora no sabe cómo mirar a tu madre a los ojos. 😔 Espero que esta mañana triunfes y que ese diseñador acepte tus propuestas. Mi chica es una campeona y me siento orgulloso de ella. 💪 Esta noche, si no estás muy ocupada y mi padre me deja tranquilo, te llamaré y hablaremos un rato. Te quiero, texana. Te quiero ahora y siempre. 😘».

No se lo pensó dos veces y le respondió:

«Buenos días, Bruce. Me alegro de que estuvieras hablando con tu padre y no te burles de tu hermano, es un niño precioso. Te enamorarás de él cuando lo conozcas. Espero que a tu padre no se le ocurra decirle nada a mi madre, ya se lo diré yo cuando regresemos al pueblo cogidos de la mano. ☺ Estoy nerviosa por la reunión. ¿Te dije que elegí los diseños más atrevidos? 😜 Te llamaré cuando hable con Bartholomew. Yo también te echo de menos, pero sé que esta distancia es necesaria para los dos».

Sin poder borrar la sonrisa de su rostro, presionó el botón de enviar y, sin esperar a que lo recibiera, se levantó de la cama, se desprendió de la camiseta con la que dormía y buscó en el armario algo que ponerse para ir a la facultad. Después del correo que le envió a Bartholomew, este le respondió dos horas después que se verían antes de que comenzaran las clases para aclarar ciertos términos importantes del contrato. Pero en vez de pensar en lo que sucedería en esa reunión, Ohana se ajustaba los vaqueros recordando cada mensaje y cada llamada de Bruce. Seguía sin decirle dónde se encontraba, según él, para mantenerla a salvo. Pero… ¿qué peligro corría si a ella nadie la conocía? Solo Siney sabía de su existencia y, según Bruce, este había dejado el gimnasio al cargo de uno de los chicos que trabajaban para él mientras su corredor de apuestas tramitaba el pago del combate.

Ohana suspiró hondo al recordar la cuantía que las cuatro personas recibirían por el triunfo de Bruce, entre ellas, él. Según le contó, esa ganancia, más de un cuarto de millón, la invertiría en construir el taller que había soñado y edificaría una gran casa al lado de este para que ambos pudieran vivir felices, si es que ella terminaba aceptándolo.

¡Claro que lo aceptaría! ¿Cómo no iba a aceptarlo si estaba enamorada de él? Agrandando esa sonrisa, se tomó una taza de café de un trago, cogió la mochila rosa que le había regalado y salió del apartamento con una idea clara: aceptaría el contrato de Bartholomew si la dejaba trabajar desde Old-Quarter, el lugar donde ambos vivirían su historia de amor. Presionó el botón del ascensor, esperó a que este llegara y, cuando se abrieron las puertas, salió del interior el señor Fill.

—Buenos días, señorita Cohlen —la saludó con entusiasmo.

—Buenos días, señor Fill. ¿Cómo se presenta esta jornada de lunes?

—Muy bien. Aunque ando algo liado desde que el dueño del edificio se ha empeñado en asegurar este lugar como si fuera un búnker antibombas —le explicó.

—Imagino que, después de lo sucedido con el señor Beckham, es normal que se preocupe tanto por los inquilinos, ¿no? —habló mientras ella entraba en el ascensor.

—Sí. ¿Usted está bien? ¿Ha tenido alguna visita desagradable durante estos días? —espetó, suspicaz.

—No —respondió, sabiendo a qué se refería—. Las personas siempre terminan por cansarse cuando no alcanzan lo que quieren y él no es ninguna excepción.

—Por supuesto. Un hombre sensato acepta lo evidente —expresó, mientras que su cabeza imaginaba la clase de paliza que le habría dado el muchacho para que el tal James no diera señales de vida. Si le había golpeado como al médico, aquel acosador habría huido de la ciudad en cuanto recobrara la consciencia—. Que tenga un buen día, señorita Cohlen —le dijo cuando las puertas empezaron a cerrarse.

—Lo mismo le deseo —le respondió, girando el cuerpo hacia su derecha para poder verlo antes de que desapareciera tras las gruesas hojas de metal.

Una vez que salió del edificio, miró hacia el cielo. Había demasiadas nubes, algo que podía presagiar lluvia o la esperada bajada de temperatura. Se ajustó la mochila en los hombros y caminó por la calle para coger el autobús. Estaba tan ansiosa por hablar con Bartholomew que no le apetecía caminar. Pero de repente, justo cuando iba a cruzar la vía para dirigirse a esa parada, notó la presencia de alguien detrás de ella. Al principio creyó que era Bruce, que había aparecido para darle una sorpresa. Sin embargo, no era él, sino dos hombres que, con rapidez, se colocaron a ambos lados de ella.

—No intentes gritar, no hagas ningún movimiento extraño o esto que tienes en la espalda —apretó el frío cañón de un arma en la camiseta— te matará aquí mismo.

Debía gritar, debía moverse e intentar huir de esa situación, pero el miedo la dejó tan paralizada que no pudo hacer ni un leve gesto. Acompañada de aquellos extraños, presionada por el cañón de un arma, Ohana avanzó hacia la dirección que ellos le indicaban en completo silencio.

—¡Quítale la puta mochila! —le ordenó el más alto al otro.

—¿Crees que soy tan tonto como para meterla con ella dentro, Sean? —le contestó con tanta rabia que escupía saliva al hablar.

Y, de manera violenta, ese desconocido airado tiró de la mochila y se la arrebató de sus brazos zarandeándola bruscamente.

—¡Entra! —le gritó el tal Sean después de abrir el capó del coche—. O te metes por las buenas o por las malas —masculló, apuntando con esa arma que había estado en su espalda a su cabeza.

Aturdida, conmocionada, creyendo que lo que le estaba sucediendo era una pesadilla y que en cualquier momento iba a despertar, Ohana terminó por acoplar su figura en aquel reducido espacio. Al escuchar cómo el coche arrancaba, cerró los ojos y se echó a llorar. ¿Qué le pasaría ahora? ¿Qué querría aquella gente de ella? ¿Descubriría Bruce que la habían secuestrado? ¿Todo eso sería obra de aquel criminal? ¿La utilizarían para que Bruce apareciese? Cientos de preguntas se agrupaban en su mente mientras el vehículo continuaba el trayecto. Una vez que se paró, apretó con fuerza sus ojos y endureció su cuerpo.

—¡Sal fuera! —tronó Sean.

Cuando consiguió poner los pies en el suelo, las piernas perdieron la fuerza y se arrodilló. Entre gritos y maldiciones, ambos la cogieron de los brazos, la levantaron y la dirigieron hacia una especie de almacén. ¿Dónde estaba? ¿Habría salido de Nueva York? ¿Qué era aquel lugar? Con la cabeza agachada, para que no la vieran llorar, se dejó arrastrar hasta que escuchó una voz que la insultó. Entonces, sacando algo de valentía, alzó el mentón y, después de dedicarle un insulto, escupió a quien la observaba con desprecio.

—Vaya… La ballena tiene carácter —afirmó Ray mientras se limpiaba la cara y, sin pensárselo dos veces, le asestó un puñetazo en el ojo izquierdo, otro en la boca y otro en el abdomen. Ante el dolor de esos golpes, ella se inclinó hacia delante—. ¡Soltadla! —ordenó a quienes seguían agarrándola por los brazos.

Al hacerlo, Ohana cayó al suelo y soltó otro quejido de dolor.

—¡Ahora entiendo por qué no lo has acompañado! —exclamó Walton, golpeándola con la bota en las costillas—. ¡Eres una puta vaca! ¿Quién desea tener una vaca a su lado? ¡Gorda! ¡Puta gorda de mierda! —continuó vociferando mientras la pateaba una y otra vez.

Toda su rabia, toda la desesperación, que había emergido en él al comprender que su única esperanza se había esfumado, la proyectó sobre ella. Nadie, absolutamente nadie de los que los rodeaban y los observaban como si contemplaran un divertido espectáculo intentó pararlo. Solo una persona, que hasta ahora se había mantenido sentado, se levantó, caminó hasta Ray y le puso la mano en el hombro para hacerlo parar.

—No gastes más energía en esa zorra —comentó Square, que, pese a la mirada fulminante que le ofreció Walton, no se apartó—. Recuerda que tienes una reunión importante y, si te retrasas, empezarán a dudar de tu palabra.

—¡Zorra de mierda! —exclamó, dándole otra patada sobre el vientre antes de separarse. Se arregló el pelo, se secó el sudor de la frente con la manga de la camiseta, tiró del chaleco hacia adelante y miró a sus hermanos—. Que dos de vosotros se queden aquí vigilándola. Cuando regrese, comprobaré si esta puta al final puede servirnos para algo.

—¿No crees que será mejor que aparezcáis todos? —intervino de nuevo Square—. Si los mexicanos advierten que falta alguno de tus hombres, pensarán que estás preparando una encerrona y no os dejarán regresar... vivos.

—¿Qué propones que haga, Square? —le preguntó con retintín—. ¿Dejarte aquí solo con ella?

—¿Crees que saldrá corriendo después de la paliza que le has dado? —espetó, divertido—. Esa zorra no podrá moverse en años —agregó.

—Tienes razón —aseguró después de escupirle, como había hecho ella en su cara—. ¡Todos a las camionetas! ¡Tenemos que darnos prisa! —ordenó—. Espero que hagas bien tu trabajo —le dijo a Square.

—Pero... ¿la vais a dejar aquí? Yo no puedo cogerla —apuntó este, desconcertado.

—Tú opinas, tú haces —sentenció Ray antes de salir del almacén con todo el séquito masculino dejándolo solo con las mujeres.

—¿Me ayudáis? —les preguntó a estas. Pero ninguna se acercó a él. Volvieron a lo que estaban haciendo antes de que empezara el espectáculo: disfrutar de toda la coca y bebida que había sobre las mesas—. Está bien —dijo, agachándose hacia Ohana—. Hola, pequeña, me llamo Square. Sé que voy a pedirte demasiado, pero... ¿puedes levantarte?

No lo miró. Ohana no era capaz ni de responder a esa pregunta. Le dolía tanto su cuerpo que le costaba hasta respirar.

—Mira, pequeña, aunque ahora mismo no te creas lo que voy a decirte, necesito que saques algo de fuerzas para levantarte —le susurró—. Quiero alejarte de esas hienas que te observan con desprecio y, cuanto antes te esconda, antes podrá venir Malone a recogerte.

Al escuchar el apellido de Bruce, ella giró su rostro destrozado por los golpes hacia quien le hablaba. No podía verlo con claridad, sus ojos estaban tan hinchados que la imagen permanecía borrosa. Sin embargo, algo en su interior la animó a que se pusiera de pie, a que siguiera las indicaciones de aquel extraño que le hablaba con mucha ternura.

—Así es, pequeña, apóyate en mí. Te prometo que no volverás a ver a ese hijo de puta, salvo muerto —sentenció mientras la sacaba de aquella zona para conducirla hacia una más segura.

CAPÍTULO XXIV

QUÉ HE HECHO

Después de enviarle el wasap a Ohana y leer su respuesta, se retiró al baño, se aseó con rapidez y regresó al dormitorio. No tenía tiempo que perder si quería llevar a cabo su plan y, por la cantidad de llamadas de Ray y los mensajes amenazadores que le envió, no le quedaba ninguna duda de que debía zanjar el problema lo antes posible. La desesperación de Walton estaba llegando a su punto más álgido y mucho se temía que, al no encontrarlo, se dirigiría hacia Old-Quarter con todo su séquito de criminales. Por ese motivo, en la última conversación que mantuvo con su padre y después de explicarle lo sucedido, comprendieron que lo mejor para todos era que él regresara al pueblo, asumiera el castigo que le tenían preparado y, una vez saldada esa deuda, hablaría con tranquilidad sobre lo ocurrido con Ray. Lo más sensato era que permanecieran informados por si, durante su regreso a Nueva York para buscar a quien pudiera ayudarlo, este tomaba la decisión de poner rumbo hacia el pueblo.

Tres días...

Calculó que el viaje duraría tres días. Durante los cuales Ohana afianzaría ese contrato con el diseñador y él resolvería una de sus dos grandes preocupaciones. Miró de nuevo el desayuno que le había preparado Hailee y resopló. No tenía hambre. La ansiedad y la inquietud le habían cerrado el estómago, pero tenía la certeza de que, si no se lo tomaba, Herson y su esposa no lo dejarían salir de allí. Así que empezó a engullirlo como si fuera un perro hambriento.

Estaba dando el último bocado a la tostada cuando el móvil empezó a vibrar de nuevo sobre la mesa. Había desactivado el sonido para no tener que escuchar las mil llamadas de Ray. Necesitaba concentrarse en cómo atajar un problema y luego... ya respondería a esa llamada. Pero quien deseaba contactar con él era insistente. Durante algo más de cinco minutos la pantalla de su móvil no paraba de iluminarse mostrándole que un número desconocido pretendía hablar con él. Enfadado por esa insistencia, cogió el teléfono, aceptó la llamada y se mantuvo callado para averiguar quién respiraba al otro lado.

—¿Malone? —Oyó, sorprendido, la voz de Square—. ¿Estás ahí?

—Si ahora te has convertido en el puto mensajero de Ray, ya puedes decirle de mi parte que se vaya a tomar por culo. No voy a regresar hasta que encuentre la manera de destruirlo —masculló.

—Me parece una idea cojonuda, pero antes de ejecutar ese maravilloso plan, déjame que te cuente una cosa importante —habló tan rápido como pudo. Por el tono de voz del muchacho, si no le explicaba pronto el motivo de su llamada, colgaría el teléfono y lo apagaría.

—¿Tú? ¿Una cosa importante? ¿Qué podría ofrecerme un muer...?

—Ray ha secuestrado a tu chica —lo interrumpió—. Ella está aquí, en el almacén. No he podido evitar que le dé una paliza, ya sabes cómo se comporta cuando no consigue lo que se propone. Pero puedes salvarla de una muerte segura si la rescatas.

—¿Chica? ¿Qué chica? ¡Yo no tengo ninguna chica! —exclamó en voz alta—. Me he marchado solo porque no hay nadie que me interese.

—Preciosa —comentó Square a Ohana—, ¿puedes hablar? Creo que como no lo hagas, la paliza que te ha dado será el principio de una gran tortura —anunció mientras le acercaba el móvil.

—¿Bruce? ¿Eres tú de verdad? —preguntó, aturdida—. Me... me...me ha secuestrado. Dos hombres... Dos hombres me obligaron a...

—¿Nena? ¿Ohana? ¿Qué te han hecho, tesoro? —espetó dando un salto tan brusco que tiró la silla hacia atrás—. ¡Me cago en su puta madre! ¡Voy a matarlo cuando lo tenga delante! —soltó, exasperado.

Pero ella no pudo decir nada más, al escuchar su voz rompió a llorar. Square le puso la mano derecha sobre su cabello para tranquilizarla al tiempo que retomaba la conversación con el texano.

—Tienes menos de cuatro horas para sacarla de aquí, Malone —le advirtió—. Pasado ese tiempo, no sé qué le sucederá. Ray está tan desesperado por encontrarte que puede hacerle cualquier cosa.

—¡Joder! —bramó Bruce, cogiendo las llaves de la camioneta—. ¿Cómo cojones han dado con ella?

—Parece mentira que hayas pensado, por un solo momento, que Walton no sabía de su existencia —comentó Square, alejándose unos pasos de Ohana—. Nadie escapa de ese hijo de puta. Cada paso que has dado, uno de sus soplones lo daba contigo.

—¡Voy a matarlo! ¡Juro por lo más sagrado que tengo que va a morir en mis manos! —clamó al tiempo que cogía, de una en una, las armas y se las colocaba en el cinturón de su espalda.

—Y yo estaré encantado de que lo hagas, pero primero salva a tu chica —le aconsejó.

—¿Cuántos hombres hay contigo, Square? —preguntó mientras corría por la salida de emergencia hacia su ranchera.

—Solo están las mujeres.

—¿Te ha dejado solo? —espetó, suspicaz, al tiempo que apretaba el botón de la llave para que la camioneta se abriera—. ¿Por qué?

—Me las he apañado para hacerlo. Todavía sigo siendo más astuto que él —reveló, orgulloso.

—Si esto es una trampa, no solo Ray morirá... —lo avisó.

—Te prometo que no es ninguna encerrona, Malone. Quiero que la saques de aquí porque esta muchacha no se merece el futuro que desea ofrecerle Ray —se compadeció—. Además, sé que esta buena acción compensará toda esa vida de mierda que he tenido y Dios me dejará pasar sin juzgar mis antiguos pecados... Según creo, el cielo es el mejor lugar para pasar el resto de la eternidad —añadió, dibujando una leve sonrisa.

—Tardaré menos de cuarenta minutos en llegar —apuntó tras arrancar la furgoneta y salir del asador de Haille, desesperado—. Dime dónde está y por qué zona quieres que aparque para sacarla sin que me vean esas zorras —le pidió.

—Aparca por el río. Es más sensato sacarla por ahí que por la entrada principal. Pese a que estoy seguro de que no hay nadie por los alrededores, debemos tomar todas las precauciones pertinentes y no te preocupes por esas putas, voy a encargarme de que, cuando regrese Ray, no recuerden ni sus nombres.

—Square…

—¿Qué?

—Si consigo salvarla, te deberé una —señaló con firmeza.

—Tu deuda quedará saldada si me matas después que a él. Necesito confirmar, antes de atravesar las puertas de ese cielo, que Ray pagará en el infierno todo lo que ha hecho —indicó sin titubear.

—De acuerdo, que así sea —afirmó antes de colgar y acelerar tanto el vehículo que el cuentakilómetros no bajó de doscientos.

Square miró a la joven de arriba abajo y sintió lástima, muchísima lástima por ella. La vida podía convertirse, en un abrir y cerrar de ojos, en un miserable calvario. Solo esperaba que el texano pudiera sacarla y lograra compensar, algún día, todo lo sucedido por ese maldito descuido. ¿Cómo había sido tan idiota? ¿Cinco años al lado de Ray no le habían servido para nada?

«No, no le han servido para nada —pensó—. Aunque en el fondo, he de agradecer al destino que esto haya sucedido. Ese texano cumplirá mi último deseo y realizaré el acto de bondad que necesito para no arder en el infierno».

—Pequeña, ¿puedes oírme? —preguntó mientras le acariciaba esa hinchada mejilla—. Tu chico está de camino, no tardará demasiado. Pero, mientras aparece, tengo que dejarte sola porque debo ocuparme de un asunto. ¿Podrás mantenerte en esa silla o intentamos apoyarte en el suelo?

—No quiero moverme... —le respondió, pretendiendo abrir los ojos, pero le dolían tanto y los tenía tan inflamados que brotaron nuevas lágrimas por el esfuerzo.

—Perfecto. Entonces te quedarás ahí. Solo una cosa más —le pidió, caminando hacia la salida—. Sea lo que sea lo que escuches ahí fuera, ni se te ocurra moverte hasta que venga tu chico a por ti, ¿de acuerdo?

—Sí —afirmó, moviendo ligeramente la cabeza.

—Buena chica —apuntó antes de dejarla sola.

Una vez que Square cerró la puerta, caminó hacia el colchón donde dormía. Uno tan sucio y maloliente que ni las ratas se atrevían a acercarse. Lo levantó, metió el dedo en el agujero que había sobre una losa y sacó una bolsa del interior. La observó durante unos minutos y, tras confirmar que era la mejor opción, caminó hacia las mujeres.

—¡Mirad lo que ha traído Santa Square! —exclamó, mostrándola como si fuera la copa de un triunfador—. ¿Quién de vosotras ha sido tan buena que desea su regalo antes de Navidad?

Mientras conducía hacia la guarida, Bruce no paraba de golpear el volante. ¡La habían secuestrado! Ray la había descubierto y la tenía en el almacén. ¿Cómo y desde cuándo lo habían seguido? ¿Por qué no fue capaz de darse cuenta de que alguno de los secuaces de Ray andaba tras sus pasos? ¿Cómo había sido tan imbécil de alejarse de ella pensando que estaba a salvo? Sin poder reducir esa rabia que recorría su cuerpo,

Bruce gritó desesperado ante ese sentimiento de culpa y frustración. Le había dicho que la protegería, que cuidaría de ella el resto de su vida y… ¿qué había hecho? Todo lo contrario. Se preocupó tanto en distanciarse de las garras de Ray para averiguar cómo darle fin que no se centró en ella. «A Ray no se le escapa nada. Es tan controlador que sabe hasta cuándo mea su gente…», recordó las palabras de Harrison. Y no se equivocó. Mientras que él vivía feliz creyendo que nadie sabía que Ohana existía, ella corría peligro. Lo mataría. En cuanto ella estuviese bajo el cuidado de los habitantes del pueblo, regresaría a Nueva York y él mismo le daría caza. Estaba tan ansioso de alcanzar la venganza que no perdería el tiempo buscando a miembros de otras bandas que desearan acabar con Walton. Él, con sus propias manos, le daría fin.

«Lo siento, tesoro. Lo siento tanto…», susurraba cada vez que su mente dejaba de pensar en cómo matar a Ray y se centraba en ella.

La había traicionado. Por ser un descuidado, ella había vivido un secuestro y, según las palabras de Square, Ray la había agredido. El temblor del miedo se apoderó de su ser. ¿A qué tipo de tortura la habría sometido un ser que no tenía piedad? ¿Hasta qué punto había pagado con ella la ira que sentía por no encontrarlo? ¿Cuántas veces Ohana habría dicho su nombre, esperando a que apareciera a su lado y la salvara de esa atrocidad? Bruce clavó sus ojos inyectados en sangre en el semáforo de la carretera por la que circulaba a doscientos. Este pasó de mostrar la luz verde al ámbar. Pisó el acelerador, cambió a la siguiente marcha y atravesó la vía esquivando el vehículo que salió por su derecha recriminando su imprudencia con un intenso pitido del claxon. Cinco minutos. Solo le quedaban cinco minutos y la sacaría de aquel lugar. Y, una vez liberada, una vez respaldada y protegida por las únicas personas en quienes confiaba, él se aseguraría de que nada le ocurriera manteniéndose lejos.

—¿Dónde estás? —le preguntó Hailee cuando Bruce aceptó la llamada—. Me acaba de decir Herson que te ha visto salir del almacén como alma que lleva el diablo. ¿Qué ha sucedido?

—Ray ha secuestrado a Ohana y voy a liberarla —masculló.

—¡Virgen Santa! —exclamó la mujer, horrorizada—. ¡Pobre muchacha! ¿Quién te lo ha dicho? ¿Has pensado, por un instante, que puede ser una trampa? ¿Te han dejado hablar con ella? ¿Has confirmado que se encuentra bien?

—He podido hablar con ella y no creo que sea una trampa. Pero si lo es, prefiero morir a quedarme sin hacer nada.

—Entiendo... —susurró la camarera.

—Oye, Hailee, he dejado en la habitación un macuto con ropa, ¿puedes desprenderte de ella? —le pidió mientras sus dedos se clavaban en el volante.

—No te preocupes por eso. Céntrate en salvarla y en... salvarte —expuso bajando el tono de su voz.

—Gracias por todo, Hailee. Gracias por no haberme...

—No me agradezcas nada, muchacho —lo cortó—. Herson y yo siempre hemos sabido que en el fondo eras una buena persona... Tan solo preocúpate de sacar a tu chica de allí y abandona de una vez esta ciudad. Esta vida no es conveniente ni para ti ni para ella.

—Os echaré de menos.

—Y nosotros a ti. —Y para que Bruce no la escuchase llorar, Hailee colgó el teléfono. Luego miró a su esposo, que se había colocado junto a ella, y lo abrazó.

Tal como le había indicado Square, tomó el camino del río. Aminoró la velocidad tanto que apenas se escuchó el motor, aparcó detrás de los contenedores industriales y, dejando el motor conectado, salió del vehículo dando un portazo. Sin apartar los ojos de esa pequeña salida de emergencia que tenía el refugio, se dirigió hacia ella repasando la conversación que mantuvieron. No le había dicho cómo sabría que se encontraba allí, ni cómo acceder al interior sin que aquellas zorras lo descubriesen y alertaran a Ray. Fue entonces cuando le asaltó la duda de que podía ser una patraña para que apareciera. ¿Estaría Ray dentro esperando su llegada? ¿Estarían todos escondidos hasta que Walton les ordenara disparar? Alargó las manos hacia su espalda y cogió las armas. Las observó como si ellas pudieran contestar a esas preguntas y sonrió. Si moría, si todo aquello era una trampa para que saliera de donde se encontraba y matarlo, no se marcharía solo al infierno.

Despacio, colocó su oreja derecha sobre la puerta y frunció el ceño al no escuchar nada. Todo permanecía en absoluto silencio… Levantó despacio la cabeza y miró hacia la ventana de arriba. Cerrada. ¿Si no podía entrar por la puerta, por dónde lo haría? Salvo por la principal, aquello era un refugio hermético. Walton se había encargado de la seguridad de aquel lugar. De ese modo nadie podía acceder sin que ellos lo supieran y sin prepararse para un ataque.

Con las armas en cada mano, dio varios pasos hacia la esquina izquierda del almacén. Desde aquella zona podía observar la entrada principal. Allí no había nada. Las motos no se encontraban aparcadas donde siempre. Eso podía indicarle dos cosas: que, como le había dicho Square, todos estaban fuera o que las habían metido en el interior. Justo cuando su paciencia se había esfumado y había decidido adentrarse por aquella zona, como un pistolero se adentra en un bar repleto de enemigos, la puerta que daba al río se abrió. Bruce se giró bruscamente y apuntó hacia la figura que aparecía del interior.

—¡Aparta esas armas, muchacho! —dijo Square, levantando las palmas.

—¿Dónde están todos? —preguntó sin bajar las armas.

—Han tenido que salir a una reunión con los mexicanos. Después de tu triunfo, Ray debe ajustar cuentas con mucha gente —lo informó mientras hacía un gesto despreocupado con los hombros—. Pero no has venido hasta aquí para averiguar los turbios asuntos de Ray, ¿verdad?

—No —contestó, colocando las armas en su espalda—. ¿Dónde está?

—En el único lugar que he creído más seguro —apuntó al tiempo que atravesaba la puerta.

—¿Y las zorras? —espetó de manera despectiva.

—Controladas —respondió con una enorme sonrisa—. Tardarán muchas horas en tomar algo de consciencia, si es que alguna vez tuvieron algo de eso —añadió, caminando hacia una puerta que había bajo la primera planta.

No le había quedado más remedio que meterla allí. Aquel zulo, que utilizaban para retener a todos los que caían bajo las manos de Ray hasta que dejaban de respirar, era el lugar más alejado de donde se encontraban las mujeres. Además, ninguna de ellas se atrevía a acercarse porque el olor a muerte las hacía retroceder.

—¿La has metido ahí? ¿No había otro sitio? —preguntó fuera de sí Bruce.

—Era la mejor opción… —señaló Square, abriendo la puerta.

Cuando Malone dio un paso hacia delante y la vio, quiso arrodillarse frente a ella y llorar. Estaba sentada, con la cabeza ligeramente inclinada hacia atrás, sus manos débiles se extendían hacia el suelo. Estaba colocada como si alguien la hubiera arrojado contra la silla con violencia. Su cabello, despeinado y sucio, pretendía ocultar aquel rostro destrozado. Su camiseta, manchada de sangre, mostraba la magnitud de la ira de Ray, una ira que recibiría en cuanto ella estuviera a salvo. En dos zancadas se acercó a ella y le apartó ese mechón negro que escondía un ojo tan inflamado que apenas podían verse las pestañas.

—Cariño, soy yo. Ya he llegado —le susurró al tiempo que la cogía en brazos—. Nos vamos de aquí, ¿me escuchas? ¡Nos vamos de este puto lugar!

Ohana, semiinconsciente, le respondió con un leve quejido mientras apoyaba la cabeza sobre su pecho y sentía cómo su cuerpo levitaba sobre la silla. Había ido a por ella. Él estaba allí, salvándola de Ray y, ese sentimiento de felicidad fue tan grande y reconfortante que le dio fuerzas para alzar las manos y enredarlas en el cuello de Bruce.

Square observó en silencio aquella liberación y, por una vez en su vida, se sintió orgulloso de sí mismo. Sin duda alguna iba a ir directo al cielo. Dios debía perdonarle todo lo que había hecho después de esa buena obra.

Caminando detrás del texano, escoltándolos hasta el coche, lo ayudó a abrir la puerta de la furgoneta para que pudiera tender a la chica en el asiento de atrás.

—No la ha violado —le dijo cuando Bruce colocó sus manos sobre el pantalón vaquero y buscó alguna señal que le indicara hasta qué punto había sido agredida—. Pero lo iba a hacer. Pretendía subirla a su habitación y grabarlo en vídeo para enviártelo —apuntó mientras daba varios pasos hacia atrás.

Malone cerró la puerta y se quedó mirándolo sin parpadear. Aquel muerto viviente lo había ayudado, anteponiendo incluso su propia vida. En ese momento recordó la última noche que habló con él y descifró, con rapidez, la razón por la que Square regresó al lado de Ray. Muerto. Quería verlo muerto.

—Ya sabes lo que debes hacer, texano. Porque, cuando aparezca, me hará miles de preguntas y, si no le aseguro con pruebas que he peleado contra ti, me matará.

—¿Dónde quieres que te dispare? —le preguntó al fin. Era justo lo que le pedía. Pese a que no le agradaba disparar a un hombre que lo había ayudado, era lo mínimo que debía hacer para salvarle el poco tiempo de vida que aspiraba a tener.

—En una pierna, a la altura de la rodilla. Así podré tumbarme en el sofá esperando con paciencia tu regreso —comentó, dibujando una enorme sonrisa.

—Suerte, Square —le dijo mientras este se alejaba de él. Si quería que Ray no dudara en su palabra, el impacto debía producirse desde una distancia adecuada—. Y vive para ver la destrucción de ese hijo de puta.

—Lo haré —comentó, volviéndose hacia él.

No le tembló la mano al dispararle. Malone dirigió el cañón de su arma hacia la pierna izquierda de Square y apretó el gatillo. Este, ante el impacto, cayó al suelo y colocó ambas manos sobre el agujero sangrante. Debió gritar al sentir cómo esa bala le atravesaba la carne, pero no lo hizo. Todo lo que había tomado antes de su llegada le provocó un efecto tan sedante que podía haber echado a correr sin sentir las molestias.

Bruce, después de ver cómo Square presionaba la herida con las palmas, corrió hacia la furgoneta y salió de allí dando un gran acelerón. Una vez que la ciudad se quedó a su espalda, marcó el número de teléfono de su padre.

—Buenos días, hijo —le respondió Dylan—. ¿Vienes de camino?

—Sí, pero hay cambio de planes —anunció, mirando por el espejo retrovisor a Ohana, quien seguía sin mover ni una pestaña desde que la dejó en el asiento trasero.

—¿Cambio de planes? —soltó el mecánico, desconcertado.

—Dile a Marcia que prepare su casa. Ohana y yo nos quedaremos en ella hasta que se recupere.

—¿Ohana? ¿Que se recupere? ¿De qué coño hablas, Bruce? ¿Qué diablos ha pasado? —gritó, desesperado.

—Ray secuestró a Ohana esta mañana y acabo de rescatarla. Pero hasta… Yo… Tiene la cara destrozada… y no sé si le habrá partido alguna costilla… Su camisa tiene tanta sangre… —intentó explicar. Sin embargo, no le salían las palabras. Aquel estado de ansiedad, tristeza, miedo y desesperación le impedían hablar con coherencia.

—Bien, tranquilo. No hace falta que me expliques nada en este momento, ya me lo contarás todo cuando lleguéis al pueblo —comentó Dylan para relajarlo—. Avisaré a Mathew para que prepare todo lo necesario en la antigua habitación de Marcia. Nosotros cuidaremos de ella, hijo. Te prometo que nadie más le hará daño.

—¡Voy a matarlo! ¡Voy a matarlo! —bramó Bruce mientras las lágrimas brotaban de sus ojos—. ¡Le haré pagar todo lo que le ha hecho! ¡Quiero que suplique por su vida! ¡Quiero que sienta el dolor que ella ha sentido! ¡Quiero venganza!

—Seguro que la tendrás, hijo mío. Pero primero asegúrate de que los dos llegáis al pueblo sanos y salvos. ¿Me has escuchado, Bruce Malone?

—Sí —respondió con un sollozo.

—¡Jura, por tu santa madre, que no pararás de conducir hasta que llegues a casa! —le pidió—. ¡Júramelo!

—Lo juro —le respondió antes de colgar la llamada y dejar el interior del vehículo en silencio.

CAPÍTULO XXV

OLD-QUARTER, UN PUEBLO DIFERENTE

Tal como le dijo a Ohana, cuando paró en aquel establecimiento para comprar algo con lo que alimentarla, llegarían al pueblo antes del amanecer. Mientras ella descansaba bajo la manta roja, Bruce conducía sin reducir la velocidad hacia el pueblo. Durante el silencio, solo interrumpido por algún que otro claxon para recriminarle esa conducción tan temeraria, él escuchaba en su mente sin cesar esas dos palabras que Ohana le había dicho por primera vez. Estaba aturdida, confundida y muy desorientada. Esa era la causa por la que le declaraba aquella locura. Ohana no podía quererlo después de haberla dejado en manos de Ray. La habían lastimado por su culpa, por salir corriendo del almacén en vez de dirigirse al vestuario y enfrentarse a Walton tras ganar el combate. Y se sentía tan miserable, tan culpable... que las lágrimas aparecieron de nuevo en sus ojos. Bruce se las apartó de manera brusca con el antebrazo derecho. No podía seguir llorando, no debía hacerlo más. Era el momento de sacar toda su rabia, toda su cólera y aceptar su destino. Ese que comenzó cinco años atrás y que necesitaba zanjar de una vez. Se paró en el cruce, en ese desvío en el que, de niño, cambió la dirección del cartel que indicaba la distancia que faltaba para llegar al pueblo. Su niñez… tiempo en el que vivió junto a sus padres, junto a los habitantes de Old-Quarter y ese que recordaba como la mejor etapa de su vida. Mientras giraba hacia el lado correcto escuchó otro pequeño sollozo de Ohana. Cada vez que se movía, ella gemía de dolor y su culpabilidad aumentaba. La miró por el espejo retrovisor y volvió a quedarse sin aliento. No podía quererlo. Él no se merecía tener el amor de una mujer tan especial y, aunque le costara apartarse de ella, por su bien, debía hacerlo. Triste por la decisión de separarse de la persona que amaba, cogió el teléfono y, con manos temblorosas, buscó la última llamada.

—¿Bruce? —preguntó Dylan después de varios tonos—. ¿Por dónde vas?

—Acabo de pasar el cruce, no tardaré demasiado en ver las casas del pueblo —explicó—. ¿Todo está preparado? ¿Han hecho todo lo que les pedí?

—Sí, aunque debes estar preparado para el comité de bienvenida. Mucho me temo que cuando te vean no te recibirán con aplausos y risas. Hasta Samantha quiere sumarse al castigo que te han organizado —apuntó con voz cansada y triste.

—Lo entiendo y lo acepto —respondió, tranquilo—. Pero antes de eso quiero que Mathew la examine. Cada vez que se gira, siente un terrible dolor en la parte derecha y mucho me temo que le ha partido alguna costilla. —Mientras hablaba, la presión de sus dedos en el volante se hizo más intensa, más dura, y ese sentimiento de traición se tornó más agónico.

—Marcia se ocupará de su madre. Miah y Mathew ya han traído todo lo necesario a la habitación. Han preparado el dormitorio como si fuera un hospital ambulante y los Sanders acaban de llegar con el matrimonio Kenston —le informó.

—Bien, ya veo que las cosas no han cambiado —comentó sin apartar los ojos de esos tejados que empezaban a aparecer en la distancia.

—Aquí el tiempo no pasa, hijo. Ni nadie olvida tan fácilmente. Si de verdad te arrepientes de lo que hiciste, debes asumir la culpa de la única manera que entendemos aquí.

—¿Dónde estás? —quiso saber Bruce, cambiando de tema.

No hacía falta que le explicara cómo ejercían la justicia en Old-Quarter, ni que expresara ese dolor en sus palabras por tener que dejarlo asumir sus malas acciones. Ya era hora de que se postrara ante el pueblo, le ofrecieran la paliza que se merecía y que obtuviera, al fin, el perdón de todas las personas a quienes dañó.

—Estoy frente a la puerta de la casa de Marcia, esperándote como te prometí —reveló.

—No te muevas de ahí. Llegaré en un minuto —señaló antes de colgar.

Bruce aceleró tanto que la camioneta comenzó a rugir como si quisiera protestar. Pero después de veinte horas conduciendo, un minuto le parecía una eternidad.

Pese a ser de noche, pese a que la oscuridad no le permitía ver todo su pueblo, Malone sintió un alivio tremendo al transitar por la calle principal. Sus pulmones volvieron a llenarse de ese oxígeno puro, su olfato captó ese olor característico y percibió como su ser se despertaba de ese letargo al que lo había sometido durante tantos años. Había regresado. Ella lo había hecho volver, como le había asegurado durante los días que permanecieron juntos. Aunque él echaría el tiempo atrás para que el motivo por el que los dos regresaban al pueblo fuera otro bien distinto.

Cuando la luz de los faros iluminó a esa figura que no veía desde algo más de cinco años, Bruce sintió como su corazón comenzaba a latir con fuerza. Su padre. Allí estaba su padre. El hombre que lo había criado, el que había dado su vida por él y a quien, pese a darle la espalda, lo esperaba con entusiasmo y esperanza. Con un nudo en la garganta, con esa emoción que le impedía respirar, aparcó despacio frente a la casa de la cartera. No había apagado la furgoneta cuando Dylan se colocó en la puerta del conductor y la abrió de golpe.

—¡Maldito seas, hijo mío! —exclamó, abrazándolo mientras lloraba amargamente—. ¡Maldito seas por haberme matado durante estos cinco años! —dijo sin poder soltarlo.

Y allí estaban, padre e hijo, abrazados como dos osos y llorando como dos niñas que se habían manchado sus vestidos nuevos. Cinco años… Cinco malditos años sin saber nada de ninguno de ellos, sin poder abrazarse, sin poder compartir sus alegrías y sus penas.

—Tengo que sacarla —comentó Bruce cuando Dylan se retiró de él.

—Yo te ayudo, hijo —expresó con firmeza, recomponiéndose poco a poco de ese esperado encuentro.

—No. Ella es mía y nadie más debe tocarla —dijo con tanta entereza que su padre se apartó sin insistir.

Dylan, asombrado ante esa declaración tan propia de los Malone enamorados, sujetó la puerta mientras él cogía entre sus brazos a la muchacha.

—Ohana, cariño, hemos llegado a Old-Quarter. Ellos te atenderán adecuadamente y te recuperarás muy pronto —le susurró mientras la dirigía hacia la puerta de la casa.

Con ella aferrada a su cuerpo, caminó delante de todos los que habían decidido aparecer y ser testigos del regreso más esperado. Aunque lo que los dejó a todos atónitos no fue esa llegada, ni que la hija de Samantha apareciera en aquel estado, sino cómo Bruce, pese a sentir las miradas hirientes, mostrara tanta posesión hacia la joven que ninguno se atrevió a acercase.

—¡Arriba! —le indicó Marcia cuando apareció en la entrada.

Samantha, al ver llegar a su hija de esa forma, saltó hacia ellos. Apartó los cabellos de Ohana y se llevó las manos hacia la boca al verle aquel ojo morado e hinchado. Miró a Bruce con tanta ira que este notó cómo lo atravesaban miles de puñales con esa mirada. Pero no fue capaz de decirle nada. ¿Qué iba a comentarle a una madre que había rezado para que su hija tuviese una vida próspera fuera del pueblo y regresaba en brazos del culpable de su destrucción? Soportando esa recriminación, continuó subiendo hasta el dormitorio que le señaló Marcia. Y, cuando depositó a Ohana sobre la cama, Samantha se dejó llevar por toda la furia que había contenido.

—¡Bastardo! ¡Hijo de puta! ¿Qué le has hecho a mi hija? ¡¿Qué le has hecho?! —le gritaba mientras golpeaba una y otra vez el rostro y el pecho de Bruce—. ¿Querías seguir haciendo daño? ¿Querías verla así?

—Samantha, por favor —le pidió Mathew, que, una vez posada Ohana sobre la cama y sin prestar atención a Bruce, comenzó a examinarla para averiguar el alcance de sus heridas—. Malone nos explicará lo sucedido a su debido tiempo…

—¿Defiendes a este criminal? —vociferó—. ¿Qué esperas que nos explique? ¿Ves alguna herida en su cuerpo? ¡No! ¡Es mi hija quien está ahí postrada en la cama medio muerta! ¡Maldigo el día en el que naciste, Bruce Malone! —chilló mirándolo—. ¡Lo maldigo!

Cuando Samantha iba a darle otro puñetazo, Miah se acercó a ella, le echó el brazo sobre los hombros y la separó del muchacho.

—Tranquila. Ohana está en casa y se recuperará. Es una chica fuerte. Tú la has criado muy bien, Samantha, y es mejor que todos mantengamos la calma. No es bueno para ella que se sienta más desconcertada —le dijo para consolarla mientras la hacía sentarse en la butaca que había frente a los pies de la cama—. Desde aquí podrás observarla y acercarte a ella cuando se despierte.

—Mathew… —dijo Bruce, acercándose a él.

—Déjanos solos, Malone. Nosotros nos encargaremos de ella —gruñó—. Como ha dicho mi esposa, lo mejor para Ohana es mantener un ambiente tranquilo.

—Estaré abajo si me necesitas —comentó mientras agarraba el dosel de madera de la cama y la miraba. Su tatuaje, ese que había besado y tocado días atrás, se escondía bajo cardenales púrpuras. El joven apretó la mandíbula, haciendo que sus dientes rechinaran e intentó decir algo, pero no le salían las palabras. ¿Qué podía decir en ese momento?

—Malone… —le advirtió Mathew mientras le retiraba la camiseta con mucho cuidado.

—Está bien —dijo al fin.

Con la cabeza agachada y notando cómo su pecho le dolía, no por los golpes de Samantha, sino por la tristeza, descendió las escaleras para enfrentarse a esas miradas de rencor y odio que encontraría en el piso de abajo.

—¿Qué cojones has hecho, Malone? ¿No tuviste suficiente con la maldad de aquella noche? ¿No pudiste apartarte de ella? —escupió Sanders nada más verlo entrar en el salón.

Él, Gerald, Emma, Virginia, Marcia, Dylan y algunos vecinos más, entre los que se encontraba la señora Duffy, ocupaban el pequeño salón.

—Lo intenté. Pero no pude —declaró sin apartar la mirada de su padre—. Cuando supe quién era, luché por alejarme, por mantenerme distante, pero… no pude —repitió, esperando que su padre entendiese todo lo que sus palabras deseaban expresar.

—¿Qué ha ocurrido? —intervino Emma—. ¿Cómo has llegado a esto, Bruce?

—¿No te han contado lo que hice hace cinco años? —le preguntó con sarcasmo.

Ante ese comentario, Gerald dio varios pasos hacia él de forma amenazante, pero su esposa lo retuvo.

—Quiero escuchar tu versión, Bruce —le pidió—. Ya sabes que no me gustan los cotilleos, siempre terminan tergiversando la realidad. Además, sigo sin creer que aquel niño con el que jugaba y hacíamos travesuras inocentes se convirtiera en un criminal.

—¿Por dónde quieres que empiece? —solicitó mientras se cruzaba de brazos, mostrando a todos, sin proponérselo, la envergadura de sus músculos y la fuerza que había desarrollado durante este tiempo.

—Desde el principio —señaló, sentándose junto con su esposo en el sofá que había a su izquierda.

Y se la contó. Después de que todos tomaran asiento, mientras Mathew cuidaba de Ohana en el piso de arriba, Bruce se quedó de pie y les narró la historia de su vida desde que salió del pueblo. No se guardó nada. Les habló de sus comienzos en la banda. De las palizas que recibió por no disparar a la gente. De cómo adquirían las ganancias, de cómo asaltaban los comercios. Luego prosiguió con el periodo en el que decidió dedicarse al boxeo. De las apuestas, de las ganancias, del momento en el que encontró a Ohana, de la noche que pasaron juntos, del combate y de cómo pensó que todo estaba perdido hasta que ella apareció en el almacén. Y terminó su historia con la llamada de Square y cómo este lo ayudó a salvarla.

Mientras lo escuchaban, Virginia agarraba la mano de su esposo cada vez que tenía ganas de llorar. Marcia consolaba a Dylan, con suaves caricias, cuando se derrumbaba. Emma suspiraba hondo al tiempo que buscaba el tacto de Gerald para que le proporcionara algo de calma. La vida para el joven había sido dura, ninguno pensaba lo contrario, pero todos, salvo Virginia, consideraban que, para terminar con esa vida de criminalidad y que el pueblo entero pudiera hacer borrón y cuenta nueva, debía someterse al castigo.

—Sé que no se merece vivir con una persona como yo —reflexionó Bruce después de terminar la historia—. Por eso os pido que la cuidéis cuando me marche.

—Aquí estará a salvo —comentó Emma—. Y creo que deberías reconsiderar la opción de alejar...

Se quedó callada, al igual que los demás, cuando apareció Samantha con Miah. Seguían abrazadas y los ojos de la madre indicaban que había llorado durante todo el tiempo que permaneció arriba. Bruce se apartó para que pudieran pasar sin tener que rozarlo.

—¿Quieres que te prepare una tila? —le preguntó

Marcia, levantándose de la silla que había colocado junto a su esposo.

Samantha negó con la cabeza al tiempo que clavaba esa mirada sombría en la persona que había traído a su hija. Despacio y con la ayuda de Miah, tomó asiento en el lugar en el que había estado Marcia.

—Sube —le indicó Miah a Bruce una vez que se retiró de Samantha—. Ohana está despierta y consciente. Y, aunque nos ha parecido inverosímil, lo único que desea es estar contigo.

—¡Válgame Dios! —suspiró Dylan al escucharla, aliviado al comprender que no todo estaba perdido si la joven seguía necesitando a su hijo.

Bruce no lo dudó ni un solo segundo, se giró sobre sus talones y subió las escaleras de dos en dos. Al entrar en la habitación, observó que su querida Ohana estaba hablando con Mathew, pero zanjó todo lo que estaba diciendo al verlo aparecer.

—¡Bruce! —exclamó, tendiendo sus manos hacia él para que se acercara.

Pero él se mantuvo parado, sin poder moverse, respirando entrecortado y aguantando las ganas de postrarse de nuevo ante ella y pedirle que lo perdonara…

—Os dejaré solos —manifestó el médico, caminando hacia la salida—. Tiene que descansar —le advirtió al muchacho—. Aunque no quiere hacerlo, debes convencerla de que lo haga.

—Bruce… —murmuró sin apartar esas manos de él—. Ven aquí, por favor. No me dejes sola —le pidió—. Ven conmigo…, te lo suplico.

Y, en ese momento, Bruce corrió hacia ella, se arrodilló a su lado, colocó la cabeza sobre las piernas y, mientras ella le acariciaba el pelo e intentaba besárselo, él comenzó a llorar, liberando de una vez por todas esa tensión, ese miedo, esa inquietud, apoyándose en la única persona que necesitaba para salir del pozo en el que se había metido de nuevo.

—¡Cariño! ¡Mi amor! —le decía sin apartar el rostro de esas piernas—. ¡Lo siento! ¡Lo siento mucho! —Y, Ohana, llorando con la misma intensidad que él, agachó su cabeza y la apoyó sobre aquella melena dorada, sintiendo cómo todo ese temor por perderlo, después de lo sucedido, desaparecía en cada lágrima que brotaba de sus ojos.

Cuando Mathew escuchó ese grito desesperado de Bruce, decidió bajar las escaleras. No apostaba nada por aquel muchacho, pero sí por ella y, si le había dicho que, pese a todo lo ocurrido, ella jamás lo abandonaría, el pueblo debía respetar su decisión.

—¿Qué? —le preguntó Sanders cuando apareció frente a ellos.

—¿Sobre ellos o sobre el estado de Ohana? —espetó, caminando hacia su esposa.

—Responde a ambas —intervino Gerald.

—Sobre ellos dos, no me cabe ninguna duda de que nada ni nadie los separará. Los dos están enamorados… Y sobre el estado de la chica, podía estar peor. Tiene el abdomen cubierto de moratones, pero no he notado, a simple vista, que tenga alguna costilla rota. La hinchazón del ojo se curará con el paso de los días y con antiinflamatorios. Sin embargo, recomiendo que, cuando descanse, la llevemos a la ciudad y que en el hospital confirmen mi diagnóstico. Me preocupan esos golpes en la cabeza... —explicó—. Por cierto, después de que despertara, ha estado hablando sobre su compañera de apartamento —añadió.

—¿Corinne? —preguntó Samantha mientras se apartaba las lágrimas e intentaba asumir la decisión de su hija.

—Sí, Corinne. Me ha dicho que regresaba esta tarde de París y está preocupada por si esos criminales regresan a su casa y la encuentran —aclaró Mathew.

—De eso me ocupo yo. Sé quién puede ayudarla —comentó Emma. Sacó el teléfono y marcó un número—. ¿Edwin? —preguntó al descolgar este—. Sé que aún no ha amanecido, pero necesito que me hagas un favor. ¿Dónde estás? —Edwin habló y ella se mantuvo callada—. Hay una persona en peligro y quiero que la protejas. —Otra vez silencio—. Es una amiga de Ohana, la hija de Samantha, ¿la recuerdas? —Emma volvió a escuchar lo que él le decía—. No está a salvo. La banda de Walton, el criminal que disparó a mi marido y a la que ha pertenecido Bruce durante este tiempo, secuestró a Ohana, pero ha sido liberada y ella piensa que pueden hacerle daño a su compañera de piso. —Oyó cómo le preguntaba por el nombre—. Me está pidiendo el nombre de la chica —le dijo a Samantha.

—Corinne Dacheux —respondió ella en voz alta.

—¿Lo has oído? —quiso confirmar Emma—. Voy a darte su dirección. —Miró a Samantha para que esta se la indicara en voz alta, pero no le hizo falta que la madre de Ohana se la diera porque Edwin cortó la llamada.

—¿Qué sucede? —preguntó Gerald al ver que su esposa miraba anonadada el teléfono.

—No tengo ni idea. Me ha dicho que sabe dónde vive y me ha colgado.

—Bueno, es normal que se conozcan todos los que viven en ese mundillo, ¿no crees? —alegó Gerald para calmar la inquietud de su esposa—. ¿Él no trabaja con ese diseñador desde que se divorció de su esposa? Seguro que la habrá visto en alguna ocasión.

—Es una modelo muy famosa —apuntó Samantha—. Según mi hija, de las mejores y hace muchos desfiles importantes.

Pero ni las palabras de Gerald ni la explicación de Samantha lograron serenar a Emma. Conocía a Edwin demasiado bien y, cuando escuchó el tono de voz que empleó para decirle «sé dónde vive», este le indicó que la parte Castelli, esa que rehusaba cada vez que abría los ojos, había emergido en él. Solo esperaba que su corazonada fuera falsa, porque si no lo era, el joven Malone acababa de ganar un aliado muy peligroso.

—Creo que por ahora todo está controlado —comentó Dylan para que empezaran a dispersarse quienes habían invadido la casa de su esposa—. En cuanto Bruce salga, os llamaré. Si tal como dice, Ray puede aparecer por aquí, deberíamos estar preparados para darle el recibimiento que se merece.

«¡Que venga! ¡Lo esperamos! ¡Tenía ganas de limpiarle el polvo a mi vieja arma! ¡Estaremos con las escopetas en la mano! ¡Voy contar las balas que tengo en el cajón! ¡No perdamos tiempo!», exclamaron los ancianos, que se marcharon murmurando entre ellos.

Sanders siguió con la mirada a Dylan, quien fue despidiendo educadamente a los viejos oldquaterianos. Cuando cerró la puerta y apoyó la espalda, los miró y dijo aquello que todos estaban esperando.

—Bruce quiere el perdón y desea recibirlo antes de abandonar el pueblo —anunció.

—¿Ha decidido marcharse cuando ese criminal puede aparecer en cualquier momento? —preguntó Samantha, levantándose del asiento, airada.

—Ha sido una excusa para que nos dejaran solos, Samantha. Bruce hablará con ese mal nacido de regreso a Nueva York. Quiere enfrentarse él solo a Walton —los informó con voz ruda. No quería que su hijo volviera al infierno del que había salido, pero si había tomado una decisión, por mucho que le doliera, no podía impedírselo. Ahora no solo deseaba hacerle pagar por el pasado, sino que necesitaba vengar a Ohana.

—¡Bobadas! —exclamó Mathew de repente—. Si se enfrenta de esa manera a Walton, morirá —dijo con determinación.

—Es su decisión... —refunfuñó Dylan—. Soy el primero que no quiere que haga esa locura, pero después de lo sucedido con... —miró a Samantha— Ohana, no habrá nadie que lo haga cambiar de opinión.

—¿No hay otra alternativa? —intervino Emma—. Edwin tiene muchos contactos en Nueva York. Seguro que hallará una solución menos arriesgada para Bruce.

—No —señaló el mecánico al tiempo que negaba con la cabeza—. No quiere que nadie lo ayude.

—Tu hijo ahora mismo no está en condiciones ni de pensar ni de actuar —comentó Sanders mientras tomaba asiento de nuevo—. En estos momentos, es muy vulnerable. Su sed de venganza lo tiene tan cegado que lo único que conseguirá es su propia muerte.

—Estoy de acuerdo con Thomas —aseveró Mathew, colocándose al lado del *cowboy*—. Tu hijo no puede salir de este pueblo solo.

—¡Mathew! —intervino Miah con una mezcla de miedo y sorpresa—. No pretenderás acompañarlo, ¿verdad?

—Pues sí —confirmó el médico sin vacilar.

—¡Tienes hijos a los que criar! —le recordó.

—Lo sé, pero es lo mejor, no solo para mí, sino también para ellos. ¿Qué clase de padre puede aconsejar a sus hijos que luchen por alcanzar aquello que desean si el primero que salió huyendo de un problema fue él mismo?

—¡Estás loco! ¡Estás loco! —gritó Miah, saliendo de la casa de Marcia dando un portazo.

—Se le pasará... —comentó el médico sin moverse del asiento—. Hay que darle un poco de tiempo para que recapacite. Y, cuando lo haga, ella misma me abrirá la puerta para que acompañe a Bruce.

—Es lógico que esté enfadada —intervino Virginia—. Desde lo ocurrido, cuando escucha el nombre de Bruce, desea matar a alguien.

—Pero debe olvidar el pasado y centrarse en el presente y en el futuro —continuó hablando Mathew—. ¿Quién puede prometerle a mi esposa que alguno de sus tres hijos no se convertirá en un Bruce? Y... ¿qué posición adoptará Miah en ese momento?

El silencio que apareció en la habitación solo fue interrumpido por un suspiro hondo de Dylan. Por fin entendían su situación, por fin empatizaban con él. Quizás eso fue lo que les faltó en aquel tiempo: que ellos también tuvieran hijos y comprendieran que, por mucho que se luche para que estos no caigan en los agujeros del camino de la vida, ellos terminarán cayendo y tendrán que levantarse como hicieron sus padres.

—Las mujeres y los niños pueden quedarse en mi hostal si decidís marcharos con el joven Malone —indicó Kathy, hasta ese momento callada.

—Gracias, señora Duffy. Espero que Miah y mis pequeños no le provoquen, en mi ausencia, un infarto —dijo Mathew, dando por sentado, que él se marchaba.

—¿Thomas? —le preguntó Virginia a su esposo.

—¿Dudas sobre qué determinación voy a tomar? —espetó él, enarcando la ceja.

—No. No lo he dudado ni por un segundo. Ese hijo de perra tiene que pagar el haber intentado disparar a nuestra hija —aseveró, solemne.

—Yo también iré —comentó Gerald, levantándose de su asiento—. Los indios somos muy rencorosos y no seré capaz de morir en paz hasta que ese Walton deje de respirar.

—¿Estáis locos? —gritó Samantha—. ¿De verdad vais a poner vuestras vidas en peligro por un criminal?

—Relájate —le pidió Dylan, sacando esa voz ruda de padre oso—. Aquí todo el mundo es libre para hacer lo que quiera. Y ese criminal al que repudias ahora mismo está en la cama con *tu* hija. ¿Sabes por qué? Porque ella quiere que esté ahí y *mi* hijo la ama tanto que es incapaz de no cumplir sus deseos.

—¡Está confundida! ¡Esa paliza le ha hecho perder la cordura! —clamó, desesperada.

—Pues reza para que esa pérdida de cordura no te convierta en abuela —la atacó.

Como era de esperar, Samantha salió de aquella casa, no sin antes mirar hacia el piso de arriba y concluir que, por mucho que le doliera la decisión de su hija, no podía hacerla cambiar de opinión. ¿Qué era lo que había preguntado nada más abrir los ojos? ¿Dónde está Bruce? Eso la dejó tan destrozada que quiso matar al muchacho con sus propias manos. Pero, por muy doloroso que fuera aceptarlo, si no quería perder a su hija, si no quería verla alejarse de ella y padecer el calvario que había sufrido el mecánico, debía claudicar sin más.

—¿Alguien más desea marcharse? —preguntó el mecánico, mirando a su alrededor—. ¿No? Perfecto.

Entonces empecemos a planear la mejor manera de hacerle pagar a Ray todas sus malas acciones.

CAPÍTULO XXVI

SALDAR UNA DEUDA

Durante todo el día Bruce estuvo al lado de Ohana salvo cuando acudía el médico para averiguar cómo evolucionaba, o Samantha le pedía que les diese algo de intimidad. En esos breves espacios de tiempo, bajaba a la primera planta y recibía a los habitantes que, con gran amabilidad, les traían todo aquello que disponían en sus casas para que no les faltara en la cocina nada que les pudiera apetecer. En más de una ocasión, Bruce se derrumbó y aceptó esos regalos entre lágrimas. ¿Cómo había sido tan imbécil de traicionar a unas personas tan bondadosas? ¿Cómo no fue capaz de descubrir lo que significaba ser un oldquateriano? Y, cada vez que un visitante aparecía y le ofrecía algo que habían preparado con sus propias manos, más bastardo se sentía.

—Esto es Old-Quarter, hijo mío —le dijo Dylan cuando apareció agarrado de la mano de Dylan Junior para presentárselo a Bruce—. Para bien o para mal, somos una gran familia. Nos peleamos, sí, discutimos, también, pero antes de que el sol desaparezca, nadie se retira a su hogar sin zanjar cualquier problema que haya tenido porque nuestra conciencia no nos dejaría dormir.

—Si pudiera hacer retroceder el tiempo… —le respondió él, mirando a su hermano, que no paraba de ir de un lado para otro de la casa. No había duda de que era igual que su padre. El pequeño era la viva imagen de Dylan cuando tenía su edad y, para desgracia futura, había heredado también el comportamiento inquieto de los Malone.

—Escucha con atención una cosa, Bruce. No creas que si volvieses atrás todo sería diferente, porque te equivocas. Una persona debe cometer algunos errores para aprender de ellos. ¿Crees que amarías a Ohana si nunca hubieras salido de este pueblo? ¡Pero si ni siquiera sabías que existía y su madre vive a dos casas de nuestro hogar!

—No sé… quizá… —comenzó a decir, dubitativo.

—¡No! —negó categóricamente Dylan—. Seguirías encoñado con Miah o con cualquier otra mujer que hubiera aparecido por el pueblo. Necesitabas salir de aquí, apartarte de todo, para poder ver la vida desde otro punto de vista —dijo, dándole una buena palmada en la espalda—. Por cierto, no iba a preguntártelo, porque temo la respuesta, pero no lo puedo evitar. Desde que has bajado sin camiseta no paro de darle vueltas a una cosa: ¿por qué cojones te has hecho esos tatuajes? ¿Tan borracho acababas que no eras capaz de decir ni tu nombre?

—Uno, mis tatuajes son espectaculares y a mi chica le encantan.

—¡Bobadas! ¡Lo que opinan nuestras mujeres no cuenta! —exclamó, burlón.

—Dos —enumeró sin poder borrar la sonrisa—. Me tatué mi nombre y el pueblo en el que nací por si algún día terminaba muerto en algún lugar perdido del mundo. Ray es muy dado a matar y abandonar los cadáveres en otros condados.

Y, entonces, esa burla que mantuvo Dylan desapareció de manera fulminante.

—Cuando ese hijo de puta deje de respirar, tienes que quitártelos. Aquí todo el mundo sabe cómo te llamas y dónde has nacido —masculló.

—¿De verdad piensas que podremos vivir aquí? —espetó tras tomar aire—. No quiero que Ohana se arrepienta algún día por haber abandonado todo por lo que ha luchado hasta que me encontró.

—¿Se lo has preguntado a ella? —lo interrumpió.

—No. No he visto el momento adecuado para hacerlo. Además, hasta que no regresemos de Nueva York no puedo plantearme nada…

—Un Malone sobrevive a cualquier adversidad —sentenció—. Ninguna puta rata de cloaca acabará con nosotros. ¿Has entendido?

—Sí —le respondió, apartando la mirada para fijarla sobre su vaso de café. Su padre estaba muy seguro de que volvería al pueblo, pero él no apostaba por su vida ni un dólar—. Cambiando de tema… Necesito que me des el número de tu cuenta bancaria.

—¿Para qué quieres tú mi número de cuenta? —repitió, abriendo los ojos como platos.

—Quiero que mi corredor de apuestas te ingrese la ganancia que obtuve del combate —dijo.

—¡Métela en la tuya! —indicó, enfadado—. Y como vuelvas a repetir que todo esto quieres hacerlo por si no regresas, me pondré a la cola de aquellos que van a perdonarte y te daré tal puñetazo que no despertarás hasta que cumplas los cuarenta, ¿entendido?

—¿Recuerdas que me enfrenté a un puto demente ruso? —soltó, irónico.

—Ese no nos llega a nosotros ni a la suela de nuestras botas, muchacho —alegó con orgullo Dylan antes de salir de la casa de su esposa para hablar con los mismos que atizarían a su hijo esa noche. No les iba a pedir clemencia, sino rudeza. A ver si de ese modo su hijo dejaba de decir sandeces.

Bruce acarició el cabello de Ohana y se lo besó de nuevo. Desde que entró en la habitación, dos horas antes, ella se había agarrado a él y no le permitía que se alejara ni un centímetro. Por supuesto, la decisión de marcharse y dejarla bajo la protección del pueblo se esfumó en cada beso y caricia que ella le daba. ¿Cómo se iba a separar de su tesoro? ¿Cómo sería capaz de vivir sin la persona que amaba? Le había dicho esos te quiero millones de veces desde que Miah lo informó que la única persona que deseaba tener a su lado era a él. Su chica, su tesoro, su mujer…

—¿En qué estás pensando para estrujarme tanto? —soltó Ohana al sentir más presión sobre su cuerpo.

—¿Puedo preguntarte una cosa? —dijo con tono reflexivo.

—Por supuesto, lo que quieras —contestó, volviéndose hacia él.

—¿Qué deseas hacer en el futuro, Ohana? —decidió averiguar mientras colocaba el codo izquierdo sobre la almohada y la miraba sin pestañear.

—¿Después de recuperarme? —preguntó, burlona. Al ver cómo Bruce apartaba el codo de la almohada y se movía incómodo, como si quisiera apartarse de ella, extendió su brazo izquierdo para abarcarle el pecho, agitado ante esa inquietud, y le hizo que se girara hacia ella—. No tengo muy claro si Bartholomew permitirá que trabaje fuera de su taller.

—Entonces… tendrás que regresar —comentó Bruce, acercando sus labios hacia esa mejilla que, pese a no estar tan hinchada, seguía amoratada.

—No es el único diseñador en el mundo, Bruce. Hay miles y seguro que, de entre esos miles, lograré que alguno acepte trabajar de esa forma —le explicó, acariciándole con las yemas de los dedos aquella enorme brújula. Se paró en esa O que en el pasado significó el nombre del pueblo, pero después de aparecer ella en la vida de Bruce, este le dijo que era la inicial de la mujer de quien estaba enamorado hasta las trancas.

—No quiero ser el obstáculo que te impida lograr tu sueño. Podemos vivir juntos cuando tu trabajo se estabilice. Mientras tanto yo compraré el local, que según mi padre sigue en venta. Construiré el taller y nuestro hogar —le explicó antes de darle un suave beso en la frente.

—¿Y serás capaz de vivir sin mí tanto tiempo? —demandó, expectante.

—Sabes que haré cualquier cosa por ti —le aseguró.

—¿De verdad? ¿Estás seguro de lo que acabas de afirmar? —preguntó, entornando los ojos.

—Sí —declaró sin vacilar.

—Bien, pues te tomo la palabra. Espero que recuerdes este juramento cuando empiece a confeccionar las cortinas de tu futuro taller. ¡Las dejaré monísimas! —exclamó, burlona.

—¡Ni se te ocurra hacerme una putada, Ohana! —expuso, divertido mientras se colocaba sobre ella con mucho cuidado para no hacerle daño—. ¡Nada de flores, ni colores pasteles, ni encajes! ¡Quiero calaveras, esqueletos y motos, muchas motos!

—Lo siento, cariño, me lo has prometido y… ¡debes cumplir tu palabra! —expuso, enarcando varias veces las cejas.

—Mientras estés conmigo… he de admitir que soportaré cualquier cosa —le murmuró, volviéndose de nuevo a su lado de la cama y acomodándola bajo la protección de su cuerpo.

—Perfecto, entonces mañana mismo encargaré unas preciosas telas de color rosa en Amazon… —manifestó mientras notaba cómo su espalda rozaba el agitado pecho de Bruce y el dolor de su labio le recordaba que todavía no podía sonreír con tanta facilidad.

Ohana volvía a descansar. Después de la cena y de que el dormitorio se convirtiera en una especie de comedor para todos los que desearon acompañar a la pareja, ella volvió a quedarse dormida. Bruce miró el reloj que había sobre la mesita de noche y dedujo que su padre no tardaría en aparecer. El momento más esperado había llegado. Por fin el castigo que evitó durante tanto tiempo estaba próximo y, con él, su liberación.

Se movió despacio para no despertarla. No quería que se levantara de la cama y se convirtiera en testigo de lo que ocurriría en la calle. Había sufrido mucho cuando presenció el combate con Shabon como para hacerla pasar por otro episodio semejante. Sin embargo, esto era muy diferente. Él se sentía muy orgulloso de lo que iba a pasar porque gracias a ello podría tener un futuro, una vida y una posibilidad de ser feliz. Con mucho cuidado, se vistió con ropa limpia. Marcia había puesto su antiguo armario patas arriba buscándole ropa que le pudiera entrar. Pero salvo unos pantalones y una camiseta de tirantes blanca, todo lo demás no le servía. Descalzo, para andar por la casa sin hacer ruido, Bruce salió de la habitación y, cuando logró cerrar la puerta, se encontró a su padre esperándolo con los brazos cruzados y dibujando una sonrisa que le cruzaba el rostro.

—Te están esperando —le advirtió mientras caminaba hacia él—. Todavía estás a tiempo de huir de nuevo —lo instó, burlón.

—Llevo demasiadas noches soñando con este momento —declaró Bruce, emocionado.

—Pues ya ha llegado el día —le confirmó, colocando una mano sobre el hombro izquierdo de su hijo.

En silencio, los dos Malone salieron de la casa juntos para recibir a quienes se habían reunido bajo la oscuridad de la noche.

—¿Has venido hasta aquí por propia voluntad? —le preguntó el señor Justin, el párroco, quien encabezaba ese grupo de hombres inmóviles en mitad de la calle.

—Sí —afirmó Bruce, separándose de su padre.

—¿Qué has venido a buscar? —continuó preguntándole el cura.

—El perdón de las personas a quienes les hice daño —aseveró sin titubear mientras se colocaba frente a ellos.

—¿Tienes algo que decir antes de que empieces a pagar tu deuda de paz? —insistió el señor Justin.

—Sí —respondió, buscando con la mirada a Miah. Una vez que la encontró de pie sobre el último peldaño de su casa, caminó hacia ella y se colocó enfrente—: Antes de que todo esto comience, quiero pedirte, expresamente a ti, perdón. Siento haberme comportado como un imbécil. Por haber confundido esos sentimientos que tuve hacia ti y haberlos transformado en algo tan impuro y malvado. Allí donde encontré tus abrazos y besos maternales, yo los interpreté de manera incorrecta. Me arrepiento de no haber sido más sensato, de no haber pensado con claridad y de haberte hecho pasar los peores momentos de tu vida. Quizá lo comprendí tarde, quizá la causante de entender que no te quería es haber encontrado a la mujer por quien daría mi vida y a quien amo de verdad. Espero que me perdones alguna vez.

Miah tragó saliva, aguantó esas lágrimas que estaban a punto de brotar, miró a su esposo y luego a Bruce y le dijo:

—Es la declaración de no amor más bonita que me han hecho en la vida, Malone, y aunque he tenido muchas ganas de verte muerto, una vez que he sentido cómo una persona es capaz de crear vida —se tocó el vientre—, entiendo que no se puede odiar eternamente y hay que perdonar los errores porque nadie es perfecto.

—¿Me perdonas, Miah? ¿Me perdonas el daño que te hice? —preguntó con voz entrecortada.

—¡Sí! —exclamó, lanzándose sobre el muchacho—. ¡Claro que te perdono, pequeño!

Y, como solía pasar en el pueblo cada vez que ocurría un momento así, todo el mundo se mantuvo en silencio hasta que ellos se separaron y Bruce se colocó donde debía permanecer para saldar su deuda de paz.

—¿Estás preparado? —le preguntó Mathew, enrollándose las mangas de su camisa.

—Pega fuerte, doctor, que ya no soy un niñato escuchimizado... —comentó Bruce antes de borrar la sonrisa de su rostro.

—Que así sea —declaró antes de asestarle el primer puñetazo.

—¿Bruce? —preguntó Ohana cuando abrió los ojos y se encontró sola—. ¿Dónde estás?

Al no escuchar su voz, apartó las sábanas y se sentó sobre la cama. La mano izquierda la apoyó sobre el vendaje de su torso al notar una leve molestia en esa zona. Por suerte, el médico le había dicho que no palpaba ninguna costilla rota, pero que tenía que confirmarlo en el hospital. Por supuesto, ella se negó en rotundo a marcharse a la ciudad para que le hicieran la revisión que pedía Mathew. No era el momento de dejar a Bruce solo. Podía cometer una locura tan grande como alejarse de ella para siempre. Por eso, cuando abrió los ojos tras llegar a Old-Quarter y no encontrarlo a su lado, les pidió a Miah y a su madre que lo buscaran. Hasta que no lo vio en la puerta y le tendió los brazos para que se reuniera con ella creyó morir de angustia. Sin embargo, toda esa desesperación se eliminó al verlo aparecer. Tuvo que respirar hondo para ser consciente de que aquel hombre era suyo, solo suyo...

—¿Bruce? —insistió antes de posar los pies sobre el suelo.

Silencio. Solo había silencio hasta que de repente escuchó algunas voces que procedían del exterior. Con el corazón a mil, se acercó a la ventana para confirmar si su sospecha era cierta: que Ray los había seguido y que se enfrentaba a la gente del pueblo. Pero el dolor que sintió en su estómago cuando descubrió lo que realmente sucedía casi la hizo arrodillarse. Sanders y cinco personas más golpeaban por turnos el cuerpo de Bruce, que se mantenía en pie, recibiendo ese castigo con valentía, con orgullo, con honor.

—¡No! —gritó, girándose sobre sí misma, olvidándose de esos dolores en el torso, de que solo tenía puesta una camiseta y de que sus piernas podían ser observadas por todos los presentes.

Bajó las escaleras todo lo deprisa que pudo. Necesitaba salir y parar lo que estaban haciéndole. Cuando llegó a la puerta, alargó la mano hacia el pomo y lo giró con tanta intensidad que se hizo daño en la muñeca. Nada podía frenarla, tenía que parar toda aquella locura lo antes posible. Sin embargo, cuando estaba a punto de pisar el porche, unos brazos se enredaron en su cintura y la sujetaron con fuerza.

—¡Dejadme! ¡Soltadme! —bramó, descontrolada al tiempo que dirigía los codos hacia atrás para golpear a la persona que la retenía—. ¡Maldita sea! ¿No me escuchas? ¡Suéltame de una puta vez!

Entonces notó como esa presión que sentía en su estómago se iba aflojando. Contempló por encima del hombro a la persona que la retenía y la miró con tanta ira que podía haberla matado en aquel momento.

—Hija…, cariño… —le susurró Samantha tan asombrada por la violencia que desprendía su niña que se quedó aturdida y aterrorizada.

—¡He de parar eso! —le gritó—. ¡No se merece lo que le están haciendo! —bramó.

—Pero… Pero…, cariño. Él debe pagar por sus errores pasados y presentes —balbuceó.

—¿Presentes? ¿Acaso hay alguien haciéndole pagar lo que me ha sucedido? —tronó—. No habrás sido capaz de hacerme eso, ¿verdad? Porque si descubro que alguien de los que está ahí lo golpea por lo que me hizo Ray, será la última vez que me veas —declaró antes de abrir la puerta y salir disparada hacia la calle.

Ohana no escuchó a las mujeres que le gritaban que permaneciera en la entrada de la casa. Ni advirtió como había figuras masculinas que se dirigían hacia donde se encontraba. Corrió todo lo rápido que pudo, se situó delante de Bruce y extendió sus manos a ambos lados de su torso, haciendo que Malone se quedara detrás de una cruz humana.

—¡Parad de una vez! —gritó colocando su cuerpo como escudo.

—¡Apártate, muchacha! —comentó Sanders—. Debe pagar por lo que hizo.

—Tócalo y te juro que tus hijos se quedarán huérfanos —bramó, apretando los dientes con tanta fuerza que notó como los huesos de sus mandíbulas estaban a punto de quebrarse.

—No piensas con claridad, chiquilla —le dijo Thomas sin dar un solo paso hacia delante.

Una fiera. La tierna y dulce hija de Samantha se había transformado en una leona dispuesta a arrancar la cabeza de quien intentara tocar a Bruce.

—Ohana… —le susurró Bruce detrás de ella—. Ellos deben hacerme pagar lo que hice… Es la única forma de hacer desaparecer la culpa…

—¿Culpa? ¿Estos degenerados piensan que no has sufrido suficiente para expiar tus pecados del pasado? —tronó sin apartar la mirada de aquellos que lo habían agredido.

«¡Joder con la mojigata!». «¿Quién había dicho que era una tierna florecilla? Porque yo no veo nada de eso ahora mismo». «¡Maldita sea, Sanders! ¡Como te acerques, te muerde!». «¿Estáis seguros de que es la misma chica?», gritaban y exclamaban los que habían presenciado impasibles cómo Bruce era castigado.

—Si alguno de vosotros —los señaló con el dedo inquisidor de su mano derecha— quiere golpearlo de nuevo, tendrá que pasar por encima de mi cadáver —aseveró sin bajar el tono airado de su voz—. ¡Vamos! ¿Quién es el primero en pegarme? —Los incitó moviendo la mano, provocándolos con esa mirada roja por la ira, por la rabia—. ¿Vas a empezar tú, Sanders? ¿No has saciado ya tu sed de venganza? —Esperó a que el *cowboy* le respondiera, pero este tan solo la miraba en silencio—. ¿Y tú? —le preguntó a Mathew—. ¿Vas a pegarme tú?

—Ohana..., por favor..., no sigas, cariño... —le rogó Bruce.

Al ver que ninguno comentaba nada, que seguían impasibles, inmóviles, se giró hacia Bruce y suspiró al verlo de aquella manera. Su camiseta blanca de tirantes estaba manchada de sangre y los pantalones, cubiertos de polvo, dándole a entender que algún puñetazo habría sido tan fuerte que lo habría tirado al suelo. No obstante, después de esos incontables golpes aún permanecía de pie, recibiendo ese castigo con todo el orgullo que corría por sus venas. Su Dragón de Fuego se mantendría erguido hasta que cayera muerto.

—Solo estoy recibiendo lo que me merezco... —le dijo con serenidad.

—¿Lo que te mereces? —bramó—. ¿Qué es lo que, según tú, te mereces, Bruce? —insistió fuera de sí.

—Merezco ser una buena persona para poder vivir contigo, Ohana. Quiero, si es que podemos lograrlo, que nos quedemos en el pueblo. Que estés a mi lado cuando construya el taller, que lo decores con las cortinas del color y del dibujo que más te gusten. Que diseñemos la casa donde viviremos hasta hacernos viejos, donde crecerán nuestros hijos y en la que cada día que abra los ojos pueda verte a mi lado y sentirme el hombre más afortunado del mundo. Por eso necesito que ellos me perdonen, Ohana. Porque quiero ser un hombre digno para ti.

—Entonces... ¿esto lo estás haciendo por mí? —preguntó después de asumir lo que acababa de escuchar.

—Necesito hacer desaparecer todas las cadenas que me han sujetado durante tanto tiempo y solo me libraré de ellas de esta forma —aclaró.

—¿No hay otra manera? —le preguntó, acercándose a él, acogiendo entre sus manos aquel rostro que adoraba.

—No, mi amor. No la hay...

—¿Estás seguro? —insistió ella.

—Lo estoy, Ohana.

—Está bien —aseguró después de darle un ligero beso en los labios—. ¿Quién queda por pegarle? —la pregunta la dirigió hacia las tres personas que había frente a ella.

—Nosotros —comentó Sanders, dando un paso hacia delante.

—Pues seguid... —dijo antes de apartarse de Bruce y dejar que su madre la protegiera entre sus brazos.

Pensó que iba a morir cuando Sanders le dio el primer puñetazo. Bruce ni se inmutó, pese a que el impacto en la barbilla había sido crítico. Luego, sin darle descanso, le propinó seis más. Cuando terminó, caminó hacia él y le dio un abrazo. El siguiente en atizarlo fue Gerald. Ohana sonrió ligeramente cuando el primer impacto le dolió más al indio que a su querido Malone, pero en los siguientes se arrepintió de haberse reído tan pronto. Allí donde tocaba el indio, pese a no ser contundente, Bruce emitía un grito. Al igual que Sanders, cuando finalizó, lo abrazó con fuerza.

—¡Bienvenido, hermano! —exclamó el indio—. ¡Bienvenido! —repitió, palmeándole la espalda.

Y llegó la última persona que debía castigar a Bruce: su padre. En ese momento, el silencio reinó en la calle del pueblo, hasta los perros dejaron de ladrar y los grillos de cantar. Dos titanes, padre e hijo, debían zanjar aquello que los había separado durante años.

—No voy a tener clemencia, Bruce —le advirtió su padre.

—No espero que la tengas. Si no me dieras lo que me merezco, me defraudarías —lo retó.

Dylan alzó los puños, respiró profundo y le asestó el primer puñetazo en el costado izquierdo.

—Esto, por haber utilizado como excusa la muerte de tu madre para convertirte en un gilipollas. —Le asestó el segundo—. Este, por todas las veces que me senté a tu lado y pensé que me escuchabas cuando no lo hacías. —Otro—. Este, por haber intentado secuestrar a Miah. —Cuatro—. Este, por haber traído al criminal al pueblo. —Cinco—. Este, por haberme quitado las llaves del bolsillo. —Seis—. Este, por haberme echo creer que estabas muerto. —Siete—. Y este último, para que sepas que hagas lo que hagas aquí siempre estará tu padre. ¿Lo has entendido, Bruce? ¡Siempre estaré aquí! —exclamó antes de abrir los brazos para que su hijo se acercara a él y se abrazaran de nuevo.

Aplausos. Por muy inverosímil que resultara, todos empezaron a aplaudir y a elogiar lo sucedido. Más que una humillación pública parecía que alguien daba una gran noticia. Ohana se mantuvo al lado de su madre sin parar de llorar. Jamás diría delante de nadie que aquella forma de recibir el perdón de las personas que amaba y adoraba su Bruce era lo más hermoso que había visto nunca, pese a la crueldad que mostraron. Estaba a punto de bajar las escaleras y lanzarse sobre su hombre cuando este se giró hacia ella, la miró de arriba abajo y frunció el ceño. Ella, inquieta, se observó y, al descubrir la razón por la que Bruce parecía enojado, soltó una enorme carcajada.

¿Le habían pegado una paliza por la que no mostraba ni una muesca de disgusto y se enfadaba porque ella no se había puesto los pantalones?

«Cariño, parece mentira que no recuerdes la sesión de mordiscos de la otra noche —le dijo la diablilla—. **Pero no te preocupes, por la cara que está poniendo y por cómo sonríe, mucho me temo que la volverá a repetir** —añadió, dando palmitas—. **¿Sabes? Al final me voy a acostumbrar a vivir fuera de tu cabeza y no voy a dejar que tu yo sensato aparezca jamás. Mucho me temo que, para vivir con ese Malone, no podrás utilizar tu parte racional. ¿Qué dices? ¿Te parece bien que esté sobre tu hombro el resto de nuestras vidas? Mueve la cabeza una vez si estás en desacuerdo y dos si quieres que siempre esté en tu hombro».**

Y Ohana dio dos leves cabeceos.

—¿Texano? —le preguntó después de que él caminara hacia ella y se colocara delante—. ¿Por qué tienes esa cara avinagrada? ¿No has recibido el perdón que necesitabas para vivir conmigo?

—Estoy muy enfadado, texana. Creo que no te quedó claro la noche pasada que lo mío ni se mira ni se toca —comentó, poniendo las manos en su cintura.

Marcia sonrió mientras los escuchaba. ¿Acaso los Malone se hacían de un mismo molde? Solo le faltaba cogerla como si fuera un saco de heno, ponérsela en el hombro, palmearle varias veces el culo y meterla en la casa como un troglodita.

—¿Qué noche? —preguntó Ohana, poniendo los ojos en blanco y golpeándose con el dedo índice el labio—. No recuerdo que... ¡Bruce! —exclamó cuando este la cogió y la colocó sobre su hombro.

—Te voy a refrescar la memoria, tesoro. No quiero marcharme sin marcar todo lo que es mío. Necesito que recuerdes durante mi ausencia que eres la mujer de un Malone —alegó, dándole varias palmadas en ese trasero que tanto adoraba.

Con la mirada de todos clavada en ellos, Bruce se metió en la casa, cerró la puerta con la pierna y subió hasta el dormitorio con ella en el hombro.

—Bueno... —carraspeó Sanders cuando los dos jóvenes desaparecieron de la vista—. La fiesta ha terminado. Retiraos a descansar que antes de las cinco saldremos a por ese hijo de puta. ¿Nos avisarás cuando tu semental decida abrir la puerta del dormitorio? —preguntó, dirigiendo la mirada hacia Dylan, Marcia y Samantha.

—Tranquilo. En cuanto salga... —empezó a responder Dylan.

—No te lo decía a ti, Malone, me dirigía a Samantha. Que ella nos avise en cuanto su hija deje salir a Bruce de la habitación —declaró antes de soltar otra sonora carcajada y que el pueblo entero se uniera a él.

—Bienvenida a la familia —le dijo Marcia, abrazando a Samantha—. Ya verás como todo les va bien.

—Eso espero porque, si no es así, la próxima vez que tengamos que perdonarle algo, seré la primera que se ponga en la fila para golpearlo —aseguró, aceptando ese abrazo.

CAPÍTULO XXVII

UN ALIADO MÁS

Tal como acordaron, antes de que el reloj marcase las cinco de la madrugada, Thomas, Mathew, Gerald y su padre lo esperaban en la puerta para viajar los cinco en su camioneta. Bruce se volvió hacia Ohana y se quedó mirándola como un escultor admira su obra más preciada. Aquel camisón blanco que le había traído su madre, el cabello largo y oscuro como la noche y ese rostro tan hermoso, pese a las marcas de las manos de Ray, la presentaban como un ángel caído del cielo. Su ángel…

—No debiste levantarte —le dijo Bruce, acercándose a ella. Colocó las manos a ambos lados de su rostro y le dio un ligero beso—. Reposa hasta que regrese porque, cuando entre por esta puerta, no te concederé ni un solo minuto de descanso.

—No podía quedarme en la cama… —le susurró sin poder apartar la mirada de esos ojos azules—. ¿Has preparado todo lo que necesitas? ¿Te falta algo?

—Me falta el táser, pero Marcia no ha querido dármelo por si lo utilizo durante el viaje. Según ella, no le gusta el resultado que puede ofrecer la suma de cinco hombres metidos durante veinte horas en un reducido espacio. Demasiada testosterona... —apuntó, burlón.

—Ten cuidado, Bruce. Ray es un hombre muy peligroso y, por la ira que manifestó cuando mencionó tu nombre, no va a tener misericordia contigo... —comentó mientras lo abrazaba con fuerza.

—¿Crees que me dejaré matar cuando aquí me espera la mujer más maravillosa del mundo? —expuso, acogiéndola bajo su cuerpo—. Tengo una razón para regresar, para vivir, para comenzar de nuevo.

—Bruce... —sollozó.

—Ohana... —La alejó de él, le puso de nuevo las manos a ambos lados de su rostro y, mientras él eliminaba con los pulgares esas lágrimas que bajaban por sus mejillas, ella inclinó la cabeza hacia esas suaves caricias—. Eres lo mejor que me ha pasado en mi vida y me odio cada vez que pienso que te he tenido frente a mis ojos toda la vida. Pero voy a subsanar mi error. —La abrazó de nuevo y la besó en la frente—. Tengo tantos sueños contigo que ningún Ray en el mundo podrá impedir que los cumpla.

—Solo te pido que tengas cuidado —murmuró ella.

—Te prometo que lo tendré —le aseguró.

Con demasiada lentitud, Ohana dio un paso hacia atrás y, mientras Bruce salía de la casa, se abrazó a sí misma. Una agonía. Padecería durante los tres días siguientes una verdadera agonía, pero era cierto que él debía zanjar ese pasado para poder luchar por el futuro que soñaban, que deseaban y que necesitaban. Despacio, caminó hacia la puerta para verlo marchar y sintió que alguien le ponía el brazo alrededor de sus hombros, intentando, con ese gesto afectuoso, consolarla. Al girar la cabeza, observó con sorpresa que su madre había salido de su hogar para acompañarla en el peor momento de su vida.

—Regresará —apuntó Samantha sin dudar.

—Lo sé... —susurró, apoyándose sobre el pecho de su madre—. Lo sé...

Cuando Bruce se acercó a su camioneta, la sonrisa le cruzó el rostro.

—¿Os habéis puesto los cuatro de acuerdo para ir vestidos de cucarachas? —les preguntó con sarcasmo.

—El color negro es el idóneo para pasar inadvertidos entre las sombras —refunfuñó Dylan.

—Ya veo... —Sin borrar la sonrisa de su boca, se dirigió hacia la puerta del conductor, pero su padre se cruzó, impidiéndole abrirla—. ¿No me dejas pasar? —espetó, enarcando las cejas doradas.

—Yo conduzco. No quiero morir antes de ver de nuevo la cara a ese bastardo —apuntó, firme. Bruce soltó una sonora carcajada y le ofreció las llaves.

¿Cómo había pensado que su padre le permitiría conducir?

—¿Estáis preparados? —preguntó Sanders, tomando asiento. Al meterse un hombre de aquellas dimensiones, la camioneta se zarandeó levemente y Bruce y Dylan lo observaron perplejos—. ¿Qué? Mi camioneta es más grande, esta parece hecha para enanos —se defendió ante esas miradas acusatorias.

—Gerald aún sigue hablando con su esposa por el móvil —indicó Mathew sin apartar los ojos de Kenston, quien se había colocado delante del vehículo y gesticulaba un tanto agitado.

—¿Todavía sigue despidiéndose de su amorcito? —espetó Dylan con retintín mientras encajaba el cinturón—. Nunca me imaginé que ese indio pudiera ser tan meloso...

—No es meloso —lo defendió Sanders—. Es que Emma ha heredado el carácter de su tía y me imagino que le estará jurando, por todos sus dioses, que regresará sin un rasguño porque, si vuelve herido, esa joven de cabello rojo le cortará la cabellera.

—Entonces, mientras Gerald viene, aprovecharé para contarte una cosa, Mathew —expuso Bruce, girándose hacia los asientos de atrás para poder observar mejor al doctor.

—¿Qué quieres decirme, Malone? —preguntó, expectante.

—Necesito que sepas algo que descubrí no hace mucho tiempo —manifestó con seriedad el muchacho.

—¿El qué? —intervino Sanders más ansioso que el médico.

—¿Te suena el nombre de Square?

—Sí, claro que me suena. Le salvé la vida después de que fuera disparado en una reyerta con otra banda —explicó Mathew.

—Pues, según parece, Square quería acabar con Ray y se entregó a los federales. El día de la redada, el mismo en el que decidiste marchar, había acordado con estos que entregaría a la banda a cambio de una reducción de condena y de la desaparición de Walton. Pero, como bien sabes, el muy bastardo logró escapar. Imagino que Ray dedujo que habías sido tú el delator porque no apareciste. Sin embargo, el verdadero autor del exterminio de la banda estaba en prisión.

—¿Cómo lo has descubierto? —exigió saber el médico mientras convertía sus manos en puños.

—Porque el mismo Square me lo insinuó —reveló.

—¡Maldito cabrón! —exclamó el médico fuera de sí—. ¿Todos estos años ha sabido la verdad y no ha tenido el coraje de confesarla? ¡Pagará por todo lo que me ha hecho pasar! —sentenció con firmeza.

—Te aseguro que ya lo está pagando. Lleva enganchado al *crack* desde que salió de la cárcel. Ahora es un muerto viviente. Deambula por el almacén como si fuera un fantasma —aseguró el muchacho.

—¿Crees que voy a tener compasión de ese miserable? —soltó, airado, Mathew.

—No espero que la tengas, solo quiero pedirte que, como me ayudó a salvar a Ohana, le des la oportunidad de morir después de que lo haya hecho Ray.

—¿Ese fue el acuerdo al que llegasteis para sacarla? —preguntó el médico, entornando los ojos.

—Sí.

—Bien, lo cumpliré como un favor hacia ti —aseguró—. Pero si hace otra de sus tretas, no puedo asegurarte que muera tal como le prometiste.

—Gracias —le respondió Bruce.

—Era Emma —confirmó Gerald la sospecha de todos cuando se acomodó en el asiento junto con el médico y el *cowboy*—. Quiere que te diga que le ha dado tu número de teléfono a Edwin y que te llamará para pedirte la dirección de la guarida.

—¿Por qué? —inquirió el joven, volviéndose de nuevo hacia ellos mientras su padre emprendía por fin la marcha.

—Según parece, Castelli se une a la fiesta, pero no viene solo —anunció Kenston.

—¿Cómo que… se une a la fiesta y no viene solo? —preguntó, desconcertado, Bruce.

—Lo que escuchas, Malone —ratificó el indio—. El italiano ha reunido a toda su familia y quieren vigilar esa cueva del terror hasta que lleguemos. Según Emma, Edwin desea hacerle pagar a Ray algo que ha sucedido y que no tiene ni idea de qué es.

—Al final la historia que se divulgó por el pueblo cuando el guardaespaldas de tu mujer apareció va a ser cierta... —apuntó Dylan, dibujando una enorme sonrisa al tiempo que lo miraba por el espejo retrovisor.

—¿Qué historia? —quiso saber su hijo.

—La de su origen. Todos piensan que proviene de una familia mafiosa —le contestó con tono despreocupado. Como si afirmar aquello fuera tan habitual como comprarle el pan a Samantha cada mañana.

—Y no se equivocan —afirmó Gerald al segundo. Y eso provocó que todas las miradas se centraran en él—. Le prometí a Emma que no lo contaría jamás, pero él mismo ha dado el primer paso, así que no creo que le importe mucho que sepáis quién es en realidad.

—Y... ¿quién es en realidad? —demandó Thomas, girándose hacia su amigo.

—El nieto de John Castelli —reveló Kenston.

—¡No me jodas! —exclamó Bruce, abriendo los ojos como platos—. ¿Estás seguro de lo que dices?

—Sí —afirmó con un ligero movimiento de cabeza.

—Pues como no lleguemos antes que ellos, todo habrá terminado. No nos dejarán ni las guindas del pastel —expuso Bruce, acomodándose en el asiento y cruzándose de brazos, como si esa noticia lo enfadara.

—¿Por qué? ¿Qué sabes tú de ese tal John? —solicitó su padre—. ¿También te has codeado con ese tipo de gente?

—No, tuve suficiente con lo que me rodeaba. Pero es cierto que Ray siempre se ha mantenido alejado de esos italianos. Cada vez que aparecíamos por un establecimiento para pedir la cuota de protección y el dueño nos informaba que ya les pagaba a los Castelli, Walton salía de allí más rápido que una bala. Recuerdo que son gente muy reservada, escurridiza y hoscos. Las únicas veces que han asistido a los combates en los que yo luchaba iban vestidos de traje de firma y todos llevaban en la solapa de la chaqueta una flor roja. Parecían altos ejecutivos, pero la actitud que mantenían durante el tiempo que duraba la pelea mostraba quiénes eran en realidad. Según escuché, el fundador de la familia Castelli mató al padre de John delante de sus propios ojos. Después del asesinato se apiadó del niño, lo adoptó y le dio su apellido. Y, pese a no ser un auténtico Castelli, hizo de esa familia una leyenda. Dicen las malas lenguas que John podría construir un río semejante al Hudson con la sangre de sus víctimas —reveló Bruce.

—¡Joder! ¡Menuda pieza ha protegido a tu esposa! —exclamó Mathew, mirando perplejo a Gerald.

—El padre de Emma eligió a la persona perfecta para cuidar a su hija. ¿Quién sería tan tonto de tocar a la protegida de un Castelli? —alegó, divertido, el indio.

—Pero… —murmuró Bruce, dudoso.

—¿Pero? —preguntó Thomas, enarcando las oscuras cejas.

—¿Por qué narices quiere ayudarnos? ¿Por qué se ha ofrecido a participar en esto? ¿Se lo ha pedido tu esposa? —le preguntó a Gerald.

—No. Por eso Emma está intranquila y no para de llamarme. No sabe por qué Edwin ha decidido ayudarnos y llamar a esa familia con la que ha evitado tener contacto durante años. Ella lo único que dice es que todo empezó desde que fue a buscar a la compañera de apartamento de tu chica. Según parece, no tuvo que decirle donde vivía porque ya lo sabía.

—¡Maldita sea! —exclamó el muchacho al recordar la tarde en la que Ohana y él encontraron a Corinne fumando—. ¿Era Castelli el hombre con el que se acostó Corinne? ¡Menuda coincidencia! ¡Menuda coincidencia! —repitió, palmeándose con fuerza las piernas—. ¡Estás muerto, Ray! ¡No vas a salir vivo de ahí! —gritó, divertido.

—¿Te han dicho alguna vez que tus explicaciones no son aptas para todo el mundo? —refunfuñó su padre.

—Si lo que pienso es cierto, me voy a reír a gusto cuando Ray nos vea aparecer con los italianos. Como bien dicen, el karma te da lo que ofreces y Walton ha dado mucha maldad... —reflexionó Bruce.

—¿Vosotros lo entendéis o es que yo soy demasiado viejo para comprenderlo? —preguntó el mecánico, observando a través del espejo la cara de los tres, quienes estaban tan sorprendidos como él.

—Tenemos muchas horas de viaje y las emplearé para contaros todo lo que sucedió desde que vi a Ohana en aquel restaurante... —comentó Bruce, sonriendo de oreja a oreja.

Como les prometió, les narró la tarde que encontraron a Corinne fumando a oscuras, de James, del médico que abría la puerta al acosador de Ohana y de cómo terminaron los dos. Se sintió tan cómodo hablando que terminó contándoles sobre el proyecto que tenía entre manos: comprar el terreno que había a las afueras del pueblo para construir su propio taller. Ellos respondieron a esa sinceridad describiendo qué había pasado en sus vidas durante los años que estuvo fuera: el juicio que Mathew tuvo que asumir por usurpar la identidad del médico que encontró antes de llegar al pueblo, del contrato que habían logrado Thomas y Gerald con una ganadería de Dallas y de cómo el indio había dejado las plumas en el pueblo fantasma de sus antepasados para convertirse en un empresario tras casarse con Emma Blair.

—Yo no quería que vendiera uno de los hoteles ni que decidiera reconstruir el de su tía —se defendió Gerald cuando hicieron referencia a que se había olvidado de su naturaleza india una vez que se casó con Emma—. Pero es cierto que Kathy ya no puede trabajar en el hostal y a nosotros nos viene muy bien que sea ella quien nos ayude a cuidar de nuestros hijos. De este modo yo puedo encargarme de que no me estafes en la venta de los caballos —le dijo a Sanders de manera sarcástica—, y Emma se mantiene tranquila hasta que nazcan las gemelas.

—¡Ese es mi indio! —exclamó Thomas, dándole una palmada en la espalda—. ¡Todo un semental, sí, señor! Mientras que tú sonríes a los nuevos huéspedes, tu mujer da a luz a las futuras esposas de nuestros hijos.

—Si alguna de mis hijas pone los ojos en un Sanders… ¡se los arranco! —respondió Gerald.

—Y… ¿qué me decís del médico? —soltó Dylan—. ¡Tres! ¿Y nada más y nada menos que con Miah? ¿En la cama también es la tigresa que saca cada vez que aparecemos en la clínica?

—No voy a responder a ese hiriente comentario, Malone. Lo que mi esposa y yo hagamos en la intimidad se queda para nosotros —refunfuñó Mathew.

—Se quedará en la intimidad, pero luego sale a la luz en forma de bombo —prosiguió Dylan, burlón.

—El último ha venido de improviso —comentó Mathew algo serio—. Creo que Miah ha hecho todo lo posible para llegar al número tres. Desde que Virginia le dijo que estaba embarazada del tercero —miró a Sanders enfadado—, no ha parado de decir que quería otro más.

—¡Pues no la toques! —intervino Dylan, muerto de la risa—. ¡Si no quieres más hijos, no la toques! —repitió entre carcajadas.

—¿Pero me vas a dar tus consejos sobre mujeres? ¡Tú! ¡El hombre que apareció en mi clínica como un caballo desbocado porque su mujer tenía un pequeño dolor de garganta! —soltó Mathew.

—No lo tenía —comentó Malone, dibujando una sonrisa perversa.

—¡Pues claro que no lo tenía! Pero por tu culpa, por no poder apartar las manos de tu mujer, tuve que cerrar la consulta y pedir disculpas por lo que estabais haciendo allí dentro —le regañó el médico al mecánico.

—¡Papá! —exclamó Bruce, mirando a su padre con los ojos abiertos como platos.

—No me fiaba de tu diagnóstico, matasanos, y quise comprobar que mi esposa no tenía nada grave… en el resto del cuerpo —alegó, divertido.

—¿Y tú? —le preguntó Thomas a Bruce.

—¿Yo?

—No te hagas el despistado, Malone. Todo el mundo fue testigo de cómo tratas a tu mujer y, por cómo has pasado estas últimas horas, mucho me temo que no la dejaste descansar. ¿Cuándo vas a darle a tu padre nietos? Porque, como se lo proponga, este viejo semental no se contentará con el pequeño que le pone el taller patas arriba.

—No creo que tengamos hijos tan pronto... Ohana debe tomar una decisión muy importante y, si la acepta, tal vez tenga que permanecer en Nueva York un par de años. Mientras tanto, yo tendré tiempo para centrarme en la construcción de ese nuevo taller.

—Sí, claro... —comentó Sanders, reclinándose en el asiento—. Y te matarás a pajas.

—No sería la primera vez... —susurró Bruce, acordándose de esa llamada peligrosa que realizaron la tarde en la que se reencontraron.

Continuaron hablando durante horas y horas. Parecía que se dirigían al prado para reformar de nuevo la antigua iglesia en vez de ir a cazar a un asesino. No pararon de hablar sobre ellos hasta que el teléfono de Bruce comenzó a sonar. Los cinco esperaban que se tratara de Edwin para que les diera la dirección del lugar donde Ray se escondía con sus secuaces, pero no era el italiano sino el criminal quien deseaba ponerse en contacto con el muchacho. Cuando la palabra «Hijoputa» apareció en la pantalla, Bruce bajó el volumen de la radio, colocó el teléfono para que todos pudieran escucharlo y apretó el botón de altavoz.

—Malone —respondió al descolgar.

—Has tenido mucha suerte, texano. Cometí el error de dejar a tu puta sola con Square y he pagado ese fallo. Pero, para serte sincero, jamás pensé que te interesaría una mujer más parecida a una vaca que a una mujer —comentó sarcástico.

Al observar la tensión de Bruce, Mathew extendió su mano hacia el hombro del muchacho y negó con la cabeza. Dylan puso el intermitente y se fue apartando de la autopista. No quería que el ruido del motor lo alertara de que Bruce estaba viajando.

—¡Lástima que te la llevaras tan pronto! —continuó con ese tono jocoso—, porque tenía pensado hacerle muchas cosas… —apuntó con maldad—. Es una pena que no me empleara lo suficiente como para dejarte claro quién es el puto amo de tu vida. Aunque he de reconocer que me has sorprendido. Jamás pensé que tuvieras los cojones suficientes para ponerte en mi contra. Por eso te aplaudo. —Y le aplaudió de verdad durante unos segundos—. Sin embargo, he de aclararte que todo lo que has aprendido me lo debes a mí. ¡Yo y solo yo te he enseñado a ser el hombre que eres! —le gritó—. Y… ¿qué es lo que has hecho a cambio de todo lo que te he dado? ¡Traicionarme! —prosiguió, airado—. Pero voy a dar contigo, texano. No habrá ni un solo día que abra los ojos y continúe buscándote —aseveró—. No podrás conseguir la vida idílica que sueñas con esa zorra porque yo estaré cerca, acechándote, esperando el momento en el que te encuentres más feliz para arrebatártelo todo.

—¡Júralo! —le pidió Bruce—. ¡Júrame que estarás siempre detrás de mí, Ray! Porque así podré darme la vuelta y matarte.

—¿Matarme? ¿Tú? —preguntó antes de soltar una enorme carcajada—. Tú no puedes matar a una puta mosca, texano. ¡Eres un cobarde de mierda! ¿Has sido capaz de matar a Bull y Snake? —Ante esa pregunta todos lo miraron esperando a que les respondiera, pero Bruce negó con la cabeza, dando a entender que no tenía ni idea de lo que decía—. ¿Te has quedado mudo, texano? —Otra carcajada—. Dales recuerdos a mis hombres de mi parte y diles que Ray no abandona a uno de los suyos… nunca —afirmó antes de colgar.

—¿Quiénes son Bull y Snake? —espetó Dylan a su hijo cuando la llamada finalizó.

—Son unos secuaces de Ray, pero no tengo ni idea de a qué se refiere. Cuando saqué a Ohana, solo estaban Square y las mujeres —explicó.

—¿Habrán huido también? —intervino Sanders.

—No. Esos perros son demasiados fieles a Walton como para alejarse de su protección. Solía utilizarlos para los trabajos más sucios.

—Tal vez hayamos encontrado el motivo por el que Edwin se quiere unir a la fiesta —apuntó Gerald en tono reflexivo—. Emma no para de insistir que algo grave ha sucedido con Castelli para que desee matar a Ray antes de que aparezcamos…

—Cabe la posibilidad de que aparecieran por el apartamento de Ohana… Quizás atacaron a… ¿Puedes llamarlo? —preguntó Bruce a Gerald después de hacer una rápida conclusión mental—. ¿No tienes el teléfono del italiano?

—Sí —contestó Kenston, sacando su móvil y buscando con rapidez en la agenda el número del hombre.

—Ponlo en altavoz —le pidió Bruce.

El teléfono sonó tres veces antes de que Edwin contestara con una voz que hizo temblar a todos los ocupantes del vehículo.

—Castelli.

—Edwin, soy Gerald. Vamos para allá. Nos quedan unas cinco horas de viaje —lo informó.

—¿Te ha dicho el joven Malone dónde se encuentra el cabrón que dejará de respirar en cuanto ponga mis ojos en él? —rugió.

—Creo que debes ponerte a la cola —intervino Bruce—. Edwin, soy Bruce Malone. Quiero preguntarte una cosa.

—Responderé si me dices dónde coño se esconde esa puta rata de mierda —gruñó.

—Bien, te lo diré, pero contesta antes a mi pregunta —apuntó sin dar su brazo a torcer.

—Dime —aseguró Edwin.

—¿Fuiste al apartamento de mi mujer?

—Sí.

—¿Encontraste a Corinne?

—Sí. Ya son dos preguntas texano —le advirtió.

—¿Había dos hombres con ella? —espetó antes de tomar aire.

—Como bien has dicho, había dos hombres con ella. Pero ya no están en este mundo. Si quieres encontrarlos, te deseo mucha suerte. Mi familia los cortó en pedazos y los llevó al desierto. Ya sabes, a los míos les gusta dar de comer a esos pobres buitres que vuelan buscando algo con lo que alimentarse —afirmó, apretando los dientes.

—Os lo dije… —susurró Gerald cuando los cuatro se quedaron mirando el teléfono sin poder parpadear.

—¿Cuántos hombres llevarás? —preguntó al fin Dylan.

—Primero la dirección.

—¿Recuerdas el antiguo matadero que hay en la zona norte del río Hudson? ¿Ese en el que solo hay escombros alrededor? —habló Bruce.

—Sí —afirmó con rapidez.

—Pues es allí donde se esconde. Hay dos formas de acceder al almacén. Por la carretera y por el río.

—¡Qué bonito lugar para morir! —exclamó con sarcasmo Edwin—. ¿Aún tienen los ganchos donde colgaban los caballos para despiezarlos? Mi abuelo solía visitar bastante aquel almacén. Según mi padre, si entraban seis, salían cuatro con dos grandes bolsas de carne cada uno —explicó, mordaz.

—Solo te pedimos que nos esperes. No eres el único que desea ver muerto a ese hijo de puta —indicó Thomas.

—¿*Cowboy*? —preguntó Edwin.

—Sí. Aquí estoy —respondió Sanders.

—Imagino que deseas hacerle pagar por lo que casi le hace a tu hija… —murmuró—. Pero prevalece sobre lo tuyo lo que ha pretendido hacerle a mi chica —añadió con firmeza.

—Bueno, tú promete que no entrarás hasta que lleguemos y luego ya veremos quién caza al zorro —manifestó Thomas, reclinándose en el asiento.

—Solo os juro que los vigilaré para que ninguna de esas ratas salga de su escondite. Sobre dar caza al zorro… no estoy muy seguro de que lo encontréis antes que yo —afirmó antes de colgar el teléfono.

—¡Joder! —tronó Bruce—. ¡Joder! ¡Ese no deja ni uno vivo!

—Ya os dije que Edwin era la mejor opción que tuvo el padre de mi mujer para protegerla…

CAPÍTULO XXVIII

LA LIBERTAD

Cuando llegaron al almacén, Dylan aparcó lo bastante lejos como para que nadie escuchara el ruido del motor. Había tomado la dirección que le indicó Bruce: la zona del río. Los cinco se desabrocharon los cinturones, cogieron las armas que tenían ocultas bajo los asientos, confirmaron que los cargadores tenían balas y salieron al exterior. Pero nada más abrir las puertas, fueron rodeados de hombres trajeados. Confusos, alzaron sus armas hacia quienes los apuntaban. Entonces Gerald reconoció la figura de Edwin, quien caminaba hacia ellos con calma.

—Castelli —le dijo el indio.

—Bajad las armas, son los texanos —les ordenó.

Como si su palabra fuera ley, aquellos italianos trajeados dejaron de apuntarlos y adoptaron una actitud relajada. Edwin se aproximó a Gerald y le dio un abrazo, luego continuó con Mathew y Thomas. Pero cuando llegó a Dylan, sonrió y le tendió la mano.

—¿Qué tal está Marcia, Malone? —le preguntó, mordaz.

—Bajo mi protección y en mi cama —afirmó Dylan sin apartar la mirada del italiano.

—Me alegro. Ella se merece tener a su lado un buen hombre. —Y tras esas palabras, lo abrazó como a los otros—. Tú debes de ser su hijo, ¿verdad?

—Sí —contestó él, aceptando el saludo amistoso del italiano—. Gracias por ayudarnos.

—No ha sido una ayuda, Malone, es una *vendetta*. Ese hijo de puta debe pagar lo que le ha hecho a Corinne —masculló.

—¿Cómo está? —se interesó Bruce.

—Como ha dicho tu padre: bajo mi protección y en mi cama —apuntó con firmeza.

—¿Habéis calculado cuántos hay? —intervino Thomas sin cesar de observar aquella especie de edificio hermético.

Edwin miró a Bruce para que él le respondiera, puesto que era el único que sabía cuántos miembros tenía la banda.

—Treinta —dijo el muchacho al fin.

—Veintiocho —le corrigió Edwin—. Tienes que descontar dos.

—¡Edwin! —dijo uno de los hombres que vigilaban la entrada—. ¡Mira eso!

Todos se volvieron hacia el lugar que le indicaba: la puerta principal. Se había abierto el portalón, como si hubieran decidido salir en estampida. Edwin movió la mano izquierda, ordenando que la mitad de sus hombres avanzaran hacia ese lugar. Luego, tras confirmar que se encontraban en la posición idónea, realizó el mismo gesto con la derecha.

—Nosotros entraremos de frente. ¿Os parece bien? —comentó Castelli.

—Me parece de puta madre —respondió Bruce, acogiendo en cada mano las armas que, paradójicamente, le había regalado el propio Ray.

—¿Qué crees que están haciendo? —preguntó el italiano al muchacho al observar que entraban y salían sin parar.

—Están asegurándose de que las motos están preparadas para salir. Walton intenta dejar la madriguera —advirtió, enfadado.

—Pues no hay tiempo que perder… —aseguró Edwin, caminando hacia la entrada como si estuviera cubierto por un escudo antibalas—. *Vai avanti, prendili!*[1] —clamó a su familia.

Aprovecharon el momento en el que los sicarios de Ray regresaban al interior del almacén para comenzar la batida. Salieron hombres de un lado y de otro disparando como si desearan vaciar el cargador en una diana colocada en la distancia. Los gritos de las mujeres se mezclaron con el sonido de las balas, que, en primer lugar, emprendieron los italianos pero que, en segundos, fueron respondidos por la banda de Ray.

—La vida de ellos o la nuestra —les avisó Edwin—. Vosotros decidís.

Los texanos, acompañados por Castelli, avanzaron sin parar. Los seis, al igual que los demás, no dudaron ni un solo segundo en tirotear hacia cualquier sombra que se movía. Durante unos minutos, todo fue un caos. Ya no solo gritaban las mujeres, sino también aquellos que habían sido heridos pidiendo piedad por su vida. Pero los italianos no la tuvieron. Cada hombre que encontraban herido, lo remataban con un disparo en la cabeza.

---

1 Adelante, a por ellos!

—Ray Walton, sal de una puta vez —dijo Edwin desde la entrada. Extendió sus manos hacia ambos lados y sonrió—. Ya estás muerto, no alargues tu final.

—¡Puto italiano de mierda! —gritó Ray desde su escondite—. ¿Qué cojones haces aquí? ¿Por qué has acribillado a mis hombres?

—La mia vendetta —le sonrió maléficamente—. È per la mia vendetta.

—¡Yo no te he hecho nada, puto espagueti italiano! —tronó, desesperado.

Entonces, aparecieron los cinco texanos detrás de Edwin. Thomas seguía apuntando hacia la izquierda, aniquilando a quienes los apuntaban por ese lado, Gerald y Mathew hacían lo mismo por la derecha y Bruce y Dylan caminaban hacia el frente.

—¡Texano! —exclamó, sorprendido, Ray al verlo—. ¡Bastardo de mierda! ¡Voy a meterte una puta bala entre las cejas!

—¿No prefieres combatir cuerpo a cuerpo? —le sugirió Bruce—. Si tan confiado estás de que ganarás…, no deberías perder la oportunidad que te ofrezco —apuntó, mordaz.

—¡Mientes! —exclamó Ray sin dejar de esconderse detrás de un muro de hormigón—. ¡Lo que pretendes es tenerme a tiro!

Bruce miró a sus acompañantes y, muy despacio, bajó las armas hacia el suelo. Levantó las manos para que Walton observara que estaba desarmado y que decía la verdad.

—Bruce… —murmuró Dylan, abriendo los ojos como platos.

Pero él no quiso escucharlo. Avanzó hacia el lugar que antes había sido un salón donde se divertían sin reducir el paso.

—Aquí me tienes… —continuó diciendo—. Si consigues derrotarme, saldrás vivo.

—¡Joder! —exclamó Sanders, dando un paso hacia delante, pero la mano de Dylan lo hizo parar. Cuando miró al mecánico, este movió ligeramente la cabeza para negar lo que pretendía hacer. Si Bruce quería enfrentarse a Ray con los puños, debían aceptar su decisión.

—¡Júralo! —pidió Ray sin ser capaz de abandonar su refugio.

—Lo juro —aseveró Bruce.

—¡Bajad las armas! —mandó Edwin a su familia. Y, como en las órdenes anteriores, todos le obedecieron. Aunque se mantuvieron alerta por si alguno de los que estaban tendidos en el suelo podía aún respirar.

No salió de su escondite hasta que el silencio reinó en el almacén y confirmó que nadie lo apuntaba. Entonces decidió aparecer. Despacio y con el arma en sus manos, se dirigió hacia Bruce.

—Estás muerto… —le dijo, dibujando una enorme sonrisa en su rostro mientras lanzaba la pistola hacia el sofá, donde había permanecido antes de que los disparos comenzaran.

—Ya lo veremos —declaró Bruce, quitándose la chaqueta para arrojarla al suelo con brusquedad.

El primer golpe lo recibió el joven texano y fue directo a la barbilla. Pero el segundo lo recibió Ray en el ojo izquierdo. No iba a ceder. Bruce no iba a permitirle que volviera a tocarlo. Quería asestarle cada golpe que él le había dado a Ohana. Necesitaba saldar su propia venganza y librarse por fin de toda esa maldad que él le inculcó desde que salieron del pueblo.

—¡Cabrón! —exclamó Ray sin bajar la guardia cuando notó un intenso dolor en el lado izquierdo.

—Me has enseñado bien, ¿verdad, Walton? —comentó Bruce antes de asestarle otro puñetazo en la misma zona—. Pero no debes atacarme, no debes ganar hasta que yo te haga la señal, ¿recuerdas? —tronó al tiempo que sus puños le asestaban un sinfín de golpes—. ¡No lo hagas! ¡No luches hasta que yo te lo diga! —decía mientras sus nudillos impactaban en el torso, en la mandíbula, en el cuello de Ray—. ¿Te gustan mis órdenes, hijo de puta? —vociferó al tomar fuerza en la mano derecha e impactarle otra vez en la mandíbula, haciendo que Ray echara varios pasos hacia atrás.

—¡Ya lo tienes! ¡Ya es tuyo! —gritó Sanders, que se sentía con la misma fuerza y presión que el muchacho.

—¡Golpea, hijo! ¡Hazle pagar todo lo que te ha hecho! —lo alentó Dylan.

Pero mientras todos animaban a Bruce, que se defendía y atacaba, un texano de adopción se había separado de ellos y caminaba por la zona buscando una rata fantasmal.

—¡Sal de donde estés! —le pidió Mathew a Square—. ¡No vas a salir vivo de aquí por mucho que te escondas!

—Médico… —dijo una voz que conocía bastante bien.

—Square… —le respondió, entornando los ojos y apuntándolo con el arma.

—Le pedí al muchacho que me permitiera morir después que él. —Movió ligeramente la barbilla hacia Ray.

—El muchacho no te conoce como yo, Square. Lo has enredado con patrañas absurdas sobre ese deseo de ver morir a Ray primero. Pero yo no soy él. Te conozco demasiado bien como para creerte. Lo que siempre has pretendido es deshacerte de Walton porque no has tenido el valor necesario para hacerlo tú mismo —refunfuñó.

—Te equivocas, ya no soy el hombre que conociste en el pasado… —apuntó, caminando despacio hacia la única silla que había junto a él—. Apenas me mantengo en pie… Soy un adicto que espera su última dosis letal.

—¡Pobrecito! —exclamó Mathew como si de verdad se compadeciera—. Te vuelvo a repetir que no me engañas. Nunca has hecho algo sin obtener nada a cambio y… ¿te olvidas de que soy médico? Sé cómo actúa la mente de un verdadero adicto y jamás estará tan lúcida como la tuya. Buscaste otro peón con el que cazar al rey y le hiciste creer que eras de los buenos… Pero tu juego ha terminado. Ha llegado la hora de realizar un jaque mate.

—Si sigues enfadado por lo que te hice en el pasado, te pido perdón —declaró mientras sacaba, con mucho cuidado para que Mathew observara que no iba a sacar ningún arma, uno de sus cigarros del bolsillo y se lo encendió.

—¡Qué hijo de puta! —ladró el médico—. ¿Me estás pidiendo perdón por arruinarme la vida, Square? —lo increpó sin dejar de apuntarlo.

—Sabía que ibas a marcharte. Te lo vi en los ojos… Yo quise que nos abandonaras, pero él —dijo, clavando la mirada en Ray, que se había arrodillado mientras Bruce seguía golpeándolo—. Él quería impedírtelo porque te necesitaba… Eras un servicio más para él.

—Allí nadie hacía nada sin que tú lo ordenaras. Ray era tu puta marioneta —aseveró Mathew, colocando el cañón de su pistola sobre la frente de Square—. Los dos tramasteis matarme, ¿sabes por qué lo sé?

—Ilumíname, doctor —demandó Square, soltando el humo del cigarro.

—Porque os escuché. Antes de marcharme, escuché cómo le decías a Ray que debía liquidarme cuanto antes porque yo no era de fiar —manifestó, apretando los dientes.

—¡Ah, ya sé a qué te refieres! Hablas de esa noche... —susurró la última frase mientras se tocaba la barbilla, como si no lo intimidara tener ese cañón del arma rozando su piel—. Sabía que estabas allí, detrás de la puerta, escuchando nuestra conversación. Llevabas tiempo espiándonos y aproveché ese momento para meterte miedo. Como no salió el plan A, busqué un plan B.

—¿Un plan B? —escupió Mathew, airado—. ¿Yo era tu puto plan B? ¿Arruinaste mi vida para convertirme en un maldito plan B? ¿Mi mujer, mis hijos, mis amigos han estado en peligro porque me has utilizado como plan B? —En cada palabra, notaba cómo la temperatura de su sangre aumentaba hasta quemarlo por dentro.

Recordó aquellos días, huyendo de los dos. Las peleas, las torturas, las violaciones, los muertos, los atracos... A Mathew se le nubló tanto la vista por el odio que lo cegó por completo. Frente a sus ojos no había un espectro de la persona que una vez fue, sino la persona que realmente era: una persona sin escrúpulos, fría, calculadora; bajo una apariencia demacrada, se hallaba un hombre más peligroso que Walton. No lo dejaría vivir. Lo veía en aquellos ojos moribundos. En ese momento apareció la imagen de Miah, la de sus hijos, los habitantes del pueblo. Ellos estaban felices viviendo en paz. Old-Quarter les daría la vida que siempre habían soñado... Kathy, Emma, Virginia, Marcia, Ohana, Miah..., ¿qué pasaría con ellas si aquel hombre decidía regresar? ¿Y los niños? ¿Podrían salir de sus casas con tranquilidad o tendrían que mirar siempre hacia atrás por si aparecía él? Quería una vida apacible... Vivir... La familia... Sanders... La pequeña niña que estuvo a punto de recibir la bala... El polvo de las ruedas de la moto de Ray... La incertidumbre..., los gritos..., llantos... Si no lo mataba, jamás alcanzaría la paz. Él no era el muchacho miedoso de años atrás. Ahora era un padre, un amigo, un hombre diferente y con muchas responsabilidades sobre sus espaldas. Tenía que matarlo. Miró a Square y supo la respuesta. Ajustó el dedo en el gatillo.

—Siempre hay que tener un...

No terminó la frase, Mathew le disparó en la cabeza, haciendo que la tapa de sus sesos saltase por los aires.

—Tú te has convertido en mi puto plan B —aseveró el médico después de lanzar el arma al suelo.

En el momento que escucharon el disparo, todas las miradas se fijaron en el médico. Ese instante en el que Bruce se quedó desconcertado, Ray aprovechó para sacarse de la pernera del pantalón un arma.

—¡Muere! —gruñó Ray, apuntando hacia el corazón del joven Malone, ese sobre el que había grabado la O.

—¡Muere tú, hijo de puta! —tronó Edwin al dispararle.

Los ojos de Ray se volvieron hacia atrás, blancos, el arma cayó de su mano lentamente y su cuerpo, débil por la pérdida de vida, se lanzó hacia delante, desplomándose a los pies de Bruce.

—¡Bruce! —exclamó Dylan mientras corría hacia su hijo. Una vez que lo tuvo delante, lo abrazó con tanta fuerza que este emitió un sollozo de dolor—. ¡Hijo mío! ¡Pensé que ibas a morir delante de mis ojos! —dijo, desesperado.

—Hoy no, padre. Hoy no. —Cuando Dylan dejó de llorar y se separó de él, Bruce se giró hacia Edwin. Le tendió la mano y le dijo—: Te debo una.

—No me debes nada, texano. Le prometí a Emma y a tu mujer que no os pasaría nada y he cumplido mi promesa —alegó, aceptando ese gesto fraternal.

—¿Mi mujer? —espetó Bruce, enarcando las cejas.

—Sí, Ohana habló conmigo a través del teléfono de Emma y me hizo jurarle que cuidaría de ti y de Corinne. Aunque no te lo creas, después de lo que has visto aquí, los Castelli somos unos corderitos cuando se trata de mujeres y jamás podemos negarnos a cumplir lo que ellas desean.

—¿Quieres que te ayudemos a limpiar toda esta basura? —intervino Gerald, cogiendo del cuello de la camisa a uno de los muertos y arrastrándolo hasta la salida—. Podemos hacer una hoguera y rezar por sus desdichadas almas.

—No. Nosotros nos encargamos de ellos —aseveró Edwin.

—Creo que los buitres no van a poder volar en una buena temporada. Tendrán tanta comida en el suelo que se olvidarán de que tienen alas —comentó Sanders, divertido—. ¿Estás bien? —le preguntó, echándole a Mathew el brazo sobres sus hombros.

—Mejor que bien —respondió este después de respirar hondo—. Mis hijos, mi mujer…, el pueblo entero está a salvo.

—Siempre lo han estado —apuntó Gerald—. Somos una gran familia en Old-Quater y tus problemas son los de todos —añadió antes de abrazarlo.

—Espero verte alguna vez —dijo Dylan a Edwin, extendiéndole la mano—. Ya sabes que en el pueblo están deseando escuchar algunas historias de tu familia.

—Durante un tiempo voy a estar algo ocupado, pero te prometo que cuando pueda, les contaré con orgullo que mi abuelo fue John Castelli —declaró, dándole un buen apretón—. ¿Bruce? —se volvió hacia el muchacho—, le he prometido a Ohana que la mantendré informada sobre Corinne. Pero, después de lo que ha sucedido, ella debe recuperarse.

—Tranquilo, yo me encargo de explicarle a mi mujer lo que me pides. —Edwin le extendió la mano, como había hecho con su padre, pero Bruce abrió los brazos y le dio un fuerte abrazo mientras le palmeaba la espalda—. Gracias, Edwin, por salvarme la vida, por darme una segunda oportunidad.

—No me las des a mí, sino a tu mujer. Ella fue quien me pidió que no te sucediera nada —reveló, dibujando una enorme sonrisa—. ¡Nos veremos pronto! —les aseguró mientras se alejaban.

Los cinco texanos regresaron a la ranchera no sin antes advertir que la familia Castelli tenían aparcada una furgoneta donde estaban metiendo los cuerpos.

—¡Joder con el padre de Emma! —exclamó Sanders todavía asombrado de la actuación de los italianos. Trabajaban con tanta frialdad que le provocó escalofríos.

—Ya os dije que la familia Blair siempre ha sido muy especial eligiendo a sus aliados…

—¿Te sientes libre? —le preguntó Dylan una vez que su hijo se sentó en el asiento del conductor.

—No lo seré hasta que vuelva con ella, pero antes de salir para siempre de esta maldita ciudad necesito recoger una cosa.

Dos noches y tres amaneceres, ese fue el tiempo que transcurrió desde que se marcharon. Todo el pueblo se mantuvo en tensión hasta que ellos informaron de que regresaban sanos y salvos. Miah no cesó de llorar cuando escuchó la voz de su marido. Jamás admitiría que lo hacía de emoción tras averiguar que Mathew salió ileso. Ella achacó su llanto al cambio hormonal provocado por el embarazo. Virginia, después de ver en el visor de su móvil el número de su marido, se apartó durante un rato para hablar a solas con su cowboy y, cuando regresó, tenía los carrillos más rojos que los tomates que sembraba el propio Sanders en su huerto. El mecánico también habló con Marcia y el pequeño Dylan. Cuando su hijo le preguntó si ya había arreglado el trineo de Santa Claus, este le dijo que sí y que el mismo Santa le había dicho que le traería un regalo tan grande que no entraría por la puerta de su casa. Emma charló un buen rato con Gerald y con Edwin para contrastar versiones de lo ocurrido. Según Edwin, Gerald se había comportado como un auténtico indio salvaje, arrasando con todo lo que hallaba a su paso. La historia que le narró Kenston a su esposa fue una muy distinta: que solo había tenido que disparar una vez y que, por desgracia, no alcanzó a nadie. Y ella habló durante horas y horas con Bruce. Le explicó todo lo que había sucedido desde que salieron del pueblo. Le describió cómo los recibieron los italianos, cómo asaltaron el almacén, la venganza de Mathew y esa pelea con Ray. A ella se le encogió el corazón cuando le describió que se desconcentró al escuchar el disparo y que en ese momento Walton sacó un arma y le apuntó al corazón. Le aseguró que lo único en lo que pensó al creer que iba a morir fue en ella y que la vio a su lado. Ohana lloraba desesperada al escuchar declararle su último deseo cuando pensó que moriría. «Pero todo ha acabado, tesoro. Ya podemos ser felices el resto de nuestras vidas», le aseguró tras contarle que Edwin le disparó entre ceja y ceja al criminal.

Ohana miró el reloj varias veces. No debían tardar. Los últimos mensajes que recibieron les indicaban que estaban en el cruce, a menos de cinco minutos del pueblo. Bajó las escaleras, las subió. Caminó hacia el lado derecho del porche, regresó al centro y avanzó hacia el izquierdo. Su corazón estaba tan agitado que lo notaba presionando su garganta. Todo había terminado. Gracias a Dios, toda esa maldad de la que Bruce se había rodeado había acabado al fin. Pero no se sentiría tranquila hasta que escuchase el característico rugido de la moto.

—¡Ya vienen! —gritó alguien, corriendo por la carretera—. ¡Ya vienen! —repitió, entusiasmado.

Ohana miró hacia el final de la calle y observó esa polvareda que desprendían los vehículos al llegar al pueblo. Abrazándose a sí misma, volvió a bajar esos cuatro peldaños que había entre el porche de la casa de Marcia y la acera.

—¡Ya están aquí! —exclamó Kathy para que las mujeres de esos valientes guerreros salieran a recibirlos.

Las miró durante un largo rato, admirando a esas esposas que se habían mantenido unidas mientras sus valerosos maridos apoyaban a Bruce. Él estaba en lo cierto. Todos lo habían perdonado tras esa deuda de paz. Nadie recordaría lo que hizo en el pasado y vivirían un futuro en el lugar que adoraban y con la gente que amaban.

Las luces de los vehículos iluminaron la calle, Virginia corrió hacia Thomas cuando este salió del interior de la ranchera. Miah, pese a querer mostrarse como una mujer de hielo, también fue en busca de su marido y una vez que lo tuvo delante, se abrazó a él y lloró de nuevo. Emma recibió a su indio con las manos en la cintura y, tras advertirle que como la engañara de nuevo no volvería a dormir con ella, este la alzó, la colocó sobre su hombro como si fuera un saco de heno y la condujo hacia el hostal de Kathy. Posiblemente, para hacerla callar durante muchas horas. Marcia, con Dylan Junior a su lado, acogió al mecánico entre besos y palabras de amor. Solo faltaba ella por recibir a la persona que amaba, pero estaba tan emocionada al verlo llegar montado en su moto que no fue capaz de caminar hacia él.

En medio de aquella algarabía, Bruce aparcó frente a la casa de Marcia, se quitó el casco y miró a su mujer. Nunca había pensado que aquella niña de horrendos vestidos con encajes, tan poco apropiados para un lugar como Old-Quarter, pudiera enamorarlo de aquella forma. Ya no había nada alrededor que le importara tanto como estar siempre a su lado. Necesitaba que ella fuera lo primero que viera al despertar y lo último que retuvieran sus pupilas antes de dormir. Su tesoro, su vida, su amor, su todo… Bajó de la moto, colocó el casco en el manillar y, sin apartar los ojos de Ohana, caminó hacia ella.

—Todo ha terminado… —le dijo cuando estuvo enfrente—. Ahora nos toca comenzar una vida juntos, si aún sigues queriéndome.

—¡Oh, Bruce! —exclamó, lanzándose a su cuello—. ¡Claro que te quiero! ¡Te quiero desde el mismo momento en que te cruzaste en mi vida!

—Cariño… —le susurró, recibiendo con satisfacción esos millones de besos en el rostro y en su boca—. Mi vida… —dijo, agarrándola con fuerza, encajándola en su cuerpo a la perfección—. Espero que hayas descansado —añadió, apartándose de ella ligeramente—, porque te he echado mucho de menos.

—¿Cuánto de menos? —le preguntó, levantando la barbilla y mostrándole ese rostro pícaro que a él tanto le gustaba.

—¡Mucho! —le respondió antes de alzarla sobre la cintura y dirigirla hacia el interior de la casa.

—¡A fabricar nuevos Malone! —gritó Dylan al ver que su hijo se llevaba a Ohana de aquella manera tan salvaje—. ¡Te vamos a ganar! —le advirtió a Sanders.

—¡Ni en tus sueños! ¡Old-Quarter será nuestro! —le respondió, divertido, Thomas.

—¡Eso ya lo veremos! —refunfuñó Dylan después de dejarle el niño a Kathy y llevarse a Marcia de la mano hacia su casa.

EPÍLOGO

AÑO Y MEDIO DESPUÉS

Ohana miró por novena vez aquello que sostenían sus manos. No podía ser verdad, debía tratarse de un error. ¿Cuántas veces podían fallar aquellos test? Alzó el mentón y observó a las dos mujeres que la contemplaban en silencio sin saber si darle la enhorabuena o el pésame.

—No puede ser verdad… —susurró al fin—. Esto no puede ser cierto.

—Yo creo que sí —habló Miah, cruzándose de brazos y adoptando una postura de enfado—. Las tres veces que me lo hice, las tres veces dio positivo y… ¿has contado los hijos que tengo?

—¿No te lo esperabas? —le preguntó Virginia, compadeciéndose de la muchacha al verla tan desorientada.

—No. La verdad es que no —reafirmó su negativa—. Hasta hace unos meses estaba tomando la píldora y solo la he dejado porque he tenido que realizar ese periodo obligatorio de descanso —comentó, mirando de nuevo el test de embarazo.

—Si pensaste que durante esos meses estarías protegida, te equivocaste. ¿No te lo explicó tu ginecólogo? —especificó Virginia.

—Sí, y nos hemos protegido... —le aseguró.

—Pues según parece, un texanito de Bruce ha decidido saltarse cualquier barrera que le hayáis puesto —comentó, burlona, Miah—. Pero no es una mala noticia, chiquilla. La llegada de un bebé es siempre motivo de festejo. ¿No recuerdas cómo celebraron el nacimiento de mi último hijo? El pueblo entero terminó durmiendo en el prado, borracho y con una sonrisa de oreja a oreja.

«Si estas supieran lo que tú y yo sabemos sobre el texano no estarían con esa cara de bobas», dijo la diablilla sentada sobre su hombro.

—Pero no pensé que seríamos padres tan pronto —aseveró Ohana, levantándose de la silla en la que se había sentado tras ver el resultado del Predictor—. Bruce acaba de abrir el taller, seguimos viviendo en casa de Marcia y yo tengo que entregar varias colecciones antes de que acabe el año.

—Bueno, pero seguro que tu madre puede ayudarte. No hay nada mejor que una abuela entregada a la crianza de su nieto —comentó Virginia para animarla.

—¡Mi madre! —exclamó Ohana, apretando con ambas manos su rostro—. ¡Le va a dar un patatús cuando se entere de que estoy esperando un hijo de Bruce!

«Tu madre se hace atea. Por si no lo recuerdas, ha estado rezando a Dios y acudiendo a misa para que te olvides del texano», comentó antes de soltar una carcajada.

—A ver, Ohana, cariño —intervino Miah—. Tu madre sabe que Bruce y tú no pasáis los días jugando al parchís. Así que no la pillará de sorpresa esta noticia.

—¡Odia a Bruce! ¡Lo odia porque dice que vivimos en pecado por su culpa! —le dijo alzando la voz—. Cada vez que viene a casa, le pregunta cuándo me va a pedir que me case con él.

—¿Y qué le responde? —se interesó en averiguar Miah—. Porque cuando Bruce se cabrea...

—Le sonríe y, delante de ella, me da una palmada en el culo o me abraza por detrás y me da un mordisco en el cuello... —enumeró—. El mes pasado se propuso hacerlo en la cocina mientras mi madre se retiraba al baño —le dijo, sofocada.

«Lo recuerdo, lo recuerdo... ¿No te pareció excitante? Porque a mí me siguen temblando las piernas».

—¿Y lo hiciste? —preguntó Virginia, divertida.

—¿Crees que le puedo negar algo a mi Malone? —respondió Ohana, entornando los ojos.

«**¡No!**», exclamó la diablilla con el tridente en la mano.

—¡Pues voilà! ¡He ahí la respuesta a tu pregunta de por qué estás embarazada hasta las pestañas, cariño! —exclamó, divertida, Miah—. Espero que nunca le digáis a ese niño que fue concebido en la cocina mientras su abuela hacía pis.

—¡Oh, Dios mío! —gritó desesperada Ohana, frotándose el rostro—. ¿Cómo se lo digo a Bruce? ¿Cómo se lo va a tomar?

—¿Nunca te ha hablado de tener hijos? —intervino Virginia.

—Sí, lo hemos hablado muchas veces, ya sabes lo pesado que se ha vuelto Dylan desde que nació su pequeña Chloe. Quiere dejar de ser padre para convertirse en abuelo y raro es el día que no aparece para cenar e insiste en que sería conveniente que sus hijos y los nuestros se criaran juntos. Además, no le hace ninguna gracia que los Sanders se apoderen del pueblo...

—¿Nosotros? —espetó Virginia con asombro.

—¿Cuántos hijos tienes, Virginia? —demandó Ohana muy seria, como si la estuviera regañando.

—Tendré cinco cuando nazcan los dos que tengo en mi interior —reveló, tocándose el vientre.

—¿Y no te parece a ti que estás poblando Old-Quarter de pequeños Sanders? ¡Si hasta hace siete años éramos veinte habitantes!

—En eso tiene razón —apuntó Miah—. Entre los tuyos, los de Gerald y los míos, hemos duplicado la población oldquateriana en muy poco tiempo —añadió, divertida.

—Y en el otro bando están los Malone —resopló Ohana.

—Esto parece una competición, como si hubieran apostado quién de ellos se convierte en el primer semental del pueblo —opinó Virginia antes de soltar una carcajada.

—¿Problemas en el paraíso de las mujeres oldquaterianas? —preguntó Mathew a modo de saludo al encontrarlas con la puerta cerrada.

—Ohana está embarazada —le soltó su esposa—. Y no sabe cómo darle la noticia a Bruce.

—¿Bruce Malone va a ser padre? ¡Eso sí que no me lo puedo perder! —exclamó Mathew—. ¿Cuándo se lo vas a decir? ¿Me da tiempo a llamar a Thomas? Creo que, si te esperas aquí diez minutos, puedo decirle que se traiga también a Gerald y Emma. —Tecleó el número de Sanders con rapidez—. Cowboy, esta noticia te va a encantar. ¡El pequeño criminal va a ser padre! —gritó nada más escuchar la voz de Thomas.

—Si quieres tener algo de intimidad —le susurró Virginia—, sal corriendo antes de que el pueblo entero se reúna delante del taller y Bruce crea que van a lincharlo de nuevo.

Y Ohana, con el test de embarazo en la mano, salió corriendo hacia el taller de Bruce. Tenía que anunciarle que dentro de ella estaba creciendo un pequeño ser antes de que llegara todo el mundo. ¿Cómo se tomaría la noticia? ¿Lo haría feliz? ¿Se ilusionaría? Era cierto que habían hablado de tener hijos, pero nunca habían fijado una fecha, aunque daban por sentado que sería con el tiempo. El taller apenas llevaba seis meses en funcionamiento. No les iba mal, al contrario, como Dylan cerró el suyo para ayudar a su hijo, todos los clientes que tenía el mecánico continuaron apoyándolo. Luego, tras el anuncio que puso Bruce en el periódico y el manejo de las redes sociales, muchos moteros dejaban sus amadas motos para que él las customizase. Y realizaba un buen trabajo. Había obtenido, en tan poco tiempo, dos premios al mejor restaurador en Austin y Dallas. Si no hubiera sido porque en el recuento de votos se hallaron más de mil papeletas a favor de Bruce, ella habría afirmado que el pueblo entero se había trasladado a esos certámenes y, en secreto, habían votado por él. Por su parte, tras la rotunda negación de Bartholomew, siguió buscando patrocinadores que la ayudaran a alcanzar su sueño. Y, ¿quién fue el deseado mecenas? Corinne.

Ohana tomó aire cuando llegó a la puerta de la oficina del taller. Necesitaba concentrarse en buscar las palabras adecuadas para darle a Bruce la noticia. Puso la mano en la manivela, la giró y, cuando abrió la puerta, se encontró a Dylan sentado en el lugar que debía estar el futuro padre.

—¡Buenos días, pequeña! —la saludó el mecánico—. ¿Qué… ocurre? —preguntó, levantándose de golpe al ver el rostro desencajado de Ohana.

—¿Dónde está Bruce? —preguntó, desesperada.

—Bajo el elevador —respondió, señalando con el dedo hacia la ventana—. Está revisando uno de los vehículos que han traído esta mañana. ¿Qué sucede? ¿Estás bien?

—Tengo que decirle una cosa muy importante —comentó la muchacha, mirando a través del cristal.

—La última vez que mi esposa me dijo que tenía que hablarme sobre una cosa muy importarte fue para… —Se quedó callado y observó, de nuevo, el rostro de Ohana antes de que ella atravesara en dos zancadas la oficina para ir al taller. Una sonrisa apareció en sus labios y golpeó la mesa con fuerza—. ¡Ese es mi chico! ¡Que los Malone se conviertan en la familia más numerosa de este pueblo! ¡A por los Sanders! —Y, sin decir nada más, salió disparado de la oficina para encontrarse con algunos lugareños que esperaban, frente a las grandes puertas de la entrada, la reacción de Bruce—. ¡Maldita sea! ¿Os habéis enterado de la noticia antes que mi hijo? ¡Es que aquí no se puede ocultar nada! —exclamó con una mezcla de sorpresa y enfado.

—No, si la primera en descubrirlo es Miah —comentó la señora Duffy a modo de excusa.

Y en ese momento apareció por la calle una camioneta a gran velocidad. Se paró al lado de todos, se abrieron tres puertas y salieron del interior Thomas Sanders y el matrimonio Kenston.

—¿Nos lo hemos perdido? —preguntó el cowboy.

—No. Habéis llegado justo a tiempo —le respondió Mathew.

Ohana avanzó por el taller hasta quedarse detrás de Bruce. Él estaba tan ensimismado en el trabajo que no advirtió su presencia. Mientras levantaba los brazos para desencajar una pieza del vehículo, ella observó aquel tatuaje de la espalda con ternura y emoción. Su imagen. Allí donde se grabaron dos armas que representaban la vida que tuvo antes de que se reencontraran, ahora se hallaba tatuado su rostro, con el nombre del hombre que amaba sobre sus hombros y el del pueblo en el que serían felices en la parte baja de la espalda. Respiró hondo, se puso las manos en la cintura y le dijo:

—Bruce, tenemos que hablar —indicó con tono enfadado.

—¿Ohana? —preguntó, desconcertado, al escuchar esa voz tan airada. Se llevó la mano derecha hacia la cabeza, para calmar el leve dolor que sentía por haberse golpeado con el eje delantero del coche, se volvió hacia ella y caminó despacio—. ¿Qué sucede?

—Ya tengo los resultados —manifestó, aguantando esa risita tonta que aparecía cada vez que lo veía con el torso desnudo, manchado de grasa y mirándola sin pestañear—. ¿Recuerdas la tarde en la que nos visitó mi madre y se retiró al baño?

—Sí —respondió con una enorme sonrisa—. Creo que hizo el pis más largo de la historia —añadió, burlón.

—Pues debido a eso estoy embarazada —soltó sin tomar aire mientras le acercaba al rostro el test con las dos rayitas.

—¿Embarazada? ¿Embarazada? —dijo, mirando ese pequeño aparato de plástico.

—Sí, embarazada. Uno de tus malones sin controlar ha llegado hasta mi…

—¡Embarazada! —exclamó, entusiasmado. Tiró el test al suelo y la cogió por la cintura para alzarla y darle un par de vueltas al tiempo que exclamaba ilusionado—: ¡Voy a ser padre! ¡Voy a ser padre!

—Vaya... has reaccionado mejor que yo —le confesó en voz baja.

—¿No quieres tener un hijo mío? —espetó, abriendo los ojos mientras la posaba en el suelo.

—No es eso, Bruce. Es que pensaba que no era el momento. Hace poco que abriste el taller, aún vivimos en casa de Marcia y pensé que quizás...

—¡No hay ningún quizás! —celebró de nuevo, abrazándola con fuerza—. ¡Voy a ser padre! ¡Nacerá otro Malone!

—¡Así se habla! —exclamó, orgulloso, Dylan—. Vamos a superarte, cowboy —le dijo a Sanders—. Los Malone acaban de tomar una buena posición en esta carrera.

—¡Por el amor de Dios! ¿Mi hija está embarazada y todavía no se ha casado? —gritó Samantha desde la puerta del taller.

«Querida madre, deje de dar por culo y asuma de una vez que nosotras no nos vamos a separar de Bruce. Desde que nacimos fuimos y seremos creadas para él».

—Buenos días, suegra —comentó, divertido, Bruce—. Espero que la noticia haya sido de su agrado. —Y, como siempre hacía cuando aparecía la madre de Ohana, extendió sus manos y las posó en el culo de la madre de su hijo.

—¿Buenos días? —refunfuñó ella—. Mi querida niña espera un bebé y el pobre va a crecer en pecado. ¡En pecado! —clamó, poniendo los ojos en blanco.

—Eso tiene solución... —comentó Bruce, sonriendo de oreja a oreja. Con una mirada interrogante de su mujer clavada en él, se dirigió hacia una caja de herramientas, buscó lo que deseaba encontrar y regresó hacia ella—. Mi querida Ohana Cohlen —anunció, mostrándole una tuerca al tiempo que se arrodillaba—. ¿Estarías dispuesta a casarte conmigo y a dejar de vivir en pecado? —señaló con retintín.

—Solo si seguimos pecando como hasta ahora —susurró solo para él.

—Pecaremos todos los días, tesoro. Mientras me quede un aliento de vida estaré pecando contigo —aseguró.

—Si es así... Sí, te acepto como esposo, Bruce Malone.

«Te aceptamos, Ohana. Que yo jamás me iré».

—¡Te quiero! —le dijo, abrazándola tan fuerte que de nuevo sus dos cuerpos se convirtieron en uno solo—. Te quiero a ti y querré a todos los hijos que tendremos.

—¡Que serán muchos! —apuntó Dylan, dando unas grandiosas palmas.

—Yo también te quiero, Bruce, y querré a todos esos Malone que nacerán para atormentar a mi pobre madre.

Y, como solía pasar en el pueblo cada vez que había una buena noticia, todos aplaudieron y vitorearon a esos futuros padres.

¿Había algo más hermoso que observar cómo la gente que adorabas estaba a tu lado en los buenos y en los malos momentos? Pues así eran los habitantes de Old-Quarter. Una gran familia que permanecería unida para disfrutar juntos las cosas agradables que ofrecía la vida y para apoyarse cuando no lo fueran tanto...

NOTA DE LA AUTORA

Espero que la historia de Bruce y Ohana os haya encantado, a mí me ha dejado sin palabras y con el corazón encogido. Nunca imaginé que el título sería tan adecuado para ellos... *Mi libertad*, ¿acaso no soñamos con obtenerla? Cada una a su manera, claro.

Os prometo que pensé que Bruce cerraría la serie Old-Quarter, pero no puedo dejaros sin saber qué ocurrió con Edwin y Corinne, ¿verdad?

Pues eso, que me pondré a ello en cuanto pueda. El título se llamará Mi lado salvaje en español.

Recordad que... ¡SOIS EL MOTIVO POR EL QUE ESCRIBO!

Un beso enorme de vuestra

Dama Beltrán

AVANCE

MI LADO SALVAJE

¡Mierda! —exclamó Edwin, lanzando la botella de Macallan 1926[2] contra la pared, haciéndola estallar con el impacto.

Los cristales y el poco contenido que había en el interior se esparcieron por el salón con tanta fuerza que parecían las balas de un subfusil Thompson[3], ese que acompañaba a su abuelo John allá donde estuviera. Cerró los ojos, intentando mantener la calma, pero le resultaba imposible encontrarla después de lo sucedido con Corinne. Llevaba días encerrado en su apartamento, tumbado sobre el sillón de piel negro, releyendo una y otra vez esa tarjeta de visita que se le cayó del bolso la noche que pasó con él, vestido durante tres

2 Una botella de 750 ml de este *whisky* cuesta 75 000 dólares. Desde la aparición de la ley seca (1920–1933) este whisky de Speyside fue el primero en hacer parte de una subasta de Nueva York en 2007.

3 El Thompson es un subfusil estadounidense, diseñado por John Taliaferro Thompson en 1919, que adquirió mala fama durante la época de la Prohibición. Se le veía habitualmente en los medios de la época, ya que fue usado tanto por los agentes de las fuerzas policiales como por los criminales.

días con el mismo pantalón vaquero y camisa blanca, sin afeitar, bebiendo uno de los bienes más codiciados de la familia Castelli, porque su cabeza no podía eliminarla. Se llevó el antebrazo a la frente, clavó la mirada en el techo y respiró hondo. Se había jurado, tras lo sucedido con Giovanna, que no volvería a sufrir por una mujer. Pero allí se encontraba, rodeado de oscuridad y silencio mientras su mente le evocaba una y otra vez aquellas magníficas horas que permanecieron juntos. Su sexo, al pensar en ella otra vez, al recordar el sabor de su piel, volvió a endurecerse, reclamando lo que creía que era suyo. Edwin gruñó enfadado. ¿Cuántas veces se había masturbado pensando en ella? Tal vez, si contaba los clínex que había tirados por el suelo, sabría la respuesta. Cerró los ojos y suspiró. ¿A quién quería engañar? ¿A él?

Después de aceptar otra derrota, dirigió las manos hacia su pantalón, se desabrochó la bragueta e intentó calmar esa excitación como había hecho durante sus días de clausura. Supuso, erróneamente, que, si no salía a la calle, si mantenía escondido, ese deseo, ese absurdo deseo de presentarse en el hogar de Corinne y reclamarla como suya, desaparecería. Sin embargo, allí estaba, deseándola de nuevo. Evocando en su cabeza cada suspiro, cada gemido y cada caricia que Corinne le ofreció aquella magnífica noche.

—¿Por qué yo? ¿No hay otra persona que pueda sacarla de aquí? —le preguntó a Ralph cuando le pidió que acompañara a Corinne a su hogar antes de que fuera asaltada por alguno de los que la miraban.

—Eres el único en quien puedo confiar. —Edwin frunció el ceño y apartó los ojos de su nuevo jefe para clavarlos

en aquella chica. Una que había captado su atención meses atrás, cuando, en mitad de un desfile, la muy atrevida se colocó a cuatro patas en la pasarela y emitió un sonido parecido al de una tigresa. Desde aquel momento, sus ojos no paraban de buscarla y su cuerpo reaccionaba, de manera inadecuada, al verla. Quizás la parte dominante, esa que guardaba bajo llave, se liberó al contemplar el maravilloso espectáculo. Y en aquel momento, Ralph, ajeno a todo lo que su hombre de confianza sentía por la joven, le proponía algo que lo destruiría para siempre—. Desde que estás conmigo —continuó hablando Ralph—, jamás has estado con una mujer que no haya sobrepasado los treinta y, como puedes apreciar, ella no ha cumplido ni los veinticinco.

Prohibida. Era una fruta prohibida para él. La misma que Eva y Adán encontraron en el Paraíso. Sin embargo, en aquel instante, su nuevo jefe se había convertido en esa serpiente de la que hablaba la Biblia.

—¿Por qué no envías a Tex? Está casado y solo tiene ojos para su esposa —le ofertó.

—¡No! —exclamó, enojado, Ralph—. Quiero que lo hagas tú. Confío plenamente en ti.

Mientras que las imágenes de ella deambulaban por el interior de su cabeza, Edwin terminó por rendirse a esa incipiente necesidad. Sacó su sexo y se masturbó pensando en Corinne. Estaba a punto de correrse, de llegar a ese necesitado orgasmo, cuando el móvil empezó a sonar. Paró justo en el instante en el que su semen luchaba por salir. Ese acto tan inoportuno le causaría un enorme dolor de huevos, pero no podía rechazar la llamada puesto que quien intentaba contactar con él era Emma Kenston.

—¿Qué se te ha perdido, Emma, para llamarme a estas horas? —gruñó, apretando la mandíbula. Sometiéndose al castigo que su cuerpo le otorgaba por no finalizar algo que ansiaba terminar.

—Sé que aún no ha amanecido, pero necesito que me hagas un favor. ¿Dónde estás?

Edwin se incorporó del asiento, colocó la tarjeta de visita de Corinne sobre la mesa y empezó a darle vueltas con el dedo. Era muy raro, desde que Emma se casó, que lo llamara de madrugada y denotando en su voz una mezcla de miedo y ansiedad.

—¿Qué sucede, Emma? —preguntó notando cómo su corazón latía tan rápido que pronto saldría disparado de su pecho.

—Hay una persona en peligro y quiero que la protejas —le dijo.

—¿De quién se trata? —demandó con voz espesa, ruda, escalofriante.

—Es una amiga de Ohana, la hija de Samantha, ¿la recuerdas?

—¿Aquella que fue aceptada en el instituto de moda? —preguntó para confirmar sus pensamientos. Se levantó del sillón con rapidez, llevando entre sus dedos esa tarjeta de Corinne. Frunció el ceño al leer la dirección de nuevo. ¿Cómo narices se le ocurría escribir su dirección en una tarjeta de visita? Cualquier pervertido podía aparecer en su casa para acosarla. Solo el hecho de pensarlo lo enfureció tanto que, en el reflejo de la ventana por la que veían las luces de los edificios de enfrente, sobresaltaron dos destellos rojos, los de sus ojos—. ¿Qué ha sucedido? —volvió a preguntar mientras se retiraba del balcón para caminar hacia el dormitorio. Debía centrarse en el favor que le pedía Emma y con el tiempo, si coincidían en algún desfile, le comentaría sutilmente a Corinne que debía eliminar su dirección de las tarjetas si no quería ratas pervertidas merodeando su hogar.

—No está a salvo. La banda de Walton, el criminal que disparó a mi marido y a la que ha pertenecido Bruce durante este tiempo, secuestró a Ohana, pero ha sido liberada y ella piensa que pueden hacerle daño a su compañera de piso.

—¿Cómo se llama la chica? —solicitó saber mientras metía los pies en las deportivas.

—Me está preguntando cómo se llama la chica —dijo Emma.

—Corinne Dacheux. —Oyó que respondía la voz de otra mujer.

—¿Lo has oído? —perseveró la esposa de Gerald.

—Sí —comentó, intentando mantener la calma.

—Voy a darte su dirección —continuó Emma—. El edificio se encuentra…

—Sé dónde vive —declaró antes de colgar el teléfono sin despedirse y tirarlo sobre la cama.

Furia, ira, cólera, ansiedad, desesperación. Todo eso recorrió el cuerpo de Edwin en aquel momento. Su sangre Castelli, esa que había eludido durante muchos años, esa que nadie debía descubrir, recorrió su cuerpo, tomando el control. Abrió el cajón donde guardaba su ropa interior, levantó la tapa y cogió una de sus cinco armas. Sin poder pensar con claridad, enroscó el silenciador en ella, se la puso en la espalda, agarró el móvil y salió del apartamento tan rápido como le permitió la tensión que embargaba su cuerpo.

Condujo el Lamborghini por la ciudad obviando las señales de tráfico. Ningún semáforo en rojo le impediría llegar hasta Corinne y protegerla. La llevaría a su hogar y la resguardaría de cualquier peligro. Ella se opondría, rechazaría su ayuda. Después de lo ocurrido durante aquella noche, rehusaría permanecer a su lado de nuevo. Pero en esta ocasión no se trataba de placer sino de protección, de cuidarla, de evitar que alguien quisiera hacerle daño. La mera idea de que alguien pudiera dañarla lo destrozó y pisó el acelerador hasta sentir el suelo del coche en la suela de su zapatilla.

No aminoró la velocidad hasta que llegó al barrio en el que vivía. Salió raudo del coche, como un rayo proyectado hacia el suelo. Caminó hasta la puerta principal y frunció el ceño. Alguien había forzado la cerradura de la verja. Con los ojos rojos por la ira, con el corazón latiendo desesperado, Edwin entró en el portal, descubriendo horrorizado que el cerrojo de la segunda puerta también estaba roto. Subió por las escaleras, evitando llamar la atención metiéndose en el ascensor que sonaba como un cacharro viejo. La presión, la rabia, la cólera le hicieron olvidar quién era, en quién se había convertido. Solo era consciente del poder que sentía al liberar, por fin, su sangre Castelli, la misma que recorrió las venas de su abuelo John.

Al llegar al pasillo, pisó esa alfombra azul oscura con mucho cuidado. Empuñaba su arma con las dos manos, evitando hacer el más mínimo ruido. Hasta logró reducir su respiración. Solo él escuchaba los latidos de su propio corazón…

Al ver que la puerta del apartamento de Corinne también estaba forzada, la desesperación se adueñó de él, pero la aplacó esa sangre asesina que recorría sus venas. Cautela. Si quería salvarla, debía actuar con cautela.

Abrió despacio, encañonando su arma hacia el salón. No había nadie. Se giró sobre sí mismo, con las plantas de los pies tan pegadas en el suelo que parecían las raíces de un roble.

—¡Menuda sorpresa! —exclamó la voz de un hombre que provenía de la habitación de Corinne—. Ray nunca nos dijo que obtendríamos este hermoso premio.

Edwin olvidó respirar al pensar que había llegado tarde, demasiado tarde para salvarla de unas malditas manos.

—¡Qué perra más deliciosa! —dijo otra voz.

Dos. Si no erraba, había dos hombres con ella. El cuerpo de Edwin seguía tenso y la capacidad de pensar con claridad desapareció. Se colocó frente a la puerta del dormitorio de Corinne y, a través de la pequeña rendija, la vio sobre la cama, desnuda, llorando y pidiendo misericordia.

—¿Qué polla chuparás primero? —le preguntó alguno de los dos.

—¡Ninguna! —bramó Edwin.

Golpeó la puerta con la suela de su zapatilla deportiva, apuntó hacia esos dos hombres que se masturbaban frente a ella y les disparó en la cabeza. Corinne gritó aterrada, dio un salto y cayó al suelo.

—Pequeña, soy yo —le dijo Edwin mientras esquivaba los cadáveres, que empezaban a manchar el suelo de sangre—. ¿Me escuchas? Déjame que te mire... —le susurró cuando estuvo frente a ella. No podía tocarla, si ella no reaccionaba, si no descubría que estaba a salvo, continuaría gritando y acudiría a su piso la policía antes de que pudiera avisar a sus primos para que limpiaran el apartamento.

Corinne levantó la mirada. Sus ojos, rojos por el llanto, lo observaron sin verlo. Estaba perdida en el miedo, en el pavor, en la angustia.

—¿Me ves? —le preguntó mientras se arrodillaba—. ¿Me escuchas? ¿Sabes quién soy, pequeña? He venido a sacarte de aquí, a protegerte. ¿Entiendes lo que te digo, Corinne?

Ella asintió levemente. Seguía temblando, sudando por el pánico. Justo cuando Edwin observó aquel débil cuerpo que arroparía con una sábana antes de sacarla de aquel infierno, descubrió varios moratones sobre su espalda, sobre su cuello y sobre los brazos.

—¿Quién te hizo eso, pequeña? —clamó fuera de sí—. ¿Los dos? —Ella negó lentamente—. ¿Quién, Corinne? ¿Quién te los hizo?

Con las lágrimas recorriendo el rostro, con los labios temblando, Corinne levantó muy despacio la mano para indicarle al más grueso. El que, justo al golpear la puerta, había preguntado aquella barbaridad.

—¿Ha sido ese, cariño? —insistió. Ella afirmó con un leve movimiento de cabeza.

Entonces Edwin se apartó de Corinne, se dirigió hacia el cuerpo que ella había señalado y comenzó a asestarle un sinfín de puñetazos y patadas. Cuando se vio saciado, cuando el sudor traspasó la camisa blanca, pegándola al cuerpo como si fuera su piel, apuntó su arma hacia el sexo del cadáver y le vació el cargador.

—Ya no lo hará más —expresó regresando a ella—. Voy a sacarte de aquí, ¿entiendes lo que te digo? —Corinne no respondió, estaba ausente, lejos de él. Edwin cogió la sábana donde había permanecido arrodillada suplicándoles que no le hicieran nada, la cubrió y la alzó en sus brazos—. Te juro por mi vida que nadie volverá a hacerte daño y, si desean hacerlo, antes tendrán que matarme.

Continuará…

OTROS TÍTULOS

NOVELAS HISTÓRICAS

Serie los caballeros:
La soledad del duque
La sorpresa del marqués.
La tristeza del barón.
El corazón del inspector O´Brian
Mi amada pícara.

Saga las hermanas Moore:
La maldición de Anne.
El deseo de Mary.
La batalla de Elizabeth
La valentía de Josephine
El despertar de Madeleine (finales 2021)

Títulos independientes:
La hija del duque.
El secreto de lord Bestia.

OTROS TÍTULOS

NOVELAS CONTEMPORÁNEAS

Serie Old-Quarter:
My Angel.
My Hell.
My Indian Blood
My Freedom
My Wild Side (Just a Fool) (2022)

Títulos independientes:
#TanaLove (comedia romántica)
Engañada (thriller)
Crónica de un deseo (thriller romántico)
Enamorado de ella (novela erótica)

SÍGUEME EN:

—**Facebook:** Dama Beltrán

—**FanPage:** https://www.facebook.com/autoradamabeltran/

—**Twitter:** @EscritDamaBeltr

—**Instagram:** dama.escritora

Milton Keynes UK
Ingram Content Group UK Ltd.
UKHW011958281223
435113UK00001B/27